澳大利亚文学经典
Australian Classics

The Rose Crossing • The Red Thread

Nicholas Jose

黑玫瑰 • 红线

（澳）尼古拉斯·周思 / 著
李尧 / 译

青岛出版社
QINGDAO PUBLISHING HOUSE

编委会

鸣　谢

WESTERN SYDNEY
UNIVERSITY

Foundation for Australian Studies in China

本译文集荣获北京外国语大学、内蒙古师范大学、西悉尼大学、在华澳大利亚研究基金会的大力支持，特此感谢！

总序 ❶

General Preface

I am pleased to introduce this important collection of Australian literature translated by Li Yao.

The 40th anniversary of Li Yao's career as a translator is a timely occasion to revisit some of Australia's great literary works.

Thanks to Li Yao's unwavering commitment to translating Australian literature into Chinese, works by Alexis Wright, Patrick White, Thomas Keneally, and Colleen McCullough, among others, will continue to delight readers in China.

We can see in this collection the uniqueness of Indigenous stories and writing that reflects Australia as a contemporary, diverse society.

The breadth of this collection and the interest in China in Li Yao's translation of Australian works reflect both the richness of Australian literature and the depth of the ties between Australia and China.

The publication coincides with the 45th anniversary of the establishment of diplomatic relations between Australia and China in December 1972, providing an opportunity to celebrate what has already been achieved and to consider how we can further enrich each other's societies, including through literary exchange.

The many partnerships between authors, translators, editors, publishers and readers that have made this collection a reality form an important part of the great fabric of the Australia-China relationship,

I congratulate the Editorial Board, in particular Professors Sun Youzhong, Zhang Haifeng and Li Jianjun; Beijing Foreign Studies University, Inner Mongolia Normal University, Western Sydney University and the Foundation for Australian Studies in China, as well as the publisher of the collection, Qingdao Publishing Group.

I am sure these stories will continue to inspire interest in Australia and in Australian literature in China.

Jan Adams

Jan Adams Ao PSM
November, 2017

总序 ❶

General Preface

我很高兴在此向大家介绍李尧翻译的这套重要的澳大利亚文学作品选集。

在李尧翻译生涯进入第四十个年头的时候，重温澳大利亚一些伟大的文学作品可谓正逢其时。

正是由于李尧对澳大利亚文学作品中译的不懈努力，亚力克西斯·赖特、帕特里克·怀特、托马斯·肯尼利和考琳·麦卡洛等人的作品将继续给中国读者带来愉悦。

从这部译文集里，我们既能看到澳大利亚独特的原住民故事，也能读到反映澳大利亚现代、多元社会的作品。

译文集的跨度以及李尧译作中的中国兴趣既反映了澳大利亚文学的丰富性，也体现了中澳两国关系的深度。

中澳两国 1972 年 12 月建立外交关系，译文集的出版正值建交四十五周年。这也为我们提供了一个契机，庆祝所取得的成就，并思考如何通过文学交流等方式丰富彼此的社会。

作者、译者、出版社和读者之间的诸多伙伴关系促成了这部译文集的完成，这也是构成中澳关系丰富肌理的一个重要部分。

我祝贺编委会，特别是孙有中教授、张海峰教授和李建军先生，也要祝贺北京外国语大学、内蒙古师范大学、西悉尼大学、在华澳大利亚研究基金会以及这部译文集的出版方——青岛出版集团。

我相信译文集中的故事将继续在中国唤起人们对澳大利亚及其文学的兴趣。

Jan Adams

澳大利亚驻华大使 安思捷

2017 年 11 月

General Preface

德国文学、法国文学、英国文学、俄罗斯文学、美国文学和日本文学介绍到我国已经有了很长一段历史，从十九世纪末到二十世纪初期出现了大量各国文学译本。特别是日本文学，据查，在明代已经有李言恭、郑杰编纂的日本短歌39首被译为中文。澳大利亚文学进入中国则是比较近期的事。1953年上海出版公司出版了詹姆斯·阿尔德里奇(James Aldridge)的小说《外交官》(*The Diplomat*)的中文译本，这是我国出版的第一部澳大利亚小说。1954年出版了弗兰克·哈代(Frank Hardy)的《幸福的明天》（*Journey into the Future*）和《不光荣的权力》（*Power Without Glory*），此后又陆续出版了一些长篇和短篇小说以及一些诗集和剧本，包括凯瑟琳·苏珊娜·普里查德(Katharine Susannah Prichard)的《沸腾的九十年代》（*The Roaring Nineties*），朱达·沃顿(Judah Waten)的《不屈的人们》（*The Unbending*）等。[①]但是，总的来说，在二十世纪五十至七十年

①陈弘：《20世纪我国的澳大利亚文学研究述评》，《华东师范大学学报（哲学社会科学版）》2012年第6期。

代，我国的澳洲文学翻译不仅数量很少，而且，由于当时的时代背景，翻译的选题范围狭窄，作品内容单一。

这一局面的改变得益于1978年我国开始实行的改革开放政策。在这一年，发生了一些对澳洲文学翻译具有深远意义的事情。安徽大学成立了大洋洲文学研究所，推出《大洋洲文学》期刊，翻译出版了澳大利亚、新西兰的一些文学作品。人民文学出版社出版了刘寿康翻译的《劳森短篇小说集》。这一年年底，教育部将全国选拔出的9位中年教师集中于北京，准备派往悉尼大学。这就是日后人们戏称“九人帮”的一批学者。在悉尼大学，他们虽然分属英文系和语言学系攻读硕士学位，但多数都选学了澳大利亚文学课程。这一批学者在学成归国后，在推动澳大利亚研究方面发挥了重要的作用。也就是在这一年，李尧先生开始了他漫长的文学翻译之旅。

二十世纪八十和九十年代是一个热气腾腾的时代。澳大利亚文学翻译呈现出勃勃生机。在这一时期出版的澳大利亚文学作品包括艾伦·马歇尔(Alan Marshall)的《我能跳过水洼》(*I Can Jump Puddles*)，罗尔夫·博尔德沃德(Rolf Boldrewood)的《空谷蹄踪》(*Robbery Under Arms*)，帕特里克·怀特(Patrick White)的《风暴眼》(*The Eye of the Storm*)、《人树》(*The Tree of Man*)、《探险家沃斯》(*Voss*)、《树叶裙》(*A Fringe of Leaves*)和《镜中瑕疵》(*Flaws in the Glass*)，迈尔斯·弗兰克林(Miles Franklin)的《我的光辉生涯》(*My Brilliant Career*)，兰道夫·斯托(Randolph Stow)的《归宿》(*To the Island*)，托马斯·肯尼利(Thomas Keneally)的《辛德勒的名单》(*Schindler's List*)和《内海的女人》(*Woman of the Inner Sea*)，彼得·凯里(Peter Carey)的《奥斯卡和露辛达》(*Oscar and Lucinda*)以及一批短篇小说集和诗集。

杰克·希伯德(Jack Hibberd)的剧本《想入非非》(*A Stretch of the Imagination*)不仅翻译出版，而且在京沪两地公演。综前所述，可以看出我国译者不断拓展澳大利亚文学翻译的范围，将不同背景、不同流派的作家纳入自己的视野，使得澳洲文学翻译在我国不仅数量激增，而且内容也发生了实质性的变化。

致力于翻译和介绍澳大利亚文学的中国学者是一个群体，既包括早期的马祖毅、刘寿康等，也包括八十年代初从澳大利亚归来的留学学者黄源深、胡文仲等，他们一直处在澳大利亚文学翻译、教学和研究的第一线。译者中还包括朱炯强、叶胜年、曲卫国、欧阳昱、李尧等。这一大批译者在介绍和推广澳大利亚文学方面成绩显赫。其中李尧的贡献尤为突出。除了文学翻译，还应该特别提到黄源深教授撰写的《澳大利亚文学史》以及王国富教授主编翻译的《麦夸里英汉双解词典》，这两部巨著对于澳大利亚文学研究和翻译都起了重要的作用。

李尧先生致力于文学翻译四十年，主要从事澳大利亚文学翻译，也翻译出版了部分英美文学作品，总计52部，字数逾千万，在我国翻译界如此多产的译者实属少见。李尧翻译的作品涵盖澳大利亚作家老中青三代，既包括老一代作家帕特里克·怀特，托马斯·肯尼利，亚历克斯·米勒等，也包括中年作家彼得·凯里，尼古拉斯·周思等，还包括一些年轻的儿童文学作家。从文学流派看，现实主义、现代主义和魔幻现实主义都囊括其中。此次出版的《李尧译文集》只占他翻译的澳大利亚文学作品的约三分之一。收入集子的作品大部分获得过文学大奖，在澳洲文学中具有一定的代表性，有些则是考虑到作家在中国的影响或者题材与中国有关。这一译文集集中反映了李尧在澳大利亚文学翻译方面的成就。

李尧先生1966年毕业于内蒙古师范大学外语系，从事记者工作和文学创作二十余年，发表过报告文学、散文、小说等近百万字，1986年成为中国作家协会会员。正是由于李尧的作家背景，他翻译的文学作品具有一个突出特点：文字优美，行文流畅。阅读他翻译的作品，给人以欢畅淋漓的感觉。李尧回忆说："我翻译小说的时候，常常是从一个写小说的人的角度出发，像我自己写小说一样，体会、捕捉作者的思路，创作的技巧，注意人物性格化语言的翻译。不是只从字面上去对应。我看懂原文，就用自己的语言而不是字典上的意思去翻译。这样译出来的东西就比较鲜活，可读性强。"翻译亚历克西斯·赖特(Alexis Wright)的《卡彭塔利亚湾》(*Carpentaria*)难度很大。作者是澳大利亚当代最有成就的原住民作家。小说涉及澳大利亚原住民的宗教信仰、部族矛盾、生产生活方式、风土人情、历史渊源等，而且写作方法也比较独特。李尧在翻译这部小说前，大量阅读了有关澳大利亚原住民历史文化的著作，同时不断和作者联系，取得她的帮助。悉尼大学在授予李尧荣誉文学博士学位时指出："《卡彭塔利亚湾》是李尧毕生从事文学翻译和四十余年来中澳文化交流的巅峰之作。"有评论指出："《卡彭塔利亚湾》是纯文学性文本，李尧先生翻译策略的选择，让译文洋溢着一种梦幻般的抒情色彩，充满文学情调，让读者感受到澳大利亚古老土地的荒芜。"①

翻译从来都不是简单地把一种语言变成另一种语言的过程。王佐良先生对于翻译，特别是文学翻译，曾经发表过许多重要的论述。他指出："因为有翻译，哪怕是不免出错的翻译，文化交流才成为可能。

①张华：《纽马克文本翻译理论与李尧文学文本翻译策略》，《安徽工业大学学报（社会科学版）》，2016年第5期。

语言学家、文体学家、文化史家、社会思想家、比较文学家都不能忽视翻译。这不仅是因为通过翻译者的辛勤劳动才使得一国的文化遗产能为全世界的人所用，还因为译者做的文化比较远比一般人要细致、深入。他处理的是个别的词，他面对的则是两大片文化。”①李尧正是通过他的文学翻译将独特的澳洲大陆文化介绍给了拥有悠久历史文化传统的中国人民。

李尧先生几十年来耕耘在澳大利亚文学翻译这片土地上，他的勤奋努力非常人所可比拟，他经常夜以继日地工作，节假日也很少休息。他在澳大利亚文学翻译方面的成就获得了广泛的认可，于1996、2008、2012年三次获得澳中理事会颁发的澳大利亚文学翻译奖。2014年被悉尼大学授予荣誉文学博士学位。表彰词指出，李尧“在中国，在文学翻译和澳大利亚研究方面作出了杰出的贡献。他把许多澳大利亚作家介绍给中国读者，包括帕特里克·怀特，托马斯·肯尼利，亚历克西斯·赖特，为中国读者更好地了解澳大利亚和澳大利亚人民提供了丰富的资源”。

澳大利亚文学翻译在中国的成功首先是由于译者的努力和奉献，但与澳大利亚作家们对中国的友好感情也紧密相关。许多译者都与澳大利亚作家有过密切而友好的交流，从他们那里得到了无私的帮助。澳中理事会在推动澳大利亚文学翻译和澳大利亚学术研究方面也起了至关重要的作用。最后，还应该提到中国出版界对于澳大利亚文学翻译的兴趣和关注。没有他们一以贯之的支持就不可能有今天澳大利亚文学翻译在中国的丰收。

---

①王佐良：《翻译中的文化比较》，《王佐良全集》第8卷252页，外语教学与研究出版社，2016年。

2018 年适逢中国澳大利亚学会成立三十周年，也恰是李尧先生从事文学翻译四十周年。北京外国语大学、内蒙古师范大学、西悉尼大学和在华澳大利亚研究基金会共同发起出版的十卷本《李尧译文集》既是对于李尧几十年来从事澳大利亚文学翻译的充分肯定，更是繁茂的中澳文化交流之见证。我们相信，澳大利亚文学翻译事业今后在我国必将取得更长足的进步，在促进中澳文化交流方面也必将起到更大的作用。

胡文仲

2017 年 8 月 27 日

总序 ❸

General Preface

It is my great honour to have been asked to write a General Preface for this important series of award-winning translations of Australian literature by Professor Li Yao, to be published by Qingdao Publishing House. The series is in celebration of Professor Li Yao's 40th Anniversary as a translator of Australian literature, which coincides with the 45th Anniversary of the establishment of diplomatic relations between our two countries. As I will explain, these two anniversaries are closely connected.

The Australian Labor Party, led by Gough Whitlam, had recognised the Peoples' Republic of China as early as 1955, but it was another seventeen years before it was elected into government, on 2 December 1972. Less than three weeks later, on 21 December 1972, Prime Minister Gough Whitlam signed the joint communique establishing diplomatic relations between Australia and The Peoples' Republic of China. Under the terms of the Communique, the two Governments agreed to "develop … diplomatic relations, friendship and co-operation between the two countries on the basis of the principles of mutual respect … equality and mutual benefit, and peaceful coexistence".

The Australian Embassy in Beijing was opened on 12 January 1973, and later that year Gough Whitlam became the first Australian Prime Minister to visit China, holding historic meetings with Zhou Enlai and Mao Zedong. Whitlam's establishment of diplomatic relations between Australia and China has been described as the single most important event in relations between our two countries in the twentieth century, and remains the foundation of the relationship today.

In addition to trade and tourism, cultural and educational exchanges have been of increasing importance to the relationship between our two countries. Since the 1970s, these links have included the study of Australian literature. The first five Chinese students to study in Australian universities after the establishment of diplomatic relations arrived in 1975, and the number increased rapidly from the late 1980s. Professor Li Yao's career in translating Australian literature for generations of Chinese readers has been central to this story of cultural exchange.

After graduating from Inner Mongolian Normal University in 1966, Li Yao worked as a writer and editor for journals in Inner Mongolia until his appointment as Professor of English at the Training Centre of the Ministry of Commerce in Beijing in 1992. He became a member of the Chinese Writers' Association in 1986, specialising in literary translation. At that time, he started collaborating with Professor Hu Wenzhong at Beijing Foreign

Studies University on the translation of Australian literature. Professor Hu is a graduate of the University of Sydney, a member of the so-called "Gang of Nine", who were among the first students from China to undertake graduate study in Australia after the Cultural Revolution of 1966 to 1976. In 1979, the "Gang of Nine" studied under my predecessor as Professor of Australian Literature at the University of Sydney, Professor Dame Leonie Kramer. I was then a young tutor in the English Department researching my own PhD thesis, and I well remember the presence of our Chinese visitors in the Department. The "Gang of Nine" proved influential in developing Australian Studies in China after their return. Since that time, over 30 Australian Studies Centres have been set up across China. A number of these centres have courses on Australian literature, and have people working on translating and introducing Australian literature to Chinese readers. They include Peking University and Beijing Foreign Studies University, where Professor Li Yao teaches advanced translation studies, as well as, Shanghai's East China Normal University, Renmin University, Anhui University, Suzhou University, Inner Mongolia University and Inner Mongolia Normal University.

It was Professor Hu Wenzhong who first encouraged Li Yao to make his career in the study and translation of Australian literature. When they met in Beijing in the mid 1980s, Professor Hu explained that Australian literature was still an untouched field in China, and he encouraged Li Yao to devote himself to this area and make a contribution to it as a translator. Before the Cultural Revolution, Chinese readers had some familiarity with American, British, Russian, French, German and other European literatures, but they knew little about Australian literature. At that time, only Henry Lawson, Frank

Hardy and a few other "social realist" writers were known through translation. Collaborating together, Professor Hu and Li Yao translated Patrick White's The Tree of Man, which was published by Shanghai Translation Publishing House in 1991. Patrick White was Australia's most famous writer, having won the Nobel Prize in 1973. Unlike the earlier realist writers, he was significant because his novels mediated Australian experience and the Australian landscape through the stylistic innovations of international modernism.

After collaborating with Professor Hu, Li Yao continued to translate Australian literature, carrying on the tradition that he had initiated. Li Yao today has translated a staggering total of 35 titles. The list of his translations includes novels by Brian Castro, Richard Flanagan, Anita Heiss, Colleen McCulloch, David Malouf, Alex Miller, and Kim Scott, as well as important works of history and non-fiction. Most of Li Yao's translations were generously supported by funding from the Australia-China Council, the Literature Board of the Australia Council and FASIC, the Foundation for Australian Studies in China. The works selected for re-printing in the 45th Anniversary series include many of the novels that have gone on to achieve fame both in Australia and internationally through their winning of prizes such as the Miles Franklin Literary Award, the Commonwealth Writers Prize, and the Man Booker Literary Award. His translations include Patrick White's novels, The Tree of Man and A Fringe of Leaves, and his autobiography, Flaws in the Glass; two of the earliest novels about Australian-Chinese relationships, Brian Castro's Birds of Passage, and Alex Miller's The Ancestor Game; and Avenue of Eternal Peace, by academic and former cultural officer in Beijing, Nicholas Jose. The list also includes titles by the three Australian authors who have won the prestigious Man Booker Literary Prize: Peter Carey's True History of the Kelly Gang, Tom Keneally's Woman of the Inner Sea and Richard Flanagan's Gould's Book of Fish. In addition to The Ancestor Game, which won both the Miles Franklin Literary Award and the Commonwealth Writers Prize, there are two other novels by Alex Miller, Landscape of Farewell and Coal Creek. In addition to works of fiction, Li Yao's translations of important works of non-fiction include David Walker's memoir Not Dark Yet, and Mara Moustafine's Secrets and Spies: The Harbin Files, both of which in different ways touch on people-to-people Chinese-Australia links.

In more recent years, Li Yao has continued to provide leadership and innovation by keeping up with the latest developments in Australian literature, and continuing to introduce new works by Australian writers to Chinese readers. He has recently shown a particular interest in the areas of Australian children's literature, and writing by Australia's Indigenous authors, and there are examples of these works also included in the Anniversary series. Sponsored by the Australia-China Council, from 2010 Li Yao worked to select and translate 10 Australian children's books, including such well-known and loved classics as Ethel Pedley'sDot and the Kangaroo, May Gibbs' Tales of Snugglepot and Cuddlpie, Ethel Turner's Seven Little Australians, Dorothy Wall's Blinky Bill, Ruth Park's The Muddle-Headed Wombat, and Colin Thiele's Storm Boy. These books were published by People's Literature Publishing House and have become very popular in China. New editions of Dot and the Kangaroo and Seven little Australians are to be published by China Youth Publishing House. Li Yao has reaffirmed his commitment to promoting Australian children's books in China, and will introduce more titles into this series, which is to be called his Koala Books series.

Since 2006, with the help of his great friend, the novelist, academic, and former cultural counsellor, Professor Nicholas Jose, Li Yao has been researching and translating Australian Aboriginal Literature. His translations include Kim Scott's Benang: From the Heart, Alexis Wright's Carpentaria, and Anita Heiss' Who Am I. He is currently working on a translation of Alexis Wright's The Swan Book. He hopes that these books will expand Chinese understanding of Australia, aware that Australian Aboriginal literature has not been introduced to China systematically so far, and so to most Chinese readers this is still an unfamiliar field.

In addition to his translation and teaching at PKU, Li Yao has served as a council member of the Chinese Association for Australian Studies since it began in 1988. He won the Australia-China Council's inaugural Translation Prize in 1996 for his translation of Alex Miller's The Ancestor Game, in 2008 for Nicholas Jose's The Red Thread, and again in 2012 for his translation of Alexis Wright's Carpentaria. He was awarded the Council's gold medal in 2008 for his distinguished contribution in the field of Australian literary translation in China.

Perhaps because of White's own fame as Australia's only Nobel Prize winning writer, Li Yao is known especially in Australia as a champion of Patrick White in China. His translation of The Tree of Man has been reprinted three times in the past twenty five years, selling over 20,000 copies. White's autobiography, Flaws in the Glass, has also been reprinted three times, seeling more than 12,000 copies. His translations of The Tree of Man, Flaws in the Glass, The

Ancestor Game, True History of the Kelly Gang, and Carpentaria have been well reviewed and well received in China, and many students have gone on to write their Masters and PhD dissertations on these world-class Australian novels, having been first introduced to them by Li Yao.

Li Yao's translation of Carpentaria perhaps deserves special comment as the culmination of a lifetime's work, and some forty years' cultural exchange between the two countries. The novel imagines Australian life from an Aboriginal perspective; it is written from within the Aboriginal life world, in a unique style that might be described as a kind of Aboriginal magical realism. Among Chinese translators of Australian literature, only Li Yao had the depth of experience to take on the challenging task of translating such a masterwork from another culture into Mandarin. He saw it through to publishing with the prestigious People's Literature Publishing House and gathered support from leading Chinese writers, including Nobel literature laureate Mo Yan, who launched it at the Australian Embassy in Beijing.

Today Li Yao remains very actively engaged with Australian literature. Most recently, he was an honoured guest of the 2017 Conference of the Association for the Study of Australian Literature (ASAL) in Melbourne, where he addressed an interested and appreciative audience of Australian scholars about his life's work. Li Yao is always open to advice on new titles of interest. Chinese readers are currently very interested in Tom Keneally's works, for example, and he plans to translate Shame and the Captives. He remains interested in Australian Indigenous Literature and Children's books, and plans to translate further new novels by his friend Alex Miller. He is also co-writing, with Professor David Walker, a memoir about his and his family's experiences in and after the War of Liberation and in the early years of New China and in the Cultural Revolution. This is a book that will be eagerly read by his many friends in Australia.

Li Yao has shown extraordinary dedication in his sustained commitment to the translation of Australian literature in China. No one in China knows more about Australian writing today than Li Yao, who has many friends among authors and literary scholars in Australia. In 2014, I attended a ceremony in the University of Sydney's historic Great Hall in which Li Yao was awarded an Honorary Doctorate for his services to Australian literature. It was a proud moment for the University that had played so foundational a role in Australian literary studies, both in Australia and China. "I love Australian literature', Li Yao has said. "It is an important pillar of world literature. Over the past four decades, I have nurtured great friendships with many outstanding authors from Australia. In translating their works, my own life has changed immensely". In retrospect, we can see that Li Yao's career in literary translation has been exemplary in fulfilling the terms of the 1972 Communique, with which it is approximately contemporary: that is, to "develop ... diplomatic relations, friendship and co-operation between the two countries on the basis of the principles of mutual respect ... equality and mutual benefit, and peaceful coexistence".

Professor Robert Dixon, FAHA

Professor of Australian Literature

The University of Sydney

July 2017

总序 ❸

General Preface

我十分荣幸地应邀为李尧教授这套重要的澳大利亚文学优秀翻译作品写序。这套书为庆祝李尧教授从事澳大利亚文学翻译四十周年，由青岛出版社出版，恰逢我们两国建立外交关系四十五周年。我要指出的是，这两个周年纪念日密切相关。

高夫·惠特拉姆领导的工党早在1955年就承认了中华人民共和国。可是直到十七年之后，1972年12月2日，该党才成为执政党。1972年12月21日，高夫·惠特拉姆就任总理不到三个星期，便与中国政府签订了澳大利亚与中华人民共和国建立外交关系的联合公报。根据《公报》，两国政府同意“在互相尊重……平等互利、和平共处的原则基础之上，发展两国间的外交关系、友谊和合作”。

1973年1月12日，澳大利亚驻华大使馆在北京正式开馆。同年晚些时候，高夫·惠特拉姆成为第一位访华的澳大利亚总理，并且与周恩来、毛泽东进行了历史性的会晤。惠特拉姆创建的澳大利亚与中国的外交关系一直被描绘为二十世纪我们两国之间发生的最重要的事件，时至今日，仍然是两国关系的重要基础。

除了贸易和旅游业，文化教育交流对于我们两国关系的发展起到越来越重要的作用。从二十世纪七十年代起，这种交流便将澳大利亚文学研究囊括其中。建立外交关系之后，1975年，第一批五位中国学生到澳大利亚大学学习。李尧教授为几代中国读者翻译澳大利亚文学的生涯一直以这种文化交流为中心。

1966年，李尧从内蒙古师范大学毕业之后，作为作家和文学杂志编辑一直在内蒙古工作，直到1992年到北京商务部培训中心任英语教授。他1986年加入中国作家协会，专事文学翻译。从那时起，开始和北京外国语大学胡文仲教授合作翻译澳大利亚文学作品。胡文仲教授是悉尼大学的研究生，所谓“九人帮”之一。“九人帮”是1966到1976年“文革”之后，第一批从中国到澳大利亚攻读硕士学位的学者。1979年，他们师从我的前辈——悉尼大学澳大利亚文学教授雷欧妮·克雷默爵士。我那时是英语系一个年轻的辅导员，正在做博士论文。时至今日还清楚地记着活跃在系里的这几位中国访问学者。

“九人帮”学成回国之后，对推动中国的澳大利亚研究起到很大的影响作用。从那时候起，在中国各地已经建立起三十多个澳大利亚研究中心。许多学者把澳大利亚文学翻译介绍给中国读者，不少“中心”开设澳大利亚文学课程。包括北京大学、北京外国语大学——李尧教授在这两所大学教授澳大利亚文学翻译——华东师范大学、人民大学、安徽大学、苏州大学、内蒙古大学、内蒙古师范大学。

最初，是胡文仲教授鼓励李尧从事澳大利亚文学研究与翻译。二十世纪八十年代，他们在北京相识。胡教授说，澳大利亚文学在中国还是一块未开垦的处女地。他鼓励李尧作为翻译者致力于这一领域，作出贡献。“文革”前，中国读者对美国、英国、俄罗斯、法国、德国和其他欧洲国家的文学比较熟悉，但是对澳大利亚文学知之甚少。那时候，只有亨利·劳森、弗兰克·哈代和少数几位“社会主义现实主义”作家通过翻译为中国读者所知。1991 年，上海译文出版社出版了胡教授和李尧合作翻译的帕特里克·怀特的《人树》。帕特里克·怀特是澳大利亚最著名的作家之一，1973 年获得诺贝尔文学奖。他之所以影响深远，是因为和早期现实主义作家不同，他的小说通过国际现代主义文体创新，展示了澳大利亚社会与澳大利亚风土人情。

和胡教授合作之后，李尧坚持翻译澳大利亚文学，把他已经继承的传统传承下去。迄今为止，他已经翻译了多达三十五部的澳大利亚文学作品，其中包括布莱恩·卡斯特罗、理查德·弗兰纳根、阿尼塔·海斯、考琳·麦卡洛、大卫·马鲁夫、亚历克斯·米勒和金姆·斯科特等多位作家的小说。还有历史与非小说译作出版。李尧大多数翻译作品的出版都得到澳中理事会、澳大利亚理事会文学委员会、在华澳大利亚研究基金会的资助。为纪念中澳建交四十五周年重新选择出版的这套译著包括业已在澳大利亚和世界范围内赢得盛誉的作品。这些作品有的获得“迈尔斯·富兰克林文学奖”，有的获得“英联邦作家奖”，有的获得“布克国际文学奖”。他的译著还包括帕特里克·怀特的长篇小说《人树》《树叶裙》、自传《镜中瑕疵》；表现澳中关系最早的两部小说：布莱恩·卡斯特罗的《候鸟》和亚历克斯·米勒的《浪子》；著名学者、前澳大利亚驻华大使馆文化官员尼古拉斯·周思的《长安大街》。还有赢得“布克国际文学奖”的三位作家的作品：彼得·凯里的《凯利帮真史》、托马斯·肯尼利的《内海的女人》、理查德·弗兰纳根的《古尔德鱼书》。除了获得“迈尔斯·富兰克林文学奖”和“英联邦作家奖”的《浪子》之外，李尧还翻译了亚历克斯·米勒的《别了，那道风景》和《煤河》。还有一些重要的非小说类作品，包括大卫·沃克的家族史《光明行》

和马拉·穆斯塔芬的《哈尔滨档案》。这两本书都从不同的角度记录了中澳两国普通人之间的关系。

最近几年，李尧紧跟澳大利亚文学的最新发展，继续把澳大利亚作家的新作品介绍给中国读者。他对澳大利亚儿童文学和澳大利亚原住民作家的作品特别关注。这个纪念译文集也收入了相关作品。从2010年起，李尧在澳中理事会的支持下，选择并组织力量翻译了十本澳大利亚儿童文学经典，包括深受几代读者喜爱的埃塞尔·帕德利的《多特和袋鼠》、梅·吉布斯的《小胖壶和小面饼》、埃塞尔·特纳的《七个澳大利亚小孩儿》、多萝西·沃尔的《眨眼睛的比尔》、鲁斯·帕克的《糊里糊涂的树袋熊》和科林·蒂勒的《暴风雨中的男孩》。这些书由人民文学出版社出版，在中国很受欢迎。《多特和袋鼠》《七个澳大利亚小孩儿》新版将由中国青年出版社出版。李尧决心为推动澳大利亚儿童文学作品在中国的翻译出版作出更大的贡献。他将翻译介绍更多的儿童文学作品，收入他的“考拉丛书”。

自从2006年起，在他的好朋友——学者、作家、前文化参赞尼古拉斯·周思教授的帮助下，李尧一直在研究、翻译澳大利亚原住民文学。已经出版的作品有金姆·斯科特的《心中的明天》、亚历克西斯·赖特的《卡彭塔利亚湾》和阿尼塔·海斯的《我是谁》。他目前正在翻译亚历克西斯·赖特的《天鹅书》。鉴于澳大利亚原住民文学到目前为止还没有被系统地介绍到中国，对大多数中国读者而言，那还是一个不熟悉的领域，李尧希望这些书能使中国读者对澳大利亚有更多的了解。

除了从事文学翻译以及在北京大学、北京外国语大学教授澳大利亚文学翻译之外，李尧从1988年中国澳大利亚研究学会成立以来，一直担任学会理事。1996年，他因翻译亚历克斯·米勒的《浪子》获得澳中理事会首次在中国颁发的翻译奖，2008年因翻译尼古拉斯·周思的《红线》、2012 年因翻译亚历克西斯·赖特的《卡彭塔利亚湾》又连续两次获此殊荣。2008 年因其在澳大利亚文学翻译领域的杰出贡献，获澳中理事会颁发的金奖章。

也许因为怀特作为澳大利亚唯一的诺贝尔文学奖获得者享有盛名，李尧也因其在中国翻译介绍帕特里克·怀特的作品在澳大利亚广为人知。在过去的二十五年里，他和胡文仲教授合作翻译的《人树》先后印刷三次，销售量超过 20000 册。怀特的自传《镜中瑕疵》也被印刷三次，销售量超过 12000 册。他翻译的《人树》《镜中瑕疵》《浪子》《凯利帮真史》和《卡彭塔利亚湾》在中国受到好评和欢迎。不少学生依据李尧第一次介绍到中国的这些世界第一流的澳大利亚文学作品，撰写硕士和博士论文。

李尧的译作《卡彭塔利亚湾》作为他毕生从事文学翻译以及四十多年来两国文化交流的巅峰之作，也许特别值得一提。这部小说从原住民的视角出发，以一种也许可以称之为原住民魔幻现实主义的独特风格想象了澳大利亚的生活。在中国的澳大利亚文学翻译者中，也许只有李尧因其具有丰富的经验，可以接受挑战，将这样一部杰作从一种完全不同的文化翻译为中文。2012 年，他克服了重重困难，在久负盛名的人民文学出版社出版此书。该书翻译出版过程中，得到多位中国著名作家的支持。诺贝尔文学奖获得者莫言在澳大利亚驻华大使馆为《卡彭塔利亚湾》举行的新书发布会揭幕，并做了热情洋溢的发言。

今天，李尧依然活跃在澳大利亚文学研究的舞台上。最近，作为在墨尔本召开的“澳大利亚文学研究会 2017 年会”（ASAL）的贵宾，他对兴趣盎然、不无赞赏的澳大利亚学者讲述了自己毕生的工作。李尧总是乐于倾听同事们对新的、有趣的选题的建议。比如，最近中国读者对托马斯·肯尼利的作品很感兴趣，他就计划翻译这位文学大师的《耻辱和俘虏》。他对澳大利亚原住民文学和儿童文学依然表现出浓厚的兴趣，计划翻译他的朋友亚历克斯·米勒的新小说。他与大卫·沃克教授正在合作撰写关于他和他的家族在解放战争前后、新中国建立初期以及“文革”中经历的纪实文学作品。这是一本令他许多澳大利亚朋友热切期待的书。

李尧在中国长期致力于澳大利亚文学翻译，表现出非同寻常的献身精神。在中国，没有人比李尧对澳大利亚文学作品更了解。他在澳大利亚作家和文学工作者中有许多朋友。2014 年，我在悉尼大学历史悠久的大会堂参加了授予李尧荣誉文学博士的典礼。对于这所无论在澳大利亚还是中国都在澳大利亚文学研究领域起到基础性作用的大学来说，这是一个骄傲的时刻。“我热爱澳大利亚文学。”李尧说，“它是世界文学的重要支柱。在过去的四十年里，我和许多澳大利亚优秀作家结下了深厚的友谊。在翻译他们作品的过程中，我自己的生活也发生了巨大的变化。”回顾往事，我们可以看到，李尧的文学翻译生涯，堪称实现 1972 年《公报》初衷的楷模。今天，我们依然为之努力，那就是“在互相尊重……平等互利、和平共处的原则基础之上，发展两国间的外交关系、友谊和合作”。

罗伯特·迪克逊

澳大利亚人文科学院院士

悉尼大学澳大利亚文学教授

2017 年 7 月

目录

CONTENTS

红线

黑玫瑰

第一部 英格兰，1651年

爱德华和迪莉娅结婚的时候，新娘还是个情窦初开的少女，比他的爱女罗莎蒙德现在的年纪大不了多少。这桩婚事是迪莉娅的哥哥一手安排的。那时候，爱德华是法律协会①一位前程远大的青年。而爱德华不管怎么样，都觉得能娶这样一个美丽的、面带微笑的姑娘为妻是一桩幸事。她天生丽质，博闻强记，无可挑剔。将近二十年，对于他，迪莉娅一直是位贤淑的妻子，虽然由于时代的变迁，命运之舟并没有让他停留在事业的巅峰，而是穿波越浪，急转直下。庞普尔的才华使他找到一个保护伞，可是他生性耿直，恐怕迟早都会和他的主子闹翻。迪莉娅总是埋怨丈夫，生怕家运因此衰落。她体态丰腴，满头秀发，一双水汪汪的大眼睛特别招人喜欢。她心里明白，庞普尔已经人过中年，年龄的优势不会维持太久。他在园艺方面或者案头工作方面的成功和他崇高的志向相比简直不可同日而语。然而她对丈夫充满信心，只要他们能够把握未来，只要在风云变幻中，她能牢牢抓住哪怕

①法律协会（the Inns of Court）：英国伦敦具有授予律师资格权的四个学术团体：Inner Temple，Middle Temple，Lincoln's Inn 及 Cray's Inn。

一根救命的稻草！

布鲁姆勋爵是个“风向标”，他的夫人是座“灯塔”。于是达官贵人们纷纷跑到布鲁姆府第讨教，在新世界该怎么办？来访的人和他们谈话时发现，爱德华·庞普尔是个爱刨根问底的人，他的妻子迪莉娅·庞普尔是个迷人的乐观主义者。她向别人请教问题的时候没有丝毫的矫揉造作。

有一次在布鲁姆府邸的花园散步，迪莉娅和布鲁姆勋爵走在后面。勋爵因为痛风脸色红润，走路的时候就像在政治舞台上采取新举措之前那样，抬起脚试探着往前挪步。

她问他，局势稳定之后，爱德华在新秩序之下，朝哪个方向发展最好。

“作为一个自然哲学家，一定要发现点能给普通老百姓带来好处的东西才行。爱德华必须明白这一点。一定要做点能为这个政体增光添彩的事情。你明白吗？”

“明白，先生。”

“要让他的思想之花结出经济之果，从而加强我们这个国家的基础。”

老头上气不接下气，她挽起他的胳膊。儿子亨利和两条已经解开皮带的狗在草地上玩滚木球游戏。爱德华和罗莎蒙德在前面停下脚步，正朝天空指指画画。

“您还有别的高见吗？”迪莉娅问布鲁姆勋爵。

“他必须和皇家学会和解。量小非君子，应该有这种气度。”

布鲁姆勋爵去世之后，迪莉娅一直十分珍视这番忠告。1651 年夏天，勋爵疑虑重重地去指挥一支国会军的部队①，结果马革裹尸，堂而皇之地回到府邸。

布鲁姆夫人对失去丈夫的悲伤似乎早有准备。她把他们的宅子改造成供奉勋爵的祠堂。终于有一天，她问迪莉娅·庞普尔——没有问爱德华——

①国会军：17 世纪英国内战时期反抗查理一世的议会党人的部队。

他们这家人打算怎么办？驱逐庞普尔和他的妻子儿女自然会玷污已故勋爵的名声，所以她并不打算这样做。她只想知道他们打算如何回报恩重如山的布鲁姆勋爵。布鲁姆夫人认为，男孩子亨利可以参军。不是已经方寸大乱的国会军的部队，而是保王党[①]的残余部队。

“这也是对国王忠诚的表示。”夫人压低嗓门儿说，迪莉娅不由得扬了扬眉毛。

然后，布鲁姆夫人又问，庞普尔每天待在他的试验田、实验室干什么？吃庄园，喝庄园，可没见他搞出什么名堂。

“他可真是一个懒骨头，亲爱的。”

迪莉娅连忙回答，丈夫正准备参加皇家学会。她从来没有这么冷静过。她看出，如果丈夫和儿子能够听从布鲁姆夫人的安排，她和夫人就可以凑凑合合相处下去。布鲁姆夫人显然是发疯了。尽管她没有公然宣布庞普尔一家必须离开布鲁姆府邸，但以后供给他们的东西会越来越少。不过她总还不至于把一对忧心忡忡的母女赶到大街上去。

“她压根儿就不想理我。”爱德华忿忿不平地说。他们刚吃过一顿让人很不舒服的晚餐，回到自己的房间。“她疯了。”他又说了一遍。

爱德华吹灭蜡烛，回到床上。迪莉娅在等他，蓬松的羽绒被下面露出一张奶油色的脸。黑暗中，他们仰面朝天躺着。

“亲爱的，你得申请加入皇家学会。”

吱吱嘎嘎。她等他回答，可是只有屋子里面的种种响动和屋子外面的风雨声。

“再到伦敦？”他问道，“不，我离不开你！”

他的恭维让她大吃一惊。

“眼下可不是儿女情长的时候。”

庞普尔知道妻儿老小正处于困境，他的任何努力都徒劳无益。他害怕

---

①保王党（Royalist）：此处指拥护英王查理一世的保王党成员。

他们在布鲁姆府邸的地位被动摇。想到这个栖身之地不会长久，想到他的花园和那条林荫大道——罗莎蒙德常常骑着她的花斑马沿着这条大道向他迎面跑来——他就怅然若失，不寒而栗。如果加入不了皇家学会怎么办？他虽然不敢承认，但心里清楚地知道，那是他唯一的出路。

“我不知道他们有什么条件。”

“你太骄傲了。人家让你干什么，你干就得了。”

“我不能卑躬屈膝。”

“干吗这样想呢？你能和那些会员们相处好的，只要照章办事。”

他凝视着天花板。他在想他的女儿。然后，他看见黑色的幕布后面，斧头的利刃切断了国王的脖颈——虽然那天他没有亲眼看见。一个不祥的预兆……

“爱我。”

她伸出手，在黑暗中寻找他，手指沿着他那一动不动的、没有任何反应的身体向下滑去。她试图让他振作起来，可他还是一动不动地躺着，就像解剖台上的一具僵尸。那毫无生气的样子就是一种残酷的拒绝。

她沉默着，绝望和愤怒随时都可能爆发。

“真是个没用的男人。”她生气地说，转过身自个儿睡了。

穿过冬日阴冷的阳光，爱德华·庞普尔徒步走到皇家学会。一路奔波，他的黑斗篷皱巴巴、脏兮兮，尽管整整一晚上他都把它挂在外面的衣架上。太阳没有什么热量，阳光穿过仿佛结了一层冰的云彩，除了融化硬邦邦的泥土，让水渗过靴子的皮底之外，也许还在不知不觉之中——按照他的理论——加快了埋在土里的种子发芽的“进程”。和人类社会不同，自然界的变化不管环境多么险恶，都会按部就班，循序渐进。爱德华·庞普尔知道，如果拿自然界的标准衡量，他会给人留下深刻的印象。他的优点十分突出。但是对于长于阴谋诡计的人们来说，就是另外一回事了。机会稍纵即逝，这次会面将一锤定音。

走进皇家学会的石头门廊，举手敲门的时候，店老板刚才对他的祝福变成要倒霉的感觉。满脸假笑的仆人关门的时候，他的斗篷挂了一下。大厅里传来一阵低音提琴的演奏声。一个女人用现代声乐技巧在唱歌："……一张羽绒床……"歌声戛然而止。他非常焦急，但充满自信。他深信自己能给皇家学会留下深刻的印象。他一定要显示自己的能力，让他们充分认识到这个计划的可行性和可能获得的成果。他们也许会发现他笨手笨脚，但他的成果将是完美无缺的。可惜他越下定决心放松自己，就越能招来人家的注意，被人看成一个要捞取最后一根救命稻草的蠢货。

会议室墙壁的镶板是低地国家[①]的一位工匠按照新时代奢华而又沉闷的风格，用红木雕刻而成的。环绕天花板四周的是做工粗糙的玫瑰花花蕾组成的花环。花环是用乌木雕成的，打磨得很光滑，映着血红的光。庞普尔落座的时候，抬起一双眼睛，目光越过转过脸打量他的人们。他满意地发现这些装饰品多么缺乏艺术性。主持人强压心中的不快，让大家都坐好。

在爱德华·庞普尔眼里，他们都是些大人物，而且铁板一块，令人讨厌。他们似乎都是同一种材料制成，一个思想，一种风格，出身相同，立场一致。在这风云变幻的年代，就连他们的忠诚也都像巧克力糖球一样，说变就变。

他们面颊松弛，活像皱皱巴巴的肉袋，盛满了仁慈与聪慧，目光沉着镇定，凝视着申请人。在"多头魔怪"横行的年代，皇家学会还是铁板一块。他们研究的内容也一成不变。如果你想被他们接纳，如果你的研究想有成果，就必须接受他们同样一成不变的条条框框。今天参加这个不同寻常的聚会的并不是委员会的普通办事人员，而是当今科学界的权威、泰斗、实验学家、旅行家、纯理论家。像布龙克勋爵、弗雷博士、乔舒亚·斯普雷戈先生、范·温肯休克都曾"金榜题名"，就连天才的莱克本人也亲临会场。他们自我感觉极其良好，似乎天地万物无所不知。爱德华·庞普尔觉得简直是一麻袋土豆向他提问。面对面和他们坐在一起，他越来越不自在。

---

①低地国家（Low Countries）：指西欧的荷兰、比利时、卢森堡三国。

他很快就发现，这些学术权威们已经对他大加挑剔。他的衣服是黑颜色的，和他们的完全一样。不过坐在桌子对面的这些人穿的是协调者的黑制服，表现了他们中立和务实的精神。庞普尔的黑衣服却惹人生气。黑衣服只是一种时髦，不再是志同道合者的标记，但是它仍然可能传达一种敌对的极端的情绪，将肆无忌惮的哀悼隐藏于苦行僧的素朴背后，或者让旧时代残缺不全的尊严代替今天清教徒的节俭。国王头颅落地已经两年多了。

或者他们讨厌他乡下人的口音？尽管巡回使者的秘书生涯已经在很大程度上改变了他的口音。那时候，正式场合使用的语言是拉丁语。如果他讲拉丁语，委员会诸位成员会不会更高兴一点呢？然而，他愈想迎合他们，愈暴露出他不随波逐流的禀性。他只希望不要惹他们生气。

处死国王使得社会各阶层的关系形成一个固定的格局。任何松懈都会被进入王国——或者像人们宣称的共和国——的那个“多头魔怪”打开缺口。当军人们坐在餐桌四周大嚼山珍海味的时候，他们都说这是为了尽责而不是享受。保皇党人则秘密聚会，狂饮滥喝，甚至滴血盟誓。爱德华·庞普尔却不属此列。他独自一人住在一家普通旅店，饭菜十分简单，既不去跳舞，也不吃店老板送来的好吃好喝。他说话的语气酸酸的，就像醋，能让牛奶凝成块。他怎么能指望被那些显赫的人物接纳呢？然而，他们的庇护对他将非常重要。因为不去参加宴会，忍饥挨饿，他已经瘦得只剩皮包骨了。皇家学会的成员们却个个大腹便便。他们一定纳闷，这个骨头架子似的家伙，脑子里会有什么哲学？一个从思想到身体备受损害的人能在多大程度上靠得住呢？

庞普尔一双手放在橡木桌子上，平稳地呼吸着。主席——阿斯利·内维尔先生，一个地地道道的业余爱好者——向他致谢。庞普尔也表示了自己的谢意。关于养蜂的一段被挑了出来。内维尔毕竟比园丁强点儿。他种的葡萄挺出色。“你能把蜜蜂训练得为葡萄传粉，从而酿造出新的葡萄酒吗？”乡巴佬庞普尔显然没有抓住要害——葡萄酒。别的委员也七嘴八舌地说起他们自己的实验。他们认为那些实验比蜜蜂和葡萄都更相宜。这样一群人聚集在一起给“相宜”这个词儿下定义该有多么可笑！

苍蝇的眼睛，杂交的蜜味儿大蒜，能像海绵一样吸水的珍奇的石头，鲸鱼和豚鼠，速冻莴苣，琥珀里的跳蚤，都是皇家学会的研究对象。委员们的任务是给物种编目，并且确定它们的特性。能够列入目录的动植物越多越好，就像数钱。科学家们似乎只注意每一个物种入典的资格，作为造物主（现代生活中，对上帝不曾人格化的尊称）创造了五花八门的“工艺品”的例证。他们最高的目标就是扩大可以收集到的物种的总数。每个物种只是在这个已经相当可观的数目上再增加一笔罢了。庞普尔的看法却完全不同。

Nevillia nevilliensis。主席阁下很为新发现的物种以他的名字命名而自豪。他曾经结实健壮，年轻英俊，现在却精疲力竭，只能以最简单的标准衡量周围的人和事。他睡眼惺忪，脑子糊涂，身上的皮肉对外界的刺激只能出于习惯作出反应。“再说一遍，再说一遍，这可能吗？会有这样的事情发生吗？”当这位年轻人说还有“更高层次”的东西需要探寻时，内维尔生气了。（庞普尔已经四十岁，实在算不上年轻了。）再没有比一种不能立刻证明自己正确的新思想更能嘲弄感官能力萎缩的人了。内维尔讨厌自己不曾想到的事物。他放了个响屁。庞普尔紧闭的嘴巴就像鱼的肛门。

庞普尔说：“听我说，每一次认真的、令人惊讶的研究都会证明，自然界还有一些我们尚未认识的法则。我们自身，作为一种自然现象亦如此。这些法则——我姑且这样称呼——我们实在知之甚少。我并不是一个哲学家。我所关心的是我们可以发明些什么。我的每一项实验都显示，虽然自然法则是抽象的，看不见摸不着，但是在特定的情况下，根据这些法则可以创造出我们做梦也不曾想到的东西。我这样说并不是为了耸人听闻，显示自己在这方面有什么高深的研究。恰恰相反，我是个一文不名的初学者。先生们，通过自然哲学揭示的规律，我们可以使人类社会进入一个全新的领域。”

“奇谈怪论。”声名显赫的莱克喃喃着，在半睡眠状态中挪动了一下身体。别人也都嗤之以鼻。他们认为，在主席因为肠胃胀气而大放响屁之后，这人还夸夸其谈，简直是开玩笑。庞普尔知道他扯远了，尽管还不算太远，或者说根本就不远。

内维尔回答说，皇家学会崇尚推理、思辨，以此暗示他压根儿就没听见庞普尔说了些什么。

“我们的原则既定不变，没有那么多新花样。正是由于我们从未偏离这个方向，才取得巨大的成功。”

“包括整个状况的改革。”庞普尔狡黠地说，他觉得还有点儿希望。

“当然，我们的工作还会继续下去。我希望你能加入我们的行列。你给我们留下很深的印象。先生们，对吧？”

庞普尔激动起来。“非常荣幸。”

“我们有我们的要求。我建议你一点一点地熟悉这些规章制度。我们不会采纳你所有的意见。”

“你应该修正你的逻辑，”莱克说，突起的筋腱牵动着他的面颊，“一步一步来，一点一点改变。”

“如果改日再来，我们将非常高兴。请你参加我们下次的会议。我们会事先通知你的。现在，先生，我想你肯定愿意和我们一起到餐厅用餐。”

“我是在谈论关于生命……”庞普尔用颤抖的声音说。

“是的，当然。”栎木椅子腿在石头地板上拖来拖去，吱吱嘎嘎地响着。

“……以及什么创造了生命。”

“边吃边聊吧。你会迷上我们那几种新酒的。”

庞普尔非常气愤。他们只认钱。没有钱什么也办不成。而他却没有弄钱的办法。科学对于这些学者权威只是业余爱好，知识不过是所谓修养。然而对于他，这一切都是实实在在的存在。吃饭的时候，他们一边往嘴里塞东西，一边夸赞色、香、味俱全的美味佳肴。庞普尔真想往他的头上倒一桶酸牛奶。

“为您的博学多才干杯。”主席提议。别人也都举起杯子，七嘴八舌地向爱德华·庞普尔先生表示谢意。

他们的酒一定是醋。

庞普尔绷着脸，一肚子不高兴。“我会再来的。”不得不致答词的时候，他这样说。

皇家学会的成员们都舒了一口气，总算把这位跟他们格格不入的申请人留在一臂之遥的地方。

然后莱克扔给他一条“救生索”。

“你想没想过做一次远航，先生？我们的船需要观测人员。到那些需要观测天象的海洋。他们经常要求学会派具备这种资格的人去进行观察。但是由于健康的原因，或者由于在国内另有任用，大部分会员都无法担此重任。对于您来说，先生，这个职位也许很有吸引力。”

“您是想把我打发到一条狭窄的、臭烘烘的、没有安全保证的破船上去吗？”

“您想到哪儿去了。”莱克沉着镇定地说。

“您不知道海上的生活多么舒服，而且报酬多么丰厚。”主席在一旁帮腔。

“你们不会这样轻易打发掉我的，先生们。我有自己的义务和职责，还得留下这条命为之而奋斗。”

“一群道貌岸然的家伙。”店老板说。他对伦敦的人情世故、风流轶事似乎无所不知。

“此话怎讲？”

爱德华叉开两腿，坐在壁炉旁边，擦了擦络腮胡子上的啤酒沫，正为自己受到的不公平待遇而生气。他刚才会见的这几位特别会员比那些趾高气扬、靠学者年金维持生计的委员们强不了多少。他们没有权力凌驾于他之上，就连众望所归的莱克，在这些人的重重包围之下，莱克也成了同一个类型的人物。平庸无能，自以为是，呆头呆脑。为什么庞普尔要听任他们摆布呢？除非他自己横溢的才华一文不值，犹如脑袋里长了一团烂草。他思潮起伏，图谋报复。

“他们总是拖拖拉拉，见风使舵，尤其是阿斯利·内维尔先生。一个假清教徒——如果有这种人的话，他就是其中之一。”无所不知的店老板继续说。

“你和他挺熟？”

“伦敦只是个小村庄。”

店老板那张脸像个烤苹果，上面镶着葡萄或者诸如此类的东西，和形容憔悴、面颊枯瘦、鹰钩鼻子老长的庞普尔形成鲜明对比。

“对付他有什么好办法？”庞普尔问，颇有学者气派地扬了扬眉毛。

“内维尔？哭上一鼻子，或者给他搔搔痒痒能让内维尔先生回心转意。漂亮姑娘成功的机会就更多了。”

“啊，也是个悲天悯人的家伙，”庞普尔纵声大笑起来，“他可真让我恶心。”

没有成功，回家的路可真累人。到达哈尔[①]之后，他好不容易找到一位朋友的马厩。码头大雾弥漫，但他的朋友没有让他失望。一匹黑马等待着他。有马的路程便轻松了许多，爱德华可以在阴沉沉的荒野飞奔。他的络腮胡子上结了一层冰霜，斗篷宛若波浪在身后翻滚，像冰一样坚硬的大地倒是纵马驰骋的好地方。

到达平缓的山谷，踏上家乡的土地，进入布鲁姆庄园的果园之后，他的微积分书和为这次没有成功的申请准备的文件在马褡裢里颠来颠去。他把褡裢移到身后，策马沿着一条小路一溜小跑。突然有人大声喝道：

“以查理国王的名义，停下！”

一个蒙面人从树篱后面跳出来挡住他的去路。这人一只手拿着一把短

---

①哈尔（Hull）：英国港市。

剑，另一只手拿着一支手枪，头上套着一个黑布袋，只露着两只眼睛。

“驾！”庞普尔大声吆喝，可他的坐骑反而放慢了步子。

“你是什么人？”蒙面人厉声喝问。

庞普尔拔出短剑：“我已经快回家了。就在这条路分岔的地方。让我过去！”

“我割断你的喉咙怎么样？”

那人的紧身皮上衣上刀痕累累。

“你没有理由这样干，先生。”庞普尔说。他用力踢了一下马肚，马跑了起来。

“哈哈哈……”他听见身后传来一阵笑声。那个大胆的拦路抢劫的年轻人跳进旁边一条杂草丛生的壕沟。他骑马走进布鲁姆庄园的大门，走上宽阔的台阶。

马夫急急忙忙走过来接过缰绳。天气很冷，他搓着手，嘴里呼出一团团白气。庞普尔翻身下马，紧紧拥抱马夫，又拍了拍那匹马，三双眼睛都骨碌碌地转着。

“一路辛苦，”马夫说，“总算平平安安回家了。”

“到过这么多有名的地方之后，我才知道只有勋爵这条美丽的峡谷才是真正的风水宝地。我们的花坛、我们的温室培育着大城市人做梦也想不到的奇花异草，收获着大城市人做梦也想不到的丰硕果实。”

“可惜我们不能永远待在这儿受人恩惠，先生。”马夫一边察看马蹄一边说。庞普尔卸下马鞍子。

“你说得很对，”庞普尔点了点头，“我们现在落入一帮又懒惰又胆小的家伙之手。采购员、打零工的人、账房先生。说实在的，倘若保不住这片净土，我们真的会失掉这一切。罗莎蒙德在哪儿？”

“在公园。”

“你把她叫来好吗？”

“您的妻子在屋里。他们正在等您。他们说，您的儿子要去参加国王的军队。”

“我们已经没有国王了。”

“查理二世。”

“哦，干你的活儿去吧！干你的活儿去吧！”庞普尔没好气地对大脸盘儿马夫说。

楼上冷冰冰的走廊那边有一套房间，承蒙布鲁姆夫人厚爱，他们一家人就住在那里。此刻，迪莉娅正坐在高大的窗户旁边。那是一堵仿佛扭曲了的玻璃墙。从这堵玻璃墙望出去，外面的景物宛若在水底游泳。迪莉娅在这堵“墙”的映衬之下显得格外美丽。看见她的“征服者”回来，她不由得打了一个寒战。在这扇窗前，她等得太久了。她的心情像紧紧盘在头上的金发一样，一点儿也不轻松。她一眼看出爱德华·庞普尔是“被征服者”。

“欢迎你，爸爸！”膀大腰圆的亨利大摇大摆地走了进来，靴子里面插着一把短刀。

“看样子，你们要到角斗场[①]去？”庞普尔责备道。

“不好吗？”迪莉娅用好听的声音问。

“不好。世风日下，过去的智慧全都派不上用场了。”

“那么，我们可以顺应新的潮流！”她笑着站起身，吻了吻丈夫。让丈夫在儿子面前丢丢脸也是应该的。事实将证明她的宝贝儿子才是真正的胜利者。“哦，爱德华，亲爱的，他们不要你吗？我们该怎么办呢？”

拥抱妻子的时候，庞普尔在心里赞赏她那么善于掌握平衡，简直像一架天平。“他们请我过些日子再去一趟。”

“什么时候？”

“还没有确定。”

虽然国家分裂，时代变迁，岁月的河水还是奔流不息。回首往事，人们记得，如梭的日月怎样编织了一个年代；展望未来，他们深信时光的流

---

①角斗场（abatoir）：指拳击、摔跤、斗牛场等。

水会再次冲刷出一个新的模式。

“你路上遇到什么麻烦了吗，爸爸？”亨利问，像一头得了奖的公牛在炉边蹭来蹭去。

庞普尔突然觉得儿子那副架势和那件刀痕累累的紧身皮上衣特别眼熟。

“没有！”庞普尔满腹狐疑地说，“路上向我挑衅的那个家伙是不是你？”

“我为流亡的查理二世巡逻。”

“傻瓜！”

看见父亲满脸通红，亨利大笑起来，迪莉娅不无赞赏地看着儿子。

她之所以喜欢丈夫，是被他的头脑和气质所吸引。如果他这次申请不能成功，无法养家糊口，或者因为乱世之秋无法发挥自己的才能，她都不会怨恨他。

“让我亲自出马吧，”迪莉娅建议，她已经让自己镇定下来。由于痛下决心，朱唇微启，露出一串细碎的珍珠般的牙齿，“我可以说服他的。”

爱德华在椅子上坐下，忧心忡忡。他没法儿阻止妻子去为他求情，也没法儿不让儿子为国效力。尽管现在在南方，真正效忠王室的人已经所剩无几，就连最早的保王党也各奔东西作鸟兽散了。

透过阳台高大的窗户，他看见乌云在荒原上翻滚。狂风暴雨短暂的间隙，乌云中露出一缕嫣红的霞光。他不合群，也没有社会上流行的种种手腕。他害怕有朝一日无能会把自己完全毁了。但是这一天到来之前，一定要证明自己。他会让人刮目相看的。

只要有机会充分展示自己的构想，他就一定能成功。

他闷闷不乐地望着家人：“我不阻拦你们。你们俩。”

亨利轻蔑地笑着。即使父亲反对也阻挡不了他。力量对比显示了他的优势。父亲在那张硬木椅子上颇为不满地扭过身子去的时候，他故意往母亲这边挤了挤。父亲把脸扭了过去，他很为亨利四肢发达、头脑简单而羞愧。

“我浑身是劲儿，不能永远待在这儿，爸爸。”

“男孩子总是喜欢打斗。好吧，你已经够强壮的了。”

亨利绕到椅子后面，动情地拍了拍父亲的脊梁。

“国王成功之日已经不会太久了。”

“那么，去吧。不要喝酒胡闹，”庞普尔警告儿子，“国王的事业毕竟是崇高的。”

“我该去找谁？”迪莉娅问。

“亲爱的，路上太危险。像我们的宝贝儿子这种小玩闹不过咋咋乎乎吓吓胆小鬼罢了。真正拦路抢劫的强盗大有人在。”

“我该去找谁？”

“我想，见见阿斯利·内维尔或许有用。”

“太好了，亨利可以当我的保镖。”

“还得让妻子抛头露面去找那些穿制服的狡诈的浑蛋求情。”庞普尔哼哼着说。

迪莉娅脸上露出微笑：“我们必须和这些权贵做点儿交易。如果我们为他们做点儿什么，他们也该帮帮我们的忙。我的如意郎君，改善我们的生活条件，也是我的责任吧。”

庞普尔因为一路辛苦，精疲力竭，头发蓬乱。他用手指拢了拢覆在额头的乱发，那样子似乎对整洁已经不抱任何希望。他朝妻子冷冷一笑：“我很赞赏你，夫人。”

妻子和儿子走了之后，庞普尔站起身来去找罗莎蒙德。她是他唯一的安慰。马夫说，她在公园。也就是说在花园那边。这座花园是庞普尔根据数学原理、天文学以及草药的科目特地为勋爵开辟的。苹果园那边是充满原始风情的公园。高大的树木郁郁葱葱，树叶上挂着晶莹的水珠。

罗莎蒙德在树丛和树枝间穿行。突然，昏暗中闪过一道白光，罗莎蒙德胯下的坐骑前蹄腾空，直立而起，只一刹那便又消失在黑暗之中。庞普尔踏着枯草，急急忙忙跑了过去。那匹灰斑小马轻快地跑着，骑马人在树木间时隐时现。

“喂！喂！”

石板路上响起马蹄声。

“罗斯！”

他一直跑到她练习骑马的那片林中空地。在冬天的幽暗之中，苍莽的树木之下，灰斑小马显得特别白。她披着粉红色的锦缎披风。披风有点儿脏，遮住了她的身体和小马的肚子。姑娘脸朝前，浓密的秀发在晚风中飘拂。

“罗莎蒙德！”

姑娘听见爸爸的喊声回转头。小马一惊，向后打着趔趄，掉转头，向庞普尔跑过来。庞普尔往路边退了几步。

罗莎蒙德勒住马缰，在他的面前停下。马的嘶叫声和咯咯咯地咬马嚼子的声音盖过了姑娘的喊声。

“那件事有什么结果吗，爸爸？”

“我回来了，亲爱的。”

他接过马缰，轻轻抚摸着小马脖子上颤动着的血管。女儿甩了甩金黄色的头发，因为骑马，脸颊涨得通红。爸爸站在路边像个稻草人，潮乎乎的斗篷沉甸甸地披在肩上，一头乱发盖在头顶就像落了一只傲慢的乌鸦。

“今儿个出来骑马不是太冷了吗？”

她的一双碧绿的眼睛兴奋地看着他。

“不出来跑跑，内利的关节都要生锈了，”她回答道，“一路辛苦，您一定累了吧。”

“我这次没有成功。”那匹马摇头摆尾，很不听话，“你妈妈要亲自出马为我争取。”

罗莎蒙德笑了起来：“她会亲自出马的。”

罗莎蒙德圆脸盘，胖乎乎的，披着宽大的斗篷，骑在小灰斑马身上给人一种头重脚轻的感觉。马儿对庞普尔已经有了几分信任，用鼻子碰他的腋窝。

“我不在乎，”他微笑着说，“我宁愿待在自己的‘领地’，不受干扰地工作。可惜我无法养家糊口。谁能为我亲爱的妻子儿女提供帮助呢？”

“我哥哥就要离开您这顶保护伞了，”她说，“倒是个有闯劲的家伙。”

“真是头蠢驴。我自个儿的‘历险记’，更惊心动魄。”

她把小马从爸爸身边拉开。

“罗斯，你在这儿待着寂寞吗？”

“不，除了妈妈让我学做针线活儿的时候。”

“你这个年纪的姑娘应该有人一块儿玩才对。”

“我骑马出来的时候，从来不觉得孤独。我从林中走过的时候，亭亭玉立的树木都和我说话。”

小马猛地扬了一下头。

“天快黑了，我们回家去吧。好吗？”爸爸疲倦的微笑并没有逃过她的一双眼睛。树枝在头顶黑色的暗影中沙沙作响。因为长途跋涉，庞普尔累得仿佛双脚冻在地上，一动也不想动。

“骑上马一块儿走吧，上来！”罗莎蒙德说，“上来，听我的，快点儿！”

她把一只脚从马镫里提起，让爸爸踩着马镫上马。庞普尔抬腿跨上马背，和女儿一起挤在马鞍上，两条大腿裹在锦缎披风里。

“坐好了吗？”

“我们下来走吧，孩子，慢点儿也行。”

“不，”她尖声尖气地说，踢了踢内利的肚子。马儿立刻奔跑起来。

他紧紧贴着女儿丰满的臀部。她是个很好的骑手，由于纵马疾驰，身体颤动着，锦缎披风飘起来在他身边拂动。

他们的眼睛被凛冽的寒风刺痛，流出泪来。树木在渐渐浓重的暮色中向他们围拢过来。马儿和骑手都熟知回家的路。庞普尔在马背上滑了一下，连忙搂住罗莎蒙德的腰，两条腿紧紧夹住小马热烘烘的肚子，一双手鬼使神差地握住女儿胸衣里的乳房。他大口大口喘着粗气。她那热烘烘的、微微震颤的身体，由于寒冷的暮霭，由于马儿的肌肤，由于紧贴她两条大腿的男人粗壮的大腿骨和膝盖骨，异常奇妙地生发出火一样的激情和力量。青春的活力在她心头涌动。她喘着气放声大笑。庞普尔觉得热血沸腾。

他们穿过石头墙上的一个豁口，踏上花园中间那条砂砾小路，一直跑到园艺家庞普尔培育玫瑰新品种的花坛。花坛里，经过修剪的玫瑰像竹笋一样冲破黑油油的泥土。跑到菜园前面的时候，罗莎蒙德转过脸对着爸爸的耳朵悄声说："我们可以这样跑下去。我们可以纵马奔驰到更远的地方。"

他从肚子上撩起汗津津的锦缎披风时，惊恐地发现妻子迪莉娅出现在楼门口。

"我看你还挺有劲儿的嘛，爱德华。"

马儿低下头啃欧芹，撒了一泡尿。

"布鲁姆夫人等你吃晚饭呢，"迪莉娅喊道，"这几天本来是她的斋期，可她还是同意和我们一块儿喝豌豆汤。你应该感谢全能的上帝才对。"

"期待你的成功。"布鲁姆夫人离开餐桌时警告庞普尔。

"请您休息好，夫人。"迪莉娅谦恭地说。

吃过这顿不愉快的晚餐之后，他们便上床睡觉。爱德华等妻子睡熟之后，披衣而起。他手里拿着一支蜡烛穿过走廊，走下楼梯，走进书房。烛光摇曳，照耀着摆在工作台上的瓶瓶罐罐，发出柔和的光。书一摞摞地堆放着，报纸文件上面压着东西。瓶子、盒子里放着有气味的有机物质和化学物质，腌制的、铸造的或者已经成为化石的东西。几盏喷灯中间巍然耸立着一个镶宝石的十字架。和它摆在一起的还有几件异教徒的遗物。庞普尔从一个已经变脏的木头底座上取下那块鞑靼人的玉石。玉石很沉，他不由得把手放到书桌上。玉石在他的触摸之下渐渐变热，他的心底升起融融暖意。那块美丽的碧玉中间有一处乌黑发亮的瑕疵，艺术家正是利用这块疵斑刻了一朵多叶的黑玫瑰。那朵精巧的花似乎就从那绿色的表面长出来，真是天衣无缝，巧夺天工。墨玉和碧玉，无论颜色还是表现对象都截然不同，但是此刻，它们融于一块完整的石头，形成一个统一体。

庞普尔的手指抚摸着这块玉石，从那黑色的花和碧绿的叶中体味分与合深刻的内涵。他由此想到，在遥远的东方一定能找到黑玫瑰。他认为，一旦揭示了尚且不为人知的规律和茎与根的反向性，就可能培育出新的品种。他渴望着这样的智慧的创造。科学是打开想象之门的钥匙，即使在半夜三更最黑暗的时刻，他也可以熟练地运用书房里的种种科学设施。然而，跟人打交道，特别像皇家学会那些委员们，他却一筹莫展。他紧紧握着那块玉石，此刻它最为友好。如果认真想一想，庞普尔或许会意识到，仅仅因为不善于表达自己高人一筹的想象力，他才无法在这个世界飞黄腾达。全都是语言表达问题。他不擅辞令，当然也有点焦躁不安。他打了个寒战，往里紧裹了裹斗篷，端起蜡烛继续往前走。他又爬上楼，来到家里人睡觉的那层，走到走廊尽头女儿的卧室前。

他吹灭蜡烛，挤进女儿虚掩的房门。

昏暗的屋子里，罗莎蒙德曲线优美的身体裹在被子里面，睡袍的白色绣花领子一直扣到脖颈下面。她在寒冷的冬天纵马疾驰，累得精疲力竭，现在躺在温暖的、蚕茧似的被窝里熟睡，青春活力又悄然升起。也许除了小马内利之外，只有她才是真正的童贞玉女。她乳峰高耸，肚子微微突起，大腿粗壮，紧闭着的眼帘光洁动人，细密的金色的汗毛从仿佛环绕着光圈的头顶向上嘴唇、腋窝、小腹、腹股沟、小腿肚蔓延。玫瑰一样的面颊，玫瑰一样的双唇，纯洁、真实。她是他的杰作吗？她的生命要比她的形体更美好。她拥有自己的创造力。他崇拜她生命中的这种力量。她使他兴奋。他的工作都是为她——他的女儿，真正的爱。披着厚重的斗篷，他浑身燥热，但还在微微颤抖。他仿佛觉得两只脚钉在地板上，不允许他向女儿靠近一寸。血往头上涌，蒙蔽了他的一双眼睛。他像一根拨火棍，熊熊燃烧。他的激情集中在一点——她，罗莎蒙德。他的所有欲望都融于她一身。他抬起手，伸开双臂，贪欲在奔涌，燃烧，灼痛他的心。他高高地耸立着。那个扑灭欲火的人。他的女儿。泪水流下面颊，打湿他的胡子。他不会碰她，永远不会。他的罪恶是他的秘密。这个秘密使他远离这个世界，远离皇家学会和学会里那些权威泰斗。这个秘密起始于罗莎蒙德，又终结于罗莎蒙德，以及在这个理解过程中所获得的知识。有一刹那，在认识到这一真谛的核心的时候，他似乎相信他要走过去干的事情是得到允许的。为了她。他就要从羁绊中解脱，让自己吞噬她，宣泄心中的痛苦，触动这极端的也是唯一的满足。

她开口说话了："爸爸，是您？"

"我来看看你睡得好不好。我一直在工作，亲爱的。睡吧，我的宝贝。安安稳稳地睡吧。"

"您一直在看我吗？"

他冷冷地点点头。

"别这样。"

"晚安。"

他像影子似的回转身，急匆匆地穿过走廊，逃离那个他可能做出什么事情的现场。他跌跌撞撞走下楼梯，被身上的斗篷绊了一下脚。

屋外，那几条狗动了动。他勉强用斗篷裹着自己，快步走进花园。池塘结了一层冰，黑油油的像面镜子。他在池边跪下，做出向上帝祈祷的姿势，而对于上帝绝对的主权，他一直拒绝承认。他靠近池塘的石堤跪着。"触手"横生的树冠、波涛一样汹涌的云朵、被污染了的银色的月光，在池塘平稳如镜的冰面上轻轻颤抖，变幻出无数映象。庞普尔伸长脖子，脑袋砸开薄薄的冰面，浸入黑乎乎的冰水。他抬起头，被寒冷刺激得连气也喘不过来。他的肺急促地起伏着，冰冷的水咬啮着大脑。他摇晃着瘦弱的身躯，向充满恐怖的天空乞求。他要走开。他要离开这里。阻止我，帮助我，救救我。

他打了一个喷嚏，又打了一个，然后颇富戏剧性地又打了第三个。

迪莉娅·庞普尔大要一通手腕之后，从伦敦奏凯而回。她以一位由于生活所迫，不得不抛头露面、为丈夫求情的贤妻良母的身份和阿斯利·内维尔先生单独见面，目的是使皇家学会主席正确理解丈夫的心情。爱德华·庞普尔只是请求学会吸收他为会员，她解释说，从而得到和学会同仁一起工作、并且为学会的利益而努力的机会。他愿意分担它的责任，得到一份报酬，并且以一个真正学者的质朴，为学会增光添彩。

阿斯利先生反驳说，学会的要求很高。他对庞普尔的能力，甚至对他的头脑是否清楚都心存疑问。阿斯利先生还说，他一个人无权决定这件事情。涉及入会这样的大事需要时间。他建议，如果庞普尔愿意出海考察，或许可以让他填一张见习会员的表格。老头态度坚决，一点儿也不让步。

迪莉娅·庞普尔指出，国家动乱，对科学家的奖励和资助受到极大的破坏，她的丈夫没有独立的经济来源，更谈不到出海远航的资金。

“不过，你丈夫的脑子可是个财富蛮多的宝库。”阿斯利先生开了个玩笑。他对这位妇人的“自我暴露”倒很欣赏。

“第一，他没有钱出海远航。第二，他不在家的时候，家里人如何维持生活？他没有钱，所以没有办法按照您建议的方式去证明自己的能力。”

“他出海期间，家里人可以靠我们的帮助生活。”

“我感谢您的好意。”

于是她开始使用她的手段。她一本正经地坐在阿斯利先生对面，中间隔着一张桌子。随着“会谈”的深入，阿斯利先生的一双眼睛显露出饥渴。她仪态万千，极尽引诱之能事，直到他无法拒绝，站起身来绕过桌子，紧紧握住她那双软绵绵的手。在这个关键时刻，她潸然泪下。

“我没有什么可给予您的，先生。您一定不要责怪我。我万分谦恭地恳求您的恩惠。”

“难道我是那种阻碍发现天才的人吗？身为有史以来最大的学术机构的首席代表，我难道能拒绝扶持发明创造，并且给予切实的支持吗？你的丈夫将成为‘雪松号’的全权代表。我想，是从哈尔港出发。他的职位是船上的医生。你嘛，夫人，可以来领他的薪水。‘雪松号’在大斋节[①]前起航。”

---

①大斋节（Lent）：指复活节前为期四十天的斋戒及忏悔，以纪念耶稣在荒野禁食。

阿斯利先生那只因为嫁接葡萄而变粗糙的手已经伸到她的袍子下面，拧了一下她那湿润的、麝香葡萄似的乳头。她紧紧抿着嘴唇。

“你能代表他作决定吗，夫人？他愿意接受这个差事吗？此行事关重大，在你我达成共识之前，必须秘而不宣。”

他使劲儿拧了一下她的乳头。

“您太心急了，”她尖声尖气地说，要他松开手，“那么，我代表他接受您的任命。”阿斯利先生咀嚼着这颗送进嘴里的“葡萄”，垂涎三尺。

迪莉娅带给丈夫的是皇家学会的一封任命信和乳头周围一圈青紫。爱德华没太注意妻子遭受的辛苦，只是询问学会何以突然改变主意。迪莉娅倒是心满意足，因为她自己的地位有了保证。一旦爱德华·庞普尔扬帆出海，人们就会看到她青云直上。只要老色鬼内维尔还对她感兴趣，她就可以过轻松自在的日子。

请原谅迪莉娅·庞普尔兜着圈子表白自己。丈夫出海考察期间，她将靠他的薪水过优裕的生活。她有个牛一样结实的儿子去打仗，还有个玩具娃娃似的女儿待在家里。在这个新的社会里，她将是个真正的新女性。

灰蒙蒙的苍穹让人无法期待春天的到来。残存的绿色变得灰暗，似乎再也不会发生什么变化。一丛丛灌木把根扎在坚硬的土地里，庞普尔费了好大力气挖出一株株玫瑰，准备装船带走。皇家学会的会员们告诉他，“雪松号”的秘密使命是为国王——不是殉难的查理，而是活着的国王——流亡法国的查理二世尽忠。他们的任务是搜集稀世之宝，发现珍禽异兽，制造舆论，与国王恢复王位的号召遥相呼应。庞普尔认为这个项目简直荒唐至极。真是一帮口是心非的两面派！他们打着共和国的旗号，干的竟是此等勾当！他们的所谓事业不过是一个彻底失败的集团的垂死挣扎。出于同党的利令智昏，阿斯利·内维尔派天才的莱克向庞普尔解释，尽管皇家学会表面上忠于新政权，自诩信奉清教主义，实际上他们都把对国王的忠诚深深地埋藏在心底。皇家学会的经费都是通过对国王的事业资助的渠道得到的。因此，学会应该再通过秘密渠道对国王的仁爱作出回报。把这些事情告诉爱德华·庞普尔——一个被他们蔑视的人、一个“见习会员”，实在愚蠢至极。庞普尔对他们的伎俩冷眼旁观。宗派对于阴险犹如伪善对于原则一样是非不分。而出于宗派的虚伪——阿斯利·内维尔先生是一个活典型——是人最拙劣的表演。

莱克当然看出，学会引以为荣的所谓始终如一的政策不过是一个压根儿就靠不住的“物理过程”。不管这种两面派手法耍得多么高明——表面上拥护现政府，暗地里支持保王党——总不会做得天衣无缝。庞普尔和莱克都清楚地知道，没有可以使两面派手段不露出马脚的万全之策。所有这一切不过是掩耳盗铃罢了。

但是庞普尔毫不犹豫地接受了这个差事。他将随船出发，到东印度群岛寻找奇花异草，珍禽异兽。因为在这些稀罕玩意儿身上，包含着使自己得到自由的希望。

微风吹过池塘，泛起层层涟漪。如果继续在这儿待下去，他迟早会占女儿的便宜，毁了她，毁了他们俩，即使得到她的允许。他对罗莎蒙德的渴望宛若熊熊燃烧的火焰，把他烤灼得几乎成了废人。罗莎蒙德是一个无拘无束、天真无邪、不曾娇惯的姑娘。是唯一占据他内心世界的人。是他生命与力量永不枯竭的源泉。他渴望得到她，他需要与她融为一体，以便完成自己的使命，即使这样做将永远玷污他为之献身的事业。在他决心抵制这种诱惑的时候，难以抗拒的乱伦的冲动还在他心头燃烧。到大海去。他没有力量离开她。爱、关心、尊敬、保护意识、难以言传的快乐，所有这些父亲对女儿的柔情都凝聚在他的身上。让他的生命和她分开实在是太残酷的惩罚。把失掉父亲的痛苦加之于她，把他的忏悔转化为对她的惩罚，把她留给她并无钟爱之情的哥哥和妈妈真是太不公平了。他自己将要投身于大海，投身于充满凶险、没有经过勘察、狂风暴雨随时都可能肆虐的大海，成为那条船上所有那些恶人和没有感知的大自然的牺牲品。而她，将在没有父亲的家庭长大。伤心、无依无靠的痛苦像他不正当的欲望一样，将使她陷入危险之中。

他将学会约束自己。他不会去碰她，然而这又是一件无法作出承诺的事情。四十年来，他翻山越岭、跨溪过涧，在所有这些特定的领域进行了探索。在他的内心深处流淌着汩汩的山泉，然而那是她的，并不属于他自己。他的灵魂深处有一个他无力否认的深渊。但是，他将肩负新的使命，努力抛开这一切。他将穿洋过海和命运开一次玩笑。

罗莎蒙德骑着马跑过来，朝他嘻嘻笑着："您很快就要有一片比这个池塘大得多的水域流连忘返了。您给我带什么回来？"

"黑玫瑰。"

"我只允许您走一年零一天。多一天也不行。"

"我要在圣诞节前赶回家。这次航行一共九个月，罗斯。"

"我们的家会在哪儿呢？等你回来，妈妈和我在哪儿住呢？"

"布鲁姆府邸会是你的家。我出海远航就是为了你们能在这儿继续待下去。"

"嚯！"

"我希望你能在哈尔迎接我，我的宝贝儿！"

她闪动着金色的睫毛，一双绿眼睛目光流盼，就像振翅飞过天空的小鸟。

庞普尔接过缰绳。

"我们回去吧。"

他领着罗莎蒙德和她的马向那幢房子走去，玻璃窗映射着落日的余晖，霞光正融入暮色。四旬节的第一天[①]，他便独自在船上干活儿了。他将显得那么正直、高尚、坚定，当然心中会充满凄苦。

全家人聚集在小教堂。布鲁姆夫人自告奋勇为庞普尔的远行朗读祈祷文。

"保卫他，护佑他，滋润他，珍爱他，您的仆人。保卫我们，护佑我们，

①四旬节的第一天（Ash Wednesday）：罗马天主教在这一天向忏悔者头上撒灰。

滋润我们，珍爱我们，您的仆人们。茫茫世界，滔滔大海。无论在您的天堂的阳光之下，还是在漫漫长夜；无论在人群拥挤的大路，还是在孤独灵魂的蛰居之地，领我们走上正义之路。不要让我们迷失方向。用您摆布万物的全能之手，用您仁慈的爱心，安排我们于天使的行列。”

布鲁姆夫人由于激动，嗓子一阵发紧。

然后，她又像织布机上的梭子一样发出“咔咔嗒嗒”一阵声响：“保佑我们的远航之船，乞求您的恩典，全能的主。”

最后几只海鸟离船而去，留下这一叶孤舟在灰色的波涛间颠簸。帆兜满了风，船速很快。庞普尔喜欢这种追波逐浪的运动，尽管他还没有适应海面上的颠簸，常常站立不稳。大海碧波万顷，茫无方向。波浪揪扯着船儿向前，船依照帆的指引，一路颠簸，穿过波峰浪谷。漫长的航行在无尽的悬念中开始。过去的一切已经成为永远的过去，未来一片空虚，完全是一个未知数。或者像大海一样，将它的浩渺和冷漠藏在人类无法预知的海底。

麦克奎因船长是丹巴顿郡[①]人。他活到六十岁，大部分时间是在海上度过的。他很高兴船上这位爱德华医生——大家现在都这样称呼他——除了观察、记录、做点修修补补的工作之外，不乱插手。爱德华·庞普尔因为没有马上给船长添什么麻烦，所以还能和他交上朋友。大副和大部分船员都是皮肤黝黑的康瓦尔人。他们拘谨、敏感、刻薄，除了自己人很少和别人来往。他们即使不为国王效力——看起来是这样——也反对新政权。在他们眼里，这个政权很快便被野心勃勃的官吏、见风使舵的政客以及趋炎附势的小人搞得腐败了。

临走时，莱克代表皇家学会送给他一小袋金镑。庞普尔把这笔钱的二分之一留给妻子迪莉娅，四分之一送给女儿罗莎蒙德，只给自己留下一点点。以后家人的用度就由皇家学会供给。他个人的开销由“雪松号”负担，作

①丹巴顿郡（Dunbarton）：英国苏格兰原郡名。

为对他的工作的酬劳。他热切地盼望在几个月之内能够有所发现，并且因此而名扬天下。但是，出海之后，他生命的一部分突然之间被滚滚波涛淹没，又注入另外一种新的东西。一个正在改变的人在全新的氛围中证实自己的存在。他满怀重新获得生命的喜悦，深深地吸了一口气。

“雪松号”在茫茫大海上下颠簸，左右倾斜。这是一条很大的破旧的纵帆船。但是它设计巧妙，运作灵活。庞普尔相信，它会载着船员们穿过险风恶浪，到达胜利的彼岸。这条船是一个真真切切的世界，就像我们那个被滔滔碧水包围的更为广阔的世界。庞普尔的皮包里装着一封加盖了国王印鉴的密信。这封信是从法国偷偷捎过来的。捎信人把它郑重其事地托付给爱德华·庞普尔。他们并不知道，其实庞普尔不是国王的人。庞普尔忠于的是更加悠久的历史。被砍头的国王和他的儿子不过是历史长河泛起的一阵涟漪，对于他算不了什么。爱德华·庞普尔只属于他自己。他不能否认扬帆远航的日子与他命运攸关。他不希望别人与他分享这个不同寻常的时刻。

斜阳点点，照耀着柏油一样的海水。漫漫远航迎来第一个傍晚，喧嚣了一天的大海屏声敛息，渐渐进入梦乡。星光初露，让他想起亲爱的女儿。她像天上那颗明亮的北极星一样，可望而不可即。他极力在心里描绘女儿那张秀丽的脸庞，不由得悲从中来。他想，自己不在家期间，女儿一定会以另外一种方式成长、变化，变成另外一个完全陌生的姑娘。丝丝缕缕的云彩聚积在一起，挡住闪闪烁烁的星光，渐渐模糊了女儿那张脸。

船长打断他的沉思默想，请他去吃饭：“我们在船上组成自己的社会团体，必须纪律严明，一切按规矩办事，不允许陆地上任何形式的（革命）在这儿出现。只要我们大家遵守纪律，无论碰到什么困难都可以克服。”

庞普尔没有胃口。

“我倒希望能碰到点什么事儿。”

“没问题，以后肯定能碰到。作为船医，你对于达到这次远航的目的至关重要。我们不能因为中途有什么不测而使这次航行延误或者受损失。

只要能够达到目的，别的都无所谓。”

麦克奎因一只手臂搭在庞普尔的肩膀上，一副不容置疑的架势。

庞普尔争辩说：“如果我们出海远航的目的仅仅是为了再回来，那还有什么意义？”

“如果我们虽然有所收获，但却没能回来，意义又何在呢？听我说，先生，这里面的奥妙多着呢！”

麦克奎因船长给他讲解海图。亚速尔群岛南边是非洲、佛得角和风暴角。绕过好望角之后，有两条航线可以去东印度群岛。一条比较远，沿海岸线横穿斯里兰卡的坎迪岛；另外一条随信风直接穿洋过海。可是这条航线没有什么陆标，只有对航海事业漠不关心的法国人和干什么事情都粗心大意的荷兰人标明的两三座海岛。还有许多横陈大海之上的无名荒岛未曾标明。它们对麦克奎因此行的目的显然构成威胁，必须避开才行。船长倾向于沿非洲东海岸北上，虽然路程远，但比较安全。

庞普尔让麦克奎因教自己点航海知识，并且希望以后每天都能知道船在大海的位置。好交际的船长顿时来了精神，他的“第一课”就讲得那么冗长而繁杂，直听得庞普尔头晕目眩。水手应当像农民熟悉土地一样熟悉大海和天空。船长引经据典，还列举了一大堆数字以示自己的渊博。庞普尔听了如坠云里雾中，只觉得一阵头晕，只好回到自己的舱房。他关上房门，紧紧抓着门把手，祈求无休止的颠簸能够停下。

当然，颠簸永远不会停止。只能是终于有那么一天，他完全习惯了这永恒的运动，几乎感觉不到波峰浪谷之间的这种颠簸。

舱房里安装着上下床、写字台、长凳、衣物柜、脸盆架和一个大水罐。有两口箱子贴了标签，上面写着爱德华·庞普尔的名字。他从其中一口拿出钢笔和记事本，在写字台上坐下，尽量稳住身子，记录每天航行的见闻。

他无法适应船的颠簸，写字的手上下颤动，只好停下笔调整一下姿势。钢笔尖在空中犹豫不决，生怕落下来将纸戳破。

离开大学之前，庞普尔到法律协会参加法律和秘书训练班的学习。其实这并非他兴趣之所在。他娶了个年轻的妻子迪莉娅，她很快给他生下儿子亨利。为了养家糊口，他曾追随年轻的范尔康布来吉子爵，到国外处理国家事务。就在那一次次冒险的间隙，他回国使妻子怀上女儿。他走南闯北，见多识广，从上流社会的大人物到下层社会的平民百姓，从罗马天主教徒到革新派人士，都打过交道。他常常口若悬河，发表对时政的看法，还喜欢写文章参加哲学界的论战。他渐渐认识到商业贸易的重要性，认识到航海技术在改变世界的过程中所起到的作用。他身处强权称雄的年代。这个年代最重要的任务是建立牢固的贸易体系，而且常常是凭借武力建立。他和子爵的分歧在于形成这个体系的核心的性质。子爵盲目地服务于国王的暴政，服务于权力。爱德华·庞普尔则着眼于形成这一体系过程中更为复杂的潜在的可能性。他既不支持独裁者，也不支持无政府主义者。他希望拥有服务于这种变化的原动力，也就是创造力。随着时间的流逝，他越来越致力于这种探索，不再追随年轻的子爵。子爵本人则铁了心要投身于风云变幻的政治斗争。就在庞普尔利用放大技术和显微镜学进行种种科学实验，利用望远镜观察天体，达到小中见大、“见微知著”的目的的时候，范尔康布来吉终于脱离政界，凭借自己那点儿可怜的知识在伦敦搞设计。战争爆发之后，他只得北上到布鲁姆勋爵府上讨生活。布鲁姆勋爵是个相当聪明的人物，遇事总是三思而后行，善于搞平衡，而且为人谦和，不喜争论。大学时代的一帮朋友仍然迷恋于社会学和柏拉图学派的课程，并且酷爱艺术与自然。爱德华·庞普尔和他们意气相投，一起投到布鲁姆勋爵门下，开始提炼玫瑰香精的实验。罗莎蒙德在布鲁姆勋爵的府邸长大。尽管烽烟四起，战火连天，这里却是世外桃源。罗莎蒙德活泼健壮，其乐融融。冬天，她在灯光下学习几何；春天，她采集鲜花，给小羊羔接生；夏天，在扎人的干草垛里捉迷藏；秋天，拿着长长的鱼竿到河边钓鲈鱼。亨利很少和妹妹玩，只是和镇上那些小伙子们一起厮混。罗莎蒙德没有和自己年龄相仿的伙伴，没有堂兄表妹，也没有同学朋友。她在孤寂中长大。但是这座美丽的庄园爱罗莎蒙德，庞普尔因此而更加热爱这块土地。

在党派纷争、硝烟四起的日子里，布鲁姆府邸简直是一座丰衣足食、宁静淡泊、书声琅琅的天堂。布鲁姆勋爵对国家暗淡的前途看得越清，越精心保护他的庄园。他严厉批评保王党的所作所为。他坚持认为，令人恼火的争论最终只能以流血结束。国教教徒和保王党成员们比贵族还糟。他们总是挑起争论，反争论，提出要求，反要求。国王除了耍阴谋放暗箭已经无计可施。国王的梦幻已经破灭，迟早都得掉脑袋。布鲁姆勋爵活着看到他的预言变成事实。接着便是为了争夺政权、财产连年征战。最后，他在议会党人的军队和一股叛军残余毫无意义的冲突中丢了性命。一个头脑清楚的人就这样不明不白地成了孤魂野鬼。

布鲁姆夫人缺乏丈夫那种判断能力，悲伤痛苦和无依无靠越发使她陷入对国王近乎疯狂的忠诚。庞普尔和他的家人住在庄园，就像几只靠吃腐肉为生的鸟。对于他们这种处境，布鲁姆夫人显然也有同感。因此，庞普尔是怀着蒙羞受辱的心情扬帆远航的。

他在第一天的杂记中记下海鸟、飞鱼、仪态万千的海流、被凸起的水平线慢慢吞没的英格兰海岸。

庞普尔打了一个哈欠，朝四周瞥了一眼，放下手里的笔，一股想祈祷的热望从心底升起。可是向谁、向哪个神祈祷呢？他现在置于哪个神灵的护佑之下呢？是什么难以言传的力量主宰着他的命运之舟呢？

他坐在长凳上往后靠了靠，听见一阵闷声闷气的叩击声。舱房外面有各种响声，可是这个声音是在舱房里面。那仿佛模拟出来的叩击声，嘲弄他宛若空谷的脑袋。咚咚咚，咚咚咚，轻微的响声还在继续。

会不会是一只老鼠？他站起来，顺着响声走到放在舱房角落的几只木箱旁边。也许是木箱撞击木头地板发出的响声，或者是什么小动物落进了“陷阱”？他解开捆木箱的带子，打开锁，揭开盖子。

她浑身僵硬，就像母腹中的胎儿，蜷缩在箱子里面，西周塞满衣服。一双大眼睛在灯光的刺激之下使劲儿眨巴。她不动，也不说话，只是等待他的反应。

他倒吸一口凉气，一把抓住女儿僵硬的胳膊，弄得她有点儿痛。“罗莎蒙德！”

“爸爸！”她呜咽着说。

庞普尔揪出塞在四周的衣服，抱住她的胳膊使劲儿揉搓，直到肘关节能够活动。触摸到罗莎蒙德的肌肤，他真真切切感觉到女儿的存在。他又替她揉了揉脖子，扶她坐起来，按摩一会儿肩膀，帮她站起来，走出箱子。

“原谅我。”她说，紧紧搂住爸爸的脖子。

她面色苍白，脸颊在箱子里压出许多褶子，头发压得平平的，身上只穿了件浅色汗衫。

“坐下。是谁把你藏到这里面的？”

她慢慢舒腰展背，活动关节。

“我自个儿。”

她在床边坐下，晃着两只脚，气喘吁吁。

“你会憋死的。”

“我在鼻子前面挖了一个小孔。只要箱子不倒放着，就平安无事。”

“哦，天哪！”

她披头散发，身上很不舒服，动作很不灵活，脸上一副懊恼的表情。她成功地实现了自己的计划。她不愿意和妈妈一起待在布鲁姆庄园。她也要出海远航。

爱德华惊讶地凝视着她。如此说来，罗莎蒙德和父亲告别时恋恋不舍的样子是故意装出来的。收拾行装的时候，她也作出一副孝顺女儿的样子，结果在马夫的帮助之下使了调包计，藏进庞普尔的第二个衣箱。马夫也装模作样，锁好挂锁，捆好箱子，等到一切安排停当，敲敲箱盖祝愿上帝保佑她一路平安。马夫也有自己的逃跑计划。布鲁姆勋爵死后，迪莉娅·庞普尔又落入皇家学会那些伪君子之手，他便觉得在庄园再待下去实在没有什么意思。

“哦，我的女儿。”爱德华埋怨罗莎蒙德。

“我不想留下，你一定要带我一起走。”

“妈妈知道吗？”

“她大概已经看到我留下的信了。”

“我们将在亚速尔群岛靠岸，那儿经常有船回英格兰。”

“你不能把我扔在那儿，爸爸。”

她在他的脖子上吻了一下，他不由得打了个寒战。哦，这可真让人受不了。他好不容易才甩开她，现在她却跑到他的小屋，不但近在咫尺，还紧紧搂着他。他害怕和女儿单独待在一起，尤其怕共度这漫漫航程。

她是船上唯一的女人，这一点也很危险。不能让船员中的任何人，甚至船长知道。

“你怎么能做这种事儿，傻姑娘？”

“我不怕。我不能在家待着。你不生气，对吧，爸爸？你准许我和你一起走，同意我路上照顾你吗？”

“我们该怎么办呢？”他有点儿慌乱地问。她身上有一股勇气和力量，有他无法抗拒的活力。

“我们可以像主人和仆人一样住在一起。”她回答道，言语之间充满了兴奋，“你有吃的东西吗，先生？我饿了。”

“哦，我的宝贝儿，你关在箱子里整整一天没吃东西，也没发出一点儿响动。我有饼干和水。”

“给我。我还得用用便壶。”

“要我到甲板上去吗？”

她望着爸爸大笑起来。他已经接纳了她，而且欢迎她。对于这一点，她从不怀疑。这是她对父亲最后的试探。从今往后，无论狂风暴雨、冰山海盗、酷暑严寒、金岛银山都无法把他们分开了。

庞普尔把罗莎蒙德关在舱房里，心乱如麻。他发誓要保护她，即使自己经受最严峻的考验。不过，她是他的，他怀抱中一只金羊羔。他要放牧这只羊羔而绝无丝毫的猥亵。为了履行誓言，必要时他可以阉割自己——

如果阉割可以改变他的欲望的性质。

他们头对脚、脚对头、背靠背地睡了，整整一夜，时睡时醒，翻身的时候肢体相触，生出一阵焦躁不安，一如那条焦躁不安的船。

起初，罗莎蒙德只能从舷窗看大海滚滚的波涛和辽远的蓝天。爱德华一直反锁着房门，不管他是否在里面。因此，到达亚速尔群岛之前，谁也不知道罗莎蒙德的存在。帆船在一座名叫安哥拉的小岛的港口停泊时，船员们都拥上海岸。温暖的海风中有一股辛辣的味道。人们都急着吃新鲜的食物、莴苣、腌黄瓜、南方菠萝、蜜饯，喝雪莉酒。如果愿意的话，再来点别有风味儿的玫瑰葡萄酒。第一批人回来之后，剩下的人又匆匆上岸。回来的人酒足饭饱，躺在甲板上昏昏欲睡，有的吹牛说大话，有的虽然一言不发，但很为自己上岸之后的收获沾沾自喜。在这种欢乐与混乱之中，罗莎蒙德上岸之后，很容易装作跟医生学徒的小伙子再混到船上。爱德华已经把女儿装扮成小伙子的模样，并且将剪下来的金发珍藏起来。他还把自己的衣服改了改，穿在女儿身上。他到岸上转了一圈儿，吃了点东西，又买了几件必需的衣服。在这个葡萄牙人占领的港口，这群蜂拥而至的英国人无异于魔鬼。为了获取更大的利润，他们带来了船上主管后勤的保管员。当地人的黑眼睛不由得被罗斯那双颜色很浅的眼睛所吸引。他们疑虑重重，总觉得她的目光中隐藏着危险——只有暗探才长着浅颜色的眼睛。

庞普尔把罗莎蒙德带回船上，说她名叫罗斯。麦克奎因船长虽然觉得小伙子细皮嫩肉，但并没有因此而产生怀疑。他更关心的是这位罗斯在这个地痞、无赖、亡命之徒出没的港口以何为生。庞普尔解释说，他是个英国孤儿，是种植园一位黑女人从弗吉尼亚——不能说得太远——带来的。她只希望能把男孩儿送到他的同类之中。为了这一善行，庞普尔给了黑女人不少钱。庞普尔还说，这个柔弱的孩子如果继续在海港待下去，非死不可。麦克奎因听了觉得不大可信。不过船长在这种有关个人的事情上从不滥施权威。对这位“文化人”他更格外开恩。再说，他自己还从另外一个港口的人贩子手里买了三个安哥拉奴隶。出于谨慎，医生编这番假话也可以理解。大不了就这么回事儿。

小罗斯叽叽喳喳，胖乎乎、圆鼓鼓，漂亮得像一朵花儿，而且精力充沛，成了这条船上一个人物。她总是头戴从亚速尔群岛买来的宽边大草帽，防止皮肤被灼热的太阳晒破了皮。每逢船员们问长问短的时候，她就乐乐呵呵，信口编些骗人的故事。

他们沿非洲海岸航行，风平浪静。海岸线只是一条白色的沙带，黑色的暗影宛若建筑物的叶饰。由于帆船一直与海岸保持比较远的距离，所以岸上的景物对于他们一直是未曾揭示的奥秘。他们只能看见袅袅炊烟，看不见人和房子。偶然有圆木、破烂筐子和拖着椰衣的椰子壳从船边漂过，但是没有过往的船只。唯一传递信息的是两只鸣叫着掠过水面的朱鹭。非洲比大海还要宁静。日复一日的寂静和安谧在"雪松号"船员们的身上起了一种潜移默化的作用。他们毕竟是些喜欢冒险、坚韧顽强的硬汉，最怕在寂寞无聊中熬时间。庞普尔尚可在海水千变万化的颜色、海草各不相同的形态中找到一点儿乐趣；夜里，他还喜欢观察一个个波光闪烁的同心圆，记枯燥无味、例行公事式的日记。别的船员却没有这份闲情逸致。他们总是紧缩自己的圈子，搜寻对方的错误，翻腾陈芝麻烂谷子的旧账，把小小不言的不满演化成无法调和的矛盾，直到发生摩擦，变成仇恨。

大副所罗门·特拉罗开始背地里说麦克奎因船长的坏话，怂恿船员们重新考虑他们的责任。他说，因为英格兰局势不稳，大家应该时刻牢记，回去之后等待他们的只能是混乱、艰难、贫穷和更加糟糕的局面。特拉罗还特别提醒船员们，既然大家都是爱国者，就有足够的理由先抛家舍业到外面待上一阵子。对船长，情况就不同了。如期结束这次远航，可以使他的地位更加巩固。他不但在英格兰和苏格兰有后台，在法国也有支持者。因为众所周知，麦克奎因是国王的人，他此次航行的真实目的是为国王效力。那么，一旦阴谋败露，已经获胜、报复心很强的共和党人会怎样惩罚他们呢？对于普通船员来说，他们出海远航不过是为了冒险，或者为了逃离险境，回去之后也不会给他们安排什么好差事。如果先在国外逗留一段时间，等到局势明朗、乾坤已定再回去岂不更好？与此同时，可以在海上寻欢作乐、自由自在，从东方世界聚敛钱财。

大副的如簧之舌未必能让所有船员完全接受他的逻辑，但是国家无主，内战烽烟四起，确实让人焦躁不安。听了大副的蛊惑，他们越发张开想象的翅膀，希望拥有最广泛的自由和唾手可得的财富，砸烂束缚自己的镣铐！船员中的幻想家和平均主义者对船长“统治集团”侧目而视。他们这样苦心经营，维护秩序，即使顺利完成航行，把掠夺来的珍宝全部奉献给那位流亡国外的国王，又能换来什么呢？

阳光灿烂，海风徐徐，白帆鼓满风，船儿平稳地前进。在午后和煦的阳光之下，船员们有的干活儿，有的靠着栏杆聊天，有的躺在双层床上打盹，不满和怨恨在他们心里升腾、膨胀。

每天这个时候，庞普尔都准许罗斯在甲板上玩。她头戴大草帽，四处转悠，偶然听到船员们嘀嘀咕咕，言语之间，反抗的情绪已经越来越强烈。爱德华知道，罗斯女扮男装不会永远瞒过船员们的眼睛。' 他们随时都可能撕掉她的伪装。他心里很紧张。罗斯细皮嫩肉，动作敏捷，优美的曲线隐藏在男孩子宽大的外衣之下，即使不被怀疑，也容易引起船员们的遐想。闷热的、寂寞无聊的长夜，不知哪儿来的蚊子嗡嗡嗡地叫着，打破舱房的宁静。罗斯美丽的身影对他们是一种诱惑和嘲弄。于是医生庞普尔和罗斯形影不离，除非另有任务无法分身。有的船员因为强烈的阳光和漫漫的航程得了热病，还有一两个人因为伙食太差得了坏血病。有个老头被一根粗重的帆杠打得晕了过去。庞普尔不得不切开一个口子取出已经发了炎的囊肿。这是这位大夫有生以来第一次做外科手术，他的牺牲者痛得呜哇乱叫。

罗斯想念她的马儿内利，奔腾跳跃的浪花使她想起马的鬃毛。她相信，内利也会同样思念她。当船儿越过雪白的浪花，她便想象自己是在碧绿的牧场纵马疾驰。她似乎被爸爸锁在一个保险箱里。

面带羞涩的孤儿罗斯头戴大草帽，样子有几分古怪，但她那秀丽的身影对船员们来说是个好兆头，不管她和令人讨厌的船医是什么关系。罗斯却没有发现大伙儿都在注意她。人们都愿意她在自己的目光之下，而在她面前谈话时，他们都无所顾忌。

于是，有一天她问父亲，他们的船是支持国王还是反对国王。庞普尔回答，他们是受共和政体皇家学会的委派出海远航的。

“他们说船长支持复辟。”罗斯说。

“他们？哦，那些船员。我想，麦克奎因本人完全有可能支持国王。但他这次远航是受命于新政权的。否认新政体就是否认他对这条船的指挥权。”

“这么说，他们的话都是无稽之谈？”她继续追问，“如果他否认自己和共和国的联系，船员们就有权否认他。那样，他就一文不值了。”

“你是从哪儿听到这些奇谈怪论的？”

“船员们都在悄悄议论，要把船长扔到岸上。”

“你能肯定？如果是那样，他们就是叛徒。”

“他们说，要么离开这条船，要么开除船长。”

“谁是幕后策划的人？”

“大副。”

“废了麦克奎因，谁当船长？”

“他们说，他们不受任何桎梏的束缚，是没有人能管他们的自由人。我们应该站在哪边，爸爸？”

“我们必须警告麦克奎因。”

“这不也是出卖？”

庞普尔若有所思地看着女儿：“你同情那些船员吗？”

“我想的是你这次航行的任务。你必须有航海的工具。你必须留在这条船上。”

“反对他们的计划……”

“可是这些人就意味着船。”

“船长才意味着船。”

“不管谁是船的象征，只有扬帆才能远航。”

“如果这帆抢风掉向的话。”

麦克奎因船长庆幸自己有先见之明，买了三个黑奴到船上。这三个人——西蒙、蒂墨塞和乔纳应当是可靠的。而且他们都是天主教徒，脖子上戴着十字架。船长和庞普尔谈及此事之前，早就猜出船员们正在酝酿的阴谋。摸清庞普尔的态度之后，他大谈叛卖者的流毒正在那些没有头脑的船员当中起作用。他说他们压根儿就不曾认识到反抗是一种自轻自贱的行为，而且具有很大的破坏作用。船长建议用往特拉罗肩上压重担的办法，收买大副。特拉罗是决定的执行者，但大权仍掌控在船长手里。

庞普尔把这场事变比作晕船，对船长的计划和大副可能采取的对策作了一番分析，提出，如果他们上岸，置身于陌生人当中，会不会又怀念船上的生活，并且相互友爱呢?

麦克奎因指出，恰恰相反。如果他们上岸，大副就能纠集一批地痞流氓支持他们反叛。所以这场斗争必须在海上进行。只有与外界隔绝才有成功的希望。天真的反叛需要铁腕来制止，直到“晕船”的毛病被纠正。

麦克奎因不愿意和一位把污言秽语当作力量之所在的大副谈判。就在他一推再推，迟迟不作决断的当儿，暗中燃烧的星星之火终成燎原之势。所罗门·特拉罗和三个身强力壮的水手找到船长门上，宣布他为共和国的敌人，把他抓住绑了起来。

“可你们自个儿就是国王的人。”麦克奎因无可奈何地笑着说。

“我们不属于任何人。”特拉罗反驳道。

撤换舵手也同样易如反掌。对于那片片白帆，谁来掌舵全无区别。

大副生怕医生和他的男孩儿是船长的同情者，命令他们待在舱房，哪儿也不准去。由于局势大变，有一部分船员十分悲观，他们预料这桩事不会有什么好结果。因为不抱希望，只能逆来顺受。其他人则因为这个新的开端而喜气洋洋。

后来，他们从平静的海面看到水平线上出现了一座座绿色的山峦。但是也就在这里，一团团巨大的墨一样的乌云夹带着道道闪电从海浪间升起。当帆船无可避免地驶近风雨雷霆的时候，乌云已经遮天蔽日。他们进入了“海怪”逞凶的区域。它的咽喉是风与浪的通道，许多船在这里失踪。在团团乌云的包围之下，分不清白天还是黑夜，只有魔鬼的怒吼声和关在货舱里的麦克奎因的号叫声不绝于耳。特拉罗找块破布堵住麦克奎因的嘴巴，但没有办法遏制风暴的喧嚣。方向舵已经没有用处，龙骨不时露出水面，周围一片漆黑。现在是所罗门·特拉罗显露船长之才的时候了。

西蒙、蒂墨塞和乔纳紧握栏杆，跪在甲板上祈祷。后来，里瑞——一位头发呈亚麻色的水手——把罗斯，船员心目中的吉兆叫到甲板上。他这样做并非出于仁慈，而是突发奇想，认为罗斯将是幸存者之一。那几个安哥拉人看见罗斯，围成一圈儿在她身边跪下，棉布袍子在狂风中翻飞。特拉罗手把舵轮，使尽浑身解数。黑暗的天幕下，闪电像蛇一样狂舞。波浪渐渐平息，天光开始降临。他们已经穿过风暴眼，但是陷入一片闪光的白雾之中。白雾比黑暗更遮挡人的视线。什么都看不见，船无法前进。

先前那位被庞普尔切去囊肿的病人因为伤口发炎又开始呻吟。那家伙痛得要命。所罗门·特拉罗为了表示自己作为新领导的同情之心，只好把医生叫来——虽然是位初学的庸医。

庞普尔尽最大的努力减轻病人的痛苦，先给他的伤口排脓，然后又认真清洗了一番。这当儿，三个黑人继续围着罗斯祈祷。他们用自己的语言唱歌，五大三粗的西蒙领唱，英俊的乔纳和瘦削的蒂墨塞合唱。

“如果你再这样折腾下去，我们也要生病了。”罗斯对所罗门·特拉罗大声嚷嚷。

里瑞摇晃着满头亚麻色头发，弓着脖子像条美人鱼。在这条船上，他是“演员”，不管别人让他装扮什么，他都认认真真表演。他从医生带来的这个小伙子身上感觉到一种吸引力。这种吸引力使得别人都成了他的竞争对手。

“我敢担保，你的主人觉得蛮舒服。”他尖着嗓子嘲笑道。

“闭嘴，里瑞！”特拉罗的副手沃斯特生气地说。“演员”不高兴地噘起嘴巴。

浓雾包裹着帆船，白帆失去往日的神韵，像鸟儿耷拉下来的翅膀。三个黑人一边摇晃一边唱歌。他们的条纹长袍就像得了传染病，按照同一个节奏慢慢地来回摆动，袍襟扇起的微风仿佛中了邪，向白帆吹去。浓雾渐渐退去，蓝色从海浪间升起。船又开始移动。他们终于得救了。西蒙、蒂墨塞、乔纳和罗斯创造了奇迹。

所罗门·特拉罗则认为船医和他的徒弟已经向以他为首的新政权投降，于是恢复了他们的自由。

船员们对这条船本身应当忠于谁各持己见。有一个问题必须解决，这条船到底应该在什么旗帜下航行？是国王的旗帜，共和国的旗帜，还是人民的旗帜？有的人主张保留英格兰的棕榈和月桂的旗帜。可是这样做就意味着承认船长的权威，罢黜麦克奎因的船员们便成了叛匪和罪犯。大多数人愿意在一个新的、象征自由的标志之下航行。他们将升起一面自己设计的旗帜，而这件事必须赶快决定，因为他们离荷兰人在开普敦的聚居地已经很近，不能因为没有旗帜而被人误解。于是，罗斯在麦克奎因的绿衬衫上绣了一朵黑玫瑰。“雪松号”有了自己的旗帜。进入开普敦港的时候，这面旗帜猎猎迎风，向人们昭示这是一条独立自主的海盗船。

荷兰人决心把他们新开辟的聚居地变成可以盈利的贸易站。他们索取高价给“雪松号”供应了水、蔬菜和水果。所罗门·特拉罗告诉爱德华·庞普尔，为了大家的健康和安全，他已经决定把麦克奎因船长留在岸上。老头如果企图继续随船航行，那绝非明智之举。沃斯特向医生保证，全体船员经过表决一致同意“雪松号”接受“新班子”的领导，条件是对可怜的，疯疯癫癫、软弱无能的麦克奎因作妥善的安排。“新班子”希望庞普尔留在船上，证明老船长不称职，从而为叛乱者的罪责开脱。

“我还有别的选择吗？”庞普尔问。

“有。你可以跟船长一块儿上岸，”特拉罗咧着嘴，装出一副宽宏大量的样子，“不过，你的小徒弟不能跟你走。是的，罗斯不能走。他对于我们是一道驱凶避难的符咒。我们不愿意失去这个孩子。”

在这个小小的聚居地，如果三个操同一种语言的人用相同的口径讲述“雪松号”上发生的事情，人们便会相信这“一家之言”。特拉罗十分谨慎，不让这种事情发生。

麦克奎因买来的三个奴隶也获得了自由，可以在海岸仓库、货栈那里找到他们自己芳草如茵的“乐土”。西蒙、蒂墨塞和乔纳在聚居地逗留了几天，可怜巴巴地祈祷着。对于他们，当地的部落和英国人同样地陌生，而且更充满敌意。结果，荷兰卫兵把他们赶跑了。在翻过岩石裸露的山头和金色的平原逃往家乡的路上，这三个人被人用脖子上面挂十字架的绳子活活勒死。

麦克奎因船长被送进开普敦石头城堡一座关精神病人的收容所。所罗门·特拉罗把从老船长舱房里抢夺来的金镑拿出一部分塞给收容所的护士，让她们照看这个孤苦伶仃的老头。大副大摆宴席招待聚居地的总督——一个大腹便便、性格孤僻、一无所长的荷兰人。所罗门·特拉罗把自己大肆吹嘘一番之后，很快便觉得索然无味。“雪松号”必须起航，向东进入未经测绘的水域，目的地不明。所罗门·特拉罗向手下许愿，到达神秘莫测的目的地之后，一定能搞到许多黄金。他夸口说，他们走的是德雷克[①]开辟的航线，通往西方极乐群岛[②]。只有一位名叫克拉姆芬的水手因为对地理有更多的了解，敢嘲笑几句。

---

①德雷克（Drake，1540—1596）：英国航海家，第一个环球航行的英国船长(1577—1580)，曾任舰队副司令，击败来犯的西班牙无敌舰队（1588），战功卓著。

②西方极乐群岛（Hesperian Isles)：希腊神话中金苹果园所在地，亦作 Isles of the Blest.

如果那位总督不是一个心胸狭窄、狂妄自大的笨蛋，如果这个被称之为开普敦的地方不是这样粗陋鄙俗，如果能够保证罗斯和自己待在一起，庞普尔或许情愿留在岸上。他可以在收容所工作。但是他无法信任所罗门·特拉罗。自从帆船进入港口，他就一直把罗斯作为人质留在船上。这家伙是一个危险的、盲目自信的凯尔特人[①]。仅仅为了证明他自己能干，不惜把船送上绝路。庞普尔讨厌大副对罗斯那种满含讥笑的兴趣，巧妙的巴结，油滑的暗示和那双仿佛要穿透身上的衣服、作一番深入了解的黑眼睛。为了女儿，庞普尔应该离开“雪松号”，留在开普敦。可是他还有更高的目标。为了实现这一目标，他需要船，需要驾驶这条船的同胞。他不愿意得罪这些船员，从来不说要离开他们的话。船员需要庞普尔，不管他的医术多么不高明。为了大伙儿的健康，一条船上需要有个医生。

那一天晴空万里，“雪松号”起航，船员们宣布罗斯为“吉祥物”。但是，开普敦已经把热病传染给了这条船，而且传染的速度非常可怕。第一个病例在第二天发生，医生绞尽脑汁、想尽办法也无济于事，病人第三天就一命呜呼了。这时，又有六七个船员病倒，庞普尔使出浑身解数也无法阻止疾病蔓延，连他自己也做好命归天国的准备。沃斯特大骂复仇神。他一向认为这个凶神专门报复有反叛行为的船只。沃斯特站在甲板上破口大骂，周围躺着的人有的发冷，有的发热，有的浑身颤抖，有的拼命呕吐，有的皮开肉绽，有的神志不清，一副惨不忍睹的景象。不出一个月，“雪松号”的船员死了四分之三。每天下午，死者的尸体和太阳一起沉入海底。

克拉姆芬对拒绝接纳他的死神大加嘲弄。如果有哪位死者身体的某个部分正巧碰了他一下，他便在船首大跳快步舞，抖落掉沾在身上的晦气。这条死亡之船顽固不化的船长所罗门·特拉罗是幸存者之一。他每天都向

---

①凯尔特人（Celt）：西欧一民族的成员，包括古代的Gaul，Briton，以及现代的Breton，Cornish，Gael，Manx，Irish和welsh。

还活着的人们许愿很快就能靠岸。他赌咒发誓，可以提供港湾和休整之地的海岛已经遥遥在望。他还宣称曾经看过阿拉伯人和葡萄牙人秘密绘制的海图，这一地区有许多不为人知的岛屿。坎巴路、马斯卡瑞戈尼、迪那·阿罗贝都在这一带。但是，由于所罗门·特拉罗过分专注于他已经获得的权力，而且决心无视这种独断专行带来的恶果，他早已偏离航线。没有一块陆地出现在眼前，因为他们已经迷失方向。

“啊——哦！”里瑞引颈悲歌，敦促满天角度各异的星斗施展魔法，跟他也开个曾经和所罗门·特拉罗开过的玩笑——灭绝一个群体的玩笑。他不停地祈祷。

爱德华和罗斯坐在他们的舱房里等死。他供职的“雪松号”已经遇难，这是显而易见的事实。他满面愁容，一双眼睛因为想象那个无法避免的结局而闪闪发亮。没有伤害女儿，他感到很满意。他守住了为人之父的本分。

“不要伤心，爸爸。”她嘻嘻嘻地笑着说，清澈明亮的眼睛注视着爱德华·庞普尔。她还是那么健壮、可爱。

“我们将瘦得皮包骨，最终喂鱼了事，”他叹了一口气说，“只有灵魂继续航行。”

罗斯很走运。她健健康康活着，还那么惹人喜爱。医生的医术虽然不足以制服凶残的病魔，但他自己活了下来。汗水浸透了所罗门·特拉罗脖颈后面耗子尾巴似的头发。他也没死。在一息尚存的船员中，他们看到死神在夜里剔走冤鬼的灵魂，正在泯灭的躯体在睡梦中寻找最后一线复活的希望。后来，只活下三个船员：里瑞、沃斯特和克拉姆芬。再加上大副——现在的船长、医生和他的徒弟。光凭这几个人很难驾驭这条船。他们只能“靠风使舵”。风滥施淫威，一天便把船吹出许多里格[①]。在他们这种弱不禁风的情形之下，如果碰上坏天气，必死无疑。碧波营造的坟墓会把瘟疫不屑一顾的“佳肴”一口吞掉。但是日复一日，风徐徐地吹，终于有一天，

①里格（league）：长度名，在英美约为三英里或三海里。

一座斑岩铸成的山峦，像海底升起的鲸鱼，突然出现在他们眼前。

陆地遥遥在望，看起来像一座海岛，或者一座半岛的最前端——他们简直不敢有此奢望。浅蓝色的环礁湖与陆地相连，船与环礁湖之间是一座座暗礁和拍打在礁石之上的细碎的浪花。海风劲吹，他们的船鼓起风帆向那座座暗礁驶去。几个精疲力竭的幸存者不再相互打量下一个该谁喂鱼，而是齐心协力又升起一组帆，向看起来像是一个缺口的地方驶去。沃斯特顺着绳索设法爬上桅楼瞭望台，看见海岸前面波涛汹涌，形成一道天然的屏障，但是屏障中间有一条狭窄的通道。舵轮派上了用场，但是真正起作用并且把他们送进这条通道的还是友好的风。他们听见龙骨刮擦泥沙的声音。不等船长发号施令，大伙儿便七手八脚放下长艇，然后像逃命一般，抛弃那条给他们带来巨大灾难的帆船，顺着绳子爬下去，跳进长艇，坚定不移地向白色的沙滩和沙滩那面绿色的山峦划去。在最后一刻，所罗门·特拉罗收回他的领导权，命令里瑞、沃斯特和克拉姆芬暂且留在船上。

“把老鼠都淹死，”他用不容置疑的口气大声叫喊着，“绝对不能带来鼠疫！一只老鼠也不能逃到岸上！”

第二部 中国南方，1652年2月

让我们从另外一个世界，从一个截然不同的角度出发，重新开始。1644 年，明朝最后一个皇帝自缢于北京。满洲人乘虚而入，成了新的统治者，建立了清王朝。在南方，明朝的残余势力还在进行反抗。

太监要么懒惰无比，要么过分勤快。老卢陆属于后者。他是明朝太监总管，天不亮就起床，到码头会见一个人。这一系列安排繁琐之至。当此一个王朝被推翻的乱世之秋，只有积累了一生钩心斗角的经验，才可能有一线成功的希望。因此，卢陆虽然已八十有三，还在辛勤奔波。他只睡了几个小时便披衣而起，在黑暗之中、无人窥视之处完成了与常人不同的沐浴。他做什么事都匆匆忙忙，很少想到自己。他之所为都是为了主人——明朝年轻的继承人，卢陆期盼中的未来，永亲王太昭。作为一个没有性别的人，他自己已经免了接续香火的义务。多少年来，他眼瞅着一代又一代的人虚度了他们的生命，而他像一只老海龟，似乎要长久地活下去。他把长长的瘦骨嶙峋的大手揣在袍袖里，看渔民们卸下刚刚捕到的鱼。这地方总是有钱可赚。晨曦升起之前正是码头上最冷的时候。老态龙钟的太监总管站在黑暗中，决心不受进灯光明亮的小铺子里喝杯香茶或者吃碗热粥的诱惑。他要一直等到那位信使到来。

从跳板上蹒蹒跚跚走下一个人，肩背行囊，衣衫褴褛，和普通渔夫没有两样。但是卢陆一眼就认出，此人正是他等待的那位信使。来人乘坐的是从宁波来的渔船。他从老家杭州出发，沿内陆河流，从一个码头到另一个码头，一直走了好几天。他已到中年，满脸皱纹，一条腿有点跛。老总管在重重暗影之下伸出一只手，帮他托着背上的行囊，急急忙忙穿过几条小巷，来到一个不起眼的海滨小店。这位旅行者直到开口说话，对老总管如此厚爱、屈尊接驾深表谢意时，才显露出他饱学之士的真面貌。这两个人都因为改朝换代，地位发生了很大的变化，再见面时真有说不出的尴尬。旅行者过去经常出入于朝廷和翰林院，喝茶时还是严守着那套根深蒂固的陈规。他生性耿直，受了许许多多的苦难，因为忠实于被推翻的王朝，满门抄斩，只他一人逃出来捡了一条性命。他发誓要为明王朝的复辟不息奋斗。八年来，他运筹帷幄，浪迹天涯，忠义之举，难于尽述。

老总管和信使面对面坐在臭烘烘的小饭馆里，又想起早已成为过眼云烟的年轻时代的得意与浮华。信使眼下的处境比老卢陆糟得多。在泉州，由于卢陆的不懈努力，明朝江山的合法继承人——永亲王朱太昭已经得到地方势力的支持，并且和商人们结成十分重要的同盟。他们的力量发展壮大，足以与三千多公里以外的首都北京争短论长，赢得某种豁免权。卢陆还和南方各港口的商人建立了广泛的联系。这些人从商业利益考虑，完全可以置满清王朝于不顾。所以，从表面上看，卢陆已经奠定了复辟明王朝的基础。但是现在还谈不到建立一个流亡朝廷。卢陆目睹了盛极一时的明王朝的衰落与崩溃，深知其中的悲惨与痛苦。这位旅行者便是旧时代辉煌的一件遗物。他的热情并非无源之水，无本之木，虽然备受折磨，仍痴心不改，成就了一种美德。卢陆内心深处很为他们这种拐弯抹角、礼貌周全的谈话所震动。如果不是为了长远的目标，他总会因眼下的局面而羞愧。

为了不被人跟踪，他们从一个铺子走到另外一个铺子，直到信使觉得万无一失，才掏出他带来的信函和文件。在开元寺的一个亭子里，旅行者终于向卢陆出示了他和外国神父谈判达成的协议。那位神父是意大利那不勒斯人氏，长期受皇后的信任，这一次专门到澳门讨论复辟明朝的策略。澳门的天主教多明我会[①]的修道士们相信，教皇一定认为，以几支滑膛枪和几个军中之人为代价，换取一个天主教化的明王朝的合法统治是明智之举。满清政府一直无情打击他们在中国传教。但是耶稣会会士们已经成功地说服了北京的新统治者，像平常一样，作出无耻的承诺，达成口是心非的交易。因此，为了梵蒂冈的利益，多明我会的修道士们要向恢复明朝帝业的有识之士提供军事援助。

旅行者还进一步证实了皇后已死的消息。这样一来，最后一个政敌不复存在。世人倘若知道永亲王太昭还在世的话，当然会承认他是明朝帝业唯一合法的继承人。卢陆缄口不语，旅行者越发来了兴趣，跳起来作结论似的说："谁得到天主教教皇的支持，谁就能成为皇帝，谁想得到教皇的支持，谁就必须到罗马去。"

卢陆像剥洋葱皮似的，逐层"剥去"可能遇到的困难。这位信使可以信任吗？此人不避艰险，铁了一颗心要复辟明朝。太监总管一心一意辅佐亲王当皇上。紧要关头他们没有理由不携手合作。为了共同目标，他们可以求同存异。要紧的是，这人可以信任吗？这个问题可以存疑。那个意大利那不勒斯人，一个多明我会的神父可靠吗？因为对于修道会来说，这也是个极端的措施。旧王朝的覆灭使得多明我会的影响在反对洋人的声浪之下渐趋衰弱，耶稣会却占了上风。如果澳门的多明我会传道团——说穿了不过是侵占中国领土、强迫通商贸易的幌子——受到清政府的遏止，他们为什么不和遍及整个帝国的忠于明朝的人们联合起来扩大自己的势力呢？如果胜利，他们将得到巨大的利益；倘若失败，虽然要付出一定的代价，但也不会比现在糟到哪儿去。外国军队能为明朝的太子赢得胜利吗？夸夸

---

①多明我会（Dominican）：圣多明我创立的天主教修道会。

海口当然容易。他们能赢吗？他们愿意干吗？他们要什么作为回报呢？多明我会的修道士表示同情能说明罗马教皇给予支持吗？是需要亲王亲自出马，还是派个代表就可以？这些问题很难回答。再说，罗马到底有多远？

泉州港一片萧条，悠长的岁月阻塞了它的繁华。平常，海港里只有几条渔船，沿海岸航行的帆船，到马尼拉和福摩萨[①]的商船，偶尔也有几条私掠船[②]。远处，非官方的海军船舰在海面游弋。帝国政府明令禁止向东方和南方远航。船厂里再没有正在建造的大型船只。能否找到一条可以送永亲王太昭去澳门的大船都很难说，更别提到西半球了。

卢陆皱着眉，一边点头，一边揉搓着光溜溜的面颊。

如果亲王不按这个协议去罗马，这位信使是否有权和别的想当皇帝的朱家后裔谈判呢？尽管皇子皇孙所剩无几，而且没有一个能与太昭相匹敌。

如果太子离开泉州十二个月或者更长的时间，当地那些骄横、浮夸的商人还会继续承认他的合法性吗？太昭和他的随从在这一地区享受的优待和已经取得的地位还能继续保持吗？事实上，这位做着复辟梦的亲王正好代表了沿海人民对于横征暴敛的清王朝大胆的蔑视，成了刚赢得繁荣与独立的这一地区的宠儿。他们就是以此为依据拥戴他的。他们愿意让他去冒更大风险吗？除非这样做可以得到明显的利益，能有切实的结果。倘若亲王远走他乡，这会不会给他们制造一个违背承诺、停止支持的借口？

卢陆，这个老古董，一刻也不想等待。众人的劝说、巨大的开支、艰苦的努力、难以预料的危险摆在面前。这将是一条充满艰辛的道路。如果计划失败，他便断送了亲王。卢陆发现自己完全不顾礼仪，几乎是拖着信使急匆匆地走——如果勇气和正气占了上风，便没有必要继续拖延。那条胡同十分狭窄，胡同两面黑色的屋檐交搭在一起，使它得了个雅号“不见天胡同”。阳台上摆着一盆盆水仙，飘来阵阵幽香。卢陆对信使说，只要

---

①福摩萨：16世纪葡萄牙殖民主义者对我国台湾省的称呼。

②私掠船（privateer）：战时特准攻击敌方商船等的武装民船。

太昭的后台老板允许并且同意亲王为争取西方世界的支持而扬帆远航，他便接受外国神父提出的条件。他反复强调，永亲王朱太昭是目前继承皇位最合适的人选。对于这一点，信使一定要广为宣传，让大家都知道，没有人可以和他匹敌。为了安全，以后他们必须尽量减少联络。

卢陆把那人送到港口的大墙旁边。灰蒙蒙的海水格外平静，天光放亮，海岸线的轮廓越来越清晰。旅行者此行的目的仅仅是为了摸清卢陆的态度，所以完成任务之后，立刻去找他来时乘坐的那条船。卢陆因为没能在泉州款待客人而深表歉意。太阳从破烂的防波堤那边的水平线上高高升起，两位共同事业的合作者打躬作揖，再次表示了相互的信任。然后，卢陆匆匆离去，留下信使在陌生的港口等船回内地。

卢陆一生虽然经历了无数的事变，但是对新鲜玩意仍然不由自主地保持浓厚的兴趣。他心头涌动的也许更多的是好奇而不是希望。他不是那种不着边际胡思乱想的人，而是一个没有偏见的现实主义者，总希望能够找到解决问题的办法。踽踽独行的时候，他惊讶地发现，自己居然迷上了扬帆远航这个念头。他对劈波斩浪的帆船，对深奥难懂的航海学产生了强烈的兴趣。那个遥远的、未曾涉足的世界在他内心深处唤起一种全新的感觉。那里肯定有许多新奇的事物，肯定会有许多意想不到的收获。好奇心撩拨着他，他使劲抹平厚厚的外衣，但还是无法驱除那种心痒难挠的感觉。

他必须牢牢记住，那位信使总的来说是个学者，一个空想家，很容易纸上谈兵，而忽略对事物的具体分析。

卢陆回来的时候，医生正在等他，太昭还没有露面。医生宁愿在没有别人在场的时候，向卢大总管报告关于亲王的情况。

“今天早晨怎么样？”

“病人倒是很痛快地接受治疗。”

“效果如何？”

“眼下还看不出什么明显的效果。”

这是预料之中的事情——又一次失败。

“我明白了。”

“明天我们继续治疗。”医生按捺往心中的喜悦说道。此人是个江湖骗子，他自称一方名医，巴结住城里的头面人物，巧施机关，独领风骚，断了前来给亲王看病的一切巫婆、术士，以及自称有祖传秘方、回春之力的云游郎中的财路。不过话说回来，也没有必要对此公大加设防。这位医生深知怎样掩盖自己的无知，特别善于在他这个行当最敏感的地方大做文章。他常常装出一副为亲王的病情反复或者被人耽搁而痛心疾首的样子。他还可怜巴巴地指出，虽然从微观上看，病人没有什么变化，但从宏观上看已经大有起色。这当儿，价格极其昂贵的药材倒进亲王的药壶，他自个儿腰里的钱包也越来越鼓。作为权宜之计，也许调整一下剂量可以有某种程度的恢复或者防止病情恶化。卢陆寻思，这位医生总不至于为了断绝别人的财路毒死亲王吧！因而也就不想多做计较了。

医生禀报过亲王的病情，转身离开卢大总管。老太监眼窝深陷，眼眵麻花，厚重的眼皮耷拉着，遮挡了散乱的目光。他只想着自己肩上的重任——辅佐永亲王太昭恢复帝业。

辛苦了一早晨，卢陆想轻松一下，便走进花园。但是花园里也没有什么让他轻松的东西。天低云暗，空气潮乎乎的，有一种凝重之感。翠竹和金钱橘的叶子轻轻摇曳，形如棒槌的金鱼藏在水光晦暗的鱼池里。一条石板路穿过百合花种植园，卢陆发现路边一丛枝叶浓密的灌木里长出一个杏黄色的芽苞。他兴致勃勃地看了好一阵才走开。花园最暗的角落，有一棵四季常青的、给人以荫凉的巨大的木兰树。树干上布满毛茸茸的绿苔，硕大的白花像栖息在树干上的海鸟，散发出阵阵幽香。卢陆十指交叉，站在树下喘息着，那长长的苍老又苍白的手指和枝头奶油色的娇嫩的花萼形成鲜明的对照。

老头缓过劲儿之后，回转身沿着那条石板小路穿过九曲回廊走进前厅。他的仆人终于大着胆子不失时机地带来一位山乡妇女。

为了见老总管，她已经等了好几个小时。她是通过村里一位老乡的关系进到永亲王府邸的。那位老乡在王府当男仆，他殷勤服侍老卢陆，才硬着头皮问可否允许农妇拜见总管大人。农妇身穿绣花大褂、蓝布裤子，发髻挽在脑后，满脸皱纹。她虽然脸皮很厚，此刻却有点忸怩，怀着一种怀疑与乡下人常有的侥幸混杂的心理站在那儿等卢陆问话。

“讲吧！”老头厉声说。

他知道她的目的，对于这位母亲的勃勃野心打心眼儿里轻蔑。成百位黄花闺女曾经展示于这位没有性别的老头面前。他则以一种充满讽刺意味的勤勉恪尽职守，保证让每个人都得到公平竞争的机会。于是农民们络绎不绝，低三下四，都想到老头这儿碰碰运气。

“听说至尊的亲王正在择偶。我把女儿带来求他垂爱。在我们那儿她可是远近闻名的‘火狐狸’。”

“那还不把亲王的精神化为飞灰？你的建议太危险了。”

“她只会给他带来快乐。”

“你能放心地把女儿交给一个陌生人吗？你不为她担心？”

“他是我们的亲王，怎么是陌生人呢？我的女儿跟他在一起，当妈的有什么可担心的？只有享不尽的荣华富贵。”

“如果她能赢得亲王欢心的话。”

农妇使劲儿点了点头，表示她将不避艰险。

“我们村儿里所有的男人都被她迷上了，包括我自己的丈夫。亲王如果失掉受用她的机会，一定会后悔的。”

“她来了吗？”他明知故问。想入“宫”的女子全都等候在侧。听到卢大总管感兴趣，仆人忙把女子带到殿上。

女孩儿衣袖遮脸，上气不接下气跑到母亲身边。卢陆定睛细看，却是个俗不可耐的小东西。她动作娇柔、妩媚，红嘴唇、白皮肤，精心描画过的眼睛尚有几分秀色，红缎袍子绣着银白的菊花，紧裹曲线优美的腰肢。大脚。因为热，额头、嘴角、大腿根直冒汗。她倚在宛若铜钟似的母亲身边，被毫无意义的渴望、荒谬的要求、动物的贪欲搞得浑身燥热。

“她还会跳舞，”母亲说着，把女儿往前推了推，好让她为老总管表演。卢陆朝她冷冷一笑，“火狐狸”不睬老太监。“您收留她吗？”农妇直截了当地问。

“当然，感谢你的好意。”

“能让我留下为这小两口烧饭做菜吗？”

这种女人连一点儿机会也不肯放过。母女俩跪在地上磕头谢恩，卢陆忍了忍没打出那个哈欠。他虽然知道这个小东西不会派上什么用场，还是朝仆人打了个手势，让他领她们到旁边的屋子梳洗打扮，作点准备。

他回转身走到书案旁边提起毛笔在砚台上蘸了蘸。墨是早就研好的，已经变得很稠。多少年来，办理公务，撰写奏折，发布诏书，处理账目，使得卢陆养成舞文弄墨的习惯。他不是什么学者，手里的毛笔落到纸上之前犹豫了一下。不过，收信人陈某人的文化程度也比他高不了多少。那小子是商会的头子，只会装模作样，耀武扬威。卢陆嘴角露出一丝微笑。

尽管官方明令禁止，而且海港表面上看一片萧条，泉州的海上贸易实际上方兴未艾。陈和他的同仁们既有权有势、志得意满又讲求实际。几十年来，他们一直拒绝向北京政府纳税，而是和马六甲[①]人、阿拉伯人、印度人单独建立了同盟，在异邦结交了朋友。难怪北方新的征服者越来越想征服这一地区。太监总管知道如何讨好泉州的权贵。他很善于把显示满洲人疑虑的种种迹象转化成对泉州商贾力量的赞颂。他们团结在复明大业周围很有点喜剧色彩。由于北京鞭长莫及，他们便觉得自己所向无敌，再加上卢陆暗中煽风点火，富甲一方的商贾便将自己雄厚的财力和许多其他脆弱的因素结合起来：农民的愚忠，知识分子的精神苦闷，以及由于社会动荡难以数计的流离失所的普通百姓的不满。

卢陆知道，泉州人之所以追随太昭亲王——大明朝的嫡系残余，是因为他们非常自信。卢陆和他们不失时机地建立起相互信任、相互依托的关系。

---

①马六甲（Malacca）：马来西亚港市。

太昭隐居在城外山坡上的一幢房子里。他和外部世界的联系由大总管一人安排。总管和不同阶层的人小心翼翼地接触。他说话不多但恰到好处，最终达到这样一种效果——大家都认为高墙后面那座府邸是这座城市秘密的财宝，是包蕴着至高无上的权力的允诺。卢陆以极其巧妙的方式、锲而不舍的精神让大家认识到，亲王的权力是泉州的富商赋予的。其实，亲王捏在他们的手心里。明朝的权力就是他们的权力。他们的勃勃雄心、崇高伟大和亲王的象征无法分开。

与商会头目陈某人不同，老太监已经习惯了失败，当他带着太昭——崇祯皇帝的堂弟南下的时候，他就预感到这是与皇帝的诀别。三年后，崇祯自杀的消息传来，卢陆翻着眼睛呜呜咽咽哭了一场。皇帝是在农民起义军攻入皇宫时，逃到紫禁城后面一座小山上上吊自尽的。之后，老皇帝万历的嫡孙——崇祯皇帝的旁系亲属——在忠于大明朝的文臣武将的支持下一个一个地登基加冕，称帝为王，又一个一个地被清朝统治者消灭。听到这些消息，卢陆黯然神伤。福王①被杀，桂王②逃亡，只有卢陆维持着这个风雨飘摇的“小朝廷”。他隐藏并且保护失去双亲的太昭，为这个少年人包裹着宏大的志向。现在，皇后已死的消息得到证实，桂王称帝的最后一张王牌不复存在。再不该有觊觎帝位的人了。那个女人为了抢夺皇位，宣称她的儿子不能继位，并且把他逐出宫门。现在她倒撒手归西，像她的儿子一样，再无生还的希望。只有太昭健在。人们都以为他早已不在人世，只有极少数人对他的生死表示怀疑。

他还羽翼未丰，所以卢陆认为，亲王的幽居独处、默默无闻对于他即将扮演的角色至关重要。命中注定他是海底潜龙，就必须继续保持这种状态。太昭还有一个弱点：优柔寡断，没有百折不挠的精神。不过话说回来，也

①福王：明神宗万历的嫡孙朱由崧，崇祯十七年（1644年）五月即帝位，是崇祯政权覆亡后，明皇室在南方建立的第一个南明政权。1645年5月，清兵破南京，福王被俘，后被杀于北京。
②桂王：明神宗万历的嫡孙朱由榔，1646年10月监国于肇庆，未几称帝，1662年被吴三桂绞杀于昆明。

许这正是卢陆选中他的原因。老太监在一个秘密仪式上，给这个新朝代定年号为永庆。永庆元年。事到如今，卢陆必须比以往任何时候都更加小心谨慎。有关此事的流言蜚语、蛛丝马迹倘若引起满清新朝廷探马细作的注意，就会给这位年轻人带来麻烦。那许多被太昭抛弃的幕僚，那些使尽浑身解数也无法让他动心的少女，那些在他面前丢尽面子的壮士都可能去告密。夜长梦多，一旦威胁变成现实，再想溜之乎也就来不及了。

他给泉州地区公认的头领陈写了一封信：

陈会长台鉴：

鄙人受命于天，辅佐太昭亲王，荣幸之至。亲王体恤民情，广施仁爱，泉州一带繁荣昌盛，人心思定。亲王不计私利，不徇私情，胸怀博大，智慧超群，疆土可定，霸业垂成。近闻桂王反叛，太后殒命，为国家长治久安计，亲王意欲巡幸海外，一避奸邪，二除障碍，恢复祖业，终成大统。

专此布达，

敬祈阁下大安！

大总管 卢陆

这封信咬文嚼字，拐弯抹角，倒是充分显示了他们书信来往、讨论事情的特点。仆人立刻去送信。至少今天之内他还可以信赖。因为老总管已经同意让那母女俩拜见亲王。

天近晌午，卢陆在他的房间里独自用膳。烧干贝、清水蟹、萝卜泡菜、豆芽、珍珠米饭和桂花酒。喝完莲子汤，他打了几个饱嗝，在铺着锦缎床罩的褥垫上躺下。

下午，他迈着方步来到陈的深宅大院。这座宅子建在运河旁边，正是陈会长年轻时候扯开嗓门儿卖鱼的地方。现在的陈却是一方富豪，在保镖们的前呼后拥之下，迎接这位个子瘦长、弯腰曲背的太监。准备洗耳恭听卢陆滔滔不绝的议论时，陈不得不提醒自己，这位老太监来自遥远的北京。

“大鲤鱼和小鱼苗没法儿和睦相处。大鱼吃小鱼只是早晚的事情。在小鱼长大构成威胁之前，大鱼就要下手。中原稳定之后，满清政府不会坐视我们作为地方势力迅猛崛起。他们一定会强征赋税，从根本上打击我们的繁荣。而且一旦开了这个口子就没完没了。我们的亲王迟早会位极天子，但是在他登基之前，一定要保证他的绝对安全。在我们的努力之下，亲王可以得到外国人的支持。他们比我们更强大，有足够的力量保证亲王帝业成功。想想看，到了那时，天子会给曾经保护过他的泉州商人多么大的恩宠！想想看，你们的前程将多么辉煌！想想看，那种一人之下方人之上的荣耀是何等地令人羡慕！”

陈凝视着卢陆，心里琢磨老太监这番宏论，试图理出一个头绪。

“这事儿得冒风险。”他说。

“当然，千难万险。不过为了阁下的安全，我们自个儿承担这些凶险。”

“此话怎讲？”

“为了避免危险，必须在亲王的行踪为人所知之前，安排他离开泉州。对于他离开的原因一定要保密。亲王外出期间，大家可以把那份忠诚深藏心底。”

陈点了点头。卢陆步步紧逼。

“他必须完成一项使命，必须出海远航——到洋人之地。”

“你和他一块儿去吗？”

“我是给他鸣锣开道的仆人。”

这位卖鱼出身的陈大人喜欢宫廷文化的迂腐。他不理解愚忠何以替代钟爱。“你要我为这次远航出力，我不也就牵连到这桩事里了吗？”

“如果需要，或者倘若我们失败，你可以拒不承认和这桩事情有关嘛！”

“我的投资呢？岂不打水漂了吗？”

“和你辅佐亲王称帝的功绩相比，这点儿投资何足挂齿？和你海上的霸业相比，即使失败，也不过错下了无足轻重的赌注。”

陈把这桩事情的利弊看得一清二楚。除掉亲王和他的幕僚——他们的势力肯定会逐步扩张——不失为一件有利可图的事情。帮他出海远航，也自有妙处。如果有朝一日，亲王真的做了皇帝，他就欠下泉州一笔债。不过这件事必须由泉州的富商们决定。他将和商界同仁商量，尽管他们对他都心怀嫉妒。如果亲王一去不复返，对于泉州人来说，也算是一大收获。

“我去和商界同仁谈一谈。你的建议不错。”他说，想就此结束会面。

“您的慷慨实为高尚之举。”老太监说道，言语之间并无讥诮。没有像卢陆这样的显贵帮忙，陈就是有钱也买不到高尚。卢陆轻声笑着，朝这一方富翁打躬作揖。

大鱼和小鱼争斗的时候，他关心的不是谁胜谁负，而是渔翁的利益。正是所谓鹬蚌相争，渔翁得利。

亲王不想把玫瑰照搬到他的画面上。他认为对客观事物这种机械的模仿没有什么意思。他喜欢挥毫泼墨、捕捉神韵的写意。要做到这一点，就要对玫瑰的本质作更加深刻的分析与研究。但是亲王神情恍惚，犹如天空飘忽不定的云，与那个辉煌的目标擦肩而过。后来，他终于还是回到玫瑰旁边。玫瑰，青春的象征，天真无邪的象征。

他在池塘边的一张长凳上坐着，随从们早已厌倦，都各行其是去了。老卢陆找到他的时候，他正沉湎于对玫瑰花的遐想之中。

“太昭。”卢陆喊了一声。看见小伙子一个人待在这儿，老头很高兴。太昭吓了一跳，抬起头，一副怅然若失的样子。他没有答话，也没有一丝笑容。

卢陆却咧开嘴笑了。亲王皮肤白皙，脸上连一个雀斑也没有，足以证明他还未经风霜，一双凤眼在薄薄的眼皮下面闪闪发光，小巧的鼻子挺直匀称，红润的嘴唇棱角分明，满头黑发拢在脑后，在白皙的皮肤衬托之下，活像一只雪地里展开翅膀的乌鸦。太昭渐渐从遐想中清醒过来。他扬了扬眉毛，向这个对自己崇拜得五体投地的古怪老头点头致意。他龇了龇亮闪闪的牙齿，神情中不无嘲弄。他懒得起身迎接老太监，袍子夹在双膝中间，露出没有汗毛的小腿。足蹬草鞋，露着脚趾，衬衫敞开着领口，看得见匀称结实的胸膛。

“你在看玫瑰吗？”老卢陆问。“这花儿是年轻人喜欢的玩意儿，大路货，四季常开，没有香味儿。”

“它很漂亮，但不华贵，总在引诱我捕捉它的神韵。”

“年轻人的懒散。我天没亮就开始为我们的事业奔忙。你的功课做了吗？”

“研究玫瑰也是一种学习嘛！”

“你太孤独了。”卢陆开始为下面要说的事情留下“伏笔”。

“他们每天都来陪伴我。”

“又给你找来个姑娘。毛遂自荐，才貌双全，远近闻名。”

“我没兴趣，老头。”

“要让欲望之火升腾而起。那时候就会有一股诱惑力注入你心间。你必须试试看。”

“这朵小小的玫瑰才诱惑我。”

“难道你对女色就无动于衷？你不要找什么借口。”

“我讨厌，就这么回事儿。我不知道你们要我怎么样。”

“你如果觉得这种事情无聊，那便是不义的开始。你必须强壮、洁净、有男子汉气概，这样才能统治整个中国。”

太昭又咧了咧嘴，露出满口亮闪闪的牙齿。“我还必须有学问，有修养。你们送来供我玩乐的那些人没有一个能教会我这些。”

“你现在比任何时候都更需要生个儿子接续香火，继承大统。”

“让别人替我去干吧。”

卢陆叹了一口气，在太昭身边蹲下，脚后跟顶着屁股，稳稳当当，颇有点“坚如磐石”的味道。

他解释说，他们要出海远航，到一个完全陌生的世界，寻求天主教教皇的支持。泉州人是他们的拥护者和希望。亲王将在他们的支持下完成这一壮举。他们将途经广州、澳门、安南[①]，穿过已经通商的南海列岛，直到马六甲。忠于明王朝的华侨社团将在那里热烈欢迎亲王。他们要沿途招贤纳士，筹集钱粮，继续远航，横穿西面的大洋，最终到达洋人的圣地罗马。太昭此行既非被人打败落荒而逃，又非放弃江山流亡海外，而是不避艰险，远走他乡，到蛮夷之地寻求支持，因而必定赢得真正爱国者的爱戴，最终借助洋人的势力，把满洲人从祖先的宝座上赶走。卢陆为这想象中的前景激动得两眼闪闪发光。

年轻人的目光却飘忽不定。卢陆讲的这番话远远超过他的知识范围，他连一点儿兴趣也没有。或许正是这种“空洞无物”使他得以幸存。他像一条漂浮在水面上的船，老老实实地听从风浪的摆布。像一个跳舞的人，只能跟着人家弹奏的音乐蹦跶。他很谦和地跟在卢陆身后，亦步亦趋。

“我很希望看看世界，”他说，“新的景致，异国风情。我想了解所有那些与我们这儿迥然不同的事物。”

“你应该明白，你是别无选择。再在这儿待下去，人家会发现你，包围你，诱捕你，毁灭你。扬帆远航应该是你求之不得的事情。”

“什么时候出发？”

“我们必须首先弄到一条能经得起大海波涛的好船。还得起草几封信，秘密送给南洋各港口，将来我们全靠他们的保护。还要挑选忠心耿耿的船员，准备粮食、淡水和送给洋人的珍奇古玩。我们还要把艺术精品、科学成果、药材、服饰、园艺学、烹调学带过去。我们的船必须满载大明朝的文明，殿下。我们的宝中之宝是镶嵌在青瓷睡莲上的一粒钻石。”

“这可是没有尽头的远航，老朋友，你不害怕吗？”

“远航的尽头是明王朝新的开端。但你离开中国之前，必须传宗接代，生个孩子。”

---

①安南（Annam）：越南东部一地区。

“怎么生？”

“医生们教过你。”

“我不会。”

“是你不想。”

看着年轻英俊的亲王，卢陆百感交集。太昭的秀美和单纯比他尚未完全成熟的体魄更让老太监心里难受。他无法理解，为什么完全出于自然的生殖能力不能从亲王年轻的身体迸发而出？既然花匠能够移花接木，培育出珍奇的玫瑰，就有办法让亲王也“开花结果”。于是，牛鞭、狗肾、鹿茸、虎掌、麝香、珍珠、甲鱼肉、龙须菜、蜂王浆，无所不用其“极”。中药调理，气功疗法，催眠术，瑜伽功，全然无效。柔情似水的村姑，千姿百态的女伶，送子娘娘、玉女金童，全都派不上用场。永亲王太昭彻头彻尾地阳痿。有时候，青春的热血也会涌入那个软溜溜的玩意儿，但“稍纵即逝”，刚刚开始便大浪东去，更谈不上进入什么高潮。

太昭极力忍受卢陆送来的那些想发财的郎中、盼富贵的女人的折磨，但是这种把戏重复多次之后，他终于厌倦到了极点。他不再顺从，任何一次新的试验都坚决拒绝。他宁愿对着一朵玫瑰沉思默想。在这种沉思默想的过程中，他渐渐变得强壮，也增加了几分忍耐。

“我不想再和谁干这事儿。”太昭对老太监说。

“人们说她的母亲是个巫婆，而且会做一手好菜。先尝尝她做的菜再说，乖孩子。”

“她的菜越有风味儿，我越不想吃。”

卢陆心里涌起一股柔情，不由得捏了捏太昭的膝盖。这个男孩儿如果不能生育，就没法儿成为皇帝。所以只能先带他远走他乡，然后再送回些假“情报”，瞒过世人的眼睛，巩固他作为明朝天子的地位。

太昭打了个哈欠。“那么，走吧。”他也满怀钟爱之情地看了一眼老太监，“下一个‘节目’什么时候开始？”

“您随叫随到。”

“那就让她们等着吧。你先跟我在花园里散散步，老头。”

他们喜欢沿着那条荒凉的小路散步。院子里有一个很大的池塘，水是从陡峭的河岸引来的，房屋就建在河岸之上。阳光明媚的庭院里有一座假山，山石间绽开着朵朵玫瑰。他们穿过假山拾级而上，围墙内有一片翠竹，一座柑橘环绕的凉亭，亮光闪闪的水管，盘根错节的古柏，枝叶婆娑的金钱橘。番樱桃树上缠绕着正在开花的藤蔓，蜻蜓、蝴蝶在花间翻飞。小路蜿蜒曲折，像以往许多次那样，跟在他的保护人和向导身后，太昭心里充满欢乐。倘若有人告诉你应该如何行事，生活会轻松许多。

“身为亲王，正直为本。”卢陆说。他的治国安邦之策几乎完全依赖于奉为金科玉律的伦理道德。他认为明朝之所以崩溃就是因为统治者行为不端，“一个亲王必须给庶民百姓树立榜样，要有承天接地的气概，平衡左右的韬略，要尊重礼数，刻意创新，采纳民意，目光远大。亲王就是亲王，不可有非分之举。”

对老太监这种观点太昭颇为赞赏。沿着杂草丛生的小路漫步，热乎乎的尘土拂着他的草鞋。他心里纳闷，卢陆会不会对他作一番评论。

“那么，一个亲王离开自己的土地，出海远航合适吗？”

“作为一种策略是正确的。”

“在异国他乡，我还能当亲王吗？”

“如果洋人不以礼相待，你可以不见他们。”

“你会驾船？”

“我要学习航海。我对大船的机械很感兴趣。”

“你的兴趣真广，”太昭笑着说，“我们一定能带回许多新奇玩意儿。”

“我们公开的身份是商人，为了开辟新市场而扬帆远航。为了安全，绝对不能暴露你的真实身份。”

老头弯腰看路边一朵金黄的玫瑰。“这花儿叫什么名字？”

“这是一种野玫瑰。”太昭脸上露出微笑，能回答老师的问题，他心里很高兴，“这花叫月季。”

“说得对，说得对。”卢陆连连点头。“好，好。”

那位人称“火狐狸”的村姑使出浑身解数。她把热烘烘、湿乎乎的隐秘之处紧紧贴在亲王冷冰冰、干巴巴的阳具上面。但是好像有一条不可逾越的鸿沟，横在这一对少男少女中间。他们四目相对，没有任何别的反应。村姑的母亲伸出援助之手，亲王只好任凭她摆布，就像一个刚刚出世的婴儿被人强迫着吸吮母亲的奶头。她们极力掩饰心里的恼怒，作出一副又一副媚态，直到日上三竿。

“谢谢，不要再折腾了。”太昭终于说。母女俩气鼓鼓地走了，嘴里叨叨着，亲王肯定有病，肯定不正常，肯定对谁也没有用处。

卢陆正在书房小睡，仆人来了。这位仆人刚才也在睡觉，因为渔妇的儿子有紧急事情要见老太监才被搅了好梦。小伙子在外面等着。他长得五大三粗，手里捧着一杯热茶，两只脚轮换着支撑身体的重量，却不肯坐下。他捎来的口信是：长江三角洲的特产，应时美味，新鲜泥鳅已到。他母亲在市场上有个摊位，愿意把鱼卖给老总管。鱼妇的儿子情愿把鱼挑来。他觉得让老卢陆跟着自己到市场取货太不恭敬。再说，他也不知道该如何和这位达官贵人谈话。他宁愿用浑身力气为总管效劳。他的母亲却不以为然。她是给老总管传递一份重要文件。卢陆打开仆人送上的那个布包，便对一切都认可了。那是一张八开大的纸，卢陆认出上面印的是拉丁文，是从《圣经》上扯下来的一页。有一句话用鱼眼睛似的小圆圈标了出来。“正义之路已经开通。《箴言》，15：19。”卢陆的嗓子眼儿里发出一阵咯咯咯的响声。他很为他们事业的这种“学者化”、为这张丝绸一样精心编织的联络网而骄傲。他又一次披衣而起。漫长的一天还没有过去。卢陆和渔妇的儿子无话可说，也不想听他叨叨。小伙子一副闷闷不乐的样子，不过他动作敏捷，步子迈得很大，老卢陆勉强跟得上。他们走下山坡，走进小镇。刚过晌午，午休的人还在睡梦之中，屋檐在敞开的门窗上投下浓重的阴影。

小伙子把老头径直领到市场。做了一上午买卖，店主们都上好铺板，回家的回家，睡觉的睡觉。渔妇在摊位后面用麻布和竹竿搭了一个小棚子。她一边向老总管道歉，请他原谅自己的寒酸，一边把老头拉进小棚子，让他在一张长凳上坐下，倒了一杯浓茶。

他们没有闲谈，很快进入正题。渔妇点燃水烟袋，带着浓重的口音，清楚而准确地表达了自己对卢陆的敬仰之情，盛赞他对明王朝和它的继承人的一片忠心。渔妇对旧时代的留恋之情老头早有耳闻，现在亲眼看到她忠心耿耿，心里十分高兴。他不知道，这天清早来泉州的那位信使早已上路。信使通过渔民中的关系和她取得联系。那人不得不改变计划。离开泉州码头、开始第一站旅行的时候，信使便发现有人跟踪。也许老太监正受人监视。到达厦门之后，他决定不再坐船，准备走陆路回杭州。通过联络网，他向渔妇通报，在政治局势和地理环境都错综复杂的山村，他已经找到急需的帮助：可靠的向导，安全的住处，一条直通的路线。他还告诉渔妇，如果他被人监视，那就说明，他们的政敌已经知道这个计划的某些环节，他和他们的事业正面临危险。因此，一定要尽快把这个消息告诉卢陆。这个消息是和那桶泥鳅一块儿送到渔妇这儿的。鱼来得太晚，没赶上早市。信使让他们赶快行动。如果他们已经被人怀疑，并且受到严密监视，那就没有必要再为万无一失而拖延时间了。总管和亲王必须尽快起航。信使可以保证澳门的意大利人欢迎他们的到来。这便是所谓：Proverbia 15:19. Via iustorum absque offendiculo……①

“正义之路已经开通……”拿什么证明这一点呢？就凭这一纸洋文？卢陆凡事三思而后行。何况此举事关帝业的成败，就是最幼稚的阴谋家也不敢掉以轻心。但是他知道，在这件事情上，渔妇比他还要谨慎。她派自己笨手笨脚的儿子去叫一位地位很高的总管——尽管打了卖鱼的幌子——充分说明她认为已经到了非常紧要的关头。再没有比这位妇人的举动更能

①拉丁文：《箴言》15：19：正义之路已经开通……

说明问题的了。时机已到!

渔妇揭开大木桶的盖子，让卢陆看那些弓着身子不停扭动的泥鳅。有一条在水里拼命扑腾，企图逃出挤满同类的木桶。有的已经处于麻痹状态，滑溜溜的脊梁上布满了褐色和黑色的斑点。造物主在制造泥鳅的时候，工艺未免太粗糙了点儿。它介乎于鳝鱼和普通鱼类之间，却又缺乏两者的“优雅”。就像发育不全、动作笨拙的鳝鱼，或者没有鳍的鲤鱼，全凭一双小眼睛和一张小嘴巴才分出是脑袋还是尾巴。泥鳅看起来像是一团淤泥，吃起来也不咸不淡，一股泥腥味儿。老总管凝视着木桶里那些拼命挣扎的泥鳅，心里想，最好把它们活着扔进滚开的火锅子里，在漂满红辣椒的汤料里炖着吃。他扬了扬眉毛，额头上现出一条条皱纹。想到这些泥鳅很快就会成为汤中的美味，被人们当作滋补品大嚼大咬，他感到特别快乐。会是谁的一道好菜呢?他希望是他的。

渔妇笑着抓起一条很肥的泥鳅。泥鳅从她的手指间逃脱，她越发大笑起来。

“您还需要什么？”她问道，“还有什么要办的事情?下一步我还能做点儿什么？”能替卢陆效力，她感到非常荣幸。

“谁是最好的船长?我需要一条好船横穿西面的大洋，还需要一个知识渊博的航海家为我们导航。”

“泉州有世界上最好的航海家。”渔妇说。她一边擦手一边坚决拒绝老总管递上的鱼钱。

“我首先得有一条船。”

小棚子的一角，供奉着保佑航海人平安的海神娘娘，香炉里有几炷香升起缕缕紫烟，还供奉着苹果和橘子。

“泉州有能经得起大风大浪的最好的船，”她伸出那只散发着鱼腥味儿的手，扯了扯老总管的袖子，“跟我走。”

渔妇的儿子就像服从一道无声的命令，默默地提起盛泥鳅的桶，准备再次护送老总管。老卢陆拱了拱手表示感谢。他们三个人都对自己为之献身的事业忠心耿耿。这种精神像一条纽带把他们紧紧联系在一起。老卢陆虽然颤颤巍巍，但不失尊严，走在渔妇前面，气喘吁吁地爬上一溜山坡。渔妇的儿子挑着担子殿后，桶里的水不时泼洒出来。那条路拐进一条小巷，小巷两边是粉刷成白色的房屋，院墙镶着琉璃瓦，放着象征吉利的金钱橘。卢陆紧紧裹了裹身上的棉袍，要出海远航的想法把他搞得心痒难耐。他又一次告诫自己，那位信使是个只会纸上谈兵的空想家，未必看得清事物的本质。

那座用白色大理石建造的清真寺已经在这儿屹立了五百年。清真寺旁边，运河畔是金船长和他的妻妾的府邸。红砖门楼和围墙镶嵌着黑白两色的石头和琉璃瓦，雕梁画栋之上镌刻着一行阿拉伯文字。船长在岸上的生活一定非常舒适，补偿了他在茫茫大海远航的艰辛。金船长的脸胖乎乎的，留着黑胡子，睫毛很长，眯缝着一双眼睛看人。他咧开嘴笑着表示欢迎，露出一口白得让人吃惊的牙齿。一双肌肉发达的手像钢钳一样有劲儿。他的祖先打从泉州成为东方世界最重要的港口开始，就居住在这里，大约已经有几百年的历史。但是在华夏文化的包围之下，他们仍然极力保持自己的传统与信仰。作为穆斯林，他们只把自己限制在商业社团的小圈子里。

卢陆走进金船长的深宅大院，渔妇和她的儿子在门外等着。头顶挂着的大红灯笼在风中晃动。卢陆接过仆人送上的橘子和葡萄干。金船长凡事自己做主，令人羡慕。船是他自己的，他愿意雇给谁就雇给谁。他可以秘密接受别人的指令而不必冒太大的风险。作为沿海地区最好的航海家，金船长要价自然很高。卢陆如果付一笔相当可观的款子，金船长、船员和船都可以做一次为期十二个月的航行。先到澳门，然后沿安南南下，途经马六甲群岛，跨越西面的大洋，直到欧洲。这笔钱由泉州的商人提供。他们将因此而获利——商业上的利益，毋庸讳言，还有政治上的好处。与此同时，他们远远躲在一边，万一有个闪失，也不会给自己惹出麻烦。谈判过程中，老太监越不想说出此行的目的，金船长要价越狠。他心里明白，反正这笔钱由陈会长掏，尽管这个阿拉伯人并不想得罪陈。卢陆虽然不暴露此行的目的，但他坚持在这条商船上搞几个豪华的单间。船长由此看出，除了抬高运费，没有必要再提任何问题。协议达成，金船长怀着一种崇高的受命于天的精神——尽管是暂时的——接受了十分优厚的条件。为这位神秘乘客准备的舱房的等级亦已确定。他或许已经猜出，此人便是永亲王朱太昭——尚未加冕的皇帝。

黎明前，永亲王太昭剪短头发，化装成一个年轻商人，兴高采烈地登上甲板。其他人头天晚上即已上船，储存食物、淡水，收拾舱房、床铺。泉州商人把这次远航看作对邻邦的友好访问，去开辟新市场，发现“新大陆”。这条刚刚整修过的大船停泊在港湾十分壮观，一副吉星高照的气派，船首上的龙头仰望着天空，黑亮的眼睛给围观的人们注入力量和勇气，刚刚涂过漆的船身闪着金黄色的光。新拧的绳子一圈圈盘放在甲板上，就像丝带一样鲜亮，所有金属配件都擦得亮光闪闪。一面面旗帜在春天和煦的阳光下猎猎迎风，旗帜上面用丝线绣着象征吉祥的图案。按照温室里培育桃和甜瓜的办法，他们移植了一些桃树和牡丹。一排排盆栽的花和矮小的灌木排在货舱里。桅杆上挂着彩绘的凤凰，甲板上关在笼子里的金丝雀和鸽子叽叽喳喳、嘎嘎咕咕地叫着。小鸡、公鸡、鸭子在筐子里不停地唧唧咕咕。

太阳升起之后，一位方丈身披锦缎袈裟，登上甲板，身后跟着一群年轻的和尚及啰里啰唆的女孩儿。他们准备跳舞，从船上驱除妖魔鬼怪。仪仗队高举着顶端镶着木头雕刻的手掌和眼珠的旗帜和竹竿在甲板上转了一圈儿，为妈祖[①]和保佑航海者不忘故土的“顺风耳”“千里眼”开路。这时，鼓角齐鸣，铙钹敲响，紫烟缭绕，飘过海面。金船长骄傲地接受方丈的祝福。船员们紧紧地围拢在他的周围，急于分享无所不在的神明带来的好运气。然后，陈会长代表泉州人民向金船长一行赠送礼品和证书，再次表达

①妈祖：我国台湾和福建沿海渔民供奉的神，每逢出海远航即拜祭妈祖，祈求平安。

他们的美好祝愿。这阵势比以往任何时候的出海仪式都隆重得多。站在码头上看热闹的人们虽然不知道其中的奥妙，但是都被这欢乐的气氛所感染。他们欢乐地叫喊着，甚至举杯祝酒。

渔妇站在人群中，眯缝着眼睛一边看热闹，一边抽水烟。她没有让儿子出海远航。那茫茫大海要比内地的穷乡僻壤更凶险、更难把握、更靠不住。

桅杆和索具上悬挂着一串串爆竹，就像悬挂着一串串色彩鲜艳的红辣椒。等最后一位高僧上岸后，一个和尚点燃了爆竹。骤然间，火星四溅，团团硝烟沿着栏杆升起，噼噼啪啪的爆竹震天撼地。船员们高兴得哈哈大笑。船长一声令下，竹篾编成的大帆展开，鼓满徐徐吹来的海风。岸上的人群齐声欢呼。这是一条非常漂亮的帆船，是按照阿拉伯独桅帆船的设计，经过改进建造而成的，充满异国风情，在泉州港独一无二。它的结构是金多年来航海经验的结晶，已经得到很好的验证。他特别喜欢这条船。在这一片欢乐声中，大总管卢陆悄悄离开那些站在岸上送行的达官贵人，神不知鬼不觉地溜进舱房。帆船立刻起锚，仿佛他上船就是开航的命令。帆鼓满风，大船毫不费力地离开码头。彩旗飘扬，锣鼓齐鸣，爆竹炒豆子般地炸响，帆船就像一只仙鹤，飞向辽阔的大海。

卢陆在舱房里默默地祈祷，乞求无所不在的神灵保佑这条船平安回来，保佑他的理想得以实现。

太昭被这个时刻的庄严与热烈所感动，显得容光焕发。他发誓要带回传说中的四海的宝藏，恢复祖先的帝业。这是一种不拘形式但发自内心的举动，老总管看了非常高兴。

又要出海远航了，又要过无拘无束的生活了！金船长站在舵轮旁边十分豪爽地大笑着，亮闪闪的牙齿对着天空，洞察风云的眼睛直盯马六甲。马六甲是此次航行途经的港口。那是一个无法可依、随心所欲的港市。金船长熟知那里的情形，可以用福建的茶叶换回人们喜欢的各式各样的土特产。马六甲的阿拉伯人很多，华人和阿拉伯人杂居，马来西亚人也和阿拉伯人杂居。金船长在这种“混杂”中来往穿梭，通过贸易满足各民族的需求，从而大发其财。他希望在这次航行中预先为自己安排一个“驿站”。马六甲对于一位雄心勃勃的船长是实现其最高理想的地方。当今最先进的船只在那里停泊，只要到了马六甲，金并不在乎是否继续航行。这是扩大他的船队、改进他的旧船、换取金银财宝的好机会。他用喉音很重的声调，为万能的神灵大唱赞歌，就像站在清真寺塔楼上大声吆喝宣布开始祷告的人那样。

夜幕降临，卢陆从舱房出来，坐在金船长旁边，记录下有关航海的各种技巧。星星出来之后，根据星座的位置，判断航向和海流的变化。卢陆明确指出，虽然船是金船长的，船上的事务由他作主，但是整个航行的进程应当由更高一级的权威人士，也就是由他自己负责。金船长扑闪着长长的睫毛。别人怎么说、怎么认为他都不在乎，反正舵轮操在他的手里。

直到天黑，海岸上的庆祝活动还在继续。噼噼啪啪的爆竹声在港湾回荡。星光炮从小渔船上直冲云霄，然后又栽进水里，在它们自己的映像之中爆炸。远处，黑暗中，那条满载人们美好祝愿的帆船升起最后一朵礼花，向乡亲们告别，向泉州港告别，向西方的大海驶去。

有几个小伙子在码头上喝酒，大概喝多了，朝一个身披蓑衣的人放爆竹。那人尖着嗓子拼命喊叫，黑暗中看不清是男是女。只见那人朝喝多了的小伙子们冲过来，跟他们调情，操着山里人的口音，骂些不堪入耳的脏话。小伙子们被她撩拨得越发兴奋起来，纷纷往蓑衣下面扔鞭炮。鞭炮噼噼啪啪地响着，蓑衣燃烧起来。那人的叫喊变成痛苦和惊恐的哀号。火光明亮，气氛大变。恶作剧中的幽默已经消失殆尽，小伙子们个个目瞪口呆。满身是火的人无法忍受火舌灼人的痛苦，跑到防波堤，扑通一声跳进海里。燃烧着的蓑衣漂在海面，没有一个小伙子跳下去救她。

经过两天两夜的航行，帆船到了第一站——澳门。这儿的洋人享有建设港口的自主权。一进港口，卢陆就被迥然不同的建筑风格搞得不知所措。

他看到这里贸易繁荣，担心总督不会冒险卷入他这条帆船的使命。他也不知道先期到来的信使秘密签订的协议能不能派上用场。卢陆的疑问很快就得到解答。外国神父不但不愿意合作，而且按照他们的习俗和礼节，表现得非常冷淡。据说积极支持复明大业的那位意大利多明我会修道士恰巧不在澳门。修道会的头头宣称压根儿就没听说过这码事儿，磨破嘴皮也不肯相信，就连一应文件和送上的礼物也不屑一顾。卢陆寻思，泉州那位信使实在是让他干了一件徒劳无益的事情。当然看起来更像是他自己被人出卖了。倘若那样，毫无疑问事情就更糟了。

经过进一步的磋商，多明我会修道士只能给客人们提供食宿，而且条件不太好，很难称得上舒适。现在的议题已经变成澳门的神父能不能让泉州来的这条船给罗马带封信，表示对明朝复辟的支持。其实仅仅是一封介绍信。如果这样做太露骨，多明我会的修道士可否通过自己的渠道，以秘密的方式，请求罗马教皇对明朝这帮忠臣的策略予以支持。为了赢得洋人的同情，卢陆苦口婆心劝说多明我会的头面人物，金船长唾沫星子飞溅，抱怨在这儿浪费时间。和这些天主教人的谈判乏味冗长，不得要领。他们根本不考虑明朝遗老的面子。老卢陆别无选择，只有尽快起航去罗马，不再等待这些外国修道士给予他们带信给罗马教皇的荣耀。多明我会修道士确实看不出卷入中国政治对自己有什么好处。倒是耶稣会士更喜欢这种勾当。尽管教会付出很大的代价，这位多明我会教区长并不指望有更大的作为。他不想以身殉道，宁愿在意大利某个修道院里平平安安度过晚年。他可以盛宴款待故旧亲朋，讲自己在东方——一个没有葡萄酒的地方——传道的耸人听闻的故事。但是对大总管卢陆来说，实在是义无反顾。此外，他仍然十分相信那位尚未谋面的外国神父。那人理解他的事业。他决心继续航行。

帆船进入热带的南海，海水渐渐变成紫色。只要按照既定的航线航行，金船长就乐乐呵呵。他的情绪感染了手下的船员——那些懒洋洋的、真主的崇拜者。他们是他的人。别的船员都是规规矩矩的中国人，他们尊敬自己的祖先，忠于明王朝，如果有人号召反对北方的满清帝国，他们总会揭竿而起。有一个人自然而然成了大家的领袖，他就是饱经沧桑的水手黄。每逢遇见太昭，黄总是和蔼亲切，恭而敬之。本能告诉他，这个年轻人来历不凡。不过卢陆对谁也不信任。没有人知道太昭的身份，也没有人解释他怎么跑到这条船上。对于金船长和他手下的人，这个年轻人似乎并不存在。太昭有时候懒洋洋地倚在船栏杆上看大海日落的美景，有时候把花盆从底舱搬到甲板，从阳光下搬到阴凉地，然后再搬回去。他还把自己的尿从一个搪瓷柄盂里有选择地倒给盆栽的花木。金船长见了，本来想逗他玩玩，但他目不斜视，一本正经。那神情似乎在说，对于这个乘客就该视而不见。船长总是通过卢陆向这位皇家后裔传递信息。黄看出太昭的身份非同寻常，由此想到自己也非等闲之辈。黄在好多条船上当过船长，他的技艺和能力一点儿都不比金差。太昭从他身边走过的时候，他常常挤挤眼睛或者微微一笑。这种亲切和尊敬的表示实际上是对阿拉伯船长的蔑视。这一切卢陆看在眼里记在心头。必要的时候，他将利用黄的忠诚。太昭觉得什么都无所谓。他只和老头发生联系，诸事由他安排。

海上旅行的快乐被时光磨蚀，太昭绷着脸躺在吊床上晃来晃去。这间舱房（仅次于金船长的居室）是一个狭窄的小屋，散发着一股海草的气味，不过从装格子的舷窗和竹子镶板照射进丝丝缕缕的阳光，屋子还算亮堂，太昭喜欢在这儿做白日梦。

他还喜欢侍弄那些植物标本：盆栽的果树、葡萄、草药，已经长出新叶的蔬菜、小型树种，经过精选的花卉、灌木、梅、菊花、牡丹、蝴蝶花和玫瑰。他所关心的就是让他的船上“花园”枝繁叶茂，花团锦簇。然而并不是所有花木都能适应含盐量太多的空气，适应船上的潮湿和与大地母亲的别离。有的花草渐渐枯死，有的停止生长进入休眠状态，还有一些在太昭的精心照料下茁壮成长。这些花草树木是太昭最好的伙伴，侍弄它们成了他最喜欢的工作。金船长不得不警告卢陆，不能再让小伙子这样浪费供大家饮用的淡水了。于是，每逢下雨，太昭就把能够收集起来的雨水尽可能收集起来浇花浇树。

临离泉州时，陈会长的家人送给太昭一个表演木偶戏的小舞台。这个用木头雕刻而成的舞台十分精巧，廊柱漆成红色，上面是金粉描画的龙凤，还有一套可以套在手上表演的木偶，每个都有一个手臂长。木偶的脑袋也是精工雕刻而成，根据角色的不同画成不同的戏剧脸谱。黄是福建人，知道这些木偶在地方戏里各自扮演的角色，便教他怎样用它们演戏。他还教给太昭不同的唱腔。太昭把小舞台放在舱房，只剩下他一个人的时候，在一张藤条编成的屏风后面点一盏灯，在舞台上投下宛若移动的花草的暗影，他便把喜欢的故事搬上舞台。

一位美丽的少女因为妈妈不让她白天睡觉，坐在保姆旁边学做针线活儿。她独自一人走进花园，碰见一位英俊的小伙子。小伙子伸出胳膊搂住她，桃花纷纷落下，少女睁开眼睛，原来做了一个梦。英俊的小伙子早已从梦中消失，再也没有回来。少女乌黑的头发上戴着一串珍珠，插着翠鸟的羽毛，躺下来死了……

太昭抽出手，木偶便成了一堆毫无生气的衣服，脑袋朝下，躺在舞台上，直瞪瞪地看着台下的观众。

那位梦中的情人是一位潇洒俊逸的公子。这天下午，天气闷热，他在课堂上打了个盹，梦见一位美丽的少女。放学回家的路上，公子突发奇想，到那座花园，寻找梦中的姑娘。他看见少女已经命归黄泉，家人正围在她的尸体周围放声大哭。公子痛不欲生，倒在姑娘身边气绝而亡。

太昭被这个故事激动得热泪盈眶，从木偶下面抽出手，公子的袍子软绵绵地盖在姑娘身上。他点燃好几炷香。舱房里青烟缭绕，一直飘到正在甲板上极目远眺的金船长面前。金扬了扬眉毛，大喊一声：“烟！”

在海上，最让金害怕的就是火。但是谁也不愿意把这个信息告诉太昭，连卢陆也不。小伙子听见船长惊恐的叫喊，脸上露出平静的微笑。他坐在那儿看一炷炷香慢慢燃尽，留下灰白的死灰。

有一天，帆船经过南沙群岛的时候，遭到两条马来亚海盗船的伏击。海盗船拼命追赶，想把中国人赶到暗礁横陈的水域。事实证明，金船长确实比他们技高一筹。他知道紫色的水面之下是湍急的海流，所以专门贴着暗礁，诱敌深入。马来亚水手们挥舞着弯刀，叫喊着，威胁这条来自中国的帆船。金船长巧妙地指挥手下的船员，就好像指挥一群杂技演员。他们一直把海盗船引进礁脉。马来亚人害怕撞烂船壳，只得放下帆停止追赶。刚才还趾高气扬、骂骂咧咧的海盗就像突然摘掉面具，全都变成泄了气的皮球。金船长高兴得哈哈大笑。船员们和他配合默契，船也非常争气，一直载着他们脱离险境。

卢陆站在舵轮旁边向金船长表示祝贺，赞美他的沉着镇定、高超技艺。

这时，太昭走上甲板，一副弱不禁风的样子。他手里拿着一把喷壶，给甲板上的玫瑰浇水。

“玫瑰上的露珠，莲花上的雨丝，别搅了我的好梦。”他模仿木偶戏中那个姑娘唱道。

金摇了摇头。他从这个年轻人身上看不出一点儿英雄气概。但是作为满清政府的敌对势力，他很高兴自己使这个人们寄予无限希望的小伙子免遭涂炭。他微笑着，露出雪白的牙齿。他很高兴在老太监面前证明了自己的价值。

卢陆的时间非常宝贵。他好像总也不睡觉，夜里就着满天星光，观察帆船航行的情况，观察天象、风向和海流的变化。金船长睡觉的时候，就把这份差事交给卢陆。到达马六甲的时候，人们已经公认，可以放心大胆地让卢大总管值夜班了。

马六甲是个商贾云集、贸易繁荣、到处散发着臭气的地方。紧靠码头是一溜木排，上面堆满垃圾——这座繁华城市的贡品。过往船只进入港口之后，总是把不需要的东西倒在海里，把更好的东西装船运走。麻袋、筐子、变质的货物、软木浮子、死猪、死老鼠、花生皮、胡椒壳、废纸、不时兴的破衣服、理发馆的垃圾、羽毛、木头玩具、菠萝皮绕着码头的木桩子旋转、漂浮。四周都是船，他们好不容易挤进系泊之处，一条舢板划过来接船员上岸。紧挨防波堤已经没有停泊帆船的地方了。自从上次金船长来这里造访，干船坞向外扩大了许多。最引人注目的是，码头上摆满了正在制造或者修理的船体，这就使人想到，停泊区一定有一个庞大的船队。

金船长大败海盗的消息早已不胫而走，传遍沿海渔村，先他们一步到达马六甲港口。金船长上岸的时候，一群缠着头巾的马来亚穆斯林水手向他齐声欢呼。事实上，这些向他表示祝贺的人正是那群海盗。他们为了维护马来亚苏丹的利益，在海面巡逻，保卫这一带水域。马六甲之所以繁荣，是因为苏丹对外国商人采取灵活的政策。每一个国家或地区的人都有自己的势力范围，但同时又必须服从马来亚的法律，满足他们不算太高的要求。金很高兴这里的人还记着他。

卢陆心里不太痛快。他宁愿待在船上，但是黄和中国船员坚持上岸到中国人聚居的地方找个下榻之处。卢陆不想让任何人知道太昭的存在，即使作为一个身份不明的年轻人。但是太昭自个儿也想上岸。港湾里蓝色的海水给人一种油腻腻的感觉，船体上的金属部件像火一样烫人。暮霭渐浓的天空像一块毛毯包裹着这座城市，闪闪烁烁的星星像无数烤灼大地的火炉。海岸上，一株株高大的棕榈在海风中摇曳，树影婆娑，显露出略带矜持的热情。凡是有泥土的地方，每一个角落都盛开着芙蓉花和西番莲。在马来亚人聚居的市区，男人光着脚，赤裸着胸膛，女人穿着鲜艳的裙子。有的人在烘炒香料，有的人站在街上吃小吃。阿拉伯人聚居区也十分繁华，空气里弥漫着一股烤羊肉味儿和茴香味儿。卢陆领着太昭，跟在黄的身后。走过西洋人居住区的时候，他们看见几个穿宽大裤子的葡萄牙天主教徒。

想起在澳门受到的冷遇，卢陆不觉怒火中烧。“中国城”自成一体，“城里”散发着干鱼味儿。在一座戒备森严的宅院里，他们找到一间可以安全下榻的屋子。黄知道，同情你的人未必就可信，何况他对这家房东并不了解，所以只是含糊其辞地介绍了一下卢陆和太昭。他必须首先得到他们的承诺。他明白，不曾对你作出承诺的同情者压根儿不能信任。

卢陆和太昭很不耐烦地等待着，见金船长没有捎话来，便打发一个人去探听消息。

金的朋友想方设法款待他，还向他展示了在这儿做买卖的广阔前景。尽管他和泉州的商人签订了很具约束力的协议，要在十二个月之内把这几位尊贵的客人送到罗马，但他并不着急离开马六甲，更不想错过送上门来的发财机会。他四仰八叉地坐在长沙发的缎垫上，歪着脑袋大声说，他这次远航是泉州商人出的钱，老太监一个子儿也没花。现在卢陆派人叫他，催他起航，就好像堂堂金船长是他雇来的短工。他看不起中国人这种自命不凡，他这个人从不食言。他是船长，十二个月之内，什么时候离开马六甲，他说了算。他们已经比原计划提前到达马六甲，老卢陆应该感谢他才对。

于是，一场争论爆发了。倒不是因为相互之间有什么敌意，而是因为卢陆和金船长都是犟脾气，两个人谁也不肯退让。对于金船长来说，恢复明朝帝业和他毫无关系。而老太监这方面又因为金个人捞取了太多的东西而不悦。

老头宝贵的时间就这样在没完没了的争论中一点一点地浪费了。

港湾里有一条相当漂亮的新船，是阿拉伯人制造的，比金的船大得多，也漂亮得多。金船长很贪婪，他想把这条船据为己有，并且弄回泉州。如果你的船和你的身份不相称，别人对你评价再高还不是徒有虚名？金和马六甲船商、和卢陆的谈判进行得都很艰难，很不友好。狡猾的金船长准备出卖他本来应该为之负责的明朝遗老遗少。卢陆虽然深知人的禀性，但是像金这种卑劣的行径，他简直闻所未闻。卢陆再也不能允许金当船长主宰他们这次远航了。最后商定，卢陆出高价把金那条船租过来，自己驾驶着去罗马，事成之后再返回泉州。金可以解除原先的合同，再用这笔不义之财买那条新船回泉州。协议达成之后，双方没有握手言和，而是立刻掉转头各奔东西。金船长带着他的穆斯林船员上了那条新船，中国船员都留在原先那条船上。

卢陆带领大家离开马六甲，驶向西方的大海。这是一次物资供应没有保障的远征。指挥这条船的权力历史地落在黄的肩上，他成了实际意义上的船长。离开金，太昭很高兴。他把吊床搬进船长室。在这儿没遮没拦，可以尽情眺望茫茫大海。

卢陆成了领航员。他闭着一只眼睛看星盘[①]，太阳和星星都变换了位置。由于帆船的方位一直向南，罗盘读起来和先前大不一样。他们在这片水域又行驶了几天，天空出现了一些以前不曾见过的星星。负责测定方向的卢陆终于承认不知道自己身处何方。

永亲王太昭躺在吊床上，手里拿着一张纸，懒洋洋地读着。那是他用毛笔信手写下的札记，满满一大张。

> 茫茫大海，一锅混杂着种种生物、不同元素和水的汤。波浪滚滚永无休止，大海那边是什么？没有一时一刻的停顿，就连它自己也无法把握。一切都在运动，还没来得及看清它是什么，即已化为他物。日复一日，夜复一夜，周而复始。在这茫茫大海，我已经度过多少个夜晚？虽然可以计数，但已不在记忆里留存。有多少海洋？总是同一片碧水，同一个天空。大海和天空在遥远的水平线会合。不论白天还是黑夜，满天星斗还是乌云密布，太阳升起还是红日西沉，满月高悬还是月牙弯弯，总是同样的水天相接。生活在一片虚幻之中，一切都稍纵即逝。纯洁短暂，超然物外。我站在船头，极目远眺，苦思冥想。在那抽象的清澈之中，

①星盘（astrolabe）：旧时天文学者用以测定天体位置的仪器。

除了我的思想，别无他物。我没有激情，没有对大海这个生存环境的钟爱。它给我一种感知，一种意识，然后又消融在浩淼无际的宇宙之中，一如占星学家的假想，心灵设计的星座，在苍穹中闪烁而过，仿佛饱蘸浓墨的毛笔，从一张白纸上划过。

第三部　无名之地

长艇靠岸的时候，四周一片寂静。倘若这是人类居住之地，这种寂静可不是好兆头。大家心里都很紧张，而禽鸟的啁啾、树叶的沙沙、碎浪拍岸、砂石摩擦的哗哗声越发让人心寒胆战。长艇在沙滩上停稳之后，他们排成一行上岸。第一个人步伐坚定，目光贪婪，似乎昭示天地，他是这里的主人。第二个人写写画画记录着什么。第三个人兴高采烈，跟在他们身后。从环礁湖到可以登陆的海岸大约半英里。海岸上，一溜棕榈树绕过咸水湾，又向一道缓坡延伸过去。前面有一片小树林，树上挂着拳头大小的球形果实。还有一片小树林，横陈在海岸之上，宛若一弯新月，枝头挂满酸橙。树林里有两座棚屋，按照城里人喜欢的格局排列着。用黑色玄武岩垒成的石头墙很厚、很矮，屋顶苫着棕榈树叶，或许因为日久年深，已经风化成丝丝缕缕的黑色纤维。海岛上各种声音不绝于耳，他们极力从中搜寻人的声音。有一种鹦鹉的叫声听起来像马的嘶鸣。踩在砂石和枯草之上吱嘎吱嘎的脚步声大得让人心惊。只有他们在这块土地留下足迹。那座棚屋显然是人类居住之地，但是没有居民。所罗门·特拉罗向前走着，靴子咯吱咯吱踩着多汁的草叶，被一种大约是西葫芦之类的植物的藤蔓绊了一下。他伸出手摸了摸第一座棚屋的门框，嘴里骂骂咧咧，朝门里傻乎乎地嗅了嗅，像一条好奇的狗，走进那座被人遗弃的房子。没有人居住的迹象。

庞普尔跳起来，转过脸看见一只奇怪的大鸟。这只鸟像一只很大的天鹅，急切地盯着这几个新来的人，从小树林里走来。

“嗨！”他喊了一声，那只鸟一点儿也不怕，一直走到离他只有一臂之遥的地方。庞普尔拍了拍手，鸟犹豫了一下，用一种觉得挺好玩的目光看着眼前这几个人。庞普尔也觉得好玩，至少这只鸟那两个又短又粗、没有用处的翅膀挺可笑。他不由得笑了起来，笑声驱散了最后一点不安。

“没人！”特拉罗高兴地喊道，“这儿是我们的天下了。”他立刻开始在更大的范围内搜索。

罗斯在第二间棚屋后面发现一些特别繁茂的瓜蔓，多刺的叶子下面结着黄色的葫芦。旱金莲从石墙上长出来，攀援到形状像瓶子一样的棕榈树树干上，金色的花朵在心形叶子的映衬之下宛若小天使手里的喇叭。一个早已破损的棚架上长着几株豆类植物，上面挂着很小的豆荚。

这里的树木比这几座牢固的石头建造的房屋久远得多。罗斯在周围转悠，寻找可以吃的水果。那种黄色的葫芦特别硬，在石头上砸也砸不开。有一种树树干笔直，上面结着圆溜溜的果子——一种很不可口的苹果。罗斯从多刺的树枝上揪下一个。树枝又反弹回去。还有手指大小的香蕉，从树上掉下来的椰子。酸橙最好吃，皮很厚，咬不动。罗斯用手指一点点剥去，里面是一瓣瓣排列精巧的果肉。她咬了一口，酸甜的果汁沁人心脾，小罗斯骤然间又充满活力。

她拿了几只送给庞普尔和特拉罗，还教给他们怎么吃。享用完这大自然的馈赠之后，他们怀着一种感激和热爱，重新审视这个强加给自己的“家”。

“我们是这块土地的继承人。”特拉罗宣布。他扔掉果皮，用手擦了擦胡子拉碴的嘴巴。

这个地方适合居住，土地肥沃，到目前为止，他们就是这里的主人，用不着向任何人进贡纳税。特拉罗认为，在经历了“雪松号”那场瘟疫之后，倘若不对大地母亲的召唤感恩戴德，实在是愚蠢——即使隐藏在微笑背后的是凶险和灾难。他很快就适应了周围的环境。在这儿可以采集水果、蔬菜，捕鱼、捉鸟，还有些植物的根和谷子可以磨成面粉。此外，“雪松号”上还有些小麦，虽然有的已经发霉，但有一些还可以作为种子在这里播撒，然后便可以收割。他们还有什么奢望呢？从前的居民或许会回来，不过这种可能性极小。这里显然已经被他们彻底放弃。

“这是荷兰人的地盘。”庞普尔说。

“你说什么？”

“我们是荷兰人的继承者。”他又说了一遍。他一直在仔细察看这座棚屋。他把特拉罗领到门口，指着门楣说：“他们在这儿刻了他们的标志。”

“一块面包，”特拉罗伸长脖子仔细辨认着，“他们在这里做什么美梦呢？哦，是一个大奶头，伙计！”

“是一顶宽边帽子，体面的荷兰人爱戴的毡帽，自由的象征。”

“哦，如果我们从这儿赶跑了那些荷兰鬼子，可真该谢天谢地了。”

发现了这块令人骄傲的土地，特拉罗越发得意忘形。如果他们不曾抛弃国王被砍了头的英格兰的国旗，他们完全可以宣称，这是英格兰的土地！他们本来可以为真正的国王而不是为英格兰扩展这片土地。但是所罗门·特拉罗不是国王的人，而爱德华·庞普尔虽然带着盖了国王大印的文件——真假难说——此刻也只能保持沉默。他只是说，如果你声称拥有这块土地，就会招来别人的反对。特拉罗听了气得大声嚷嚷，赌咒发誓。他说，所有权已经确立——他的所有权！只要有一口气，他就要保卫这个权利。说到这儿，特拉罗又有几分伤感。其实，直到此刻，他们对这儿的具体情况还一无所知。这里是不是一座岛屿？如果是，面积有多大？如果是一座半岛，又和地图上已经标明的谁家土地相连？所以，最好还是小心谨慎一点。特拉罗平常爱冲动，又贪婪，此刻却犹豫不决，十分不安。如果是个陷阱，地方再好又有何用？以前，他从来不是任何人、任何东西的主人，只拥有他自己。而这个“自己”还总是为别人、为别人的目的服务。他从来不曾拥有任何东西，现在突然拥有这样一片领土，简直飘飘欲仙。只有这样一些虽然不大但让人头痛的事情才把他拉回到现实之中。事实上，他已经认识到，他的领土处于一种全封闭状态。这个问题成了他苦思冥想的焦点。他可以当国王，但是如果一座城堡变成监狱，国王和囚徒又有何异？要想定乾坤，就需要一套管理和控制的办法。这就是特拉罗忧心忡忡面对的现实。他需要停泊在环礁湖的那条船。让人受尽煎熬的、该死的“雪松号”和船上那三个忠心耿耿、身体虚弱的船员是他的领土价值之所在的关键。有这条船他才能离开这个地方，从而使它成为世界的一部分。要想航行，就需要这几位船员，就如他们需要他这个船长一样。光凭他们自己，既没有勇气又没有能力把这条船开走。而且那三个人很容易收买。他必须让他们尽快恢复健康，而且要把他们紧紧团结在自己周围。由此可见，特拉罗的领土和这条船相比是第二位的。他决定，只要“雪松号”完好无缺，他就宁愿住在船上也不在海岛上居住。

他将把庞普尔留在海岛上，医生可以在这里收集治病的草药和供人食用的水果、谷物之类的东西。这将是对他们这个小团体最大的贡献。水手们可以上岸，但每次只能来一个。至于小男孩儿罗斯，随他的便，想到哪儿都可以。就这样，所罗门·特拉罗开始治理他的“帝国”。

他命令罗斯往长艇上装蔬菜水果，特别是酸橙，好让沃斯特、克拉姆芬和里瑞尽快恢复健康。他又让庞普尔把船上那些准备宿营的必需品都卸下来，然后自己划着长艇回“雪松号”了。

他的船员正在那儿急切地等待他带回来的消息。他们虽然满怀希望，但对自己能否获救，仍然充满疑虑。

第一夜，庞普尔和女儿就被留在这陌生之地，没遮没挡，没有任何防卫能力。他们相信特拉罗还会回来，即使仅仅为了他自己的利益。特拉罗离开海岛之前，庞普尔一直提心吊胆。他并不违抗大副的命令，但是有一个前提，罗斯必须和他待在一起。不管特拉罗把他们留在海岛的决定背后隐藏什么动机，庞普尔都小心翼翼，作出一副唯命是从的样子。随着桨架的咯吱声和船桨击水的哗啦声渐渐远去，紧张变成卸掉负担的轻松。从环礁湖那边传来“雪松号”上三位船员问候特拉罗的声音。庞普尔之所以怕特拉罗，是因为他害怕特拉罗一旦发现罗斯女扮男装，就会加害于她。而这一天无法避免，只是一个时间问题。现在，特拉罗走了，庞普尔一下子轻松了许多。他知道，大副不但心狠手辣，而且目光犀利，一眼便可看透人的内心。他也熟知正人君子到哪一步便会退让。对这个人的勇敢和深邃的洞察力，庞普尔倒是十分赞赏。同时他也知道，特拉罗的凶残可以伤害无力与他抗争的任何人——比如他和他的女儿。他们完全置于这位所罗门・特拉罗的控制之下。就是此刻，隔着一泓碧水，他们父女俩也仍然是特拉罗的囊中之物。他在甲板上走来走去，打着灯笼朝他们这边张望。罗斯朝那条船喊了几声，她的声音消失在夜空之中。天完全黑下来之后，环礁湖那边又亮起两盏灯。那彻夜不灭的灯火向天地万物昭示，他们是这里的主人。棚屋和篝火那边，不受任何法律约束的天空下面巍然屹立着连绵逶迤的山岭和郁郁葱葱的树木。这块土地已经为所罗门・特拉罗所有。

爱德华和罗莎蒙德转过身凝望他们自己那堆篝火。爱德华抱住女儿的肩膀，把她紧紧搂在怀中。

“你现在觉得怎么样，孩子？”

他在心里终于给了这个地方应有的承认。这正是他期望中的天堂。他和女儿可以不受干扰地待在这儿。篝火照耀的地方是他们的领域，火光是他们唯一的精神启示，映照出他们在这远离尘世的无名之地、在这渺无人迹的黑暗之中的存在，从而给了他们力量和勇气。那充满疑问的、饥饿的火光照亮了庞普尔和罗斯的脸。他们坐在那儿，神情肃穆，仿佛向滔滔大海和茫茫夜空宣布，他们属于环绕他们的空间，就像相互属于对方一样。火光之外什么也没有。或者说就他们所知，什么也没有。没有火就没有他们的存在，他们就不会在这里。然而只有紧挨着躺下睡觉的时候，他们才越发感觉到自己的存在。环礁湖边缘，一块巨大的礁石隔开茫茫大海。浪花飞溅，带状的波峰翻滚着，掠过月光下闪闪发光的水的“舞台”。

潮气从泥土中升起。他们和衣而睡，很不舒服。当第一缕晨光从天边升起的时候，庞普尔从睡梦中醒来。他四肢僵硬，浑身冰冷，尽管身边的女儿有一股湿热的气息，他还是觉得孤寂，怅然若失。他想伸出双臂搂住女儿，寻求一点点慰藉，但最终还是克制了自己，与世隔绝的处境和深重的责任感吓住了他。她是他们这个世界唯一的女人，唯一的年轻人，未来的生命。他不知道在这全新的大自然里，用什么样的戒律束缚自己。在这里，唯一的戒条是他自己的心灵规定的。头顶是将棕榈树干弄弯之后搭成的屋架，工艺虽然算不上精细，但只有木匠师傅才知道其中的奥妙。经过风雨剥蚀的屋顶有许多窟窿，洒下一点点晨光。他们要做的第一件事情就是修理屋顶。庞普尔凝望着世界的中心——越来越亮的天空，在这个"天赐良机"面前瑟瑟发抖。他松开环绕女儿肌肤的胳膊，默默地站着，伸了一个懒腰，走出棚屋，走向曙光初照的清晨。

薄雾在树木间缭绕，笼罩着大地，在海面上拉起一道幔帐。他向海岸走去，在心里盘算该做些什么事情。出于人类想象的本能，他希望找到化解矛盾、调和对立的因素，找到打开创造之门的钥匙。炼丹士的点金术、一个隐喻、一种方法，把泥尘和海水变成不朽的真金。云开日出，他向东朝阳光倾泻的地方走去。他的一双脚踩着铺满卵石的海滩，两腿笔直，胳膊垂在两边，高昂着头，就像刚刚来到这个无名之地的奇怪的动物。这当儿，温暖的阳光宛若金色的手指，透过渐渐消退的白雾，触摸着他的皮肤。

他觉得自己正处于创造的过程之中。在英格兰，几乎所有的事物都存在于他之前。要想揭示世界的奥秘就得在黑暗的角落摸索，就要揭开疮疤，解开绷带。在这个与世隔绝的地方，需要创造的事物却像永不枯竭的喷泉。另外一种方法，另外一种模式，造物主另外一种完全不同的制作过程。这个造物主正以庞普尔想象力所及的方式，证明事物的千差万别和暗含的喻意。在这里，真谛与正义犹如脚底的贝壳，俯拾皆是，犹如今天变化多端的海面上烂银般闪烁的阳光。相比之下，"雪松号"横陈在海面，就像一个空壳，灰色的帆收了起来，桅杆像一株没有树叶的树。海面上留下的黑色倒影比船本身给人的印象还要深刻。

后来，潮水平稳的涛声中传来一阵哗哗哗的泼溅声。他向海湾走去，太阳在水平线上发出令人炫目的光彩。白雾渐渐消失，就像阳光蒸干了大海的水汽。他看见罗莎蒙德在碧水中游泳，那是一个由岩石构成的天然屏障隔开的水池。他有点迷惑。在他的白日梦中，罗莎蒙德还躺在他刚刚离开的棚屋里静悄悄地睡觉。然而事实上，女儿已经在这里劈波斩浪了。他扭动了一下身体看她。罗莎蒙德没有发现。他远远地站着，仿佛并非身临其境。她在洗澡。清冽的水冲洗着浓密的短发。阳光把她白皙的皮肤照得半透明，活像一只硕大的虾，两条胳膊宛若感觉灵敏的触角。她的乳房裸露着，推开微风掀起的淡蓝色的涟漪。好长时间以来，她第一次沉溺于洁净与裸体的快乐之中。

“喂！”他大声喊道。

海滩上，父亲大步走来。她朝那个黑黢黢的身影皱了皱眉头，又向前游去。她不想让人打搅。她快活地游着，充满活力。虽然父亲渐渐走近，但她仍然旁若无人。庞普尔站在那儿替她守卫着，有点谦恭地把头转过去。这时候，从“雪松号”传来叮叮咣咣装船的声音，接着便是桨架的吱嘎声。庞普尔喊她赶快上来。特拉罗听见仿佛被环礁湖放大了的喊声，也大声嚷嚷起来：“早上好！”

罗斯涉水走上沙滩，穿上她那身臭烘烘的男孩儿的服装。她向棚屋走去，咸苦的海水干了之后，黏黏糊糊十分难受。船桨每划八次或者十次，就听见所罗门·特拉罗吐一口唾沫。就这样，长艇划过早晨平静的海面，父亲一直为她站岗。

“我们是这片海洋和土地的主人，”特拉罗骄傲地叫喊着，跳进浅滩，“快来搭把手，医生。”

庞普尔不无疑惑地微笑着：“今儿个早晨天气不错！”

“停下！”特拉罗发号施令，他们一起把船拖到岸边，“今天我想彻底勘察一下。你跟我们一块儿去。我必须弄明白现在到底在哪儿。”

“你是想远征一趟吗？”

“只是在周围转一转。”

“把男孩儿留下？”

“他可以跟我们一块儿走。”

“最好还是让他留下吧。他累了。”

“这个年纪的男孩儿会累？他的好奇心没个止境。”

特拉罗大步流星走过沙滩，两手叉腰，高昂着头，一副乡绅老爷的派头。他背朝大海——那是他度过大半生的地方——目光掠过棚屋前面的草地、树木覆盖的陡峭山谷，眺望那座岩石裸露的小山。山那边是怎样一幅景象眼下还不明白。过了一会儿，特拉罗低下脑袋，用一种尴尬的目光凝视着庞普尔。他又“回归”了自我——一个足智多谋的家伙。

“你很喜欢这个男孩儿，是吗？需要和渴望常常滋生出古怪的感情。倘若在大海待上一辈子，你就会忘掉所有那些儿女情长的东西。”

庞普尔用怀疑的目光凝视着特拉罗那双充血的黄眼睛。

“你怎么嘲笑我都可以，但我还是要告诉你，我是这里的国王。从今天起，开始我的统治。你会服从我，对吗？”

“你称呼自己什么都可以。”

特拉罗笑了起来：“我们这儿不存在平起平坐的问题。这一点得说清楚。这儿不是联邦共和国。”

“我只要求你准许我探索这一地区的奥秘。至于权力，统统归你。”

“不要试图超过我，医生。”

“如果我们能够回去，我的发现将是带给文明世界最宝贵的财富。关于这座岛屿的论述，对皇家学会和我自己的事业都有无法估量的价值。如果我回不去，如果我们只能待在这里，在这里进行搜集和研究，这对于我将是精神上最大的享受。”

“你真是个傻瓜！这里的资源、物产才是最宝贵的。只要能用我们的船运出去，就可以和别人换取钱财。”

“我觉得，对罗斯这个男孩儿，我负有不可推卸的责任。是我把他带上船的。他还小，我们应该让他拥有自己的生活。”

所罗门·特拉罗大笑起来。“这么说，我们非把他送走不可了，是吗？好了，我给你带来一些饼干当早点。然后就带上枪和刀出发。让你的男孩儿守着那堆火别灭了。这样回来的时候就不至于迷路了。”

两座石头棚屋坐落在一片林中空地，离环礁湖前面的沙滩有一段距离，周围是棕榈树和果树。地面高低不平，与林木葱茏的山峦相连。爬第二道陡坡的时候，特拉罗和庞普尔不得不“披荆斩棘”，择路而行。露兜树的树叶齐腰高，硬得像木板，尖得像鱼叉。树干像大象腿一样粗壮，上面有一圈圈灰色的斑纹。在这样的树木间穿行非常困难。特拉罗沿着一条由高处流下来的小溪向上攀援。红色的泥土因溪水流过特别黏滑。庞普尔跟在特拉罗身后，心里存着一个希望，让前面这个人把大多数苍蝇都吸引过去。他们终于爬上怪石嶙峋的山顶，山下的景物尽收眼底：小小的白色海湾，陡峭的石岬，环礁湖，拴在礁石上的小船像一件玩具，在盛满绿酒的盆子里轻轻荡漾。帆已经收了起来，那面绣着黑玫瑰的绿色旗帜软绵绵地悬垂着。小岛星罗棋布，看起来比巉岩巨石大不了多少。礁石筑成的白色防波堤像一条饰带，镶嵌在海面之上。防波堤那面是深蓝色的大海。总而言之，他们已经熟知这边的情形，可是另外一边却看不到海岸。脚下是片树海，在微风中闪闪烁烁，宛若起伏的波浪。有的树花满枝头，鸟和蝴蝶上下翻飞。树海那边是一座座高山，挡住了视线。特拉罗第一次行动受挫，没能弄清自己的“领土”的地形，非常懊恼。他想证实自己是这块土地唯一的主人，急于知道它的面积和物产。

庞普尔就像喝醉了酒，直瞪瞪地看着身边那些已经知道的、或者闻所未闻的花草树木。他更感兴趣的是这个地方的自然属性。这里气候温和，下面那条峡谷是一座天然的花园，群山环抱，挡住了酷热，也挡住了严寒。除了蜥蜴、禽鸟和昆虫，他还没有发现别的动物。它们难道都藏在阳光照不到的阴暗角落？他认为，荷兰人肯定在这儿养过狗、猪和兔子。而且周围花气袭人！他向特拉罗解释，这里的物种经历了一个不可思议的“适者生存”的淘汰过程。那么，到底哪种生物是这座海岛的主人呢？

特拉罗是国王。他笑着证明这一点。

下山的路起初很滑，岩石背阴的地方长着苔藓，山坡渐趋平缓，类似紫罗兰的小花儿和葡萄藤随处可见，灌木丛渐渐变得稀疏，高大的树木排列有序，树木周围繁花似锦，一片开阔地斑斑驳驳，覆盖着松软的泥土。条条小溪像裸露的血管从山坡流下，形成瀑布、水泊。鸟的鸣叫，虫的营营，仿佛拨动空气的弦，发出嗡嗡嗡的响声。最常见的是各种棕榈和蕨类。它们形状各异，没有什么学名。庞普尔极力在脑海里搜寻：扇叶菜棕[1]、臭松、蕨。一串串粉红、大红的花朵非常美丽，但都不曾被植物学家分类，可以大致算作丛林里的野生杜鹃。

他们拿着出鞘的砍刀开路，需要的时候就劈砍一通。

天气闷热，他们大口大口喘着粗气，汗水和昆虫把脸弄得脏兮兮的。空气中弥漫着肉桂和鸡蛋花醉人的芳香。他们马不停蹄一直走了两个小时，只喝了点水。突然，眼前出现一片阳光照耀的草地，庞普尔估计已经走进这座大花园的中心。他们站在那儿纳闷这块开阔地是否天然形成，虽然没有人类涉足于此的蛛丝马迹。

一只大小和野鸡差不多的黑鹦鹉像箭一样从比他们眼睛高不了多少的地方飞过，落在一根红花灼灼的树枝上，正好成了一个“活靶子”。特拉罗取下斜挎在肩上的弩，瞄准鸟的胸脯。弓的嗡嗡声和箭的嗖嗖声交相呼应，黑鹦鹉无力地拍打着翅膀，挣扎着穿过枝头血红的花朵，啪嗒一声，跌在草地上。特拉罗怀着一种饥渴跑过去，一把抓起那只血淋淋的鹦鹉，捏着脖颈掖到腰带上，殷红的血滴在没过脚面的绿草上。庞普尔装模作样，翻来覆去看那只鸟。他从来没有见过这种鸟。不过它倒是死得其所。倘若在老家，特拉罗或许会因为这种偷猎行为被吊死。可是在这儿，鹦鹉之死

①扇叶菜棕：产于美国南部海岸及巴哈马一带，顶芽可作蔬菜食用。

实在微不足道。黑鹦鹉的鲜血甚至可以免除一场为争夺财产而引起的暴力事件。两个男人站在碧绿的、阳光明媚的草地上。他——占地为王的特拉罗和他——阐述这种王权的庞普尔，心里都充满难以言传的自信——他们都处于这个温馨、仁爱的世界的中心。所罗门·特拉罗吃吃吃地笑，像个顽皮的孩子。他朝四周瞥了一眼，解开裤子，在自己的领土上撒了一泡尿。

爱德华·庞普尔决定把他的玫瑰苗拿到这儿来。这里的土地肥沃，为栽花种草提供了最好的条件。

这块土地对他们的诱惑没有削减。他们希望爬上峡谷那边的高山，看一看这座海岛的真面目。但是时间成了最大的障碍。

“光上山就得花半天的时间。回来的时候怎么办呢？”

“半天上山，半天下山。”

“倘若爬上山顶还不满意怎么办？倘若又生出新的愿望怎么办？我们会被什么念头迷上的。罗斯虽然在看守篝火，但那缕青烟在天幕之下已经淡得快看不见了。今儿个才是第一天。”

“是第一天，医生。但我们要继续前进，要相信自己。”

爬上第二座山，庞普尔累得两腿发抖。他汗流浃背，生怕倘若停下来休息，两条腿会僵得不能再动。特拉罗比他有劲儿，已经爬上绿树环绕的山顶。

“一片湛蓝！”他从绿树枝头望过去，大声叫喊，“水！”

他看到了海岛的另外一面。

“没错儿。”庞普尔进一步证实道。

特拉罗爬上一株笔直的大树，庞普尔拖着脚朝一个像是瞭望台的地方走去。特拉罗像个猴子一样向上攀援，树枝树叶落在头上。他决心克服重重困难，更多地了解小岛的情况。特拉罗黑色的身影向着蓝天攀登，一群橘黄色的小鸟叽叽喳喳地叫着，从树顶飞走。

“爬上来瞧瞧，医生。”他命令道，“海边有一座山崖。”

“山崖那边呢？”庞普尔大声问道。

“看不见，被那个该死的玩意儿挡住了。”

“那就下来吧，所罗门。”

他很不耐烦地从树上爬下来，重新系上腰带，黑鹦鹉在刀子旁边晃来晃去。他把重新装好箭的弩和没有用过的滑膛枪挎在肩上。一双眼睛像镶嵌在灰白色的泥土之上的两粒黑石头，闪烁着坚定的光芒。

“我们下山到那儿去。”

庞普尔叹了一口气。“那座峭壁离这儿到底多远，你心中一点儿数也没有。”

“不远。”特拉罗不高兴地说。

“我们还得往回走，还得再爬一次山。”

“我跟你说了，不远，快走吧！”

他们穿过密林向山下走去。陡峭的山坡上到处都是粗壮的、扎人的露兜树。但是特拉罗像一架机器大步流星地走着，全然不管皮开肉绽的痛苦。突然，土地从眼前消失，千钧一发之际，他收回差一点踩空的大靴子。

“夫哪！”庞普尔忍不住喊了一声。

特拉罗差点儿一个跟头栽下这道几乎是笔直地从他脚下断裂开来的山崖。他们手足并用爬到山崖边，向那万丈深渊张望。山崖下黑魆魆一片，经过多少万年风雨和海水的剥蚀，有的石头尖如长矛，有的好似大树的节瘤。岩洞、石柱，构成让人惊心动魄的景观。几只鸬鹚披着金灿灿的阳光，栖息在嶙峋怪石之上。它们是这里唯一的居民。悬崖下面，一道很宽的岩礁好像天然的码头与海水相连。这道岩礁随着海岛的走势曲曲弯弯，渐渐被狭长的海滩淹没，海滩上生长着一溜木麻黄树。

“好哇！”特拉罗叫喊着说。他从口袋里掏出一枚铜纽扣朝悬崖扔过去。纽扣撞在岩石上发出丁零丁零的响声。他们已经从海岛的一头走到另一头。他直瞪瞪地望着爱德华·庞普尔。“现在要操心的只是我们自个儿了。”

“这个巴掌大的地方，我们很快就可以把什么都搞个一清二楚。”学者说。

“这就足够了，先生。”

日过中天，他们不得不穿过那条大峡谷，那块鲜花盛开的芳草地，在夜幕降临、还看得见篝火升起的青烟之前赶回那两座棚屋。

“开路吧，所罗门。沿着你做了记号的小路在前面带路。”

爱德华·庞普尔在后面走着，离特拉罗三步之遥，心里想，他们现在已经与世隔绝，开始了流放般的生活。周围的一切：树木、空气、脚下的土地、含苞待放的花朵、枝头丰硕的果实、洞穴、鸟窠组成一个新的世界。他是前面那位急匆匆走着的新国王的仆人。一位自封的假国王，没有可以统治的对象；一个完全自由的世界，没有主权，无需征服。

庞普尔完全可以把特拉罗推下悬崖。有一刹那，他也闪过这个念头，只要用肘子轻轻一碰，所罗门·特拉罗、被他杀死的鹦鹉，他的刀、枪、弓箭就会滚下去，永远消失在黑魆魆的山崖之下。医生完全可以横下一条心干这件事。但是经过一番权衡，他还是觉得眼下特拉罗活着要比死了对他和女儿的生存更有好处。他们人太少了。无论出于主持正义的动机，还是由于仇恨的冲动，都不能再置某一个人于死地了。

特拉罗和庞普尔回来之后，罗斯把他们领到一棵大树下面。这株树长在水湾旁边的海岸，树荫洒在绿草茵茵的山坡上，树根向上长，与树枝相连，宛若一根根细弱的柱子。庞普尔立刻想到，这就是传说中的榕树。这种奇特的结构在它的根部创造出许多罅隙。罗斯朝其中一个阴凉的洞穴指了指，那里并排躺着两个石头墩子似的东西。背部的花纹把甲壳中央分成四块，把四周分成十块。四条肥胖的腿像鳍一样伸出来，露出六个尖尖的趾甲。脑袋从那个盒子似的甲壳下面伸出来，嘴巴像蜥蜴，两层下巴，黑亮的眼睛不停地眨巴着。

特拉罗高兴得不知如何是好。

“学名陆龟。”庞普尔很准确地说。

“大海龟！”特拉罗哼哼着说。他忍不住拍了拍海龟的壳，那个闷闷不乐的脑袋缩了回去。另外那只海龟发出一声长长的叹息，脑袋左右摇晃，也缩了回去。

“这两只龟至少活了六七十年了。”庞普尔说。

“这是水手的救星，”特拉罗不无嘲讽地说，“我们的宝贝。如果有一对儿，就会有更多。再去找，小伙子。你干得不错。你要哪只当晚饭？”

罗斯睁大一双眼睛。

“海龟的肉，”特拉罗已经垂涎三尺了，“海龟的油，那可是难得的美味。你不知道，对于在海上没肉吃的水手这意味着什么。你也不知道它那奇异的味道能给男人带来什么变化。天哪，好重！”

两个男人抬起那个嘶嘶直叫的家伙，它蹬着四条腿毫无用处地挣扎着。另外那只不停地呻吟，被抬起来的那只嗓子眼儿里发出咯咯咯的响声。

“这个畜生不想让你活着抬起。”特拉罗气喘吁吁地说。

他拔出匕首，十分麻利地朝海龟脖子上抹了一刀，挣扎停止了，海龟的脑袋无力地耷拉下来，殷红的血一直滴答到棚屋。

“这血很宝贵，”大副骂骂咧咧地说，“真可惜。”

他们挖了一个地灶，垒了几块石头，灶里是红红的木炭，石头上面连壳带肉放着那只海龟慢慢地烤。烤熟的龟肉散发着诱人的香味，让人胃口大开。烤好之后，他们掀掉壳子，特拉罗切开肉找肝吃。肝呈绛紫色，很大，和海龟的个头不成比例。庞普尔用勺子把它掏了出来。他们尽情受用，直吃得肚子发胀。医生惦着船上的人。他知道，和岸上的人一样，他们也急需补充营养。他对他们的身体状况了如指掌，所以坚持给他们留出一部分。他们这个小团体再也经不起死一个人的损失了。可是最后，虽然充满内疚，他们还是把留下的那块海龟肉吃了个精光。大副所罗门决定把那道“配菜”——黑鹦鹉，带给船上的人们。还有罗斯找到的几颗海鸥蛋，甲壳类小动物，旱金莲叶子。这几样“美味”都放在篝火旁边一个树叶编成的盘子里。

庞普尔对这天的收获颇为满意。特拉罗自鸣得意，大谈要建立一个部落，前提当然是如果能搞到几个女人的话。他朝罗斯扬了扬眉毛。“怎么样？小伙子。生他几个？王八肉起作用了吧？”特拉罗嘻嘻哈哈地寻开心。其实，他想象之中的未来并不乐观。当六个坐船遇难的人的领袖算怎么回事儿呢？他打了个饱嗝，对庞普尔再三强调确定这座小岛地处何方的重要性。因为只有知道现在的位置，万一迫不得已离开海岛，才能再找回来。所罗门·特拉罗四仰八叉躺在地上进入梦乡。这天夜里他不打算回船上过夜了。罗斯吃多了龟肉，肚子胀得难受。她取来行囊，给所罗门·特拉罗盖了一块毯子。庞普尔觉得还是小心为宜，便拉着罗斯的手到一个安全的地方去睡，将女儿置于自己的保护之下。他信不过所罗门·特拉罗。万籁俱寂，罗斯压低嗓门儿，用轻微得像树叶拂动的声音让父亲给她讲小岛的情形。

“这是一座土壤肥沃的岛屿。尽管荷兰人在这儿建下两座神秘的棚屋，但现在显然没有人居住，植物和动物的品种很多。有一些和文明世界的动植物群有亲缘关系，另外一些却是闻所未闻。要下功夫分类编目才行。动物的种类不算太多，食肉动物眼下还没有发现。这座小岛可供食用的东西也不少，当然主要是蔬菜，大多数可以人工培育。对于我这样的人来说，这是一个可以进行试验的巨大的实验室——一座天堂。现在唯一的问题是，怎样才能在这儿待下去——如果事实证明我们将成为旅居海外的‘侨民’。为了保持健康的体魄，为了延续文明的存在，我们应该尽什么责任呢？连所罗门·特拉罗留在船上的那几个可怜的家伙在内，一共是六个人。没有几件可以使用的工具。如果这座小岛对我们来说就是整个世界，那么，作为世界的中心，我们就应当铁肩担道义，就应当以基督教唯一使节的名义去改造这个世界。你，我的女儿，就是夏娃。你要洁身自好，直到命运发生根本转折。我太老了，不会成为创世纪的凡人。或者说，我最不可能成为这海岛之神。我已经是没用的废物，充其量是一个男巫、术士罢了。我要用我的知识浇灌这里的花草树木。”

“谁会成为我们的朋友？”

“谁也不会。我们相互之间必须是朋友、同事、伙伴。我们要齐心协力，培育一种新的玫瑰。”

“他呢？”

“所罗门？这个谋反的家伙，必须让他走！我们必须怂恿他离开这儿。”

“那么，这儿就只有我们俩了。”

罗斯微笑着，仿佛在梦中。她看见爸爸雪白的牙齿，俯身吻了吻他的唇。

“我的头发会长得一直拖到地上。”

到处都是鲜花，阳光在水面上跳荡，他们无拘无束，充满活力，觉得自己是一个了不起的新故事的主人公。可是随着时间的流逝，他们无法否认已经陷入困境。盐、火绒、肥皂和别的生活必需品越来越少。从船上拿来的那几袋面粉所剩无几，不得不“斤斤计较”。生活充满艰辛与单调。想改变生存环境——坚硬的土地和简陋的住所——的企图屡遭挫折。罗斯常常凝望大海，一副怅然若失的样子。

沃斯特送来了面粉。这是庞普尔坚持的结果。他向所罗门·特拉罗提出，要让船员单个儿或者一起来海岛检查一下身体，在陆地上活动活动。他们都不愿意离开大船，生怕被大副丢在这座荒岛上，就像庞普尔不愿意离开陆地，生怕中了奸计和女儿分开一样。特拉罗已经组织船员们修补帆船。这是一件早就该做的工作。庞普尔出于人道主义的考虑，或者因为爱管闲事，劝告特拉罗，不但帆船需要修补，他的船员也需要“修补修补”，所以应当命令他们逐个坐长艇来小岛。特拉罗听了总是满脸不高兴的样子。

沃斯特负责船上的吃喝拉撒睡，知道他们的给养十分有限。他本来身体十分健康，但是现在一副不得善终的样子。庞普尔给他检查身体的时候，沃斯特打量棚屋的大梁，问庞普尔小岛上是不是有这种树。这是臭松。他对庞普尔说，蛀船虫已经把“雪松号”蛀得相当厉害了。一种肉眼看不见的浮游生物咬啮各种木头。这种情况如果再继续下去，“雪松号”很快就完蛋了。现在急需能够抵御蛀虫的木料替换船体已经被蛀坏的木板。像臭松和柚这样的热带树木正是求之不得的好料。如果找不到这种防虫的木料，就必须贮备大量其他季节砍伐的木头，在帆船停泊或者航行的时候随时修补被虫蛀坏的地方。沃斯特一直把这个问题藏在心底不说，因为他知道特拉罗不愿意承认他的领地资源匮乏。沃斯特害怕特拉罗发怒。但是庞普尔不管三七二十一，还是把这个情况告诉了特拉罗。特拉罗问沃斯特这事儿的时候，沃斯特充分摆明了自己作为“后勤总管”所掌握的情况。他说，如果他们能运一船活海龟到某个贸易港口，一定能大发其财。按照沃斯特的逻辑，他们有一千条理由离开这座小岛。

所罗门·特拉罗在这条支撑着他的梦想的帆船甲板上徘徊了整整一夜。倘若没有运载工具，他要这样一座孤岛有什么意义？如果“雪松号”在他的脚下变成一堆朽木，他就会困死在这座天堂里。更不会有创建部落，占山为王的荣耀。这条船的船员已经由原来的三十人减少到六人。如果再减少下去，他无法想象怎样航行。让六个人都上船，就意味着放弃小岛。那些荷兰人当年也许就是迫不得已把这块土地留给别人的。根据计算，他们现在应该是在毛里求斯东面的什么地方。如果运气好，碰上顺风，这条船自个儿就能到达大洋彼岸。他们可以在那儿重新招募水手，弄些充满活力的女人，再搞一条船。回来之后，就可以永远占领这个地方了。特拉罗承认，这是一场赌博，一次冒险，但又是非干不可的事情。因为守着一座无名的孤岛，一条虫蛀的破船，能有什么好结果呢？

第二天早晨，特拉罗命令沃斯特捕捞海龟，作远航的准备。沃斯特听了，脸上露出笑容。克拉姆芬和里瑞留下继续修船。沃斯特和大副上岸。大副被自己的果断和想象中宏伟壮丽的远景所鼓舞，大有心潮澎湃之感。有一只老鼠从帆船逃到长艇。长艇靠岸之后，这只老鼠一纵身跳过船头，跑上沙滩。沃斯特开心地大笑起来，似乎在分享那只老鼠的激情与冲动。庞普尔在棚屋旁边徘徊，一心期待着沃斯特带来的消息，压根儿没有注意到这只老鼠。倒是罗斯看见那个小东西，在陌生的海滩时而停下，时而变换一个方向继续奔跑。罗斯手里拿着一片棕榈叶子在后面追赶，直到老鼠钻进一个石头缝里才罢休。它也是一个幸存者。

所罗门·特拉罗的身体经受过刀剑的袭击，硝烟的熏烤，帆船失事的磨难，因此像许多靠体力吃饭的人一样，对健康重视到迷信的程度。他害怕身体什么地方长个肿瘤。沃斯特向他报告蛀虫正在啃啮帆船之后，特拉罗辗转反侧，彻夜难眠，天亮时终于下定决心尽快离开这座孤岛，而且要带走有可能搜刮到的任何东西。特拉罗还充分认识到疾病的威胁。所以，为了避免……避免……必须让大夫随船远航。相比之下，里瑞可有可无，因此，可以把他留下和医生的小伙计做伴，看守他的领地。

特拉罗是个纸上谈兵的家伙，喜欢想入非非。他向大家解释，他出海一个月，最多两个月，就可以把船修好，并且带着补充好的"粮草人马"再回来。庞普尔听了，觉得此人头脑太简单了。因为眼下他们情况不明，四周充满凶险，暴风雨随时可能降临，成功的可能性实在太小。

"离开这座小岛，就失去了安全的保证。"庞普尔大声说。

事实上，他们的航向可能全然是错误的。一场大风不会把他们送到毛里求斯，倒可能把他们吹到千里冰封的南极。或者吹到北极——如果现在不是在北半球的话。不过，庞普尔故意把他的异议变成虚张声势。他觉得可以利用特拉罗这个奇想除掉他，只剩下自己和女儿留在小岛。

"这座孤岛对你有什么价值呢？"庞普尔问这个膀大腰圆的家伙。

"它是我的。"

"那又有什么意义？"

"谁也不能把它从我的手里抢走。"

"可是你要它干什么呢？"

"我从来都是别人的人，别人的雇员，没有什么东西属于我自己。现在我总算拥有一样东西了。"

"如果这个东西根本就算不上什么东西，有没有它又有何区别呢？"

特拉罗跺了跺脚。"算不上什么东西？这难道不是东西，先生？"

"它的价值仅仅在于对别人意味着什么，而不是对你意味着什么。为了这座小岛，他们能给你什么，或者说你可以用它换取什么？凭借这座小岛，你能从别人手里得到什么？”

“这座岛有宝藏。”

“你怎么知道？”

“是你告诉我的。”

“这里也许有些珍禽异兽、奇花异草、草药、香料、稀有的矿石，但是现在我们对此还一无所知。它们或许属于一座无人发现的小岛。黄金也许就在地下埋着。”

“黄金？”

“完全可能。我正为这事儿绞尽脑汁苦思冥想呢！”

“你什么时候才能想出个名堂？”

“如果你们两个月之内能从毛里求斯回来，我就可以开列一份矿产资源清单，供你开采之用。”

“这么说，你自愿留下？那么，我也不走了，我可以帮助你。找到黄金的时候，我得在场。”

“你把船员都打发走，能保证他们再老老实实回来吗？留下我们俩就像剪掉翅膀的鸬鹚守着金子等死？你能保证他们不带着武器回来抓你？或者哪个水手宣称海岛是他们的？他们会说，你是背叛老船长的暴徒，他们是慑于你的淫威不得已而为之。”

“照你这么说，‘雪松号’干脆就不起航了？你花言巧语是想要弄我，医生。你在煽动我。你自个儿想离开这个地方。”

“倘若找到这座小岛的财宝，我们怎样享用它呢？我们在这儿能用黄金买到什么欢乐呢？如果整个海岛就是一块金子，我们可怜巴巴的六双手能挖出多少呢？我们这条虫蛀的破船又能运走多少呢？倘若有什么船在这儿靠岸，就会拿走本来属于我们的财富。总而言之，没有人，没有船，黄金一钱不值，你这个国王也徒有虚名。”

“我们可以运走一些，这就足够了。”

“那不过是昙花一现的荣耀罢了。不，让我和罗斯留在这儿吧。我们为你的归来准备一切。我们待在这儿，没有别的事情可做，没有别的地方可去。你尽可以带着你的水手远航，找一个安全的港口停泊，然后招募一些‘善男信女’做你的臣民，带回工具和给养，再带回一条船。只有这样，我们在这个寂静可爱的地方交的好运，才能真正成为大展宏圈的基础。”

“你想得倒挺周到。”

“我是哲学家。我背井离乡，抛家舍业，来到这里就是为了寻求知识。我不愿意我的探索中断。”

特拉罗搔了搔灰白的头发。“我理解你，医生，你是我的囚徒。即使我压根儿就不相信你，请原谅，我也可以放心大胆地把你留在这儿。你可以像蛀虫啃木头一样，做你喜欢做的工作。你只能等我回来，要么就得死在这儿。”

“我将诚心诚意地盼你回来。”

“那个男孩儿呢？你那个完蛋的宝贝儿。”

“你怎么能这样说话？”

特拉罗龇牙狞笑：“他得跟我走。”

庞普尔叹了一口气，耐着性子说：“听我说，我是自然哲学家，从事脑力劳动。遗憾的是，对小岛的调查也是个体力活儿。这孩子迟早都能派上用场。他不但手脚麻利，而且跋山涉水挺有经验。我们俩是一个不可分割的整体。”

“你是个堕落的医生。”

“我讨厌你这种含沙射影的毛病。你令人作呕的猜测连边儿都不沾！对于我，他就像一个妻子，给我帮助，与我做伴。所以，得把他留给我。”

“你们俩都渴望相互做伴儿。”

“这不过是一个不太贴切的比喻。他帮助我研究，就这么回事儿。”爱德华·庞普尔把头转过去，装出一副无所谓的样子。“我的工作只是发现地上长的东西和地下埋藏的东西之间的关系。看得见的和看不见的。”

“你的血管里流的不是血，医生。好吧，我可以考虑考虑。”

特拉罗命令船员们用麻丝把帆船的缝隙尽可能塞好。原先卸下来的货物又搬上甲板。沃斯特负责储备食物：三筐酸橙，每筐三十个；二十四只个头很大又飞不了的禽鸟；晒干的草药、熏鱼；足可以吃到孵化季节的鸟蛋；还有大海龟。在大伙儿的共同努力之下，他们一共捉了六只，每次用长艇运两只到船上。还储存了足够的青草和树叶喂养这些海龟。时停时起的东风渐渐变得强劲，海水似乎也向同一个方向流动。水手们十分兴奋地想起年轻时候听过的故事和遥远港口的传奇。那些故事都说，印度洋的季风[①]伴随着轻柔的音乐，把人送到想去的地方。它可以把你吹去，再吹回来。水手们个个心照不宣，一旦离开就再也不回这座小岛。

告别孤岛的前夜，特拉罗坚持举行一个仪式。他们在岸边燃起篝火。经过抽签，克拉姆芬和里瑞作为水手代表和大副——他们的船长、医生、男孩儿，喝最后一瓶朗姆酒。所罗门·特拉罗以小岛的国王自居，在大伙儿接过酒杯之前，要每个人都鞠躬、盟誓，表示忠顺。他也庄严宣誓，为他的臣民们的幸福鞠躬尽瘁，死而后已。庞普尔忍不住笑出声来——他被指定为临时总督，罗斯是首席官员。

“没有人能剥夺你们的权利！”

“为我们的平安祈祷吧！”里瑞说。

“没有什么上帝值得我们对他祈祷！”特拉罗大声说。

“我向我心中唯一的上帝祈祷。”里瑞反驳说。

“那么，为我们的获救，为我们的自由，祈祷吧。”爱德华·庞普尔赞同里瑞的意见。

“别害怕，”特拉罗挺起胸，一副满不在乎的样子，“我保你们平安。唱个歌吧，小家伙，让我们欣赏欣赏你的男高音。”

---

①季风（monsoon）：在印度洋和亚洲南部5~9月自西南、10~12月自东北吹的风。

"我可不会唱歌儿。"

"唱一个英格兰的歌儿。"

"去你的英格兰吧！"里瑞骂道。

脏兮兮、醉醺醺的男人们——包括爱德华·庞普尔——横七竖八躺在草地上。明天，爸爸就要和她一起承受这巨大而深邃的寂寞了。罗斯的歌声像风中抖动的扬帆绳一样细弱，和篝火升起的缕缕青烟一起，在夜空下化为乌有。朗姆酒把她烧得浑身发热，篝火的喧嚣吞没了夜的种种声音。辽阔的大海、漆黑的巨大的空间、星光闪烁的夜空，仿佛都隐退到另外一个不知名的世界。轻风拂面，罗斯站起来唱道：

我的小马叫内利，
黑白花斑真神气，
我踩碧波千顷浪，
马儿留在芳草地。

内利最知人情暖，
别人休想把它骑。
只要罗斯一声唤，
天涯海角随我去。

我离家乡千万里，
辽阔苍穹梦依稀，
盼与内利重见，
相亲相爱不分离。

克拉姆芬轻声啜泣。爱德华·庞普尔已有几分醉意，他低着头，眼睛朝上翻着，为自己把女儿带到这里而悔恨。所罗门·特拉罗仰面朝天，把罗斯的歌儿当作献给他的贡品。

“太棒了！”里瑞说，“太棒了，小伙子！”

他话音儿刚落，就滚到一边在草丛中呕吐起来。

“那点儿朗姆酒都让他糟蹋了。”特拉罗嘲笑着说。

所罗门站起来，朝罗斯走过去，一双粗糙的大手捧起她娇嫩的面颊，胡子拉碴的嘴巴朝那两片半张的朱唇凑过去。庞普尔跳起来，想把特拉罗拉开。特拉罗耸耸肩，把庞普尔推到一边。他站在那儿，岿然不动，两个大拇指摩挲着丰润的唇，低下头正要吻，突然回转头，自动放弃这个“香吻”，朝满天星斗哈哈大笑。

“我不需要……不需要跟谁做伴儿，也不需要内利。小伙子，走吧！”他朝那堆篝火踢了一脚，正在燃烧的木棒滚到一边。“起来！擦亮眼睛，漱干净嘴巴，我们要走了，天一亮就起锚。”特拉罗握住庞普尔的手，“好好干，医生。全靠你了。不管什么时候，我们总会再相见。”

“我盼望你两个月之后回来，先生。但愿那时候，你会更喜欢你的海岛。”

“小伙子，多保重，愿这块土地给你带来好运。起锚了，用力拉啊——”

他们推着长艇，在水里醉醺醺地走着，直到船儿在环礁湖的水面漂浮起来。水手们爬上船，长艇向帆船慢慢地划过去，航海者手里提着的灯在水面上晃来晃去。

罗斯渐渐进入梦乡。

爱德华·庞普尔一直坐在那儿向海面眺望，直到第一缕黎明的曙光升起。他影影绰绰看见大船升起灰色的帆，向遥远的天际驶去，渐渐消失在水平线那面。一种被抛弃的感觉袭上心头。他不由得打了个寒战，情不自禁地朝女儿身边挪了挪。罗斯一骨碌爬起来，向海边跑去。

“再见，”她无可奈何地叫喊着。“再见！”没有人回答，寂静淹没她无尽的孤独。

思想的流动犹如潮水涨落，只有落潮之时才看得见潮水潭的礁石。

威廉·燕卜荪①

《田园牧歌》（1935）

这座孤岛上许多东西都没有名目，庞普尔便被这件事情给纠缠住了。他收集整理的大多数标本都没有名字。他便拿这些新发现的动植物和已经知道的动植物作比较，然后根据它们的相似之处，再加上推理和想象，用英文和拉丁文给它们取个名字。他按照文明社会的编目学，并且以自己所认可的亲缘关系为线索，划分了海岛的动物群和植物群。他还经常根据发现对象的形体，或者第一次看见这个物种时的环境给它们起名字。这种名字的问世当然纯属偶然。比如他们第一次出去勘察时，大副用弩射死一只黑鹦鹉。打那以后，他便赐给这种鹦鹉一个既有纪念意义又有讽刺意味的名字——所罗门鹦鹉。他试图把小岛所有的动植物都编一份名录。在小岛漫步的时候，他总是尽可能多地采集标本。他和罗斯还常常在对方身上做草药性能的试验。一发现消化不良或者发烧，他们就吃点自己采集的草药清热、解毒。

每到傍晚，父女俩就开始正儿八经地学习、研究。这是一种讲课和苏格拉底式问答的结合。庞普尔把自己的知识传授给女儿，又从女儿盘根究底的提问和推理中得到启发和鼓励。他的主要研究课题是改变和控制自然。他对凭自己的智慧所作的推测与最终显示的结果之间的关系总是特别敏感。由于他们是这座孤岛仅有的两个人，他便相信心灵感应和大自然的确有一种联系。比如说，他在一株尚未开花的灌木上刻一个“黄”字，后来果然

①燕卜荪（Willian Empson，1904—1984）：英国诗人和文学评论家，曾任教于北京大学（1937；1947~1952）和昆明西南联大（1939），当过英国广播公司中文部编辑，诗作有《诗歌》，论著有《晦涩的七种类型》等。

开出黄花，他便感到非常高兴。当然，与他想象之中的改变天地万物的力量相比，这不过是雕虫小技。凭借这种力量，总有一天他们能够自由自在地选择、创造自己的生活。他们将无需依靠任何外部力量，包括所罗门·特拉罗——如果他能回来的话，如果他能再找到这座孤岛的话。

他们一项很特别的任务是培育玫瑰。小岛中部正是栽种玫瑰的理想之地。他们从英格兰带来的苗木虽然备受大海颠簸之苦，但大多数都没有枯萎。庞普尔分期分批栽种，希望从中发现规律，确定什么时候移栽的玫瑰最能适应土壤与气候的变化。为了避免争食养料，“交叉感染”，他还清除了周围的杂草和当地的花卉，确保玫瑰在这块陌生的土地生根开花。庞普尔害怕好奇的鸟儿啄食这孤岛新花，便用破帆布做了一个“稻草人”。他还在玫瑰的枝叶间寻找小虫子，找到之后就用指甲掐死。阳光和细雨帮了大忙，玫瑰很快就抽出新的枝条，而且长得非常茁壮。爱德华·庞普尔心里有一种极其美妙的成就感，或者说是一种更强烈的感情——一定会达到目的的自信。

他企盼这座小岛生发出一个可以向外释放能量的核心，并且成为他贯彻自己生命戒律的依托。他努力压制心中的激情。他明白，要想生存下去就得严格自律，而对女儿的保护是这种自律的核心。他和她必须保持一定的距离，在她周围画一个圈儿，虽则亲密，但是按照几何学基本原理，永远“若即若离”。于是，女儿在这座小岛保持了童贞，成为女王和小岛的心脏。他们曾经一起攀上情欲之峰，站在山顶踯躅徘徊，只要打一个趔趄，就会滚下泥泞的山坡，掉进乱伦的深渊，做出禽兽不如的事情。想到他所害怕的事情，庞普尔不觉垂涎三尺。她冰清玉洁，越来越完美。四肢修长，曲线优美，双肩丰满，手臂结实，不曾为人触摸的大腿如凝乳般滑腻，尚未被唇吸吮的乳头似草莓一样暗红。他看见她从海水里走出来，一只手放在大腿中间，沉浸在无限的欢乐之中。她没有发现父亲，但终于感觉到他那刀锋般锐利的目光正切割她。

罗斯用不着再女扮男装了，但她还穿着一套男孩子的衣服。她负责照料菜园，很快就大见成效。她干起家务有条不紊，给父亲和自己每人开辟了一个可以独自享用的新天地。她用棕榈叶编“草席”，把屋顶修补得不透风雨。她在房间里插上鲜花，用花环装饰门框。先前剃掉的头发渐渐长长，用爱德华·庞普尔藏在钱包里的一个银夹子卡着。她感觉到他用饥渴的目光凝视自己，无法燃烧的欲火冒着缕缕黑烟，从里面一点点啃食他的双颊和形体。每逢这时，她便设法找来海岛的美味给他滋补身体。他从来没有碰过她一个手指头，除了要谈话的时候搂搂她的肩膀。

有一种草药吃了就要做梦。

她梦见什么地方正在举行某种仪式，还梦见石头和许多活物。她的脚边流着血一样的液体，上面漂浮着波浪打上岸的海草。一个她无法看见的人说些无法理解的话。她头戴野草编的王冠跳舞。舞步是预先规定的，她按一首没有歌词的歌的节奏跳来跳去。有人在看她，但她看不见他——保护人和评判者。

他梦见另外一种舞蹈，一对父女之间抽象的交媾。这种交媾将使他们在对这座小岛的支配权的范围之内，带来新的力量和行动。他和她是两个纯粹的对立面的象征，如果想现实至高无上的统治就得合二而一。

渐渐地，罗斯丢开父亲，独自一人长久地漫步。她喜欢在海滩散步，或者爬上棚屋后面那座小山，眺望浩瀚无际的，湛蓝碧绿的，银白相间、相融的大海。她张开想象的翅膀，在水天之间翱翔，似乎充满青春活力的企盼将在一片虚无之中变成现实向她迎面走来。父亲怀着一种满足凝望大海，却无法破译朵朵浪花的奥秘。她却情不自禁地盼望有朝一日，水平线那边出现一位朋友，踏着茫茫碧水走到她的面前。她熟知海浪冲到岸上的每一种贝壳和各种漂流物，紫色的海带、海葡萄、毛茸茸的海参、水母和螃蟹。

有一天，她跟着一只血红的蜻蜓从陡峭的山坡上跑下来，在一个百合盛开、古藤缠绕的地方迷了路。空气中弥漫着浓郁的花香。藤蔓四处攀爬，织成一张大网。树木之间似乎有路，但是真走过去却十分困难，头顶的阳光也被浓密的枝叶遮挡。冒险精神和青春活力使罗斯兴奋异常。她机警地一步一步往前走，每前进一步都有一种“柳暗花明又一村”的感觉。为了弄清身处何方，她向高处爬去，没多久就爬到峡谷那边。罗斯明知正朝着和她的“营地”完全相反的方向走，还是没有停下脚步。前面陡峭的山崖就是爸爸给她大致画过的那道绝壁。露兜树剑一样的枝叶刺破肌肤，罗斯艰难地向上攀登，穿过密匝匝的树木，终于爬上崖顶。她一点一点地挪到绝壁的边缘，向下张望。崖底是一道又长又宽的岩架，海水懒洋洋地拍打着巨石巉岩。她看见深深的海洋，淡蓝色的环礁湖，狭窄的海滩，沐浴着阳光的岩石，灌木覆盖的山坡一直与碧水相连。绝壁之下，海岸线活像螃蟹的双螯，环抱一个隐蔽在山石之下的水湾。树木形成一道屏障。她还看见另外一种运动，另外一种色彩——一块巨大的条纹布在海风中飘扬。这块布从岩架上扯下来，横跨白沙、碧水与一条船相连，形成一道幕帐，或者一个巨大的华盖。

帆船上堆满货物，搭在帆船中间的木板并排挤在一起。光溜溜的桅杆上挂着红、绿两色的旗子。彩绘的船头上画着两只怪兽的大眼睛。旗帜和“眼睛”跟“华盖”弯弯曲曲的条纹，跟水面上翻滚着的泡沫与浪花一起跳动。

她想看个清楚，但是只看见隐约的人影像小鸟一样掠过山石与沙滩，消失在与帆船相连的帐篷下面。他们来回走动，衣服在海风中飘拂，就像旋转着的大圆盘，有的是黄色，有的是熠熠生辉的黑色。她兴奋极了，向前探着身子，一不小心就会从崖边翻下去，掉到灌木丛中。

她模模糊糊记得从峡谷到海岸的方向，便沿着陡峭的山崖吃力地向下爬去。他们如果突然离去怎么办呢？她跟着一条涓涓的细流往下走，泉水冲刷着脚踝，希望找到一个既能看见他们，又不暴露自己的地方。她还想，要不要去叫爸爸？

与水湾相连的最后一道斜坡上面有一座不高的山崖。幸运之神把罗斯带到这座山崖上面。她在风雨剥蚀的怪石之上小心翼翼地攀援，想尽可能清楚地看到下面的情形而又不被人发现。她离那条船比先前想象的还要近。她和父亲曾经约定，天一黑就寸步不离棚屋。但是此刻她把时间，把离棚屋多远全都忘到脑后。她继续向前爬，突然眼前一亮，水湾清清楚楚出现在眼前。那是“螃蟹”右边那个“钳子”。有一个人影在“钳子”上晃动。红日西斜，在悬崖和山峦上投下浓浓的暗影。落日的余晖在海面上发出令人炫目的光彩，隐蔽了蜷缩在岩石后面的罗斯。那个年轻人站在一块海浪冲击的巨石之上，手臂慢慢地画圈，深深地弯下腰。他穿着肥大的裤子，衬衫敞开，海风吹拂之下，就像晾在绳子上的衣服。他腰板挺直，肩膀很宽，满头黑发长及脖颈，长得有点像女孩儿。他一只手里拿着剑在空中劈斩，仿佛在梦中向那滚滚波涛挑战。他身后的岩石上，一位白发苍苍、弯腰曲背的老头拄着拐杖，站在水花溅不到的地方，大声叫喊着，似乎在纠正那位英姿勃勃的年轻人舞剑的动作。稍远一点，坐着一个面皮黝黑、十分魁梧的男人。他抽着烟斗，一动不动，仿佛岩架上一块石头。他猛地转过脸，朝罗莎蒙德藏身的地方张望，好像突然发现了什么。罗莎蒙德蜷缩在岩石后面等待着。再抬头张望的时候，那三个人已经走了。她还没有看够。懊恼间，老头弓着腰像一只鸬鹚消失在巨石那边。她真想把他们喊回来。这种隐蔽状态使她浑身战栗，后来，她竟堵着嘴巴笑了起来。

罗斯心里充满了兴奋、恐惧和慌乱，但是她还没有看够。不，她已经看够了。现在的问题是，必须把这件事告诉父亲。即使他生气，也得把刚才看到的真实情况告诉他。或者至少要警告他，小岛上有些事情他还一无所知。

1652 年 8 月 21 日。庞普尔把女儿讲的情况一点儿不落地记下来，特别标明事情发生的时间。这件事真让他大伤脑筋。这些陌生人也许只是偶然到这儿落脚，很快就会离去。要么是女儿胡思乱想产生的幻觉。庞普尔继续玫瑰园里的工作，但他严格禁止女儿再到先前看见那些陌生人的地方。她心痒难耐，想到海岛那边看那些人，但是眼下她还是觉得应当听从爸爸的警告。

庞普尔不愿意把这件事情弄个水落石出，一方面害怕他们是野蛮人，不敢惊动；更主要的是他认为和他们进行交流几乎是不可能的事情。但是就像罗斯急于了解他们的生活方式一样，庞普尔心里也充满好奇。他纳闷他们到底是什么人？带来些什么东西？他们是“天外来客”，还是被他们忽略了的小岛居民？不管怎么说，从那以后，他出去干活的时候，总是随身带着枪和刀。

罗斯的活动范围虽然被父亲严格限制在海滩，但她心里明白，其实她并非真的被囚禁在这里。合乎逻辑的推理告诉她，不管朝哪个方向走，只要沿着海滩，就一定可以绕小岛一周，最终走到那些陌生人安营扎寨的地方。不过现在她还不想背着父亲干这件事情。她的探寻必须慢慢进行，日复一日地苦思冥想，日复一日地开拓进取，沿着海岸走到很远的地方。她被退潮之后岩石区潮水潭蒙眬的美完全迷住了。对于她，那就是生活，那就是梦。海绵、海螺、龙虾壳、浅水里挣扎的鱼、在水里亮闪闪可过后从你的口袋掏出来便黯然失色的珍珠母、海带。那是一连串变化无常的幻影，分担了她巨大的孤独和无法估量的空虚。

在英格兰，现在应该是春夏之交的季节。可是这里——赤道以南，却是春与秋的交合。树叶变得枯黄，鸟儿衔着柴草树枝筑窝。潮水不断上涨，休息的时候，父女俩坐在棚屋外面喝椰子汁。微风拂面，庞普尔问罗斯，背井离乡跑到这儿是不是有点儿后悔。

“爸爸，别以为我这儿的生活多么寂寞无聊。倘若没跟您来，我就得成天和妈妈待在一起，侍奉布鲁姆夫人，或者和别的孩子们一起关在教室里读书。我无时无刻不盼您的来信，而这信永远不会送到我手里。我会急病的。”

“你还有内利。”

“到时候，他们会把内利从我身边牵走，将我转交到一个陌生男人之手，做他的妻子，那便更没有自由。”

“可是在这儿，你什么都没有。”

“在这儿，我什么也不会失去。这里的一切都属于我。我享受最大的自由。”

“那是大自由被剥夺之后的小自由。”

“不，爸爸，恰恰相反。”他为什么要对她这种没有任何附加条件的自由表示怀疑呢？回答这个问题的时候，她有点儿激动。她是天空和森林的女王！是山洞、沼泽、渡渡鸟和鹰嘴鱼的女王！

“但是好奇心仍然驱使你去发现新的东西。”他坚持说。

“这是你教导的结果——发现新事物，发现新变化。我做的许多事情都是这一原则指导的结果，包括我烤的大饼，您一顿就能吃两个！”

“问题是，所谓的新事物——那些尚未发现的东西，是不是真的存在。”

“天堂里有天使吗？他们是什么样子，爸爸？您难道不相信上帝吗？”

“我不敢简单地断言，但是在这儿，也许还有别的神，虽然《圣经》告诉我们，‘除了我，不会有别的神’。”

“没有女神吗？”

“除了你，我的宝贝。”

“瞧！”

海滩那边有几块巨大的礁石，有一个人正在齐大腿深的浅水里绕着礁石转悠，身后还跟着另外一个人。他们看起来就像两块移动着的石头——漂浮在海面的神奇的石头，矮胖、结实，在下午环礁湖明镜般的海面上投下黑魆魆的身影。庞普尔和罗斯看见他们越来越近。也许因为神情专注，也许因为视力太差，反正那两个人没有发现有人正在观察他们。他们脖子挺短，脑袋溜圆，金黄色的皮肤。前边那个络腮胡子，留着黑色长发，后面那个身材较为瘦小，头戴一顶圆锥形帽子。他们紧紧系着腰带，裤子在水面上膨胀如球。“络腮胡子”脖子上面挂着一把短刀。他不时弯下腰，把脚趾摸索到的东西拣起来，用短刀刮一刮，递给他的同伴。那人接过之后装进肩上背着的口袋。

两个英国人默默地看着这两个陌生人。他们涉水走过浅滩，向岸上走来。水珠、水线从身上淅淅沥沥流下。庞普尔回转头望着女儿，扬了扬眉毛，一句话也没说。他们慢慢走着，什么也不曾发现。这个时间拖延得越长，他们打照面儿的可能性就越小。庞普尔屏住呼吸，用慈爱的目光长久地看着女儿，好像他们两个人的世界已经到了崩溃的边缘。他昂着头，抿着嘴，凹陷的双颊上细密的皱纹和胡须按照同样的纹理向下漫延，形成一个漂亮的三角。眼角的鱼尾纹与太阳穴的发际相连。额头弯弯曲曲的皱纹和乱麻似的头发下面，一双眼睛如两潭碧水凝视着她，目光中充满了疑问和爱意，似乎要把这个盛满孤独的时刻化为永恒的结晶。事实上，他是寻求她的帮助，消除陌生人的介入。为了享有更多的权力，为了独占这座小岛，他一边祈祷胜利，一边拿起步枪。

罗莎蒙德的脸上有几粒浅浅的雀斑。她的皮肤光洁动人，金黄中透着粉红，在阳光照射之下仿佛抹了一层胭脂，越发娇媚动人。她的脸颊圆鼓鼓的，丰润的唇像熟透了的樱桃，一双眼睛好像碧玉，闪烁着大海的光彩。她的额头很高，显示出睿智和聪慧，浓密的头发卷曲蓬松，被阳光“漂洗”得金光闪闪，散发着花的芳香。她的眉毛很重，睫毛挺长，嘴唇上方和下巴颏生着淡淡的绒毛。能有机会保护父亲，她感到非常快乐，但她极力将这种感情隐藏起来。她的焦急已经变化成一种期待。

那两个人随时都可能发出庞普尔和罗斯无法理解的某种声音，或者做出他们无法领悟的某个动作。直到那一刻为止，他们的的确确是这座小岛的国王和女王，观察着隶属于他们的这块土地上发生的一切事情；或者是神与女神，关注着天地万物变化的结果；或者是一对恋人，眼巴巴看着不曾预料的他们自己行为的果实渐渐变得成熟。

海岛万籁俱寂。庞普尔挺直身子，站在芳草青青的土丘上。无声的运动，引起海岸上那两位采集者的注意。戴帽子的那个人回转头情不自禁喊了一声。"络腮胡子"无声地喃喃着。他们站在沙滩上惊恐地凝视着庞普尔和罗斯。突然，那两个人目光一闪，向身后瞥了一眼，似乎要跑。谨慎淹没了好奇和友爱。这两个人和他们是同类吗？还有别人吗？戴帽子的人站在个子较高的"络腮胡子"旁边。看起来只有他们两个，于是两位陌生人朝前走了一步，又走了一步，然后高个子伸开双臂慢慢举过头顶，在空中摆动着，似乎向庞普尔和罗斯发出一个信号。

两位采集者的脚埋在沙土里，他们抓到的螃蟹之类的活物在肩上背着的口袋里左冲右突，瞎抓乱挠。.

"络腮胡子"把短剑从带子上解下，庞普尔手里拿着步枪向前走去，他打手势让罗斯跟在后面，罗斯满不在乎，和他并排走着。

"他们看起来像鞑靼人，"庞普尔小声说，然后放开嗓门儿大声喊道，"过来！不要害怕，我们是朋友。"

两个中国人目瞪口呆，那无法理解的声音让他们不寒而栗。陌生人不停地向前走，很快就要走到他们面前了。如果他们不得不动手，就只能在惊恐与慌乱之中，以迅雷不及掩耳之势冲过去，刺死他们。但是，没有人发号施令，主动权又不在他们手里，他们只能原地站着，好像整个人都麻痹了一样。直到那个洋人已经离他们很近，看得见他那龇牙咧嘴的狞笑，和深陷在眼窝里那双目光呆滞的眼睛。他们说话叽叽喳喳，很像峨眉山上纠缠不休、敢从你腰带上偷铜带扣的猴子。"络腮胡子"——黄船长——虽然心里害怕，但还是忍俊不禁，朝这两个小丑似的洋鬼子发出咯咯咯的笑声。戴帽子的那个人也跟着笑了起来。

庞普尔吓了一跳，脸上的微笑消失，变得严肃起来。没能跟这两个人交流思想，他很生气。罗莎蒙德一直甜甜地微笑，现在也放声大笑起来。她屈膝行礼，两个中国人鞠了一躬，庞普尔还礼，腰弯得更深，他放下步枪伸出一只手。黄把短剑放到左手，朝右手手心看了看，在罩衣上面擦了擦，学庞普尔的样子伸了过去。两个男人就这样伸出右手面对面站着。庞普尔握住那只黄褐色的大手摇了摇。黄也摇了摇。他的劲儿很大，把庞普尔的手捏得生疼，庞普尔很有礼貌地忍受着，直到终于能抽出手指。

戴帽子的人把背上的袋子放到沙滩上，打开让洋人看。是偷猎者展示赃物，还是小贩兜售货物，不得而知。只见袋子里装满甲壳类动物，牡蛎、蛤、海葡萄、肥硕的海带、张牙舞爪的螃蟹和虾。

“哦，这么多！”罗斯惊讶地说，把手伸到口袋里。

戴帽子的中国人一把抓住她的手腕。

“哎哟！”她叫了起来。一只螃蟹夹住她的手指。捕捉这玩意儿的中国人一只手抓住螃蟹，很熟练地撬开它的钳。罗莎蒙德气喘吁吁，一方面因为被螃蟹夹疼了手，更主要的是因为不好意思。她的手指留下一个很深的凹痕，不过没有出血。他们都笑了起来。

“他们怎么能弄到这么多海物？”庞普尔说。

庞普尔拿起一个牡蛎，用指甲抠了半天，没有弄开。黄从他手里拿过去，用短剑只轻轻一撬，便露出一团灰绿色的肉。黄把撬开的牡蛎送到庞普尔面前，让他看个仔细。庞普尔掏出那团肉只一口便吃了下去。中国人惊讶地叫起来，他们拍着嘴巴，又是摇头，又是摆手，然后比比画画，意思是应当煮熟再吃。但是对庞普尔来说，生牡蛎的味道简直美极了，他朝黄点了点头，表示感谢。

袋子里还有许多牡蛎。出于礼貌，庞普尔邀请两位客人到他们的住处去。他朝远处的棚屋指了指，意思是，他们应当和他一块儿走。中国人微笑着站在沙滩上。

“走吧。”庞普尔说。

中国人不明白洋人邀请他们意欲何为。他们是不是有很多人？是不是要抓他们？这两位小岛上的居民到底是什么人？

罗莎蒙德和父亲一起极力怂恿他们。她心里充满好奇，觉得这两位“先驱者”将成为带她到他们营地的“通行证”。自从第一次看见那顶华盖似的帐篷，她一直想象里面的情景。庞普尔虽然不愿意别人和他一起分享小岛，但是既然这些人已经踏上小岛，最好还是避免敌意。他们站在那儿不动，庞普尔回转身朝棚屋走去。罗莎蒙德等了一会儿，也蹦蹦跳跳跟在爸爸身后走了。两个中国人原地不动，半晌才慢慢解下挂在脖子上的草鞋，弯下腰套在脚上。在好奇心的驱使之下，他们拖着脚朝前走去。他们不愿意失掉回去向大伙儿报告新发现的“殊荣”。

他们以为还会碰到别人，所以进棚屋的时候，十分警惕。他们朝这座简陋而又结实的房子打量了一眼，似乎并未留下深刻的印象。他们作好了目睹异族人在小岛取得成就的准备，并且发现这些人确实付出了艰苦的努力。但是棚屋里的生活条件并没有因为他们作出了努力而有所改善。桌子椅子都是随便钉成的。几个筐子，几口皮箱，样式古怪的炊具随便摆在地上，凌乱的床铺没有整理。他们等主人沏茶，或者请他们坐下。没有办法表达他们需要什么。

姑娘拿来水果，给两位中国人每人一个。他们在干燥的沙土地上蹲下，剥开果皮，以为这是某种仪式，心里纳闷别人都藏在哪儿。无法表达自己的思想，黄便四处张望起来。窗户下面的一个角落是庞普尔的书桌。桌子上放着一堆书和一摞纸，纸上面放着一个闪闪发光的圆镜，看起来像一块水晶。看见黄的目光停留在镜子上面，庞普尔便把它拿起来，放到眼前让黄看。黄看见一只大眼睛凝视着他，非常惊讶。这是一个放大镜。黄一旦发现这玩意儿的奥妙便被它迷住了。他拿放大镜看自己的手，看酸橙皮，看同伴的脸。看见那变化了的形象和更加丰富的色彩，他非常高兴。但是他去摸那些放大了的东西时又摸不着。

庞普尔教给他怎样用放大镜看很小的字。黄非常入迷地看一本小小的书，怎样变成一页又一页 8 开大的纸，上面印着他无法理解的符号。

两个中国人吃完水果就想走。他们在这儿看到的情况足可以回去汇报一上午了。不回去商量，他们不知道下一步该怎么办。黄让他的同伴从口袋里拿出三四个牡蛎作为礼物留下，然后扎好口袋又背到肩上。庞普尔环顾四周，找一样可以作为礼物回赠的东西。他看见一幅血液循环图，上面的文字是拉丁文，还印着一幅很精致的心脏解剖图。他郑重其事地交给黄，黄同样郑重其事地接过去，恭恭敬敬地鞠了一躬，揣到怀里。

出了棚屋他们便一溜小跑，跑过草地，脚上的草鞋啪嗒啪嗒地响着。他们一步没停，一直跑到海边，踏着浪花向大海走去，海水没过腰际，眨眼之间他们便消失在礁石那边。

卢陆坐在亲王舱房里一条三条腿的板凳上面。他的膝盖分得很开，破烂的袍子搭在两腿中间。两条腿瘦得皮包骨，上面有一块块白斑，弯曲的脚趾朝外伸开，像爪子一样放在破旧的布鞋上面。因为在船上待了好几个月，他的风湿性关节炎越发严重了。坐下的时候他总是绷紧关节，这样可以稍微舒服一点儿。他那清瘦的面颊皮肤光滑，稀疏的白发长得很长。

“发现这片海岸是我们的造化，”他说，“可这是哪儿的海岸呢？”

“是你的技术把我们带到这儿的。”亲王温柔地说。他正站在窗口向外眺望。奔腾跳跃的海浪使他心旷神怡。他仿佛在梦幻世界沉浮，忘记一切，远离尘世。他比先前结实了，但红润的脸变得苍白。一是因为饮食无定，营养不良；二是因为每天都必须严格遵守老太监为他规定的戒律。那是些类似禁欲主义的玩意儿：默想、学习，“劳其筋骨，饿其体肤”。唯一和他进行思想交流的人是卢陆。别的船员都把他视为怪物，敬而远之。

“我是靠占卜杖①确定航向的。”老太监冷冷地说。

“我们现在离罗马有多远？这儿也许是它边远地区的海岸。”

“罗马！异想天开。我们既没有海图又没有经验，鬼才知道这是什么地方。”

“你不是根据自己的理解使用罗盘了吗？不会出错的。”

“如果不是罗马，也是一个可以中途歇歇脚的地方。在茫茫无际的大

①占卜杖（divinging stick）：古代以迷信的方法探矿的一种木叉，据说寻得矿脉、水源等，木叉即自动弯曲。

海航行这么久之后，能到这儿落脚，而不是被海水冲到冰山或者魔怪出没之地，应当庆幸才是。我们已经穿越绿色的大海，只要绕过非洲就能到罗马。再说，我们还可以待在这儿。这倒是一个水肥地美的地方。我们必须弄明白，这到底是哪儿？”

老卢陆满怀深情地望着亲王：“这里会成为陛下国土的一部分。”

“我想四处走一走，看一看。”

“等到平安无事的时候，我会让你出去走一走的。”

“这儿有什么不安全的呢？”

“野兽、敌对的部落以及大自然险恶的生存环境，都是不安全的因素。”

“我们是大明朝最早来这儿的人吗？”

“我想是的。这是西大洋西边的岛屿，天涯尽头的天涯。在这儿，你可以看到你的神威所至。”

亲王皱了皱眉头。在这几个月孤寂的旅行中，他对老太监的任何议论都不曾提出疑问。他不理解需要什么“神威所至”的证据，便问：“此话怎讲？”

“神奇的威力创造的奇迹，奇观。”老太监哭丧着脸说。

“这儿有什么万古不灭的神仙吗？”

“没有。不过可能有让人长生不老的灵丹妙药。”

亲王回转身，向舷窗走过去，居然没有感觉到它的存在。他一屁股坐在油腻腻的、散发着海水味儿的被子上，说：“告诉我，聪明人。”

“在发现稀世之宝——大自然突发奇想，造物主偶尔为之——的地方，就会出现一个独一无二的贤人。只有他才能领悟这神奇之物的魅力，才能站在凡夫俗子不可企及的高度，看到并且理解宇宙创造的奇迹。这个贤人奉天命而来。这个贤人就是你，我的亲王！你来到这儿，不管它是哪儿，是什么地方，都是天意。”

舷窗外面，海鸥哇哇地叫，系船的缆绳轻轻地呻吟，搭在甲板和海岸之间的木板在岩石上跳荡，发出砰砰砰的响声。

“中国南方有一个传说，”老总管继续说，“说的是一种神奇的黑花，一种没有色彩而又包容了所有色彩的花。什么是黑色？是高深莫测的虚无，还是芸芸众生、天地万物？没有太阳，世间一片黑暗。墨汁在白纸上创造出纯粹而凝重的黑色，留下无法抹去的印迹。黑色是宇宙万物终极的含义，是无比神奇的力量。这种黑花就是黑玫瑰。在黑玫瑰盛开的地方，人们便可以找到幸福安宁的保证。谁拥有黑玫瑰，谁就是无可争议的国王。人们说，黑玫瑰生长在一座土山之上。土山下面是大块大块的金矿石。那是一座金山！”

亲王对老总管佩服得五体投地，说：“黑玫瑰就长在这儿吗？”

“我相信我们会找到的。”卢陆半闭着眼睛说。

亲王把一只软绵绵的手放在老头的肩膀上。

这时，上下船用的梯板上传来咚咚咚的脚步声，木板乃至整个帆船都随着来人的脚步震颤。

黄大声嚷嚷着，在亲王舱房外面跪下，磕了一头。

“老爷——”他抬起头，亲王已经把门打开。老卢陆因为腿痛一下子站不起来，抬起眼皮，向外面张望。“请问总管大老爷，可以接见奴才吗？”

卢陆慢慢地点了点头。

“岛上有人，”黄脱口而出，“一个男人，另一个还很年轻。是我们从未见过的陌生人。”

“什么样的人？”卢陆浑厚的低音问道。

黄把庞普尔送给他的那张血液循环图塞到老太监手里。卢陆打开，拿反了，然后又正过来。黄张口呆看，那神情似乎等待什么恩赐。过了好半天老头才拼出这句不解其意的话：“Desanquinis circulation motum cordisque.”①

“他们是天主教徒，”他大声说，“还是巫师。我认出他们的狗屁文字了。这是拉丁文。”

①拉丁文，“血液循环图鉴”。

……在大地母亲的怀抱，
聪明的中国人
用肥沃的泥土
营造更加辉煌的坟墓……

安德鲁·马韦尔[①]
《献给弗朗西斯·维利尔斯的哀歌》
（1648？）

一切都是未知数，都是赌博，都是投石问路。要想避免和岛上的“居民”见面，唯一的办法就是赶快起锚，再度驶向茫茫大海。那就意味着拒绝可能得到的帮助，或者可以搜集到的重要信息。如果真的已经离罗马不远，不问问路就走该有多么遗憾。卢陆一辈子处理人际关系，看问题既深刻又有远见。他以最执着的棋手的精明干练与娴熟技巧，仔细盘算过这件事情的每一个环节。他认为，现在他们对这一地区的自然环境、风情民俗以及那两个人的社会背景、资格、地位一无所知，只能靠想象和推测。但是，尽管一无所知，还是需要对眼下的处境迅速作出反应。最实际，同时也是最大的问题是，对方的力量到底有多大？如果他们的力量很大，与自己的软弱形成鲜明的对比，就得小心谨慎，不能轻举妄动。如果他们的力量有限，就可以放开手脚，甚至对对方造成一种威胁。秘诀在于，可以没有力量，但不能没有独立自主精神和赢得未来的聪明才智。

卢大总管去见那两个陌生人的时候，没有带武器，除了黄船长和第一次见过他们的贾，也没有带别的什么人。他们坐一条小船，水手用一只桨沿海岸划行，黄警惕地注意周围的动向。旅行缓慢而庄重。黄腰板挺得很直，

①安德鲁·马韦尔（Andrew Marvell，1621—1678）：英国玄学派诗人，议员（1659—1678），著名诗篇有《致羞涩的情人》《花园》及长篇讽刺诗《对画家的最后指示》等。

袍襟裹着膝盖，头戴一顶帽子，遮住目光锐利的眼睛。这双眼睛凝视着平稳如镜、闪闪发光的环礁湖。卢陆坐在离水面很近的地方，以一种权威的架势观察海水的走向，浪花的形状，然后按自己的理解赋予它们某种含义，结果发现今天诸事顺遂。他这样做似乎为了证明驱使自己终于决定此行的好奇心的正确；证明内心深处愿意和那寂寞之地建立某种亲戚关系的冲动不无道理。而他之所以不敢抱太大的希望，是因为一张用谨慎、精明、胆小、忍耐编织的网笼罩了这位贤人的思想。

那一叶小舟很浅，头上的斗笠很大，戴斗笠的人便显得很矮，一张脸几乎完全淹没在圆锥形的阴影里。卢大总管很像一个被送往异国海岸的囚徒，或者某个部落要扔到荒岛祭天的长者，他已经老而无用，成了别人的负担。庞普尔站在棚屋外面注视着他们的到来，看见那位头戴斗笠的老者气度不凡、威严端庄，心里升起一种骄傲的感情。

“嗨！”他喊道，抬起手臂做了一个早已被时代淘汰了的动作。他以为这个姿势全世界都通用。

庞普尔走下杂草丛生的土丘，像神父迎接会众。他大步流星，径直走过去，不由自主地张开双臂，扬了扬眉毛，表示欢迎。他从来人沉稳的、不紧不慢的动作中看出他们的文明程度。这天，大海平静安详，沿沙滩的碧水像弯月形透镜。潮水带着串串白沫，向岸边涌来，温柔了许多，然后吐着泡沫咝咝地退向远方，积蓄力量准备下一次“喘息”。海阔天高，晴空万里。或许因为此行只是一次试探，并无紧急公务，所以小船航行得十分平稳，留下几乎看不出的尾流，充分显示了撑船人的高超技艺。他们似乎掌握了鱼尾在水流中摆动的要领，减少了对海水的“打搅”。庞普尔对此颇为赞赏。

小船刮擦着海滨的沙石，撑船的人十分敏捷地跳上岸。酸橙树下，一只渡渡鸟朝远处的山峦咯咯咯地叫着。

他们半闭着眼睛，乍看好像目无所视。老头弓着腰坐在船上不动，直到抛锚——一个圆形大铁盘——之后，水手才把他扶起来，背到岸上。在与这位大步走过来的陌生人正式见面之前，他挺直了腰板。他没有寒暄，只是两手贴着大腿鞠了一躬——不是那种九十度大躬。

庞普尔停下脚步，咧开嘴笑了笑，也十分笨拙地点了点头。看见客人没有脱帽，他才意识到自己没有戴帽子。罗斯急匆匆跑了过来，站在爸爸身后气喘吁吁，一双亮闪闪的眼睛凝视着两位水手，算是和老朋友打招呼。黄和贾也凝视着她，好像这是一种相互致意的方式。

一阵唱歌似的说话声打破海岸的寂静。那声音仿佛是一种液体，在斗笠下面流动，一个字也听不清楚。老头不住气地说，每说完几句都要拍拍手，叹口气。

"啊！"

庞普尔也"啊"了一声，又点点头："啊！"

"啊！"老头又说。他从衬衣口袋里掏出那张印有拉丁文的纸。

"啊！"庞普尔高兴地喊了一声，朝棚屋指了指，他的书都放在那儿。黄明白他的意思，对老头嘟哝了几句，看样子是告诉他，应该接受人家的邀请。三个人慢慢地向棚屋走去，眼睛警惕地东张西望，察看周围是否还有别人。

三个中国人在门前停下脚步，等主人领他们进屋，可是庞普尔打着手势让他们进屋的时候，又大声嚷嚷着谁也不进，硬在门外等着。庞普尔再次邀请，再三催促，还自己作示范迈进门槛。可他们还是不进，倔得像三头骡子。庞普尔心想他们是不是怕落入圈套，因此不敢贸然动手拉他们进去。后来，"络腮胡子"终于迈过门槛走了进去，卢陆紧跟，年轻船员殿后。庞普尔牙齿咬得咯咯响，无法理解他们这样做是出于礼仪，还是由于谨慎或者误解。

倒是罗斯看出点名堂。他们口渴了。她恭恭敬敬端来几杯开水。年轻船员尝了尝他那个杯子里的水，然后把老头手里那杯换了过来。老头喝水之前先十分庄重地摘下帽子，露出光溜溜、亮闪闪的脑门。脑门的颜色像烟火熏黄的羊皮纸。秃脑门后面长了圈稀疏的白发，好像鬃毛覆盖着颈背。庞普尔和罗斯凝视着他。他抬起头，一双眼睛亮光闪闪，微微一笑，露出几颗门牙。

“Aqua[①]。”他说。

庞普尔大吃一惊，立刻模仿他，也说了个：“Aqua。”

罗斯也跟着说了一遍，光听这个声音可能觉得毫无意义。可是卢陆竟然接下去说了一句话：“Aquan bevimus Latinum dicamus。”[②]

庞普尔高兴地一把抓住老头的手，使劲儿摇了摇。“对，我们说拉丁语。Pig Latin[③]！先喝水。”

卢陆抽出手，不由得打了个寒战，与此同时，朝护送他的人打了个手势，让他们不要紧张。

庞普尔从架子上取下一本书，放在他们充作书桌的箱子上。

客人艰难地拼读：“De sanquinis circulation motum cordisque[④]。”他伸出一根手指从杯子里蘸了点水，在箱子上书写起来。老头的手指像一根枯死的黄树枝，指甲上的半月形弧影像一粒苍老的珍珠。罗斯看老头用手指边画边念，直到画出四幅罗斯从未见过的“画儿”。

“这是他们的语言，”庞普尔说，“是中国字。”

第一次艰难的交流使他们对对方有了一点基本的了解。他们是从中国来的，想去罗马。他们是从英格兰来的，离这儿很远。这儿离中国多远，离罗马多远都无法向对方通报，他们也无法使对方理解自己是各自国家的代表，还是普通老百姓。不过有一点很明确：“会谈”双方都不是当地人，这就为他们艰难的交流提供了一个奇妙的前景，也使得他们对对方表现出特别的关心。他们想知道这块土地的情形，英国人说这是一座孤岛。中国人听了大吃一惊。他们害怕孤岛深处会有别的什么人或者危险，因而得出“三十六计，走为上计”的结论。英国人想的却是，这些沉着稳健、组织

---

①拉丁文，水。

② Aquan bevimus.Latinum dicamus：拉丁文，“喝水，说拉丁语。”

③ Pig Latin：将英语词尾改成拉丁语式的说法，倒读隐语，又作 Hot Latin。

④ De sanquinis circulation motum cordisque：拉丁文，“血液循环学图鉴”。

严密的客人或许可以作为他们抵御更大危险的先锋。如果罗马是此次“会谈”的主要议题，庞普尔可以画一张世界地图，大致估计一下还有多远的路程。卢陆纳闷，庞普尔怎么能画出这样一张地图？因为他自己也不是按照某项计划有目的地来到小岛的。如果他真能算出从这儿到罗马的距离，也纯粹是无根据的推测。如果他是因为触犯了什么人的利益，被放逐到这座荒岛，他的知识恐怕也很难派上用场。在这种情况下，他们真是孤岛上的同命鸟了。

庞普尔看他自个儿画的地图，听见卢陆吃吃吃地笑。凭他们相互之间极其肤浅的了解，还想准确地交流思想，真是荒唐至极！他们不过是初次见面，出于礼貌表现出一种宽厚和谦和罢了。

没有人引荐，没有可以进行交流的语言，便无法确定对方是什么人，属于哪个阶层，立场如何，也搞不清楚他们的喜怒哀乐，搞不清楚是什么力量迫使他们历经坎坷，走到这步田地。然而，颇具神秘色彩的是，另外一种形式的理解却是可能的。卢陆和庞普尔面对面站着，就像站在一面镜子面前。他们从对方身上看到了自己——被遗弃的人、探险家、理想主义者、旧王朝忠心耿耿的遗老、新时代的叛臣逆子。庞普尔的山羊胡子包蕴着聪慧，老卢陆雪白的“鬃毛”透露着精明。他们的眼睛明察秋毫，饱经沧桑的手移花接木，扬帆掌舵。这两个人很快就感觉到相互之间有许多可以交流、可以学习的东西。卢陆绞着双手，庞普尔捻着胡子，一种失落感和渴望在心里涌动。

庞普尔用一根手指戳着自己的胸口，说了三次他的名字。

“庞——普，”老头颤巍巍地跟着念，“庞——普。”

庞普尔又用手指指了指老头。老头说：“卢。”

“漏！”庞普尔跟着念道。

为了进一步表示友好，罗斯端来一盘已经切好的酸橙。客人们温文尔雅，谁也没有动手去拿。他们看不出罗斯是男是女。对于中国人来说，她的轻盈体态、音容笑貌似乎并不能说明什么问题。庞普尔搂着罗斯的肩膀，向客人们表明这孩子的归属。两个人站在一起就像一个模子里铸出来的，特别像，区别似乎仅仅在于问世迟早而已。为了进一步说明这种亲缘关系，罗斯亲了亲父亲的面颊。三个中国人看了面面相觑，吃吃吃地窃笑起来。他们终于弄明白她是女孩儿，而且认为是庞普尔的配偶。

卢大总管坐在长凳上，吃了一瓣酸橙。庞普尔用拉丁文向客人艰难地解释他的事业的基本原则。罗斯坐在旁边两手抱膝前后摇晃，看见父亲结结巴巴的样子，非常着急。后来，卢陆开始介绍自己的情况。黄船长走出棚屋在周围蹓跶。罗斯也跟了出去。她叽里咕噜，比比画画，让黄看她和爸爸制作的种种用具。她还告诉他各种树木的特性，领他去看岩石区潮水潭。由于潮水日夜冲刷，那儿聚集了许多海胆。黄快乐地叫喊着，伸出粗糙的大手捞起一个，用刀剖开，取出还微微颤动的橘黄色的心——“天国花冠”，一分为二，送给罗斯一半，他自己吞下另外一半。那玩意儿味道很怪。

他朝水手嚷嚷，让他也过来尝鲜，年轻的贾摇了摇头。他得忠于职守，保卫卢大总管的安全。老头是他们和外界沟通的唯一桥梁。

准备离开的时候，卢大总管站在海岸指了指天上的太阳，然后比画出一个日落西山的动作，告诉庞普尔，他该回去了。罗斯给他们装了好多活海胆。庞普尔没有指太阳也没有指大海，而是伸长胳膊朝大山那边指了指，意思是，他们下一次要到那儿，到中国人的营地做客。

“他们的文化水平很高，”那些人走了之后，庞普尔沉思着对罗斯说，“也很有学问，可惜我没法儿和他们交流。”

“你注没注意，他们用右手拿酸橙的时候温文尔雅，可吃起来狼吞虎咽。”

“我还没弄明白他们崇高的使命。老头出海远航不是为他自己，而是为另外一个地位更高的人。他们不是为了寻找别的什么东西，而是为了维护某个阶级的利益。他告诉我，世界是一个圆盘，在上下都是水的苍穹旋转。他到罗马不是把那儿当作世界中心，而是当作补充力量的前哨阵地。他不是为了寻求财富而来。他听说我是园艺家，专门培育新品种的时候，表现出了极大的兴趣和礼貌。”

罗斯忍不住朝父亲喊：“你是哲学家，不是普通的园艺家。”

“我没法儿和他谈这些。我想，他们的哲学家不会对大自然修修补补。”

“那就让他看一看，下次领他到你的花园见识见识。”

“我只是一个设计者，而且只能对可能发生的事情作一番设计。”

庞普尔又沉浸在对事实、语言与形象的辛勤编织之中。

“爸爸，他们有一条船。一条经得起风吹浪打的好船。爸爸，如果你愿意，我们可以坐他们的船离开这儿。”

“现在还没有这个必要。我们走了这么远才找到一个适合植物生长的地方，总得过一个季节看看结果才是。”

“他们的眼睛真奇怪。他们能看到什么，爸爸？”

“我们看到什么，他们就能看到什么。”

“他们的脸就像微笑的面具。在他们眼里，我们也会是这种仿佛戴了面具的人吗？”

“你无法像读一本书一样读他们，就像无法看懂他们写的字一样。就像他们也无法读懂我们的书，或者我们的面孔一样。”

她围着爸爸走来走去，心里充满疑惑。

“他们让你觉得既熟悉又陌生。”她下结论似的说。

“我们一定能更多地理解他们，”他肯定地说，“我们一定能学会他们的知识。”

卢陆汇报此行的收获时，亲王伸出一只瘦弱的胳膊撑着舱房的“地板”。

“这地方不是群岛，而是一座孤岛，周围没有邻居，岛上只有两个人，一个男人，另外一个像是女人。他们也许是坐船遇难流落到这座孤岛，也许是为了戍边来到此地。这块土地不属于他们，而他们到底是哪路神仙，尚不清楚。我只知道他们来自欧洲，是西洋人。至于他们通过什么渠道和外界联系，如何得到补充、给养还不得而知。”

“他们是什么样的人？”亲王非常有兴趣地问。

“他们各方面的条件都很简陋，但是人不错，通情达理，和蔼可亲。那个男人毛发很重，挺结实。和他一块儿那位，亚麻色的头发，眼睛和眉毛几乎没有什么颜色。”

“是个怪物？”

“反正看起来让人不舒服。”

“招待得怎么样？”亲王继续问。他觉得挺好玩。老总管首次办理“外交事务”就碰到那么多让他为难的事情。

“他们也算竭尽全力了。亲王，他们对我们大有用处。他们对地理、海洋方面的了解比我们多，航海技术也比我们强。他们来这儿是有目的的，跟我们不一样。他们知道自己身处何方。他们认为这座孤岛很重要。这是为什么呢？”

“他们有什么友好的表示吗？”

“愿意和我们交往。”

“哦，来而不往非礼也，和他们好好地保持联系。”

“正是。”

亲王长长地舒了一口气：“大总管的语言天才比任何时候都更显示了它的价值。但是新思想、新观念的价值又表现在什么地方呢？”

“除了黄金和宝石这样一些可以流传百世的东西之外，新思想、新观念是最为重要的。”

“比权力还重要？”

“新思想具有吸引力，因而也就凝聚了力量。统治者出现在民众中间的时候，一定要让人们感觉到这个世界有了新的变化。开拓进取、满怀希望、锐意改革、不忘民众是领袖人物必备的、最基本的素质。在这个问题上，合法的继承人不应该因为自己合法而有丝毫的懈怠。他应该像那些胸怀韬略的篡位者一样，靠才智与勇敢取胜。”

亲王甚至连这些颇为新鲜的道理也听得腻歪了。他在吊床上摇晃着，朝舱房顶棚叹了一口气。“我们要成为他们坚定的同盟者，把他们的新思想、新技术、新方法统统学到手。这是我的旨意。”

老头听了这番话高兴得两眼闪闪发光。看来经过这番磨砺，他的志向更加明确了。出于本能，他理解了如何表现自己的政治手腕。他将拥有更大的力量，并且以一种新的面貌出现在世人面前。

“殿下绝不能对这两个洋人寄予太大的希望。他们到底忠于谁还不清楚。他们看起来既非学者又非官员。从各方面情况看，也不可能是商人。四不像。边缘人物。他们不会把我们引到任何一个帝国的中心，或者知识的中心。”

“我们才是真正的中心。我们只是吸收他们的长处。”

“如果那些长处只是些‘鸡零狗碎’，没用的废物，我们这样做未必能达到目的。”

“把他们带来。”

“他们也许不想来。”

“想个办法。”

老头满脸皱纹的脸上闪烁着智慧的光芒，每逢对重大问题作出决策之前，他的脸上总是浮现出这样一副高深莫测的表情。

“殿下，不要因为一次邂逅相逢就生出无限希望。如果没有船，他们怎么能来这儿？他们的同伙驾船回来之后，难道就不会凌驾于我们之上，拿我们当奴隶使唤？”

“老总管，有你这样谨慎从事，就能避免这种后果。”

“船员们已经在说三道四了。洋人带来了恐怖。如果我们当中再发生什么不幸，大家肯定会归咎于他们。或许他们天性当中就有让人敬畏的东西。所以我们必须谨慎从事，表现出某种程度的排斥，闭上眼，掉转脸，直到最终可以有接受这些外来因素的空间。”

太昭在吊床上晃来晃去，吊床的绳子吱吱扭扭地响着。他像一只海鸟在永恒与无限之中飞翔。卢陆凝视着他的青春，他的英俊，他的威严。他觉得年轻的太昭非常完美。即使有什么不足之处，也可以像从脸上摘面具一样摘掉，或者像从树叶上弹露珠一样弹掉，不留任何痕迹，除了在老人蜘蛛网似的“信息库”留下一点点记忆。太昭乌黑的眉毛，凝脂般的皮肤，花骨朵似的嘴唇仿佛水中月，雾中花，是对世人充满渴望的心灵的一个模糊的回答。他的年轻英俊虚幻得如同海市蜃楼，随时都有消失的危险。他是皇帝、天子，老卢陆离去的时候总是再三跪拜，表示他的敬意。

“大总管，”黄船长进来扯了扯卢陆的袖子，“有几个船员想和洋人换东西。他们喜欢那些洋玩意儿。”

“不行！”卢陆生气地说，“这些家伙交换是假，偷盗是真。”

“我们有武器。船员们都等得不耐烦了。”

“人家也可能藏着武器，我们的船员必须忍耐。要尽可能多地了解情况，然后再根据我们的眼前利益或者长远利益，决定采取什么行动。告诉他们，不要误入歧途，现在是非常时期。”

中国人第二天没来，第三天也没来，庞普尔焦躁不安，心里充满一种希望被粉碎之后的忧伤，觉得他们再也不会出现在自己面前。在这渺无人迹的孤岛与同类短暂的接触给他留下强烈的印象。也许在履行诺言再来造访之前，他们有不同意见需要统一。谁知道他们遵守什么样的礼节，属于哪个统治集团。

第四天，庞普尔和罗斯决定主动出击。他们十分敏捷地爬上住地后面那座山峰，沿着现在已经隐约可见的小路下山，穿过蒙眬的晨雾，向花园走去。不知道是为了表示自己是花园的主人，还是为了防范想象之中的入侵者，或者是出于美学上的考虑，庞普尔在花园周围围了一个八边形的木头篱笆。花园里，肥沃的黑土地经过精耕细作，按照严格的株距、行距栽种了玫瑰。现在玫瑰已经吐出新叶，叶子顶端现出淡淡的粉色。在千篇一律的南国风情中，这一抹北国的秀色越发引人注目。

“您真是一位了不起的园艺大师，”罗斯说，“能化腐朽为神奇，能给那些可怜巴巴的树枝注入如此旺盛的生命力。”

“不是可怜巴巴的树枝，是插条，”他说，“只要遇到合适的土壤、温度，就能生根发芽，开出新花。”

“您会带那些中国人来参观您的玫瑰园吗？”

“等弄清他们的意图之后再说。”

最后一段路程崎岖不平，没有能看清的道路可循，他们费了九牛二虎之力才爬上怪石嶙峋的山崖，找到一个地形有利、可以隐蔽的地方。罗斯动作敏捷，生怕爸爸摔倒。他们爬在巨石边缘，像乌龟一样伸出脑袋向下看。那令人炫目的万丈深渊下面是那个华盖似的大帐篷和船篷。几条小船和搭在中间的木板随着跳荡的波浪时起时落。一块卧牛石上站着一位放哨的水手，他朝他们这个方向张望着，挥了挥手。

“嘘！”庞普尔悄声说。

放哨的人喊了起来，别人都跑出来朝山崖上张望。

他们连忙把脑袋缩了回去，但是山崖下的人已经注意到这个动作。庞普尔说，也许那些中国人把他们错当成两只海鸟。罗斯笑了起来。“倘若那样，他们就该开枪射击了。爸爸，我们绝不能惊动他们，或者让他们认为我们是在侦察他们。一定要马上下去向他们解释。”

庞普尔直往后缩。他想打退堂鼓。

“爸爸，我告诉你怎么走。”她噘着嘴说，脸涨得通红。

他跟在女儿身后步履蹒跚，出于自尊昂着头。

“低头。”罗斯领着爸爸穿过一片矮树丛。

他们出现在中国人营地那边一块岩石裸露的高地。卢大总管正在等他们。他堆起满脸皱纹，微笑着表示欢迎。庞普尔掏出手帕擦了擦额头上的汗。罗斯紧跟在爸爸身边。老头身后跟着一群人，他们既不敢往前凑，又不想错过这场好戏，只是斜着眼睛瞅这两个丑陋的洋鬼子。

“我们一直等，可您没来，”庞普尔用拉丁文结结巴巴地说，“所以，只好来找您。我希望能和您继续谈话。”

老卢陆嘴巴周围的皱纹一会儿收拢一会儿舒开，就像蜷缩在蛛网中心的蜘蛛腿。“我们没有准备。我们的房子……”他有点腼腆地指了指停在岸边的船，不知道用拉丁文怎样称呼他们的住处，“……我们的船，很小，不配接待你们。”

两个人无法交流思想，都有点尴尬。

“请。”

卢陆打了一个不容置疑的手势，领客人们上船。他请他们在长凳上坐下，端来刚刚沏好的、热气腾腾的香茶。那是山泉撞击坚硬的卵石和碎玉而现出的绿色，散发出沁人心脾的清香。

庞普尔在这杯香茶的刺激之下，开始谈论文明。他谈到伦敦，还说世界是一个球体，由赤道分为南北两个半球，然后以伦敦的格林威治为零点引出一条子午线纵向划分这个球体。在晴朗的夜空，倘若能以伦敦作参照物，就可以准确判断他们现在的位置。可是伦敦在哪儿呢？经过两个多月的航行，伦敦早已被滚滚波涛冲得无影无踪。

庞普尔关于地球和天体的解释对于卢陆来说，未免深奥难懂，因为在这方面他毫无经验。可是当庞普尔比画着两只手，讲由于季节不同，吹过洋面的风的方向也不同时，老卢陆明白了一个大概。他们是被同一个方向的风吹到这儿的，还会被另外一股风带到别的地方。那么，什么时候风会把他们带到罗马呢？

这两个洋人会把这支“中国探险队”带回英国——他们的目的地吗？

“我们不打算回国。我们要发现一个新世界。”

“你们不到罗马去？”

庞普尔摇了摇头。他解释说，他不是王公贵族，也不是朝廷大臣，而是科学家，是来寻求知识的。

“寻求知识的目的何在？”卢大总管问道，又语气尖刻地问了一遍，“目的何在？”

“知识就是知识，没有什么目的。”

“难道仅仅为了您自己——一个幽居独处，拒绝为公众服务的人？”

“您是为谁的利益服务？”

“为我的人民，为真理和正义服务。我在寻求洋人和他们的罗马教皇的帮助，希望他们能支持我伟大的事业。”

“如此说来，您现在力量有限？”

“我并不因为力量有限就放弃自己应该做的事情。”

老头的尊严与自信很让庞普尔吃惊。看来，这些人崇尚一种复杂的、无形的力量。他将用自己的眼睛判断这一切。

这当儿，罗斯溜了出去。她的拉丁文还没有入门儿。脸上丰富的表情就是她最好的语言。她发现这些中国人具有高度的组织性。有的人在准备食物，有的人在清理卫生，有的人在缝补船帆，没有一个人无所事事。她在营地转来转去，谁也不敢阻拦她。

父亲和那个老头在船上谈话。这条船和最大的那条船中间搭着一块木板。大船两侧围着幔帐，给人一种神秘的感觉。罗斯踏上木板，大着胆子向大船走去。一位水手跳上木板，一把抓住罗斯。他用力过猛，两个人差点儿从踏板上滚下去。他大声呵斥。这时，从幔帐后面传来一声低沉的命令。咒骂声戛然而止。那人紧紧地捏着她的手腕子，领她穿过甲板，向舱房走去。

撩起幔帐，眼前出现一间昏暗的小屋。屋子里散发出一股混合着纤维织品、温热的身体、床铺、不流通的空气和大蒜的气味。窗户上面挂着竹帘，映出一个人的脑袋和发髻的轮廓。那人可以从里面清清楚楚地看见她。他张口呆看，情不自禁露出满脸笑容。“嗯？”她听见他哼着鼻子用升调发出表示惊讶的疑问。他正朝她笑。

“请原谅。”她说。

他无所顾忌地笑着，跳下吊床，朝她走过来。她以为他要摸她的胸脯，便朝他做了个鬼脸。他假装害怕，朝后跳了两步。他长了一双好看的眼睛，可是有点邋遢，懒懒散散。她朝身后瞥了一眼，发现送她来的那个家伙已经离开舱房。她鼓起勇气，定睛细看，认出他就是那天在悬崖上看到的那个年轻武士。

“你也许听不懂我说的话。我很希望我们能在一起聊一聊，不管你是什么人，可是现在你还无法和我沟通。那么，再见，先生。盼望我们能够尽快相互了解。请原谅我的鲁莽。”

罗斯回转身，笨手笨脚地撩起门帘走出舱房，太昭像公鸡打鸣似的伸长脖颈张望着。

他跟在她身后一直走到门槛，目送她蹦蹦跳跳走过那块木板。她的罩衣很脏，还撕破好几个口子，裹在丰满的、曲线优美的身上，用老卢陆的话说，就像一块姜根。她那微微颤动的肉体和他以前见过的任何躯体都不同。姜色的发卷纠缠在一起，随着脚步颤动，白皙的皮肤有几粒浅浅的雀斑，面颊红润，仿佛看得见正在流动的血液。这个充满诱惑力的怪物回转头瞥了太昭一眼，便消失得无影无踪。太昭觉得浑身上下起了一层鸡皮疙瘩。

庞普尔伸直腿从小凳上慢慢站起来，他这样做是因为这个中国老头总是拘泥于某种礼仪。他的所有动作都沉稳、缓慢，说话时也是字斟句酌，小心翼翼。应该说，这两个人都不是此时此地、此情此景的“典型人物”。他们都被自己的文化紧紧地包裹着，犹如尚在母腹之中。谈话时，每深入一层，都向他们的诞生地迈进一步。保持尊严的需要妨碍了相互之间的沟通，不过最终的结果还算不错，充满了策略和机智。庞普尔发现，老头来自世界的中心；而他，庞普尔，却来自历史长河移动着的某一点。中国人生活在无限的空间，欧洲人生活在时间的长河中。中国人围绕中心，以一种静态平衡呈螺旋形上升；欧洲人则是驾驭着或者驱使着历史的潮头穿过一片空虚。中国人听说过耶稣基督，但不明白耶稣主张万物归于来世，人性归于上帝。欧洲人听说过和谐，但是不明白和谐的获得在于弱者从属于强者。他知道命运，但是看不到命运之路原来出于自然。

“你们崇拜上帝，”卢陆说，“希望人成为主人。”

“你们遵循传统……可是世界在变化，你们就会受苦。”庞普尔针锋相对地说。

“我们的传统源远流长，能载着我们到任何一个想到的地方，可以吸收任何我们想吸收的东西。原谅我，我累了。”

卢陆打了个哈欠。庞普尔看见他只剩下几颗焦黄的门牙，就像马的下巴。他伸出瘦骨嶙峋的手碰了碰庞普尔的胳膊肘，领他往前走，动作轻得就像落下一片树叶。

“走吧。”

他们从漂浮在海面的帆船走上小岛坚硬的岩石，来到一座显然充作仓库的帐篷旁边。那里堆放着许多筐子、桶和箱子。还有一排排亮闪闪的、塞着塞子的大肚子陶瓮。

“油、醋、米、酒、泡菜。”老头如数家珍般地向庞普尔介绍。他们的“殖民地”物资供应丰富，比庞普尔和罗斯寄居蟹式的生活强多了。

帐篷那边，有一个阳光不能完全照到的角落。庞普尔看见那儿摆着许多花盆。这些红土烧成的容器里装满肥沃的黑土，花盆的垫盘里放着海草和已经泡过的茶叶。这显然是个栽花种草的“苗圃”。花盆里种着各种植物标本，还有按规矩经过严格修剪的苗条。有的苗条已经吐出绿叶、长出嫩芽，或者开出新花。

庞普尔在花盆前面蹲下，伸出手指轻轻地抚摸枝条上的刺，还剥开一个花骨朵。卢陆朝他皱了皱眉头。

“玫瑰。”庞普尔只说了这样一个字。

老头跟着他学说了一遍。

“也算是我们那个玫瑰家族的一个成员，”园艺学家继续说，“尽管和我们的玫瑰大相径庭。”

花不大，花瓣呈扇形，共两层，紧紧包在一起。庞普尔剥开花蕾，仔细观察里面的生殖器官。这花儿没有香味。他以前见过的玫瑰也没有这种颜色。是一种鲜亮的黄色。在植物学家庞普尔的眼里，这是一个非同寻常的品种。是玫瑰又不是玫瑰，准确地说在是与不是之间。他感到迷惑不解，真想把这盆花拿走研究一番，与此同时，强忍着没有站起来做一个结论。

“这是象征爱情的花，”卢陆说，“我们带来一大批奇花异草。这也是我们此行的目的之一。”

庞普尔不需要卢陆作更多的解释。“我们的玫瑰和这种玫瑰不一样。花儿自成一体，不是这种花团锦簇的样子。花瓣绽开，散发出浓郁的香气。有红玫瑰、白玫瑰，还有介乎这两种颜色之间的玫瑰。没有黄玫瑰。可是这种花儿也有刺……”他边说边摸了摸毛茸茸的花萼，“……也有软软的、稀疏的绒毛。”

“这是一种很普通的花儿，”卢大总管说，“像年轻的恋人一样，到处都是。花期不长，没有特别的象征意义。这朵谢了那朵又开。有的野生，有的种在花园里，有的开在岩缝中。文人墨客并不看重它们。一种毫无华贵可言、登不了大雅之堂的花。无需费劲儿就可以得到，趁着花期就得卖出。就像正值妙龄的女郎。它的果实可以入药，还可以制成功效很好的茶。”

庞普尔听了非常惊讶。他没想到他非常喜爱的玫瑰会被这个中国老头贬得一钱不值，简直成了街头的妓女。如果他现在看的这朵花真是玫瑰，那一定是玫瑰家族的一位远亲。

“照您的说法，就不是玫瑰了。”他极力忍耐着，介绍玫瑰崇高的品格：花中之王的美丽，令人销魂的香气。这些中国人显然没见过英国玫瑰。

老卢陆又让庞普尔看了一两个具有玫瑰特征的品种——枝条上有刺，但是还没有开花。他还领庞普尔去看那些芳香植物和草药，庞普尔心不在焉地看了一遍，希望找机会重谈玫瑰的话题。

他很想把那盆玫瑰作为纪念品端走，但是害怕这个举动会破坏刚刚建立的和谐、友好的关系。庞普尔作出一副非常夸张的表情，告诉卢陆，如果他想在天黑之前回到海岛那边的棚屋，现在就得动身。

罗莎蒙德在几条小船中间跳来跳去，和水手们嘻嘻哈哈地闹着玩儿。她详细看过在英格兰不曾见过的种种用具和物品，和做相同活计的不同方法。重新回到人类社会，她感到无比快乐。

“走吧！”庞普尔走出布篷大声喊道。水手们学鸟叫，学得惟妙惟肖，招来一群海鸥在落日的余晖中盘旋。罗莎蒙德笑得前俯后仰，满脸通红。

"你听，爸爸。"

一位水手嘴唇噘起，两腮颤动，发出一阵阵小鸟的啁啾。清凄宛转，足以乱真。庞普尔听了也不由得笑了起来。他伸手挽住罗斯。

卢大总管鞠了一躬，庞普尔按照天主教的礼节和老头握了握手。在他的大手里，中国老人的手冷冰冰，没有一点儿生气。庞普尔松开那只手，心里觉得索然无味。

"Vale！ Valette！"[①]

他想培育想象之中的黄玫瑰。

"再见！"

植物王国的法则是它们被别的、不断完善自己的法则所制约。

普鲁斯特[②]

《所多玛和蛾摩拉》[③]

庞普尔就着灯光写东西，那盏放得很低的油灯在棚屋的天花板上投下一个个微微颤动的黑影——巨大的、不成形状的、跳动着的人体，硕大无朋的、插了羽毛的头饰，飘洒的大胡子，轻轻摇摆的面纱。无家可归的英雄和贵妇人们在世界这个阴暗的角落演出催人泪下的话剧。不过庞普尔此刻以准确的语言记录的是大自然，和凭空想象的人类社会没有丝毫关系。"一种小花，像毛茛一样鲜黄，金色的花蕾，宛若透过焦糖看到的颜色。纹理

---

①拉丁语，"再见，愿您健康！"

②普鲁斯特（Marcel Proust，1871—1922）：法国小说家，其创作强调生活的真实和人物的内心世界，以长篇小说《追忆似水年华》（7卷）而闻名世界。

③《所多玛和蛾摩拉》（Sodom and Gomorrah）：普鲁斯特所著长篇小说《追忆似水年华》之一卷。所多玛和蛾摩拉均为因居民罪恶深重而被神毁灭的古城，见《圣经·旧约》的《创世纪》。

清楚的花瓣像金鱼尾巴一样松散自由，被圆圆的、呈橄榄绿的绿叶衬托着，只有中间的花蕊一半高。在今日之花卉中算一种矮小的植物。今天是公元1652年9月9日，按照我的观察，一定是此地的春天。”

庞普尔逐月逐日记载小岛温度和气候的变化，记载他从英格兰带来的花木和当地的植物何时开花，何时结果，从中看出这里的季节和老家的季节基本相反。这是赤道这边已被广为注意的自然现象。如此算来，这种矮小的玫瑰并非开得不是时候，只是稍微晚了几天。就好像它本来按照自己的时间表开花吐蕊，但是由于受当地条件的制约，不得不迟开几天。或许这并不是第一次开花？在他看来，那个中国老头关于玫瑰开花的论述没有什么价值。一朵枯萎了，另一朵又绽开了，和欧洲的玫瑰截然不同。

庞普尔搔了搔头。

罗斯在睡觉，她翻了个身，发出一阵呻吟。她显然睡得很不舒服。庞普尔那颗充满父爱的心被女儿的呻吟深深刺痛。她的床铺不过是铺在地板上面的一块褥垫，又硬又矮。她虽然没醒，但又呻吟了一声，两只手下意识地捂在肚子上面。也许是噩梦纠缠着她，打搅了她的好觉。

庞普尔放下手里的鹅毛笔，走了过去。罗斯紧紧地闭着嘴。他用手摸了摸她潮乎乎的额头。罗斯睁开眼睛，吓了一跳，直到认出父亲，脸上才露出一丝笑容。她抬起放在肚子上的手，把爸爸的手掌从额头推开。

“我肚子疼。”

“饮食太糟了，谁也不知道我们受了多少苦。”

“别着急，爸爸。”她说，把庞普尔的手拉过来吻了吻，“只是有点儿不舒服，一会儿就好。”

“睡吧。”

早晨，她把从海滩上拣来的好看的贝壳镶嵌在窗台上。她问父亲什么时候再去中国人的营地造访，或者是不是该他们款待那些中国人了。

庞普尔叹了一口气，说：“拿什么款待人家呢？我们自己都没吃没喝。”

罗斯的脸浮肿，没有神采的眼睛也有点儿肿。和爸爸说过话之后，她就在床上躺下。她没有力气准备午饭，也不想吃用鸟骨头和野菜煮的稀粥。大海反射的光芒刺痛了她的脑子。

“对不起，爸爸，”她说，“我想睡一会儿。”

她在地铺上躺了下来。

和中国玫瑰杂交的办法有两种：一种是嫁接，另一种是人工授粉。第一种是繁殖新品种常用的办法。将中国玫瑰的嫩芽嫁接到以英格兰玫瑰为砧木[①]的花枝上，然后精心培植，经过几代的“同化”和适应的过程，嫁接上去的嫩芽渐渐吸收了砧木的特征。另外一种方法是由园艺师进行人工授粉。将一个品种的花粉授到另一个品种的柱头上。造物主一次又一次地重复无可抗拒的开花、结果的创造过程，直到最终创造出一个闻所未闻的新品种。

两种试验方法不管哪一种都必须首先准备好茁壮的砧木。于是庞普尔按照程序有条不紊地工作起来。他跪在地上剪枝、挖土、种植。等到小岛进入初夏，每个品种都得准备十根砧木，以便嫁接新芽。

庞普尔从外面回来，发现女儿还在难受。“是来月经了。”罗莎蒙德有气无力地说。

以前她可从来没有这样难受过。

“我能帮你揉揉肚子吗？”

她翻了个身，脸朝墙壁。

他弄了一瓶子热水，用一块布包着，放在要紧的部位或许可以止点痛。

“你一定要再去中国人那儿一次，爸爸，”她说，“敬而远之会惹他们生气。”

他很难过，女儿居然希望和这些中国人来往。这种与人交往的愿望也许仅仅是人类的本能。但是事情是复杂的，人际交往只能导致倾轧和冲突。

①砧木（zhēn mù）嫁接植物时把穗接在另一个植物体上，这个植物体叫砧木。

庞普尔的美梦是在这座小岛和宝贝女儿待在一起，不受任何干扰。这种信念平息了他的贪欲支配下的种种举动。也许这只是他尚未承认的绝望所产生的一个毫无实际内容的结果。在他的世界里，罗莎蒙德是唯一的伴侣。同样，他是她唯一的伴侣。于是，庞普尔在情感上得到极大的满足。现在他不需要别的东西，以后也永远不再需要。在这座气候温和、没有野兽肆虐的小岛，除了他和女儿，没有别人，这便圆了他的梦。作为报偿，他将发现由和谐完美而生的力量，发现大自然神奇创造力的奥秘，掌握那把通往新世界的钥匙。

罗斯回转头望着父亲，满含泪水的眼睛通红："如果经血不通，我就要爆裂了。脑袋要炸开了。"

"我该怎么帮助你呢？"

"去找小岛那边那些中国人。"

"他们不会懂得这些。我在那儿连一个女人也没有看见。"

"啊！"罗斯呻吟着，心里想：那个长了一张娃娃脸、懒洋洋斜倚在吊床上的年轻人是怎么回事儿？他用火辣辣的目光看她，那么有趣，那么好玩儿，直盯得她下面都要湿了。

"爸爸——"她拉住爱德华的手，"去把他们请来。"

"我们不能贸然行事，宝贝儿。我们对他们的意图、计划、属于什么派别一无所知，也不了解他们到底因为什么才迫不得已到了这座小岛。我们不能指望他们诚实、正直，更不能指望他们有什么菩萨心肠。"

他帮不了她的忙。在这儿月经实在是多余之物。她没有女伴，必须独自忍受，克服这痛苦。庞普尔虽然替女儿难过，但态度严厉。

"总得有让他们表现这种心肠的机会。"她语气和缓地说。她的身体痛得好像要胀开了似的难受。

夜幕降临，罗莎蒙德没有吃东西。庞普尔简单地吃了几口便又坐在灯下，凭记忆、凭自己的研究以及前人创建的理论和公式写了起来。他所引证的那些自然哲学家的论点有古典的也有现代的，有西方的也有东方的。对这些论点，他按照自己新的、实事求是的认识论作了修改。现在的任务是按照严格的比例和不可改变的状态，将各种成分糅合在一起。他再想不起什么，脑子里一片空白，便停下笔，打开钱包取出那块碧玉，黑玫瑰像一块与生俱来的胎记，格外醒目。要不要拿这块玉给老头看看？他把热乎乎的玉石攥在手心。

夜空中露出半个月亮，宛若一个半圆发出珍珠般的光彩，另外一半隐藏在至高无上的幻影之中。天上繁星点点，乱云朵朵，月亮只是部分地显露出她的面貌：优雅、清丽、凄婉。当她在天空中运行的时候，一轮满月遮盖的只是一种理念。庞普尔只顾想自己的心事，没有留意女儿。罗斯盖着一块毯子，遥望天上的月亮，把她当作在闪烁的清辉和幽深的隐秘中分担痛苦和寂寞的朋友。她把希望寄予月亮，祈求她疏通那被阻塞了的经血，哪怕犹如深更半夜的小潮，在沙滩上渐渐铺展开一样。

可是天亮之后，还是没有好转，无法通畅的经血简直要把她变成一块石头。罗斯的头撞着床铺，痛苦地弯着腰，好像一把折叠回来的刀子。

“我要死了，爸爸。”

庞普尔害怕了。“要是有点儿药就好了。”他拉长着脸，因为没有睡好，眼睛深陷在眼窝里。

“我忍不住要哭。渴死我了。快给我点水喝。”

“你为什么要哭？告诉我。到底怎么回事儿？”

“不为什么。没什么理由。为悲伤，为生存，为毁灭。我哭泣，咸咸的泪水可以和海水交融到一起。”

“你在说胡话，孩子。”

她微微一笑：“别管我，亲爱的爸爸。你尽可以忽略我的存在。我每一天都会发生变化。我只能等待成为最终要变成的那个角色。”

庞普尔觉得远离了孤独无助、正受煎熬的女儿。一个低沉的声音从他的胸中升起。“我的身体，”他郑重地声明，“不会参与这个变化的过程。”

承认了自己的失败，他感到一阵恐惧，回转身，脑袋缩在两个肩膀里。

爱德华·庞普尔从棚屋出来，沿着一溜缓坡向海岸走去。他没有穿鞋，光脚丫踩着丛生的杂草，搅动了空气中一股酸腐的气味。海滩上，潮水冲走他的足迹，留下每天都要传递过来的杂乱无章的“信息”——树根、杂草、墨鱼、鸟的尸体。他们远离了尘嚣也就是远离了生存。在这里，任何语言都全然无用。理解的原则和周围的世界直接挂钩，没有用以解释这一切的哲学。可是庞普尔极力想从中找出某种联系，探寻某种意义，以便最终将他的研究成果带回英格兰，奉献于皇家学会。莫非是他不可理喻，陷入疯狂？他怎样才能分辨这一切呢？可怜的女儿是不是也要发疯了？是他把她逼到了这步田地吗？她是一个女人，而他，一个男人，把她像公主一样收藏着。她，作为女人，那创造生命的力量或许因此而更加伟大。难道他必须冒险把自己变成一个丈夫，让那种生命力迸发而出，否则就会向里逆转吗？她那为经血所阻塞的虚肿的身体，处于一种要孕育的歇斯底里的状态，需要只有他才能提供的真正意义上的帮助——在他自己的种子上面再播撒自己的种子。

他走向波涛滚滚的大海，用海水泼溅脸颊，让激动的情绪渐渐平缓下来。必须丢开这些淫猥的分析。但是女儿的痛苦使他深受折磨。如果能使她从这痛苦中解脱，他什么都愿意做，甚至抛弃这座小岛。

他站在没过小腿肚子的海水里，一缕缕头发像黑色的鬃毛流着水，打湿肮脏的衣领，胡子也滴着水珠，浓密的眉毛下面，一双眼睛射出凶暴的光，早已磨破的袖子卷起来，露出手腕和一双大手。在早晨，半透明的晨光中，仿佛一个精神错乱的幻影。

卢大总管恰恰看见了这一幕。他坐在水手贾划的小船上，正好绕过石岬。老头弓着腰一动不动，活像一尊弄脏了的象牙雕像，虽然青筋突现，骨瘦如柴，却是一副仙风道骨。小船划过平静的海面，向岸边驶去。他抬起一只手，向洋人致意——他正捕鱼，还用脚趾在泥沙里抠着找乌蛤。

“哈罗！”庞普尔喊道。他涉水走过去，水花泼溅着，他感到一种愉悦。

卢大总管像平常一样十分斯文地鞠了一躬，似乎和庞普尔的大声问候无关。庞普尔有点手足无措，不知道怎样表示自己的热情好客。他在前面开路，领卢陆和水手向棚屋走去。

罗斯喊了一声，声音里充满急切。卢陆不等邀请便向那声音传过来的地方张望。罗斯从床上抬起头，朝他笑了笑。他在她身边蹲下，用尖细的、颤颤巍巍的声音问候她。他给她把了几分钟脉，又让她伸出舌头：红红的舌头上面有一层厚厚的舌苔。他又仔细观察她的一双眼睛，还嗅了嗅她的皮肤。

卢陆站起来，向水手吩咐了几句。那人马上向小船跑去，独自一人划着船向滔滔白浪驶去。直到这时，卢大总管才接过庞普尔特意为他烧的一碗开水。

他蹲在地板上，用太监独有的声音解释他们这次远航的目的，和偏离航线的原因。庞普尔觉得那又尖又细的声音简直让人反胃，但还是硬着头皮听下去。他说，他的皇帝因为被敌人和叛徒包围，只好自尽。侵入者夺取了王位，用新的法令残酷统治人民。有一批忠于先帝的文官武将对皇帝真正的继承人的事业充满了希望和信心。他们逃到南方集结力量。也许恢复帝业的运动现在已经取得很大的进展。他们这些人对皇帝忠心耿耿，在先帝近臣卢陆的带领之下，不怕穿洋过海之苦，到欧洲传送中国发生的真实情况，并且希望得到洋人的支持。作为回报，恢复帝业之后的皇帝将给洋人许多优惠。

卢陆向庞普尔解释他们眼下的处境时显得格外激动。没有迹象表明他会放弃自己的理想，他也绝不承认自己的失败。他请求庞普尔的帮助。他认为这个欧洲人也是因为某种政治上的原因被放逐到这座无名孤岛的。这个聪明的中国人经过这样一番推断，认为讲述这个故事具有决定性的意义。

庞普尔很费了一番力气才听明白这个错综复杂的故事。中国老头说的这些事儿对于他来说太熟悉了——为复辟所作的努力，对于已经失败的事业所表现的忠诚，亡命于海角天涯而无悔恨之意。这和庞普尔自己的情形有诸多相似之处。最大的不同在于庞普尔所支持的旧王朝的性质。他的国王只是一个象征，他们这次远航带回去的珍奇物种和其他新发现能为他增加财富。他们没有处死国王，他们只是处死某一个具体的人。在这个人命归黄泉的一刹那，国王以另外一种形式执掌了政权。对于庞普尔来说，真正的统治者从欣欣向荣、充满生机的春天走来。中国人的使命却是具有战略意义的。他们远涉重洋的目的之一是以此恫吓新上台的满清统治者；二是借助外部世界的力量，支援真正的天子。这是流亡海外的小朝廷在历史竞技场向国内宫廷杀的回马枪。

他点了点头，一副已经深刻理解对方的神情。老头讲这桩事情的目的就在于希望庞普尔成为他和欧洲的中间人。

“你认为我能做什么呢？”

卢大总管嘴角露出一丝微笑：“光靠我们自己，去不了罗马。我们需要一位向导。需要有人介绍。我们需要一个能把我们的意思传达给他们，同样能把他们的意思传达给我们的人。我们请求你加入我们的行列。”

事情不会这样简单。

“我们费了好大气力，冒了好大风险才离开欧洲。”庞普尔结结巴巴地说，“现在你却要我们再回去，希望我们加入你们的行列。”这个令人震惊的建议使庞普尔既感到气恼，又觉得荣耀。“如果我们把你们带到欧洲，在别人眼里，我们不会属于你们。人们不可避免地认为，你们属于我们。你们成了我们的俘虏、展览品。你们的伟大事业在欧洲人眼里不过是荒唐的儿戏。”

老卢陆觉得庞普尔这番话简直是对他的亵渎。最让他无法容忍的是，他和他手下的人至高无上的权力将无法得到应有的尊重。他愤怒地抽了抽鼻子。如果有人拿他们的尊严与端庄和这两个脏兮兮的犬鼻子相比较，怎么能得出中国人是他们的附庸的结论？大明朝的重臣和蛮邦的国王与教皇结盟本身就已经是宽宏大量、礼贤下士之举。至于请这两个洋鬼子加入他们的行列更是对他们格外垂青，庞普尔本该受宠若惊才是。

卢陆当然没有暴露作为“中国使团”的他们一行人显赫的地位，也没有说永亲王太昭就是明王朝年轻的皇帝。不能让庞普尔知道他们的身份。不管还要求谁相帮，总要把僧侣集团放在心上。如果这两个洋人愿意帮中国人的忙，那是因为中国人珍视他们的友谊本身就是他们的荣幸。繁琐的礼仪本身就已经让人困窘，而对于老卢陆，这种礼仪更如呼吸对于人一样，须臾不可短缺。他和庞普尔的谈论只能在尴尬中戛然而止。

直到下午，水手贾才带医生回来。那人精瘦，个子不高，圆溜溜的脑袋又光又亮，活像一枚干红枣。卢陆没有理会庞普尔，把医生径直领到罗斯床前，察看她的舌头、脉搏、眼睛和体味。

“这孩子多大年纪了？”他只问了一句话。卢陆把这个问题翻译给庞普尔。

庞普尔回答：“已经十五岁了。”

医生从外衣口袋里掏出一个布包，打开之后，取出几根银针。他用手指捻着，向罗斯凑过去。罗斯惊讶地睁大一双眼睛，医生若有所思，满脸平静。

庞普尔想问个究竟，可是谁也不理睬他。他一把抓住医生的胳膊，使劲儿推了回去。医生绷着脸。

“不会扎痛她的。”卢陆解释说。

“什么狗屁玩意儿！”庞普尔用自己的母语喊道。

罗斯直盯盯地望着父亲。“让他们扎吧。”她说。

医生从毯子下面摸到罗斯的右脚，轻轻撩起毯子，找到小腿上的一个穴位。他像捏笔一样捏着银针，对着那个穴位扎了下去。起初一点儿也不痛，可是渐渐地一种胀痛感漫延开来，罗斯不由得睁大一双眼睛。医生捻着银针越扎越深。庞普尔从来没有见过这种“手术”，吓得倒吸一口凉气。半根银针扎进小腿肚。

然后医生又拿出几根短一点的针，扎进两手的合谷。

“休息。”医生说。

“休息。”老卢陆翻译。

“休息。”庞普尔安慰女儿。露在小腿外面的银针轻轻颤动着。罗斯躺在床上默不作声。庞普尔掏出表。他们都坐在旁边等待着——要等五分钟。

庞普尔的表用一根链子挂在裤子上。卢陆伸出手，拿过那块表，在掌心掂了掂，望着慢慢旋转的指针干笑了几声，又不大情愿地还给庞普尔。他在表蒙子上面画了个圈儿，意思是说，姑娘必须等到第二天早上，才能看出变化。

水手把老卢陆抱到船上，医生涉水过去，笨手笨脚地跳上船，水手连推带踢，小船动了起来。暮色渐浓，庞普尔默默地招了招手，然后回去守着女儿。

罗斯的呼吸变得平稳，肿胀感也渐渐消失。她不再想哭。庞普尔不时握握她的手，断断续续讲起英格兰，讲起抛在身后的家，妻子和儿子，母亲和哥哥。

“我们‘随波逐流’，已经离他们很远了。”罗斯喃喃着。

庞普尔困得要命，脑袋一沉一沉，差点儿倒在罗斯床边睡着，清醒过来又焦躁不安。

罗斯在黑暗中孤零零地躺着。那半个月亮在闪烁的群星中“消瘦”了几分。罗斯凝视着月亮，虽然她算不上她的朋友，只是一个给人以假象的伙伴，从遥远的天际送来一片爱的清辉。月亮让她想起家乡——同被这轮明月照耀的家乡。在那里，月亮也凝聚着人们的惊叹和渴望。但是没有什么证据可以说明，这缺了一半的玉盘还是原先那轮月亮。或者，如果的确是先前那轮不附属于任何物体，不承担任何义务的月亮，只是日复一日，月复一月，年复一年地出没在星空之下，直到永远，那岂不太循规蹈矩了吗？于是罗斯想，这月亮并不值得崇拜。然而，这半盏清辉虽不曾主宰整个天空，还是让她心驰神往。

潮水退去，发出阵阵喧嚣。罗斯的血脉和夜的声浪与运动的节奏渐渐协调，身上也越发舒畅起来。温热、黏稠的血从两腿间涌出，罗斯一下子轻松了许多。她从臭烘烘的床上爬起来，走进茫茫夜色，用桶里的凉水冲洗。

那水洁净、清洌，疼痛已经消失得无影无踪。她手麻脚利地准备对付经血的那些麻布之类的玩意儿。父亲醒来之后大吃一惊，没想到中国人细细的银针有如此神奇的妙用。

医生为自己的成功得意洋洋，卢大总管很谦虚地接受了庞普尔表达的谢意。中国老头的聪明才智给庞普尔留下深刻的印象。他开始考虑是否加入他们的队伍，耀武扬威地回趟欧洲。但是培育玫瑰的任务还没有完成。他还需要卢陆的帮助。他把老头引为知己，问他是否可以赏光分享他的秘密。

一块仿佛被雪白的泡沫笼罩着的乌云从山顶升起。中国医生说，这是山雨欲来的预兆。小岛湛蓝的天空第一次被阴云涂抹。作为学者，卢陆和庞普尔都有一种共同的信仰。此刻他们都为这即将到来的风雨所激动，因为风向的变化寄托了他们的希望。

他们一起出发，迤逦而行，记下沿途的奇花异草，还各抒己见，大谈小岛奇妙的构成。小岛没有哺乳动物，庞普尔希望卢陆对此作一番解释。

“这是一座没有食肉动物的小岛。”庞普尔争论道。

“不尽然，鸟儿啄食小青蛙，鱼吞掉飞虫，至于我们，没有不吃的东西。”

庞普尔笑了起来，露出满嘴焦黄的牙齿：“这么说，小岛很需要我们。”

从山顶极目远眺，大海就像一块由青绿色的纬线和灰蓝色的经线织就的丝绸，向漫漫远方飘去，直到水雾笼罩的天际。他们开始下山，庞普尔带路，医生殿后。老头在后面小心翼翼地走着，极力作出一副精力旺盛的样子。

到达种玫瑰的那块盆地时，光线变得柔和起来，一行行齐胸高的玫瑰奇迹般地出现在眼前。他们在格局复杂、变化多端的玫瑰花丛间穿行。这当儿，阴云已经严严实实覆盖了这座隐蔽的花园。铁灰色的天幕之下，玫瑰迎风怒放，有的绽开粉红的笑脸，有的则像傅粉的妇人，还有的如殷殷红血，簇拥着金黄色的花蕊。浓郁的香气在空气中弥漫，在耕作过的土地之上缭绕，充溢了老卢陆的鼻孔，他的皮肤骤然之间变得柔软，眼睛放出光彩。哦，这真是最奇妙的、令人陶醉的香气。

“这种花和你带来的花同属一族，算是姐妹，”庞普尔解释道，“或者堂姐妹吧。是我从英格兰带到这儿的，移植之后花开得很繁茂。”

“谢了之后还会再开吧？”

“明年才能再开。先生，我请求您允许我拿这些花和您带来的黄花一那种多花蔷薇杂交。”

“你想培育新品种？”

“是的，通过杂交创造一个新品种。”

卢大总管兴奋得满脸通红。这个建议对他很有吸引力。他自己就很喜欢园艺学的独创性：“是第一次有人这样做吗？”

“我想是。”

卢陆咯咯咯地笑了起来。这样培养出来的后代将是稀世之宝。他想起女皇武则天的故事。她命令天下百花同时开放，所有的花都遵命绽开，只有牡丹抗旨。这一次，恐怕连牡丹芍药也得遵从王命了。一定要试一下。一定要成功！这珍奇的玫瑰对于他们的事业岂不是一个吉兆吗？对于皇帝至高无上的权力岂不是最好的证据吗？

他激动得浑身颤抖，拍了拍庞普尔的肩膀，说：“我们一块儿干吧。一块儿从事这了不起的事业。我将命令他们把我们的苗木送过来。你满意吗？”

“非常感谢你的理解和支持。”

浓云里噼噼啪啪落下铜钱大的雨点，玫瑰花瓣和碧绿的叶子在雨水中上下跳荡。

“回去吧。”卢陆歪着头看了看天空，焦急地说。

“说定了吗？”

“说定了。”

医生在老总管头发稀疏的脑袋上撑起一把油纸和竹子做成的伞。

“对不起。”老太监说。他穿过玫瑰花丛朝前走了几步，医生打着伞跟在后边。老太监蹲在地上褪下裤子，响起一阵沙沙沙的撒尿声。雨点打在纸伞上，像急促的鼓点。庞普尔觉得这个老头撒尿的姿势挺特别。他是男人吗？或者他的生理构造与众不同？庞普尔皱着眉头，鼻梁上现出一条深深的皱纹。这个古怪的姿势冲淡了他与老头具有同一性的感觉。真是不可思议！他和他之间，哪些是共同的，哪些又是不同的呢？

雨水以一种紧张而又令人厌烦的缓慢从天而降。“我只有一把伞，”卢陆用他那古怪的、颤巍巍的声音说，“你打上吧。”

“不，还是你打，老人家。”

“你打。”

“你！”

最后还是“垂垂老矣”的卢陆勉强接受了这份敬重。庞普尔在前面带路，穿过一丛丛枝繁叶茂的玫瑰，爬上陡峭的小路，回到中国人紧挨石崖的营地。浓云之下，黑魆魆的船紧紧靠拢在一起，就像被触摸后缩作一团的海葵。雨水开始抽打山石与大海，水手们关闭了竹篾编成的船篷和百叶窗，所有的扣板也都放了下来。

船员贾没有为卢大总管保驾，独自一人回来，已经惊动了中国人的营地。黄船长一直焦急不安地张望着。看见卢陆，他高兴地叫喊着，迎了上去，十分关切地把精疲力竭的主人送回舱房。他没有注意庞普尔，把他留在了舱外。雨越下越大，谁也不肯出来关心一下这个洋鬼子。有人在这儿居住的迹象骤然之间消失得无影无踪。船上所有的入口都已封闭，甲板上堆放的东西任凭风吹雨淋。没有躲避风雨的地方，庞普尔在滂沱大雨中站着，咒骂他们的健忘、疏忽、冷漠、视而不见。当他面对波涛汹涌的大海时，没有一个人表示一点起码的关心。

他只好朝保护花木标本的苗床走去，用随身携带着的刀子切下几个黄玫瑰的嫩芽，然后用手绢包好，小心翼翼地装到衬衫里面，软绵绵地紧贴胸膛。

雨时停时下，庞普尔在一片昏暗中很快就晕头转向，等到跌跌撞撞跑回玫瑰园，已经累得精疲力竭。经过风雨的洗礼，玫瑰花越发繁茂，庞普尔找到他最喜欢的淡红色玫瑰。只有尚未开花的蓓蕾才能接受黄玫瑰的花粉。庞普尔用小刀切开花蕾，取下雄蕊，留下雌蕊。他聪下衬衫，撕下袖子，做成一个个小袋，套在已经准备好的花苞上面。一定不能让这些准备杂交的花儿再自身传粉。雨水、昆虫和风都有可能把它们习惯接受的自身的花粉传播过来。但是现在既然要进行杂交，就只能使用新品种的花粉。杂交双方的亲缘关系越远，习性相差越大，作为母本的苗木就越难接受外来的花粉，越容易表现出它保持自己特点的"耐久性"。所以，要杂交的蓓蕾——包括花柱、雌蕊、囊果皮、子房——必须严格隔离。他把切掉雄蕊的花骨朵都用破布包好，再在每一个花骨朵上套一个衬衣袖子做的小袋，结果这几株玫瑰给人一种缺胳膊少腿的印象。

中国玫瑰是父本，它可以决定花儿的颜色。

回到棚屋之后，庞普尔取出手绢里包着的蓓蕾，揪掉花瓣，仔细观察覆盖着淡黄色花粉的雄蕊。他一边用放大镜看，一边用驼毛刷子轻轻刷柱头，然后把刷子上的花粉抖进一个小盒子里面，严严实实盖好之后，黄色花粉就会慢慢成熟为金黄色。

雨停之后，他又从玫瑰园的花枝上准备了一些用于授粉的花蕾。花儿开了，他每天都要仔细观察，直到柱头上分泌出亮晶晶的黏液，表明已经可以接受花粉。气旋肆虐的季节过去之后，小岛又变得天高气爽，温暖宜人。充满芳香的空气好像有一种弹性。花园里，孕育种子的英国玫瑰柱头的接缝处渗出滴滴黏液。整个大自然充满勃勃生机。庞普尔用放大镜观察装在盒子里的花粉，欣喜地发现，原先淡黄色的花粉已经变成金黄色。他用毛刷子蘸上已经成熟的花粉，十分灵巧地涂抹到柱头上面，然后给每一朵花都套上一个用细棉布缝成的小袋。这天，他又授了两次花粉。这里的自然条件极好，天气温暖，阳光充足，所有的生物都有一种亲和力，都愿意杂交。周围的环境十分优美，细小的花粉粘在雌蕊上面。庞普尔满怀哲学家的信念，希望早日结出果实。他不肯离开花园。在他空空如也的掌心所创造的温暖与滋润中，奇迹将诞生。

中国人为大总管卢陆访问玫瑰园作了隆重的准备，就好像迎接盛大的庆典。他们这样做的目的很明确：炫耀。黄船长派了三个人清理道路，还作出决定，老头不能徒步访问洋人。于是他们修理了最好的一顶轿子，并且指定了抬轿的人。他们还找出老总管过去上朝时穿的淡红色软缎蟒袍，黑色翻领环绕着他那瘦得皮包骨头的脖颈。那顶包得整整齐齐的漂亮的乌纱帽也被打开，十分庄重地戴到他的头上。瘦骨嶙峋的脚又登上过去上朝时才穿的靴子。只是缺了那只代表他的头衔的鹤。这只鹤是许多年前逃离皇宫时丢失的。他发誓，如果不能重新站到皇帝金銮宝座屏风后面他的位置上，绝不佩戴任何替代物。

轿子在山路上颠簸，那些不曾见过的花草树木弹起枝叶抽打着这个对于小岛来说同样闻所未闻的稀罕物。老总管卢陆忘记了自己并非在上朝的路上。他斜倚在轿子里打瞌睡，脑海里闪过一串串幻影——他坐着八抬大轿前呼后拥，大路两旁人头攒动，有的人伸长脖子，试图一睹这位权贵的风采，有的三叩九拜，极尽迎奉巴结之能事。他们都怕他——卢大总管，老太监，“没嘴子的茶壶”。获得的权力远远超过他所作的牺牲……

父亲抱着他，一个十岁的男孩儿，去运河岸边一位江湖医生低矮的茅屋。这位医生祖祖辈辈手操利刃为皇上制造小太监。手术完毕，他们总是把浸透了鲜血的绷带扔进从大运河取来的水里。他被放在一张矮床上，分开双腿，大腿根紧紧地扎着止血带，一个壮汉搂住他的腰，就像箍了一道铁箍，动弹不得。他们把他的小鸡鸡浸泡在辛辣的胡椒水里，给他灌下一剂麻醉药。

医生用一把小小的弯刀连根割掉他的睾丸和阴茎。他哭喊着拼命挣扎，但一切都无济于事。一个铜塞子塞进鲜血淋漓的窟窿，匆匆包扎完毕，他便成了进皇宫做事的候选人。整整三天三夜，他疼得头晕目眩，浑身无力。他渴得要命，什么都不能喝，还得在医生助手的搀扶下，自己练习走路。从那以后，他走路总是并着两条大腿。三天之后，解开绷带，取出铜塞子。他还能撒尿吗？如果新长出来的软组织堵塞了尿道，他就会像前面那个孩子那样患尿毒症而死。那个可怜的孩子临死前一声声地惨叫，医生怕吓跑别人，就用手推车把他推到荒野。尿一点一点流着，突然喷射出来。医生为自己又一次成为财富和好运的创造者而沾沾自喜。他宣布，这孩子已经完全彻底地“净身”，成了一个没有性别的人，并且向他的父亲表示祝贺。男孩子割下来的生殖器泡在一个盛满消毒药水的透明的瓶子里。等到卢陆百年之后，这个瓶子和他的尸体一起放进棺材。只有这样，在阎王爷面前，他才是一个完整的男人。否则，来世他只能变成一头骡子。卢陆离开皇宫的时候，唯一带出来的个人物品就是这个瓶子——他一手抱着小亲王太昭，一手拿着这个希望与未来的象征……

轿子停了下来，老卢陆听见抬轿子的人在争论是不是找错了地方。因为这里没有任何迎接老总管大驾光临的迹象，他们不由得心生疑窦。一个毛发很重、身穿又脏又破的羊毛外套的农夫模样的人走过一块刚刚翻过的土地。他神情冷漠，慢慢吞吞，一副被人打搅了的不耐烦的样子，似乎仅仅是出于好奇和礼貌才停下手里的活儿，迎接这些不速之客。他在轿子旁边停下，看见抬轿子的人搀扶着身穿蟒袍、瘦骨伶仃的老卢陆从这个样子古怪的新奇玩意儿里钻出来，觉得特别好笑。老头正正衣冠，抻抻袖子，喘了好一阵才直起腰，按照他们现在已经习惯了的问候方式，向爱德华·庞普尔鞠了一躬。

“老朋友！”

这个中国人的眼睛不黑，而是像灰色的石英，在庞普尔的心里闪烁。他们是真正禀性相同的人。在这座遥远的无名小岛中心的温柔之乡，他们的生命得到某种暗合，并且因此而变得更加崇高，还多了几分腼腆。当庞普尔以主人的身份，在自己的“领地”接待客人，朝篱笆环绕的花园做了一个颇为潇洒的手势时，那石英般闪烁的目光变得更加明亮。轿子已经在花园门外停下，庞普尔正准备领老卢陆进去，突然传来一阵杂乱的脚步声。他满腹狐疑，连忙抬起头，看见又有几个人簇拥着一顶轿子向花园走来。如果这些中国人要从他手里夺取这座花园的话，那简直易如反掌。第二顶轿子在第一顶轿子后面停下，但是没有看见有人撩帘子下轿。抬这顶轿子的人不像抬卢大总管的那几个那样膀大腰圆，手脚麻利。他们都比较单薄。这时候，他们撩起帘子，庞普尔看见一盆花团锦簇的黄玫瑰，蜜蜂正在花间营营嗡嗡。

两个抬轿的年轻人抬着花盆向庞普尔走来。庞普尔满脸堆笑，非常激动。他领他们走进花园，把黄玫瑰放到从另外一个世界带来的植株较高的玫瑰花当中。

“谢谢你！”他高兴地说，紧紧握住中国老头一双手。

老卢陆点点头，把袍襟掖进腰带，走过花园的栅栏门。

放到地上之后，黄玫瑰便显得格外矮小。花园里一片温馨。如果不是迷恋英国玫瑰柔和的色彩，便是被浓郁的花香吸引，和黄玫瑰同来的蜜蜂四散而去。它们在花间上下翻飞，把黄玫瑰的花粉传播开来。当然，要想杂交成功不能完全靠蜜蜂、黄蜂，或者蝴蝶。只有靠人灵巧的手指才能取得理想的效果。

庞普尔粗糙的大手黏着泥土和树液。卢陆纳闷，为什么这位老朋友默然无语，没有表现出应有的礼貌。老卢陆不曾想过要由他们亲自动手进行杂交。因为这也是一门技术，并不是谁都能干。在这件事情上，他和庞普尔的作用和责任似乎只是从理论上加以指导。卢陆瘦得像树枝一样的手指不像他的头脑那样灵活。他曾经想过，这件事可以让庞普尔的女儿，那个小姑娘去做。她今天为什么没有露面儿？

阳光透过微风中舞动的树叶，在玫瑰花丛间跳荡。老头被那扑鼻的花香陶醉了。那幽幽的香气捉摸不定，令人心旷神怡。中国没有这种花香。它比桂花醉人的芳香淡雅，也不及水仙、菊花的香味浓郁。

客人们大声说笑，做鬼脸。“哈哈！嗨！哎呀！”他们在花园里趾高气扬地走着，贪婪地观赏这里的奇花异草。罗斯躲了起来，不希望被这些中国客人发现。她不喜欢花花草草。她发现它们的生存方式像个谜。虽然深深扎根于大地，但又极易衰老枯萎。植物不是实实在在的东西，它们不过是空气、水、阳光与色彩的组合。她自己是“动物”，喜欢那些可以按照自己的意愿行动的生命。对于食肉动物，她并不崇尚它们的残忍，而是赞美它们的生命力，它们的原动力，它们创造热量、采取行动、造成变化的力量。她最喜欢食草动物。它们靠吃草、吃草籽就能飞上蓝天、潜入水底、爬上高山。它们留下让人感到温馨的足迹，生下靠吸吮妈妈的乳汁便可以成长的儿女，蓬蓬勃勃地延续着生命。这样一种转换过程让罗斯无比兴奋。她想起内利嚼着多汁的青草，然后像一辆燃烧的战车，飞驰过布鲁姆的林荫大道。然而，她虽然喜欢动物不喜欢植物，但并不喜欢人，包括今天来访的这些客人。她总觉得他们眼睛透露的神色可疑。他们肥大的耳垂、扁平的鼻子，她看了总觉得不顺眼。走路时那副蹦蹦跳跳的样子，她也不喜欢。还有鼓鼓囊囊的衣服，龇牙咧嘴的笑容。

小岛上最主要的动物是鸟，而鸟里的主要角色是渡渡鸟。遗憾的是踏上这块土地的人们全然不知这些鸟儿的孤寂，从第一天起就捉来当饭吃。有一只笨头笨脑的渡渡鸟一边啄食地上的草籽，一边向篱笆外面踯躅徘徊的罗斯蹦蹦跳跳走来。罗斯扑过去，一把抓住它。渡渡鸟扇动着那双已经全然没用的翅膀，像子弹头一样的翅膀尖儿抽打罗斯的手臂。罗斯搂住鸟儿丰满的胸脯，摩挲它的长脖颈，喂它甜甜的蔷薇果。沐浴着温暖的阳光，她学鸟儿咕咕咕地叫，躲开那些正在花园里转来转去观赏玫瑰的客人。

庞普尔的花园选择在四面都是高山和岩石的盆地，但不是洼地。他的种植园坐落在凹形低地的一个圆形凸起上，宛若月亮中的一轮太阳。这里的土壤十分肥沃，茂盛的玫瑰花丛犹如土丘上丛生的毛发，散发出融化了芳香的水汽。一缕缕阳光从天而降，园丁的巧手侍弄着枝头的鲜花。卢陆心里明白，这自然力与人力和谐美妙的组合，将使美丽的玫瑰世代繁衍，使黑土地下的黄金得见天日。

庞普尔介绍每一种玫瑰的拉丁文名字，然后再用英语说一遍，似乎是为了体会它的诗意带来的愉悦。夏日红、圣洁花、亚历山德拉玫瑰、腓尼基玫瑰、普罗旺斯玫瑰、白玫瑰、药中花、兰开斯特玫瑰、约克玫瑰。

老卢陆不懂那些充满诗意的花名，对庞普尔热情的介绍只能报以吃吃的傻笑。庞普尔的花园提供了培育新品种的优良的植株，将反映地下正进行的转化。

“最美的玫瑰还没有诞生，它能否降临人世全靠我们了。这儿，这座花园就是它的诞生之地。”

卢陆咯咯咯地笑着。

几个年轻力壮的小伙子按照老卢陆的吩咐，把黄玫瑰抬了过来。他们对着开得正盛的英格兰玫瑰使劲儿抖动美丽的黄花，或者干脆让黄玫瑰在英格兰玫瑰的花蕊上乱蹭，好让黄玫瑰的花粉粘到英格兰玫瑰的柱头上。这种方法未免太“粗放”了，和庞普尔小心翼翼的人工授粉、枝头嫁接大相径庭，结果如何很难预料，也许根本就不会有什么结果。不过为了不使老卢陆扫兴，庞普尔还是尽其所能积极配合。

父亲把卢大总管、黄船长和医生领过来，罗斯朝他们鞠了一躬，不过没有参与他们创造新品种的活动，而是继续心不在焉地抚弄那只渡渡鸟。她这种态度大煞风景，惹得庞普尔老大不高兴。罗斯自个儿曾经劝告爸爸，要和这些陌生人友好相处，合伙干点儿什么。可是此刻她却不听爸爸的话，不去做本来有她一份儿的事情，无形之中削弱了他的力量。

干完活儿，中国人又像来的时候那样隆而重之、堂而皇之地走了。他们约定，第二天还要带些黄玫瑰过来。

回去的路上，老卢陆耷拉着眼皮，一个劲儿打盹。这一番“鞍马劳顿”再加上天气闷热，他已经累得精疲力竭。他又开始做那辉煌壮丽的梦，明王朝就像一道美丽的彩虹，跨越时间和空间，出现在连天碧水之上。他的精神为之一振。

傍晚，回到茅屋，庞普尔问罗斯为什么闷闷不乐。她转过脸呆呆地望着父亲，冷冰冰的面颊像凝固了一样，一缕缕卷发像团乱草，一双绿眼睛泪光点点。没有什么语言可以表达她此刻的感情。

“我们是一体的，”他继续说，“一起从事这事业。你也许觉得这是鸡毛蒜皮的小事，栽花种草而已，是自然哲学家闭门造车的空想。我提醒你，我们崇高的目标是揭示大自然的奥秘，寻找创造万物的更为深刻的力量。这是一种无边的法力，正是对这种法力的探寻推动了历史的前进。再不会有更崇高的使命，也不会有更丰厚的报偿。而所有这一切需要我们俩——作为唯一的合伙人——的共同努力，男人的力量，少女的纯洁……”

罗斯大笑起来：“你发疯了，爸爸。这事儿可跟我没关系。”

“你是我的女儿。”

“照顾你，跟你做伴儿。可是……”

“什么？”

“你总盯着我，偷偷窥视我。你幽禁了我。”

“很少有人像你这样自由。你像一只小鸟在岛上飞来飞去。我只是将你置于贞洁的光环里，把我自己燃烧的激情装进一个盒子里，以便保护你，从而使我们俩的生命和本质得以升华。”

“不要管我，爸爸。忘掉我。让我屈从于你的目标——哪怕仅仅是你心里这样想——只能为你的事业制造障碍。”

“你是不可或缺的，作为另外一个合伙人，你仅仅是一个秘密。”

“你已经有别的合伙人了——那些中国人。”

“他们只能使我们的计划更加完美。”

“你应该像我一样，爸爸，宽容大度一些。相信我。你注视我的目光就像一个妒火中烧的恶魔。”

庞普尔愤怒地叫喊起来：“不要这样说话。你应该净化自己的灵魂，锤炼自己。像我一样，纯洁了心头燃烧的欲火。我们将把造物主的力量掌握在自己手里。”

他早已痛下决心，额头的皱纹像刀刻一样，又长，又深，紧紧抿着的嘴唇没有血色。他双手摇晃着罗斯的肩膀，一双眼睛闪闪发光。

“你必须为这个目的服务！”

罗斯哽咽着低下头，浓密的头发像一团乱草垂下来，肌肉松弛，一双手绞着手指放在膝盖上。

“亲爱的爸爸，我们不该吵架。在这儿，只有我们两个人相依为命。来，喝你的汤吧。”

她张开双臂，搂住父亲，丰满的双乳紧贴他坚硬的胸膛，肮脏的头发堵住他那张被愤怒扭曲的脸。他觉得胸口憋得难受，大口大口地喘着粗气，直到罗斯松开他，才渐渐平静下来。

风吹着树叶哗啦啦地响，大海掀起层层波浪，把平常催眠的絮语变成愤怒的喧嚣。夜里，罗斯经常觉得他们漂到遥远的天际，处于万分危急的境地。小岛像水天之间漂浮的一叶扁舟，广阔无垠的大千世界一个可有可无的组成部分。每逢这时，她就特别渴望一个栖身之地，渴望一个能够“脚踏实地”的地方，渴望比她和爸爸共享的这座“借来”的棚屋更广阔的天地，以及和自己归父亲所有的这种状况全然不同的某种东西。睡梦中，她总是下意识地躲着父亲。庞普尔在她睡觉的时候，心里却非常平静，他认为，反正诸事由他安排。他不知道，她内心深处奔涌着怎样一股激流；也不知道，就实现目的而言，他对她的这种拥有，有害而无利。或许他已经忘记，所谓法力的奥秘就表现在它可以解除原有状态的禁锢。

风越刮越大，大海咆哮着，海浪扑向野草丛生的小丘，大树和灌木都弯下腰乞求上苍的慈悲。花园里，水淋淋的玫瑰在狂风中摇曳，不过那娇艳的花颇具韧性，很快就能恢复精神。

庞普尔躲在一棵大树下，等那些约定好要来的中国人，可是谁也没来。

下午，风暴过去，在海滩留下漂流物的残骸。油腻腻、活泼泼的海浪拍岸而来。仿佛被泡沫覆盖的天空在遥远的水平线上露出粉红的颜色。罗斯好像走过一条长长的、黑暗的隧道，精神为之一振，浑身上下轻得像根羽毛。她看见沙滩那面有一条船在礁石间轻轻跳荡，便跑过去看个究竟。是条长艇，有一半淹没在水里。海浪拍打着船舷上缘，船体浸在水里，木板像一块块破旧的天鹅绒。船里躺着一个人——是斜倚在两块木板中间的一具死尸：头和躯干，一条条撕下来的、腐烂的肉，皮肤大块大块撕开，露出已经呈灰色的肌肉和白森森的骨头。眼眶空洞无物，眼珠不翼而飞。也许是大海、鲨鱼、兀鹰或者他的同伙的“杰作”。头发还没有掉，在头顶朝两边分开，唇髭覆盖着向上龇开的上嘴唇，露出洁白的牙齿。

罗斯浑身颤抖着，膝盖一软，跪在沙滩上干呕起来。她呕吐的时候，捂着肚子，好像在做祈祷。

那是所罗门·特拉罗的尸体！

她把长艇拖到岸边，直到龙骨楔入海滩上的砂石。所罗门的尸体没有腿也没有胳膊，四肢扔在船的另一头，上面的皮肉被撕成一条条的。

罗斯坐在岸上，不知道自己该为死者举行怎样的丧礼，尽什么样的责任。她没有一跑了之，到什么地方去体会幸存者百感交集的心情，而是直瞪瞪地望着那具四分五裂的僵尸，仿佛熬夜守灵，或者独自举行什么悼念仪式，直到庞普尔来找她。他仔细察看那条停靠在岸边被海水冲刷的死亡之船。这海岸正是死人的领地。所罗门的四肢——胳膊和腿是被人用大砍刀砍掉的，肉是从骨头上撕下来的。和那具尸体其他部分乱糟糟的样子相比，那撕扯的技巧倒颇为娴熟。由此可见，所罗门是被他的同类宰割之后吃掉的。剩下的部分则是鸟啄、鹰叼、风吹日晒的结果。最后，海浪又把他送回他曾自封为王的海岛。如果长艇回来的时候是这样一副模样，那么大船“雪松号”就永远不会再回来了。里端、沃斯特、克拉姆芬曾经忍饥挨饿，起而造反，杀了他们的主人——疯狂的大副，而且没有放过拿他当肉吃的机会。如果那条船还能航行，他们三个人一定找到了可以落脚的地方。如果不能，“雪松号”一定也已经变成另外一条死亡之船，漂向遥远的南国，或者早已沉入海底。总而言之，不管怎么说，“雪松号”永远不会回到庞普尔和罗斯身边了。

但是，为什么他们白白丢掉这条长艇呢？难道三位水手饱餐了所罗门·特拉罗的肉之后，又感到后悔，为了赎罪，把大副葬于这口流动的棺材，让一堆碎尸在海上漂浮到复活的一天？为什么不扔到海里喂鲨鱼呢？特拉罗反正已经一命归阴了。在海上没肉吃的时候，水手们经常在船舷外面吊几袋子杂鱼或内脏，吸引槌头双髻鲨。等鲨鱼靠到船边疯狂觅食的时候，就可以用棒子把它们打死。不过里瑞从来不干这种勾当，他不喜欢鲨鱼。那么，也许长艇载着碎尸在海上漂流只是一个圈套。鲨鱼会一直跟在特拉罗后面，把晦气远远地带走，“雪松号”则可以在吉祥之风的吹拂下，到达平安之地。这是所罗门·特拉罗为他的船所作的牺牲。

庞普尔和罗斯在沙滩上挖了一个不太深的墓坑，强忍着恶心、反胃的感觉，把散发着恶臭、滴答着体液的肢体放进去。他们虽然还清清楚楚地记着特拉罗丑恶的行径，但还是尽量还他一点人的尊严。国王被埋葬了。哦，永别了！国王万岁！

他们把特拉罗的“棺材”——那条长艇清洗一番，又翻转过来拖到沙滩上，准备修补之后使用。他们离开海岛的希望也许最终只能寄托在这条经不起风吹浪打的长艇上。当然，恐怕只有疯子才会坐这样一条船出海。

老卢陆并没有因为暴风雨耽搁了送花儿而生气。洋人在这件事情上表现的热情让他惊讶。他觉得庞普尔不懂得或者不喜欢温文尔雅、矫揉造作。老卢陆知道，事物的价值说到底都是人赋予的。英格兰的学者权威或许会把庞普尔研究成果的价值看得很高，但是他不知道庞普尔对中国人为之奋斗的事业到底给予多大的同情。

风在喧嚣，太昭在吊床上慢慢晃荡。波涛滚滚，连在一起的几条船发出吱吱扭扭的呻吟。他的上嘴唇长出淡淡的唇髭，鼻子和下巴生出几个疙瘩。他脸色灰白，没有光泽，凝视的目光迷迷茫茫。除了每天早晨在俯瞰大海的巨石上练一套拳外，太昭很少离开舱房。今天，因为暴风雨席卷小岛，连早晨的运动也免了。

太昭一天到晚懒洋洋的，对什么活动都不感兴趣，卢陆看了忧心忡忡。这孩子生病了吗？从前，在泉州的时候，培育奇花异草可是他的一大快事。如果老卢陆和洋人现在合作培育新品种的事情还激发不起他的兴趣，那就无计可施了。真正让老总管着急的还不是太昭身体有什么毛病，而是他精神上的萎靡不振。

卢陆以一种公事公办的口气报告说，他们已经将第一株多花蔷薇送到海岛中部的花园，洋人把花粉授给了他的玫瑰。

“也许我们可以创造出一种新玫瑰，”老头说，“如果真能如愿，这块土地将显示出它的财富——也许是黄金，是殿下登基即位的象征。我们不是浪费时间，对于我们所作的种种努力，你可以不屑一顾，但我们确确实实是为了实现我们的目标，为了争取胜利而奋斗。”

“那个洋人懂玫瑰吗？”太昭鄙夷地说。

“他对玫瑰的研究到了入迷的程度。”

太昭冷冷一笑。

“他能因为你的帮助而获益。”太监继续说。

“那就让他们去干吧。我如果参与，只能打乱他的正常秩序。他自己摸索着试验，或许能搞出点名堂。我为什么要介入呢？我又不是专家。”

“你有知识，有天分，为什么不贡献出来呢？这件事太重要了，他一个人无法完成。如果我们能培育出珍奇的玫瑰，那就预示着这里有大块的黄金。黄金象征着帝王之尊，而且可以为你恢复帝业提供必要的资金。殿下，我觉得你心不在焉。”

太昭可怜巴巴地望着老总管，他此刻的心情只有老卢陆能够理解。

“六合神州都像我一样，为你效力。”为了让太昭高兴，卢大总管连忙补充说。

将自己仰慕的亲王扶上王位就是给神州大地注入和谐与美好。老头的权力被剥夺是因为神州万物失去了这种和谐。他不懈努力正是为了重建和谐，一统天下。没有太昭的恩赐，卢陆就是名副其实的“没嘴子茶壶”。

在他漫长的一生中，每一步路，每一次歇息，甚至每喘一口气都是为了明朝大业。老头实在无法控制自己，朝太昭嚷嚷，他务必“进入角色”，否则他们这次远航就毫无意义。如果小伙子——永亲王，经不起这场考验，卢陆就会因为自己未能尽忠而痛苦，就会因为自己陷于不义而胆寒。

太昭傲慢地笑了笑，说：“你把园艺学看得太重了。不就是花花草草，装装点点吗？”

“你却可以赋予它庄严的精神和远大的目标。”

“要我亲自出马吗？”

“你该做个榜样。”卢陆生气地说。

“如果我缺乏生命的活力，请不要生气，老人家。”

卢陆在舱房里、在太昭身上闻到一股霉臭味儿。他看到那个演木偶戏的小舞台扔在舱房一个角落，布帘儿懒懒地拉开，架子上的木偶瞪着他，没有一点儿生气。

“它们的颜色都褪了。”太昭解释说。

“你可以坐轿子去。”卢陆说。

“顶着风雨去？”

“不，今天不去！你是不是还在做梦？你应该放眼看看外面的世界。”

“外面的世界？有什么可看的！”

“你是皇帝，整个世界都听命于你。”

太昭叹了一口气，大声笑了起来。

“我劝殿下天晴之后和我们一起去一趟。”

“你这个老头对这件事情比洋人还认真。唉，可怜的老人，你总是怀念从前上朝时前呼后拥的热闹景象。我却心如死灰，一个玫瑰园又怎能激发我的热情呢？我对什么都无动于衷，提不起兴趣。你走吧，老总管，让我打会儿瞌睡。”

卢陆似乎为了表示对亲王的玩笑话不敢有丝毫异议，跪在地板上叩拜再三。

老太监拖着脚走了出去。太昭百无聊赖，玩起脚趾头。他脑子“发号施令”，脚趾立刻“心领神会”，作出反应，眼睛从旁监督。这种“对话”对他以外的任何人都毫无意义，而且即使他自己，过了一会儿也觉得无聊至极。他弯了一下膝盖，关节嘎巴嘎巴地响。收腹，皱眉，又无精打采地躺下，在吊床上摇晃起来，神情漠然地喘着气，一切都毫无意义。

天晴后第四天，老卢陆坐着“第二号”轿子来到玫瑰园。好一点那顶跟在后面，里面坐着太昭。他从轿子里面下来，拒绝抬轿人的搀扶，自己向玫瑰园走去。因为事先说好不拘礼节，老卢陆没有为宾主双方介绍。不过庞普尔看出这位傲气十足的年轻人与众不同，连衣服也比别人整齐。卢陆的一双眼睛一直密切注意他的一举一动。年轻人的注意力很快就被那些娇艳、硕大、非同寻常的玫瑰所吸引。别的中国玫瑰也已经安放完毕，准备发芽之后嫁接。他们这次带来的玫瑰品种很多，有一种花呈紫红色，就像变酸了的红葡萄酒。

太昭像将军视察军队一样，目光扫来扫去，不动手，也没有其他不合时宜的举动。他把英格兰的玫瑰和中国玫瑰各自的特点、优势逐一比较，想象着杂交之后新品种的每一个细节。庞普尔站在旁边像个花匠，太昭没太理会，只是说点卢陆爱听的话。

“自然条件再好不过了。培育新品种必备的要素土壤、空气和水都非常完美。玫瑰花红似火。你们加紧干吧。”

“这地下面会有什么呢？”

“挖挖看嘛！”年轻人说。

“恐怕还不到时候吧，”老卢陆小心翼翼地说，“等第一轮试验结束之后再说吧。”

太昭把脸转开：“不管怎么说，我已经看够了。”

阳光明媚，罗斯坐在草地上，膝盖上面卧着那只已经被她驯化了的渡渡鸟。她对太昭并不在意。她的头发像绣花线在阳光下闪闪发光，太昭不时用眼角的余光瞥她。他不敢回转头面对面看她。罗斯上下打量着这个年轻人。他身材修长，穿一件棕黄色绸袍，两只黑靴子颇为优雅地踩在黑土地上。满头黑发束在脑后，露出一张眉清目秀的脸。存在于他们之间的是一种难以言传的感情，透过眼睛这扇窗户，他们正诱惑对方的心灵和灵魂。她把那只微微颤动的渡渡鸟紧紧贴在肚子上，轻轻摩挲着，一种愉悦掠过心头，浑身上下不由得颤抖起来。太昭径直向前走去。他好像在一根绷紧了的绳索上走路，神经绷得很紧。他从庞普尔面前走过去的时候，旁若无人，对其他中国人也没有理睬，一言不发钻进那顶轿子。

轿子消失在大山那边。罗斯想，他本来可以轻轻松松走这段路的。放下轿帘，太昭舒了一口气。他早想离开这个地方，只是身不由己罢了。

罗斯自己也不知道怎么搞的，手一松，那只渡渡鸟就势挣脱她的怀抱。鸟儿蹒跚着走了几步，嘎嘎嘎地叫着，拍打着翅膀飞过篱笆，飞进灌木丛。

“喂！”姑娘叫喊着，钻过篱笆追那只鸟。

快追上的时候，渡渡鸟拼命拍打翅膀，从一棵树飞到另一棵树。

渡渡鸟飞上山坡高处一株大树，罗斯气喘吁吁地追了过去。

树木越来越密，罗斯跟着那只可笑的渡渡鸟一直跑上山顶，直到蓝色的大海蓦地出现在眼前。罗斯声色俱厉地喊着那只任性的、呆头呆脑的渡渡鸟，趺趺撞撞向山下跑去。

到达山脚的时候，那只该死的鸟儿几乎不知去向。这里地势平缓，树木稀疏。罗斯意识到自己孤身一人，不辨方向，一阵恐惧骤然流遍全身。她想小便，解开裤子在地上蹲下，温热的尿嘶嘶嘶地射向未曾开发的土地。她心里一片茫然，抬起头看高高的蓝天和蓝天上飞过的白云。突然，树木间传来一阵沉闷的笑声。她连忙回头朝笑声传来的方向张望，但是什么也没有看见。

在那顶与外界隔绝的轿子里，太昭暂时逃避了他的责任。回到营地之后，他一直闷闷不乐。他真想砸烂这座陈规陋习、繁琐礼数制造的樊笼，更无法忍受舱房里、吊床上晃来晃去的无聊。他为自己这种无可奈何、百无聊赖的处境而恼怒、叹息。他离开营地，沿着巉岩巨石，穿过密密的树林，漫无目的地独自蹓跶。太昭从浓密、高大的棕榈树树干的缝隙中看到那个洋女孩儿来到大山这边。她的头发是淡淡的颜色，皮肤黝黑，丰满结实，招人喜爱。太昭着了迷似的看她把裤子褪到膝盖，露出两条粉白的大腿和大腿中间一片黄褐色的阴影。他弯下腰想看得更清楚点儿。她蹲下来，露出白嫩的臀。那销魂夺魄的美色和老太监撒尿时同样的姿势简直无法同日而语。太昭不由自主笑了起来。他觉得血往上涌，呼吸变得急促起来。黄色的尿冒着热气射向大地。太昭轻声笑着，兴奋得心痒难耐，两腿中间也情不自禁膨胀起来。他也想撒尿。眼瞅着洋女孩儿的肥臀软玉，他已经无法控制自己体内的变化。他兴奋激动，被那金黄色的细流和沙沙沙的“絮语”完全迷住。他强忍着笑，心里充满了迷惑。她回转头，向他这边张望。他一下子僵在那儿，想躲过她的视线。她凝望着他，目光中虽然充满了惊慌和好奇，但也不无邀请之意。太昭踏着地上斑斑驳驳的树影，向她慢慢走过去，终于走到阳光和她火辣辣的目光之下。

她的目光中闪烁着顽皮和幽默，可是站起来系裤子的时候又突然忸怩起来。她想表示自己对他的尊重，但又不知道说什么他才能明白自己的意思。他向她伸开双臂，伸出两手，继续微笑着向前走去。她和他面对面站着，手足无措。后来，她向身后扭动了一下脖子，这个动作虽然笨拙，却颇富表现力。意思是说，她先前在那边，现在却跑到这儿了。他也一样，鬼使神差，居然离开大伙儿，跑到这儿跟她相会，这不是很奇怪吗？

他明白了她的意思，脸上突然现出一丝淫猥的笑。他的目光闪烁着快乐的光彩，扫视着她刚撒过的那泡尿。他用他自己的语言说了一句什么，然后做了一个她应当和他一起到宿营地去的手势。

只有到了那儿，她才能辨清方向。

她不是跟在太昭后面，而是大步流星走在前面，高昂着头，晃来晃去。

他跟在后面，一边打手势指路，一边唠叨着什么。很快他们就来到那道石岬。她第一次偷偷看他打拳就是在这儿。

站岗的水手看见罗斯，吓得大叫一声，好像她是踏着海浪走来的妖怪。太昭大声说，她是一位朋友。那人出于对太昭绝对权威的尊重，立刻放下心来。罗斯就像早已来过这儿的暗探，知道路怎么走。她迈着细碎的步子，小心翼翼领他走过一道浮桥和船与船之间搭的跳板。她不知道他是亲王。她对他一无所知，甚至不知道他的名字。

他气喘吁吁跟在后面，不是出于别的原因，而是因为心头涌动着一种从未体验过的危机感。另外一位岗哨坐在太昭舱房门口的甲板上打瞌睡，看见太昭，连忙爬起来，一边嘟囔着什么，一边给主人磕头。太昭撩起竹帘让洋姑娘进屋。罗斯先进去，他跟在后面，一屁股坐在吊床上，脱掉脚上那双又大又笨的黑靴子，放松一下自己。

他打手势让她也脱掉脚上那双破皮鞋。罗斯惊讶地发现自己对他居然“言听计从”。他开始神经质地晃荡那只吊床，等她做点什么让他开心的事情。看着他直勾勾的目光，她不觉满脸通红。她伸出一根手指，指着自己的胸口说：

“我的名字叫罗莎蒙德。”

她又重复了一遍，用手指指着自己。“罗斯，罗斯。”

他模仿她的口型和声音：“罗——塞。”

她哈哈大笑。

“罗斯！”

然后，她杀个“回马枪”，伸出一根手指像矛一样直指太昭的心窝。太昭不解其意，大睁双眼，往后一缩，吊床向一边荡去。她不知道他是怎样理解这个手势的，但还是决心弄明白自己想知道的问题。于是，她两手托着腮帮，就像捧着一个甜瓜，又重复了一遍：“罗斯。”

然后，她用手指作圆圈状，向小伙子移过去，似乎要套住他的鼻子。他眯细一双眼睛，噘着嘴唇，仿佛在最后一刹那明白了她的意思，大声说：

"太昭！罗——塞。太昭！"

这次该她结结巴巴了。"塔扎，"她试着说，"塔扎！"

两个人哈哈大笑。太昭朝外面喊了一声，似乎在招呼什么人。

他向她打了个手势，请她在一张小凳上坐下。罗斯试了又试，考虑应该取什么样的坐姿，然后才小心翼翼地在那张小凳子上面坐下。太昭围着她转了三圈儿，最后摸了摸她那像一团乱麻似的发卷。她拢了拢被他摸过的地方，似乎是为了让自己的头发从他的魔力之下解脱出来。她很想为自己这一头又脏又乱的头发表示歉意，但不知从何说起。他快活地笑着，又走过来摸她的眉毛。

她躲闪了一下。

"别！"

他伸出纤细的手指摸她高高的鼻梁，她一下子咬住了他的手指，倒没有咬出血，但咬得很紧，要想挣脱非擦破皮不可。她像小狗玩骨头似的玩那根手指。惊讶之余，太昭像小孩儿似的大声呻吟。罗斯终于松开两排珍珠般的牙齿。太昭把手指举到眼前察看。手指上，她的唾沫亮光闪闪。

那个岗哨进来，在一张可以折叠的桌子上放下茶具。漫漫航程，海浪在茶杯上颠簸出一个个缺口，茶杯盖子上面也有一条条裂缝。一把紫砂泥壶闪着幽幽的光，茶叶已经泡好，壶嘴飘出一阵清香。

罗斯沙哑的笑声中有一种娇嗔，以前她嬉笑怒骂可没有这种味道。太昭一走到她面前，她就小狗似的叫一声。

岗哨出去之后，太昭彬彬有礼地倒茶。走了好长的路，罗斯早就觉得口渴了。她先呷了一小口，然后大口大口喝了起来。那清亮的茶水有一股奇异的香味，蒙蒙的水汽润湿着她的面颊。她又喝了一口，他给她续满。

他望着她，口中念念有词，好像她听得懂中国话似的。他似乎在向她解释什么，用好话劝她，或者夸奖她。他凑过去，把她的罩衫领子扯平翻下来，轻轻抚摸她丰满的胸脯。因为喝了热茶，罗斯的额头渗出细密的汗珠。他凝视着她，仿佛在梦中。然后，在她推开他之前，慢慢走开。

他在舱房里走来走去，一种莫可名状的感觉流遍全身。他打开橱柜，取出一个布包，小心翼翼地打开，一管竹笛出现在罗斯面前。他神情恍惚，凝视着地板，凝视着手里的笛子，很优雅地低着头，走到吊床旁边，仿佛走进甜美的梦乡。他把笛子放到唇边，手指按住上面的小孔，轻轻吹了起来。

也许由于疏忽，笛子发出刺耳的响声。太昭有点难为情，连忙集中神志，小心翼翼吹了起来。他吹出一串滑音，仿佛海浪哗啦啦涌上海滩。一口气吹完之后，他又在这串滑音的基础之上，吹出舒缓好听的调子。

罗斯跟着音乐的节拍摇晃着脑袋，屁股也左右晃动起来。这是太昭即席演奏的曲子。那动人舒缓的曲调突然变得高亢起来。他望着罗斯，目光中充满欢乐。她的身体随着笛声颤动，两只脚打出节奏鲜明的“鼓点”。她的动作和着音乐的节拍越来越快，仿佛随时都可能进入某种高潮。太昭朝她使了个眼色，示意她站起来跳舞。于是罗斯站起来舒腰展臂，翩翩起舞。那动人的笛声似雨打芭蕉，如彩云追月，牵动着罗斯时而双臂轻舒，时而快速旋转。笛声戛然而止，太昭从唇边拿下笛子，急促地喘息着，口水像一根细弱的游丝，从笛子里面流出来。她脑袋朝后仰着，秀丽的脖颈上，血管像蓝色的小溪勃勃跳动。她用袖子擦了擦额头的汗水，一口喝掉杯子里面的茶水。太昭把笛子放在膝上，伸出手指偷偷摸了摸两腿之间渐渐变得粗壮的阳物。他从吊床上站起身，走过去给罗斯倒茶，旧绸袍摩擦着皮肤，体内越发升腾起一股灼人的欲火。

罗斯朝他哧哧哧地笑着。他伸出一根手指捅了一下她的乳房。她又吃吃地笑了起来。喝多了茶，她向四周张望着，没找到可以撒尿的地方。她向门口走去，发现门紧紧地关着。意识到她和太昭被岗哨反锁在屋里，罗斯心里一急，越发觉得尿憋得难受。

她两手捂在大腿中间，膝盖顶着膝盖，用近乎哀求的目光看着太昭。太昭正陷入肉欲的迷茫之中，朝放在墙角的便壶指了指。她可以用那玩意儿。

罗斯并不感到羞怯，她只是不想亵渎什么人。太昭站在那儿一动不动，既不把目光移开，也不领她到一个比较隐蔽的角落去。他就在那儿默默地、一动不动地站着。他越不走开，她越觉得憋尿，终于再也无法控制那股折磨她的热流。

他纳闷，她还等什么？过了一会儿，他模仿她在林中空地撒尿时的姿势，分开双腿蹲下，微笑着闭上一双眼睛，作出一副其乐无穷的样子。

她直瞪瞪地望着他，一直把裤子褪到脚踝，然后在便壶上蹲下。太昭把她大腿之间那块神秘之地尽收眼底。他的心怦怦地跳着，呼吸也变得急促起来。她沙沙沙地尿着，太昭希望她永远尿下去。起初，罗斯只顾撒尿，没有注意到他的快乐，他的觉醒，和他受到的刺激。她停下来，打了一个寒战，用袖子轻轻擦了一下，站起身来。

太昭回转身，喘着粗气一屁股坐在吊床上。他解开袍子外面系着的腰带，撩起袍襟，露出肥大的灯笼裤，看见小腹下面好像隆起一座小山。他把裤子褪到膝盖，只见黑色的阴毛中仿佛有一朵含苞欲放的玫瑰在枝头颤动。他觉得一阵愉悦和眩晕，腹部的肌肉收缩着，那朵含苞的玫瑰轻轻抽动着。他不敢碰它，也不敢有别的举动。

罗斯一边解开罩衫，一边直盯盯地望着他。她那微微下垂的乳房就像一对珍奇的鸽子，曲线优美，动人心魄，两只暗红的乳头宛若玫瑰初上枝头的花骨朵，四周还有淡淡的金黄色的绒毛。她稍稍背过身子，两腿跨在便壶上，又喷射出一股金黄色的尿。那沙沙沙的响声在太昭听来仿佛呢喃的细语。最后几滴尿液从那形如扇贝的柔嫩的肌肤中一滴一滴渗出时，太昭的呼吸越发变得急促起来。他体内那种心痒难耐、剧烈颤动的感觉已经到了顶点。不曾发生的事情正在发生，不可遏止地把他送上一个峰巅。

他嗓子眼儿里不由自主发出一阵呻吟，然后惊讶地发现一股白色的东西像一串珍珠从“玫瑰花瓣”中喷射而出，落在肚脐儿那边。他咬着牙没有笑出来，满怀热情地看着她，希望她赞赏他的非凡之举。她居然有这样大的魅力，以前在他身上从来没有发生过的事情，由于她在身边而发生了。这个洋女孩儿丰满的胴体，不同寻常的粉红色的花骨朵，娇嫩的皮肉，橘黄色的绒毛。一个真正意义上的狐仙。太昭凝视着她，目光中充满了崇敬和爱意，然后伸出一根手指，摸了摸肚皮上那团热乎乎的正在凝结的黏稠的东西。

“再来一次。”她说，湿润润的嘴唇闪着玫瑰的光彩。

“嘶，嘶，嘶……”他模仿她撒尿的声音。

他拿起笛子又吹起一支不太连贯的曲子。罗斯走过来，太昭从唇边拿下竹笛，捅了一下那些金黄色的毛。

“哎哟！”罗斯喊了起来，娇嗔地说，“走开！”

他又吹起笛子，罗斯慢慢地跳起舞来。

护送亲王的队伍直到傍晚才回来。他们的任务已经圆满完成。卢陆心里空空荡荡，就像疲惫不堪的轿夫们抬着的那顶轿子，在崎岖不平的山路上颠簸。亲王看起来挺满意。天黑得很快，一天比一天凉，夏天就要过去了。玫瑰开了又谢，渐渐成熟的果实在迎接下一个季节的到来。除了等待无事可做。等待期间当然要和庞普尔谈判，直到他同意给他们当去罗马的向导。

卢陆坐在舱房里的小凳上一边高高兴兴地洗脸、洗手、洗脚，一边沉思默想。他在想自己为之奋斗的伟大事业。这个事业像海底流动着的看不见的河水，以一种无法抗拒的力量，裹挟着他奋然前行。那茫茫海底涌动的河水和潮水的涨落无法分开。

卢陆叹了一口气。他的脚底打满老茧，一下子感觉不到洗脚水太烫。仆人走到门口，非常关心地问候老头身体怎么样，还打听了一下这次出访是否成功，最后才说到正题上——有个客人来看望太昭。

“有个客人？来看太昭？谁？”

“那个洋女孩子。”

老卢陆额头的皱纹像蝙蝠的翅膀一样舒展开来。

“什么？”

太昭没有见过她，至少没有人正式介绍他们认识。他们之间没有过任何形式的联系。他一直对她视而不见；而她，只顾玩自己的渡渡鸟，对他也是漠然视之。

“他的门关着。”

卢陆怀疑是不是洋人设下什么圈套。

“去看看。”

他擦干脚，穿上鞋，蹒跚着走在仆人前头，撇着一双八字脚，两个小腿肚子不时碰到一起。亲王的卫兵坐在门外，看见老总管，不情愿地站了起来。仆人在卢大总管背后朝卫兵打了个手势，意思是让他不要出声。

“把门打开。”

卫兵打开门闩。船儿在潮水的冲击之下晃动，船板吱吱嘎嘎地响着，吊床那边传来一阵阵肌肤摩擦、皮肉撞击的声音和梦呓般的呻吟。

卢陆悄悄走进去，罗斯和太昭都没有发现。

昏暗中，那姑娘宛若一团白光，一粒刚从贝壳里取出、躺在吊床上的硕大无朋的珍珠。她的肩膀和脊背上有一双不停抓挠的手，就像海浪间爬过河滩的螃蟹，在雪白的肌肤上留下一串串指痕，又立刻被海水冲刷得无影无踪。她骑在他的身上，他躺在下面呻吟着。看不见他的脸，只看见他的脑袋和脖颈向上探着，嘴唇含住乳峰上那枚熟透了的樱桃。乌黑发亮的头发在她那白皙的肌肤的映衬之下，仿佛一块墨玉。她仰着脖子，脑袋正对天花板，两手按着他的肩膀，大腿紧夹“鞍”中之物上下颠簸。

“啊——”她闷声闷气地号叫。

小伙子呜咽着，叫喊着。吊床晃来晃去。他伸出一双手探索着，想抓一样东西稳住自己。他向上冲击，在她紧紧夹着的双股之间主动出击。

“哦，亲爱的。”她叫喊着。

他在迸射生命的种子，然后瓮声瓮气地呻吟：“啊——”

又完成了一次。在生命之泉汇聚于峰巅的时候，他们的目光交融在一起。他觉得他的血流入她的体内。她觉得她接纳了他，两个人正在深潭里游泳。她无限温柔地抓住深入她内部的那根生命的支柱，他最后的几次痉挛顺着她的手指流遍全身，热浪一次又一次将她吞没。

好！卢大总管心里想，并且宣布他目睹了这一切。“好！好！好！”

他们俩一点儿也不慌乱。罗斯朝中国老头转过脸咯咯咯地笑着。太昭得意洋洋地凝视着他。

“我已经做过了，老头。”

他们被新发现的这种自身的潜力强烈地吸引，沉湎于难以言传的快乐和茫然若失的白日梦里，直到欲望又重新升起，强迫他们，给他们指明方向。他们想一直玩下去，整个下午，整个夜晚，找到新的力量，学会新的技巧。精力不济的时候，太昭就给罗斯倒茶。罗斯大口大口地喝着，不一会儿又想撒尿。她浑身赤裸着蹲在便壶上分开两条大腿，让那热气腾腾的液体迸涌而出。太昭又觉得兴奋，阳物像鱼竿似的竖了起来。

老头纳闷，难道她给小伙子服了什么灵丹妙药？或者他姗姗来迟的成熟的日子终于来到，她接纳了他第一粒种子？

庞普尔回来的时候，棚屋里一片昏暗。工作进展顺利，他很高兴，可是回来之后，发现灯没点，火没生，心里便有几分不悦。罗斯一定是趁夜幕还没有完全降临到岩石区潮水潭找什么可以充饥的东西去了。她走的时候他没有注意。他点着那盏小小的油灯，坐下来等女儿回来。可是过了好久，还是没有罗斯的影子。庞普尔急了，走到门口，对着荒草丛生的山丘大声喊：

“罗斯！罗斯！”

他跑到海滩，大声喊：“罗斯！罗斯！”

他的叫喊声在汹涌而来的波浪的撞击下，细若游丝，终于化为乌有。没有人回答。

他又回到棚屋，焦急地踱来踱去，没有心思做饭。灯芯烧尽，轻轻摇曳了几下，终于熄灭。没有月亮，星星隐藏在乌云后面，四周一片漆黑。罗斯深夜未归是最让他胆战心惊的事情。以前这种事从来没有发生过，她总是不离左右。他站在杂草丛生的荒野，隔一会儿就扯开嗓门儿大喊几声：

“罗斯！罗斯！”还是没有人回答。也许她受伤了？也许她迷路了？他知道，她是个结实、勇敢的姑娘。她不会惊慌失措。如果迷路，她会平心静气地等待，直到第一缕曙光升起，然后爬上山顶辨别方向。如果受了伤，她会找个隐蔽的地方安顿下来，直到爸爸找到她为止。要不要把所有的灯都点亮，或者生堆篝火，给她发个信号？他默默地拖出一堆树枝，又气又怕，浑身颤抖，脑子麻木。没有充足的理由她不会夜不归宿。到底是什么原因？他越想越烦。

在这个听凭命运摆布的混沌之地，庞普尔面对无边无际的黑暗叫喊。被剥夺的痛苦、突然降临的孤独、树木的潮气混合起来煎熬着他的心。他像一个受伤的英雄，面对命运之神的玩笑痛苦地号叫。他乞求每一个并不存在的神灵的帮助。他第一次感到后悔，仿佛看见妻子迪莉娅容光焕发，衣领上镶着花边儿，和阿斯利·内维尔爵士一起坐在橡木餐桌旁边吃牛肉和辣根[①]。他仿佛看见儿子亨利，伤疤和勋章同样触目。他虎背熊腰，吃喝嫖赌，无所不为，由于政治上的阴差阳错而飞黄腾达，受人称颂。他还看见布鲁姆府邸的高雅与圣洁。布鲁姆夫人在信仰的掩盖下，过着天堂般舒适的日子。他想起他的实验室，虽然不曾被诗人讴歌过，但有其自身的价值。现在还有许多工作等他回去做，但是由于他的狂妄和愚蠢，都被抛在了身后。

篝火熄灭了，庞普尔没有心思重新点燃。他双膝跪下，脸颊贴地，嘴唇上粘着泥土。在那个无法理解、毫无同情之心的世界面前，庞普尔匍匐在地，显得那样卑微，那样渺小。

看不出大海和海岸的界线。天空浓云密布，海面上没有一丝亮光。漆黑之中，只能影影绰绰看见小水湾那边兀然耸立的岩石。突然，岩石后面出现一点亮光，一阵人声伴着岩石周围涡流的哗哗声扑面而来。庞普尔连忙抬起头，看见一条小船。船头，一个纸糊的灯笼像一轮圆月在海面上跳荡，柔和的光线照出几个人影。一位水手用篙撑着船，发出哗哗啦啦的响声，那是黄船长。罗斯披着一张被子蹲在船上，灯光照耀着她的圆脸和黄发，

---

①辣根（horseradish）：一种植物，其肉质根磨碎可制成调味品。

仿佛一团光晕笼罩在她的头上。

一阵微风吹动庞普尔的头发，他非常庄重地向墨一样黑的海水走去，海浪在他两膝间嬉戏。他深深地吸一口气，挺起胸膛给小船领航。罗斯热情地问候父亲，庞普尔从她说话的口气中立刻感觉到她有事瞒着他。这就是他的女儿。他抓着罗斯的胳膊肘，把她拉上岸，紧紧抱在怀里。

“我迷路了，”她解释说，“只顾追那只渡渡鸟了。中国人发现了我。老头说应当把我送回来，因为天已经很黑，他怕你着急。他们不愿意晚上出海，特别是漆黑的夜晚。你一定要向他们道谢。”

庞普尔用拉丁语向黄船长道谢，等于对牛弹琴。不过，他重新点燃篝火，请他们喝了仅有的一点儿酒。庞普尔在客人面前，极力忍耐着不向罗斯发火。篝火映照着归他所有的女儿，仿佛一座纯金铸成的雕像。她两手抱膝，沉湎于快乐的遐想之中，无法在草地上坐下。橘黄、血红、金红的火焰在她白皙的皮肤上跳荡，把太昭抚摸过的地方染得斑斑驳驳。

“我们谁也不能离开谁，”庞普尔缓慢地说，“这种事再也不能发生了，我的宝贝！”

罗斯躺在棚屋里胡思乱想，无法进入梦乡。屋子里水汽蒙蒙，又闷又热，非常不舒服。她辗转反侧，四仰八叉，身上黏糊糊地难受。她的肌肤招来种种让人无法满意的思想，就像黏糊糊的糖浆粘上蚊子跳蚤一样。如果她无法成眠，无法进入梦乡，就无法重现他和她在一起的情景。她只能抚摸被他抚摸过的地方，结果身上越发燥热。夜幕之下，暑气酿造出喧闹和芳香。早晨带来凉爽与阳光，但也只是短暂的安适，几个小时节奏缓慢的工作之后，又是烈日炎炎的烤灼。因为一夜未眠，她就像犯了烟瘾一样浑身无力，整整睡上一个下午，也没有做梦。醒来之后，她浑身是汗，懒洋洋地给父亲做晚饭，自己一点儿胃口也没有。

她没有再见太昭。父亲命令她只能在棚屋附近待着干自己的事儿。庞普尔使她为自己夜半归来而羞愧。对于她的“迷路”，这种惩罚足矣。他不知道在她身上到底发生了什么事情。她没有办法告诉他，也无法掩饰自己闷闷不乐的心情。他虽然对事情真相一无所知，但罗斯还是不寒而栗。可以想见，一旦知道了她隐藏的秘密，他的怒火会有多么可怕。最让她害怕的是，父亲坚信他们无法分开。对于他来说，他们的结合是一种化学反应。他的力量就来源于这种化合。他认为，只有把她留在身边，只有和她在一起，他才有力量，才能实现自己艰苦探索的伟大目标。

杂交玫瑰的主要工作已经结束。那个年轻人对他们的试验漠不关心。别的中国人也不再兴致勃勃。现在要做的事情只是精心培育，仔细观察，耐心等待，同时防止小岛上可能发生的病虫害。老太监有时候来看一看玫瑰有什么变化，有什么预兆，然后就用只有他自己知道的方法占卜。庞普尔每天都来，但是自从和中国人的合作有了一个重大的突破，对辉煌未来的期待也就变成日复一日乏味的工作。杂交玫瑰由庞普尔独自完成，他不让女儿再到花园去。上次她就是从那儿走丢的。他告诉她，不需要她的帮助，但在心里，他时刻告诫自己禁止她出去。

老太监也许对庞普尔说了点儿什么，但他只字不提，罗斯自然不敢问。唯一能够传递信息的就是那个老头。他还继续和父亲保持联系，不过她估计老头没对爸爸提起过那个年轻人。迄今为止，那件事情还只是她自己和太昭以及老总管三个人之间的秘密。父亲还蒙在鼓里。

起初，在心里体味和太昭一起的感觉，回想他们之间发生的事情也就够了。她仿佛环绕着一件最美丽的艺术品，环绕着他们用灵感和努力一起创造的宝物、一个完美的游戏，不停地旋转，让那种感觉重新在她的身体上活跃起来。品尝他们深刻的变化，在甜美的梦中生活，让觉醒了的皮肉的快乐永驻心头，这就够了。她不需要再和他见面。

有一天早晨，她觉得浑身无力，从草席上爬起来，走进灿烂的阳光中。她眨巴了一下眼睛，湛蓝的大海波光点点，映照着她粗糙的皮肤。浓密的卷发遮挡在眼前，好像给她一种保护。两条胳膊交叉着放在胸前，浸透汗水、没有袖子的背心摩擦着乳房。“呀！”渡渡鸟叫着，扇动着一双翅膀向她走来。

否则，这里是一派令人昏昏欲睡、万籁俱寂的景象。

她那肮脏的棉布裤子，后面已经开了线，包裹着丰满的臀部，让人看了就心烦。

她走过沙滩，走进大海，让海水冲洗发热的大腿。她继续向前走去，全身浸在水里。清冽的、又咸又苦的海水使她为之一振。她像一块分量不轻的破席子漂浮在海面上。咸水刺痛了她的眼睛，无孔不入的、洁净的海水刺激着她躯体的缝隙。她喷了一口水，将头浸到水里，发疯似的摇着满头发卷，直到精疲力竭，才慢慢走上沙滩。

就在这时，她看见一个形如乌贼的东西在海面上漂荡，上面插着一根蓝颜色的翠鸟毛，充作风帆。

那是他送给她的玩具，他自己制作的一条船。

小船径直向她漂来，慢慢驶入她的怀抱。白色的船头轻轻跳荡着，直到终于贴靠在她的肚子上。她双手捧着小船，高高举起，一种飘飘欲仙的感觉油然而生。这条形如盾牌的小船洁净得如同白森森的骨头，蓝色的羽毛像一支箭穿透“靶心”。水在她的手里滴答，她脸上露出明媚的微笑。这是他送来的。茫茫大海，这一件礼物居然准确无误地送到她的手里！

一天，太昭拿着笛子出去闲逛。他走过搭在船头与海岸之间的木板，翻过几座巉岩，找到一个比较平坦的地方，坐在阳光下，懒洋洋地吹起笛子。他沿着石壁又往前走了一会儿，走到一片阴凉地坐下来休息。休息了一会儿，他站起身沿着海岸一边吹一支优美、舒缓的曲子，一边朝前走，一直走上通往丛林的小路。他想到海岛那边去。好像被一条绳子牵着，太昭只是按照既定的方向不停地向前走。他爬上第一座高山，什么也没有看见，只有一道灌木丛生的山坡横陈在眼前。他下定决心，非走到小岛那面不可，便把笛子插进腰带，甩开大步一直爬上海滩那边最后一道山脊。他摘下帽子想凉快一下，汗水顺着脸颊哗哗流淌。他仿佛听见身后有窸窸窣窣的响声，但是没有在意。

罗斯的棚屋坐落在与大海相对的山坡之上。那里树影婆娑，一片翠绿。海浪懒洋洋地冲上海岸，白花花的沙滩反射出耀眼的光。一个人也没有。也许她正在屋里睡觉。太昭坐下来吹笛子，想把她叫出来。他吹呀吹呀，但还是没有罗斯的影子。

他非常失望，把笛子放在身边，两手抱膝支撑着下巴颏，眺望暴露在阳光下的风景。他嘴里嘟囔着，脑袋歪在一边，觉得将他排斥在外的这道风景线是那样地不近人情。

身后传来踩在树叶上的脚步声，太昭跳了起来。是黄船长，正朝他不无讥讽地笑着。

“你一直跟着我？”太昭有点慌乱地问。

黄龇牙笑了笑：“这是我的责任。”

“你的责任是待在船上。”

“我本来可以给你带路的，公子。”

“我自个儿也能找着。”

黄递给他一瓶子水。太昭先往头上淋了点儿，然后喝了起来。

黄朝小树林里默默地指了指。罗斯正端着一盆什么倒到花坛上，然后蹲下来，摘了几片菜叶。太昭立刻拿起笛子吹了起来。悠扬的笛声消失在辽远的天空。她没有反应。笛声更加高亢，她还是没有转过脸来。太昭拼命地吹，笛声变成海鸟的尖叫。罗斯好像被与太昭相连的那根无形的绳索扯了一下。她站起来，踩着青青的草地向这边走了几步，然后，似乎吃不准该上哪儿去，两条胳膊放在肚子上，又回转身走进棚屋。其实，除了环礁湖哗哗哗的水声，她什么也没有听见。现在她已消失在那无法接近的四壁之中。

只看见她一眼，太昭就激动得无法自持。她真是一个神奇无比、魅力无穷的人物。她那美丽的身影、神秘的力量，跨越空间，潜入他的心底，让他浑身震颤，激动不已。

无需解释他们为什么要跑到这个非同寻常的地方。

“你不能下去。”黄说。

“这次不行，但我一定要见她。你能安排一下吗？”

“你跟卢公公讲吧。”

“这是我自己的事儿，跟他没关系。”

“可是只有他才能跟他们说得上话，你最好就在这儿受用她。”黄露出一口亮闪闪的牙齿，粉红色的牙龈湿润润的。“就像一头母鹿，”他补充说，“我可以帮助你。”

“不，她要完完全全属于我，只有我们俩在一起。回去吧。她不会再出来的。”

黄虽然嘴里嘀嘀咕咕，但只能遵命。他们刚离开那座小山，罗斯就走了出来。她在沙滩上转了一圈儿，歪着头看天空。她知道，冥冥之中一定有一双眼睛注视着她。

金发女郎在沙滩上舞蹈，仿佛在召唤魔鬼。渡渡鸟只顾在她旁边啄食草籽，不受干扰。她必须耐心等待，直到可以回答太昭的呼唤。不管在什么情况下，她都得服从父亲的旨意。

转到第三圈，她双膝一软，跪倒在地上，也许是中了暑，她觉得头晕目眩，在沙滩上呕吐起来。

卢陆很高兴。她正是唤起太昭肉欲的灵丹妙药。尽管解决一个问题可能带来另外一个问题——太昭将依恋这个女洋鬼子。不过话说回来，他钟情于她也是一件好事。只有这样才能使他精血永固。两个年轻人必须有规律地多次交合，直到阳刚之气贯穿太昭全身。

太昭拉起舱房窗户上的竹帘，凝望着缎子一样飘拂的水面。一只鸬鹚一次又一次潜入水中捉鱼。这时，老头走了进来。

“公公，我还想玩儿。那个女孩儿一直没来，恐怕是她端庄淑静，羞怯拘礼，不好意思再登船造访。”

年轻人的气色比以前好了许多，似乎连呼吸也更顺畅了。他现在已经有兴致也有精力吹笛子了。在泉州的时候，青楼名妓、乡野村姑、名门闺秀、市井民女使尽浑身解数没有办到的事情，这个金发碧眼的女洋鬼子办到了——她使亲王性欲陡增，胃口大开。

亲王对宫廷语言并不陌生，卢陆听了咯咯咯地笑了起来。“她不能擅自行事。”他用一句套话回答。

“我必须送点礼物给她，表示我的倾慕。”

“定情之礼？”

“表示敬意的礼物。”

他在桌子上打开一块锦缎，上面绣着乳白色的浪花和云彩。在浪花和云彩的映衬之下，一只大红的凤凰栩栩如生。

卢陆又咯咯咯地笑了起来：“或许会冒犯她。”

“她会明白的。”

“她不会明白。她不懂大红凤凰的含义是什么。”

“经历了我们之间发生的一切，她会明白的。”

“她的父亲是个学者，凤凰的含义会惹他生气的。”

卢陆明白，对于庞普尔来说，失去罗斯等于割他的肉、要他的命。因此，在达成去罗马的共识之前，绝对不能跟他翻脸。

“公公，你的任务是把礼物送过去，送给她的父亲。”

那只凤凰的翅膀闪闪发光，舒展开来直刺苍穹，两条腿像植根大地的树苗，胸脯鼓胀着，现出红色的暗影。它伸长脖颈，昂着头，张着嘴，眼睛又黑又亮，宛若一团充满喜气的火焰。

“把她带到这儿来！”年轻人命令道。

“一切都得合乎礼仪。她只能以堂堂正正的客人的身份来访。”

卢陆有结石病。他蹲在一个角落小便时，疼痛难忍，咬着牙，好像有一根贯穿全身的线在抽动。太昭对罗斯的迷恋也许是一件令人讨厌的事情，但是在实现他的宏伟蓝图的过程中，这种迷恋可以变成强有力的支柱。他蹲下来小便的时候，这种骤然而生的痛苦常常是面临失败的预兆。那个姑娘一定要成为太昭的伴侣，提高他作为一个男人的能力。姑娘的父亲一定要对亲王给予他们的尊重感恩戴德。

风平浪静，老卢陆决定坐船去。随行人员是黄船长和那个姓贾的船员。他因为结石病发作而十分虚弱。老卢陆并不想坐着船来来回回地奔波。他一辈子都在干这种穿针引线的活计。在黄船长和贾的搀扶下，抬起那双已经磨坏了的便鞋，施着脚走上小船的时候，他感到自己心力交瘁。他一言不发，眯细一双浑浊的眼睛，凝望空阔的海面，直到遥远的地平线，额头的皱纹像深深的沟壑，枯瘦的面颊下面，牙关紧闭，颌骨显得格外突出。微风中，清鼻涕从一个鼻孔里流了出来。手捧那方锦缎的是黄船长而不是老卢陆。

小船靠近海岸时，黄喊了起来。他又喊了一次，很长时间没人答理。突然，那个女孩儿冲出棚屋。她径直向海滩跑来，使劲儿招着手。她的头发蓬乱，衣服很脏，形容憔悴，皮肤灰黄，看起来就像一个放久了的香蕉。她向船上张望，卢陆知道，她在找亲王。没有看见太昭，她的脸上露出一副惊恐之色，眼睛里一片茫然，站在那里手足无措。船头冲破细碎的浪花，向海岸驶来。她没有问候他们，而是慢慢地回转身，匆匆忙忙向棚屋走去，眨眼之间便钻进那可以给她庇护的安全之地。

卢陆浑身无力，只得让同来的人扶他下船。他手里提着鞋，在黄船长的搀扶之下，涉水上岸。贾把船拖上沙滩。罗斯的行为很古怪。她显然在充满苦涩的期盼中等待太昭的到来，可是她神情慌乱，又想把客人拒之门外。这到底是怎么回事儿？为什么她的父亲没有出来？卢陆想，如果家里只有她一个人，她一定会害怕。也许父亲禁止女儿和客人接触，怕她被他们拐走。她自己的态度到底如何？必须首先搞清楚。于是，他举起胳膊，让黄和贾不要贸然前行。

他在沙滩上坐下，下巴颏搁在屈起来的膝盖上，等待着。他相信那姑娘会因为好奇而再走出棚屋。果然，不一会儿罗斯便轻手轻脚走出来，打量这几位客人——老头在前，两个皮肤黝黑的随从在后。她想跑过去跟他们谈话，请求他们对太昭的缺席作出解释。或许她想把什么都瞒着他们，而且很为自己已经暴露给他们的东西而懊悔。她像一只螃蟹侧着身子慢慢地走，眼睛盯着那个老头——太昭的朋友。她走到一棵酸橙树下。这棵树有一根树杈，正好坐一个人。她手脚并用爬了上去，起初还有点战战兢兢，可是渐渐地放松下来，两条腿开始晃荡起来。

庞普尔发现，炎炎赤日之下，他们形成一种对峙的态势。老头蹲在海滩，黄和贾负责警戒，罗斯像一只鸟，栖息在树上。庞普尔十分警惕，不知道他们会对罗斯怎样。可是看到女儿决心听命于他，宁愿与世隔绝，庞普尔又为自己先前的粗鲁而懊悔。他吻了吻她，摸了摸她的面颊，以那种一天到晚忙于工作的人的傲慢态度，大摇大摆地走过来问候卢陆。老卢陆关节嘎巴嘎巴地响着，站了起来。

“老朋友。”

“老朋友。”

他们像因为某种原因相互疏远了的合伙人，礼节性地握了握手。庞普尔注意到，卢陆的身体每况愈下，而卢陆发现，庞普尔比他记忆中的那个园艺学家更加蛮横。他的目光咄咄逼人，说话粗喉咙大嗓门。

“在我们等待起航去罗马的时候，白天变得越来越长了。”

“花园里的玫瑰必须再长一段时间，才能看出我们的实验到底成果如何。”

“我们现在能为这次远航作前期准备工作吗？”

“必须继续观察风向和潮汐的变化，绘制可以用来导航的海图。”

“我们的公子要求为远航罗马尽快作好准备。如果你肯赏光和他谈一次话，他将不胜感激。”

庞普尔皱着眉头，说：“如果你认为可能，我应当学习一点你们的语言的基本知识。只有这样，交流起来才更方便一些。”

“我们必须更多地见面。”

庞普尔请老头进屋喝杯茶，并且打手势让罗斯去准备。卢陆把黄船长喊了过来。他们进棚屋用茶，就好像是邻居、亲戚、乡亲在假日做客。茶叶是先前中国人送的礼物。他们虽然心存芥蒂，但气氛还比较友好，彼此客客气气，没有什么摩擦。

黄船长手里端着热气腾腾的茶水，一边喝，一边不动声色地观察那位姑娘。她在父亲面前谨言缄口，恪尽职守，既没有流露出对太昭的期盼，也没有表现出心中的激动。而当他们的船驶近海岸，大声吆喝的时候，她却兴奋得不能自持。她小心翼翼地给他们续满茶水，默默地站在一边。

“我已经记录了我们这座小岛七百五十种植物和动物。”庞普尔得意洋洋地说。他有一大摞登记表可以证明这一点。

卢陆觉得挺有意思：“它的用处何在？你准备带些什么？哪些可以用于贸易？”

中国人带了所有的生活用品，并不想尝试一下小岛的“土特产”。因为还有用惯了的东西，所以他们总爱拿不熟悉的东西和早已熟悉的东西作比较。他们管一种草叫竹笋，并且按照传统的方法烹调。他们拿海鸥蛋当鸡蛋，海草当海带。罗斯和庞普尔却不同。他们运用科学的原则，要做敢于尝百草的先行者。他们准备在岛上长住，而中国人只是把这里当作避难之地，一俟时机成熟就扬长而去。

“这座小岛的物种无穷无尽，”卢陆说，“恐怕不下一万种。我们这座小岛和宇宙之间没有界限。动物也好，植物也罢，难以计数。我们的存在本身就证明这样一点：总会有新的事物从天而降。”然后，他问了一个一直让他焦急不安的问题：“你到底记录多少种才是个够呢？”

“要想揭示生物界的规律和其他迹象背后隐藏的奥秘，就需要精确地计算出这里动植物分布的情况。数字很重要。我必须把这里的物种全部记录下来。我们这座小岛面积不大，这件事情并不是不可能完成的。”

“我们能帮助你统计吗？”

“恐怕不能。如果我们分头进行，谁能保证统计的不是同一个物种，并且一次又一次重复这个错误呢？谁又能从不同的品种看出相同的东西呢？”

“我怕你劳累过度。难道我们真的不能帮你点儿忙？”

“我必须是这次考察的中心，只能独立完成。我的女儿可以照顾我。”

卢陆回头瞥了一眼一脸茫然的黄船长。黄船长从怀里小心翼翼地掏出那件礼物，朝庞普尔鞠了一躬，送到他手里。庞普尔打开还带着黄船长体温的小包，轻轻展开那块闪闪发光的锦缎。他从来没有见过如此光彩夺目的艺术品。罗斯倒吸一口凉气，伸出手指轻轻抚摸那块光滑的、闪烁着珠光宝气的锦缎。她一下子就明白了太昭送这幅锦缎，这只展翅飞翔的神鸟的用意。她什么话也没说。黄船长耷拉着眼皮。卢陆朝庞普尔矜持地微笑着。那微笑仿佛赋予这件礼物崇高与庄重的色彩。庞普尔完全被这块锦缎无比精湛的工艺、栩栩如生的凤凰迷住了。他的手指头肚在缎面上滑动着，仿佛在欣赏那不可思议的纹理。

“我从来没有见过这么漂亮的东西。”他赞叹道。

“这是送给你的。如果你愿意参加我们为庆祝在这座小岛登陆百日而举行的宴会的话，我邀请你。”

庞普尔叠起绣着凤凰的锦缎，似乎怕那夺目的光彩映照出棚屋的寒酸。他用手盖住缎子，说：“我接受你的邀请。”

“还有你的女儿？”

庞普尔没有征求女儿的意见便说：“是的。”卢陆站起身，黄跟在后面，两个人一起向那条小船走去，希望天黑之前回到营地。

庞普尔皱着眉头，对他们此行的目的画了一个问号。

“我们将完全受他们的摆布了。”

“相信他们，爸爸。没有别的选择。”

庞普尔紧咬牙关，上下颚交错在一起：“我们的力量在于我们自己。绝不能让他们挤到我们中间。绝不！”

庞普尔对罗莎蒙德的欲望就像化学家烧杯里的某种物质，已经得到净化和升华。不纯洁的肉欲在夜幕下面煎熬，燃烧，冒出团团黑烟，直到在蓝色的火焰里终于形成完美的结晶。那是纯洁的象征，是一种神化了的东西。他和雄心勃勃、激情满怀的迪莉娅的交合创造出洁净无瑕的幼苗。含苞欲放的玫瑰开满枝头，她的童贞是这种纯洁的核心。他那包容了纯粹的兽性和纯粹的理念的种子结出这样两个果实——好斗的儿子亨利和女儿罗莎蒙德。罗斯陪伴他走到了世界的"极地"。他们破衣烂衫，食不果腹，颠沛流离，千辛万苦，希望几近崩溃，生命险遭不测，为了什么？仅仅是为了一种理想，为了获得知识和力量，而她的纯洁是这一切的根本。他的灵魂深处那不可改变的力量，使他们形同一体，牢不可破。

多雨的夏季到来了，小岛变得更加荒凉、更加闷热。为了进入那个没有时空限制的自由王国，他们面临的任务更加艰巨。他们要对这个世界的飞禽走兽、花草树木作更深入的研究。庞普尔辛辛苦苦地培育玫瑰，夜以继日地编写动植物图鉴。他的工作已经进入理论研究的重要阶段。没有这种理论作指导，罗列一大堆动植物的名称没有多大意义。谁也不会从没有一定之规的青葱草木中获得知识和利益，就连四条腿的牲畜也是如此。综观自己饱经沧桑的一生，庞普尔无时无刻不在为这一远大目标而乏其体肤，劳其筋骨。

他在栽花种草、精耕细作方面有很深的造诣，现在又从理论上掌握了好多知识，对自然哲学、神学、宇宙论、天文学、遗传科学都有很深的研究。他支持国王的事业，但并不支持国王本人，查理一世也好，查理二世也罢。他承认，要想荡涤王国的污泥浊水，流血牺牲在所难免。但是当他看到刽子手放下屠刀之后，并未立地成佛，而是摇身一变，成为俗不可耐的政客时，他打心眼儿里感到恶心。他曾经试图把自己嫁接到达官贵人的树干上，受人恩惠，被人庇护，起初投靠布鲁姆勋爵，后来改换门庭，投入皇家学会的怀抱。这个学会的成员都是机会主义者，大嚼牛肉的清教徒。

为了满足贪欲，他们立下许多新规矩。最后由于管理混乱，由于无可奈何，他踏上这条没有羁绊的命运之路。他很不情愿地承认了妻子扮演的角色——为了谋求一己私利，迪莉娅帮助他踏上“雪松号”甲板。毫无疑问，她清楚地看到这条船是丈夫的水上棺材。不过他没有死，“雪松号”把他送到这座小岛，送上这条实现崇高使命的艰难之路。迪莉娅会为女儿的失踪悲伤吗？她对女儿一直不大喜欢，倒是更疼爱盛气凌人的儿子。正因为庞普尔把罗莎蒙德看作精神上的新娘，才保全了他们大家的利益。他没有触动女儿的童贞，而是焚烧了自己的欲望。他那流动的种子已经锻烧成点点疵斑，就像一粒粒黑炭。现在他拥有她，把她当作向真理的峰巅作最后冲刺的伙伴。

作为一个学者、科学家，爱德华·庞普尔觉得只有通过罗斯的帮助才能达到这个境界。欲火改变了他的性情，把他的淫欲扭曲成克制，变化成一块可以保护她的结晶体。绝对不能动她。只有纯洁才能指引她兴致勃勃地前进。她的贞操和他男性的力量相结合，并且在烈火中煅烧，就可以最终掌握世界之真谛，掌握宇宙的四大要素：坚实的土地，无垠的大海，晴朗的天空，流动的热浪。第五个要素包容了时间——主宰创造与毁灭的最伟大的力量。这就是庞普尔的远大目标。

他等待杂交玫瑰繁衍出他所从事的伟大事业的象征。这当儿，女儿对于他比以往任何时候都更重要。她是他的爱、他的生命、他的世界、他的宇宙唯一的生命与存在。

很小的原因往往能够导致重大的结果。上个世纪我们的玫瑰之所以出现革命性的变化，是因为从中国引入孟德尔[①]式因子。这对肉眼看不见的因子一个采自父本，一个采自母本。我们当代最

①孟德尔（Mendel，1822—1884）：奥地利遗传学家。

好的玫瑰，每一个正在成长的细胞里都包含了这两个因子。

C·C·赫斯特

《玫瑰的起源与进化》（1941）

约定好的那天，西边的海面上聚集着一团团蓬松的闪烁着珍珠般光彩的紫云，在移动着的白色和浅灰的雉堞般的浪峰上飘动。他们很早就出发，穿着海水洗过的衣服，因为渍了盐，硬邦邦地难受。他们用最后一小块肥皂浑身上下洗了一遍，觉得干净了许多。庞普尔带了他那个镶银嘴子的橡木烟斗和一点发了霉的烟叶，作为礼物。罗斯在路上采了些野花编了个花环套在脖子上。

他们走过玫瑰园。已经凋谢的花朵呈橙红色或者黄褐色。落在地上的花瓣早已枯萎，变得薄如蝉翼，渐渐化作泥尘，只留下肥硕、光滑的绿叶在茁壮的枝头摇曳。庞普尔很为他的花园而骄傲。从一株玫瑰旁边走过时，他和罗斯都表现出格外的敬意。

“这棵玫瑰和别的都不同，”他说，“它包含了我们此行的意义，是我们达到目的的证据，也是我们曾经涉足于此的记录。这株玫瑰使我们进入一个全新的世界，为我们未来的研究铺平了道路。”

“你在说梦话，爸爸。”

“你知道吗，女儿，如果我们跟不上创造力螺旋式的运动，世界对于我们就毫无意义。我要找到一条跨越时空界限的线索。而我正在创造的这株玫瑰是这条线索的一部分。”

“那么，一定是非常美丽的玫瑰。”

他快乐地笑了，露出亮闪闪的牙齿。

“就像你，是最美丽的。”

他们终于沿着那条陡峭的小路来到中国人的营地。放哨的人赶紧跑回去报告这个消息。黄船长穿着平常穿的那套衣服从搭在小船中间的木板上走过来，指给他们上大船的路。罗斯“轻车熟路”，知道该从哪儿走，不过她还是默默地接受了黄船长的指点。老卢陆出来了，身穿上朝时才穿的十分华贵的长袍，随从在他头顶上打着华盖。他点了点头，礼节性地拱了拱手表示问候。见到两位客人，卢陆非常高兴，领他们登上那条装饰一新的帆船。

罗斯带来了她的渡渡鸟，鸟脖子上有一条链子，她把它拴在甲板上面的一条斜杠上。

脚底木板的晃荡使庞普尔突然之间感到一阵轻松。他浑身轻飘飘的，有一种要飞起来的感觉。自从所罗门·特拉罗离开小岛，他第一次看到了离开这儿的希望。

老太监在前面颤巍巍地走着，宽大的绿袖子窸窸窣窣地响。他把庞普尔和罗斯领到一张铺着锦缎的低矮的桌子旁边，桌子上摆着茶杯，四周放着几把椅子。

卢陆请庞普尔在西边的座位上坐下，他坐在南边，罗斯姑娘坐在东边，黄船长站着。北边的座位还空着。

满嘴蒜臭的卫兵给他们斟上琥珀色的香茶。每人面前有一小碟干蟹。罗斯不耐烦地四处张望。

“命运之神终于让我们在登上这座没有皇帝的无名小岛第一百天的时候会合了。”老卢陆用半通不通的拉丁语说。

庞普尔明白他的意思。

“像朋友一样会合，”卢陆说，举起茶杯，“喝茶。欢迎来我们这水上之家，来我们这文明之船造访的使团。”

“高度文明。”庞普尔恭维道。

“以后你学会我们的语言，就可以读我们的历史了。”

“你熟悉朝廷里的事情，我却不懂。我只是一个地位低下的学者。过去，命运安排我读自然科学方面的书籍。现在，我非常愿意学习你们的历史和文明。”

老卢陆颇有风度地点了点头。“你需要的资料我们的人早就准备好了。”卢陆骄傲地微笑着说，“我们可以加快你的工作进度。然后一起出发。”

让庞普尔感到困惑不解的是中国人的动机。尽管双方有共同的目标，但是他们种种举动背后还隐藏着什么东西不得而知。现在的难题是和这些中国人结成联盟，还是像先前那样“各自为政”？他们用这个堂而皇之的仪式掩盖了无法端到桌面儿上的目的。

上菜了，热气腾腾，香味扑鼻，一望而知经过精心准备。第四张椅子还空着，尽管已经摆上一个小碟和一双象牙筷子。

庞普尔问道：“难道你们的习惯就是空一个位子？谁是这第四位和我们一起进餐的先生？”

“一位年轻人，”卢陆说，“他享有一种特权，大伙儿都得等他。”

罗斯喝茶的时候心里很紧张。她怕喝得太多又尿憋得难受。她不想待在这间很不舒服的舱房里，听父亲和老头说她听不懂的拉丁语。

食物也端上来了，就像给那个空位子摆的供品。庞普尔用英语对罗斯说：“吃东西的时候当心点儿，我们没吃过的佐料可以让你脑子迷乱。”

卢陆悄悄对黄说，应当去告诉太昭，客人正等候他大驾光临。

“小伙子腼腆。”卢陆说。他比画着教庞普尔怎样用筷子。庞普尔一边学着夹东西，一边笑。姑娘让筷子滑过丰满的胸脯，然后用拇指和食指捏着转圈儿玩。她夹起一块干蟹肉，又漫不经心地让它落下来。

太昭走了进来，一副不情愿的样子。他穿着那件栗色长袍，手缩在袖子里，进屋时，把鞋脱在门口的草席上。庞普尔站起来，礼节性地伸出一只手，小伙子没有反应，只是害羞地看着这位满脸胡须的客人。卢陆也连忙站起。他虽然一大把年纪，但是出于根深蒂固的习惯和对亲王的尊敬，又想对太昭三叩九拜。只是由于这个场面不伦不类，房间过分狭窄，再加上不便对外国人公开太昭的身份，他才没有拜倒在亲王脚下。

太昭入座，躲避着罗斯的目光。

身为亲王，自然不必谦让，太昭举起已经斟好酒的酒杯表示欢迎，然后一饮而尽。

“为庆祝登陆百天干杯！”卢陆把太昭的祝酒词翻译给庞普尔听。

“啊——”庞普尔喘了一口粗气，半杯酒下肚，只觉得一股热流穿肠而过，脑袋晕晕乎乎。

罗斯的膝盖并在一起，仿佛有一股热浪泛着涟漪流过大腿。

卢陆给庞普尔夹菜，庞普尔想用筷子把那精美的食品送到嘴里，可是费了九牛二虎之力也没有成功，卢陆只得把那个满嘴蒜臭的卫兵叫来，让他坐在庞普尔旁边喂他吃饭。

酒过三巡，庞普尔也举起杯致祝酒词。

“为了分享你们的力量和智慧，干杯！”

卢陆十分高兴地举起酒杯，不失时机地把庞普尔拉到自己这边。

“我们的力量只有到罗马之后才能得以发挥。不能再耽搁了。答应我，带我们去那儿。这是我们共同的事业。你是我们的合伙人和兄弟。”

庞普尔满脸通红，只有微笑点头的份儿。“是的！是的！”他说，“风向一变，就可以把我们一直送到罗马。这一点，我可以向你担保。”

“罗马教皇会接见我们的。”

“罗马有我的朋友，可以为我们提供帮助。英国神父、建筑师。可形成一个联盟。”

“罗马教皇会和我们合作的。”

庞普尔对泛基督教主义充满幻想。在他那充满热情的想象之中，他的真知灼见将被人广泛称颂。经过纯化的知识与信仰犹如八面来风汇聚于那个永恒的壮美的峰巅。他将在那峰巅之上，宛若拥有无限权力的术士。他好像一团火，在酒精的烧烤之下有一种眩晕欲吐的感觉。

太昭离开座位，斜倚在地板上的一块坐垫上面，懒洋洋地舒开四肢。卫兵取来他的竹笛。他眯缝着眼睛吹了起来，那充满渴望的、好听的笛声在舱房里飘荡，缭绕。他不时睁开眼睛瞥一眼罗斯，然后又闭上，仿佛进入梦境。绷得紧紧的嘴唇贴在笛子上面。

“对不起，爸爸，”罗斯说，“我要撒尿，实在憋不住了。”

黄船长跳了起来，他已经猜出罗斯的意思，忙到前面领路。

太昭继续吹笛子，笛声变得更加舒缓。

卢陆醉眼蒙眬，向庞普尔俯过身去，抓住他的一只手。

“我们一定要牢记这次会见的意义，”他说，“这是独一无二的联盟，将把我们造就成为这个时代最伟大的人。后人一定会这样评价我们。我们没有别的选择。我们一定要建立时代的新秩序，将大千世界置于英明天子的统治之下。我们绝不能仅仅为个人的勃勃雄心奔走，而要作为天朝帝国壮丽事业的代表去奋斗。”他紧紧握着庞普尔的手。“你必须告诉我们，风向什么时候改变？你必须告诉我们，根据星星的位置判断，我们现在身处何方？你必须计算清楚，改变航向之前，我们要朝某一个既定的方向航行多少天？你必须专心致志于我们这次谈判。”

“你的船能经得起风浪吗？最险恶的大洋还在前面。”

“我们的船是仿照竹节的结构造成的。竹子细长，但最为坚韧，山洪暴发的时候，竹子总是劈波斩浪，一路向前，从不使自己陷入灭顶之灾。这一点我可以向你保证。”

“我不知道你们怎样航行。”

“你只管方向就行了。我们总能按照你指引的航向航行。”

两个航海家面对面坐着，呼吸中带着酒气，热烈地谈论。他们在对方的眼睛中搜寻着，好像宇宙的奥秘就藏在那里。

爱德华·庞普尔同意和老太监签订协议。他愿意加入他们的航行，但是一定要等培育出新玫瑰，并且可以带到欧洲的时候再走。他必须继续搞几个月试验，直到成熟的季节。他的这个想法不可动摇，就像一块冰冷的岩石隐藏在脑海的涡流之中。卢陆作为他的同盟者，十分友好地伸出瘦骨嶙峋的手，紧紧握住庞普尔的手腕。

这当儿，太昭手里拿着笛子，犹如水底蛟龙，溜出舱房。

庞普尔突然意识到屋里只剩下他和老太监。他连忙跳起来。卢陆紧紧捏着他的手腕，庞普尔只好又在桌子旁边坐下。

太昭吻她的嘴唇，就好像那是蠕动着的鱼，他轻轻地咬啮，如果那“鱼肉”有骨头的话，也会一点点嚼碎。他们的舌头纠缠在一起，活像两条鳝鱼，牙齿碰撞着，目光在眯细的眼睛中颤抖。他们紧握着手，咯咯咯地欢笑着，打量对方，然后又紧紧拥抱在一起。太昭从里面插上房门，爬上吊床，把罗斯拉上来，压在他的身上。他摸索着解开腰带，露出光滑平坦的肚子，扯下她的裤子，看那消失在大腿中间的金色，手指轻轻挤压那朵含苞的玫瑰。罗斯吃吃吃地笑着，打了一下他的手，揪扯开他的内衣，露出他的胸膛。她骑在他的身上，玩弄他宽阔的胸膛上唯一的突出物——两个小小的乳头。太昭气喘吁吁，有点忸怩，手指像扇动着翅膀的蛾，慢慢蠕动的蚕，在她身上乱爬。罗斯欢笑着，兴奋到了极点。

庞普尔睁开眼睛，发现世界好像变了一个样。他枕着一个丝绸褥垫，脑袋昏昏沉沉。他醉眼蒙眬，刚刚清醒，就觉得世界偏离了它的轴心。举行过宴会的舱房只剩下他自己。他慢慢地爬起来，透过用竹篾编得很密的纱网，看见深灰色的大海和大朵大朵翻滚着的乌云。他感觉到被唤醒了的宇宙巨大的力量，他被引领着，走过波涛起伏的黑水，去发现那令人心悸的秘密。一道闪电划破乌云，他伸出一双手，希望上苍赐予他力量。他突然意识到，那些中国人把他独自扔到这里，他是不是呕吐过？还有他的女儿，总是我行我素。她在哪儿？

船板吱吱嘎嘎地响着。这间舱房与前厅中间有条走廊。他听见密封的木板墙那边发出轻微的咚咚咚的响声。他顺着木板的缝往下摸，发现有一个小洞，便把眼睛贴上去，看见吊床的绳子碰撞着木板墙，发出一种空空洞洞的响声。他看见吊床上一个洁白的肉体正用金黄色的琼浆喷洒那个黑眼睛男人。他的“金发公主”罗斯。

他尖叫一声，举起拳头就要砸那道木板墙。这时黄船长和卫兵从两边包围过来，一个搂腰，一个抱腿，不管他怎样挣扎、叫喊，硬把他拖到另外一个房间，谒见老太监。

看见女儿被玷污，庞普尔好像吞了无数只苍蝇，肚子里面翻江倒海，只想呕吐。他想杀死那个把女儿变成兽的家伙。他气愤已极，浑身痉挛，两眼就像喷火的火炉。他尽管心里痛苦地呻吟，想责骂，想叫喊，但是舌头不听使唤，一句话也说不出来，只有咬破的嘴唇慢慢渗出血水。黄船长和卫兵把他按到一张椅子上。他完蛋了。他无力地垂下头，长长地吁着气，坐在椅子上一言不发，一动不动。他们已经俘虏了他的女儿，抢走了他最宝贵的东西。而失去她，他的力量就化为乌有。毫无疑问，她一定是中邪了。等到恢复理智，这奇耻大辱会使她无地自容。当然，她也可能就此变成一个寡廉鲜耻的女人，和他永远分道扬镳。

卢陆一动不动地坐着，平常那种礼节性的微笑掩盖着发自内心的喜悦。他对这件事情的结果很满意。当然，他并不愿意看到他的朋友如此痛苦。他希望他的痛苦能早日成为过去。他望着庞普尔，目光中并无怜惜之意。他对他过激的行为表示原谅，因为这主要是由于误解造成的。等他明白了事情的原委，这个洋鬼子会平静下来，心满意足的。心里有火总得让人家发出来。以后，他会明白，这一切都是出于友谊。

“安静点。”

卢陆发出简短的命令，嘴唇几乎没动。他坐在那儿，两腿分开，袍襟苫着膝盖，腰板挺得笔直，支撑着瘦弱的身躯、微微晃动的头颅、亮闪闪的布满皱纹的皮肤和头顶几束稀疏的白发。老卢陆一双手放在大腿上，目光浑浊的眼睛冷峻地凝视着庞普尔，耐心地等待着这个经历了多少世纪才有希望达成共识的时刻。

“恶魔！假朋友！鬼！”庞普尔咆哮着。

卢陆不动声色。让他用只有他自个儿才能听懂的语言叫骂去吧！对于别人毫无用处。

“我们是你们的囚徒吗？”庞普尔问。

“你们是我们尊敬的客人。现在就让我给你解释，我们为什么要搞这次百日盛典。天子赐给你女儿最崇高的荣誉。他要把这位姑娘作为自己的配偶。六合神州的君主，大明王朝的继承人，永亲王太昭要和这位外国公主成婚，娶她为妻。你明白我的话吗，先生？这位年轻人是明朝天子。你的罗莎蒙德吸引了他，激发了他，他们行了云雨之事。”

卢陆脸上露出骄狂的、得意的神色。看到这一点，庞普尔渐渐冷静下来。

“我向你泄露了我们这位年轻人的身份。他是中国的皇上。”

“难道这就是你们强奸我女儿的借口？把她交出来。让我们这蒙羞受辱之身赶快离开这里！”

“我们万分感激你，我的朋友。”

“她在哪儿？”

卢陆之所以能这样心平气和，是因为他在心里计算着时间。一定不能在兴头上打断太昭和那个姑娘。然而这场争论已经开始，无法停止。卢陆在保持心平气和的同时，只需要尽力减轻别人心里的焦急，给他们注入耐心和理解，使这件事情最终圆满解决。

就在这时，小伙子和姑娘走了进来。他们穿得很体面，头发梳得整整齐齐，由于快乐和欲望得到充分满足，两个人红光满面。

庞普尔哽咽着，蜷缩在椅子上。太昭和罗斯并肩站着，罗斯看着愤怒已极的父亲。泪水迷住庞普尔的眼睛。

“他们对你干了些什么？”

“我干什么了？这事儿我情愿。我不过是做了自己想做的事情。”她在父亲身边跪下，搂住他的脖子，轻声说：“请原谅。”庞普尔硬挺着脖子。

他用游移不定的、无法理解的目光看着她。“你已经失去了贞操。”

“我怀了孩子。”

庞普尔瞪大一双眼睛，无法相信自己的耳朵。

卢陆非常平静地说：“现在你明白我们为什么要感谢你，为什么要给你如此崇高的礼遇了吧？我们一起使明王朝的宗室得以延续，你的命运已经无可挽回地和明朝帝业纠缠到了一起。你必须跟我们一起到罗马，寻求天主教教皇的军事援助，保护你自己的继承人的权利，我的朋友。我们准备就在这座小岛为亲王和你的女儿举行婚礼。”

太昭耷拉着眼皮。下巴上的黑痣有点青肿，是她刚才咬得太狠了的缘故。他很为自己的能力感到高兴，他可以一次又一次地做爱。听卢陆说话就好像服麻醉药。他只想找个借口和罗斯待在一起寻欢作乐。他呵呵呵地笑着表示回答，又笑了一次，就像一个白痴。

庞普尔对宫廷里的事情一无所知，最后只简单地说了一句话。

“今天，我只要求一件事情。请允许我和我的女儿回到我们那边。就这么多。”

卢陆没有因为庞普尔这个小小的请求而感到不安。也许这是对中方是否真诚的考验。

“把她带走吧，我的朋友。”

太昭伸出一只手表示反对。老太监不予理睬。

“她是你的责任。对于你来说，再没有比养育她更大的责任了。”

“谢谢，朋友。”爱德华·庞普尔艰难地说。

只剩下罗斯和庞普尔的时候，罗斯走到爸爸面前。庞普尔讨厌她那副样子。她轻轻地碰了一下他的手，那动作介乎小心翼翼地表示同情和难于察觉的调情之间。以前她可从来不是这样。庞普尔感到一阵反胃。她的脸也变了。以前她天真无邪，文静秀丽，充满少女的纯情，现在却暴露出动物的本性。嘴唇因为接吻向外翻着，牙齿可以咬人，眼睛滴溜乱转，嘴唇上细细的绒毛表现出一种欲望，因为发现自己拥有新的力量，眉头舒展，前额更加宽阔。她心里感到内疚，但并不遗憾。她明白自己伤害了父亲，但并不后悔。她疯狂地爱着太昭。而这一切越发让庞普尔生气。

他看着她那变化了的形体，茫然若失。

“爸爸，我们在这儿休息一会儿再走不好吗？回去的路很不好走。特别是您刚生了这么大的气。”

“你觉得不好走，”他恼怒地说，“你身怀有孕嘛！你认为我们应该待在这儿当他们的奴隶和玩物，对吗？”

父亲这样激烈地攻击中国人的动机，罗斯很不以为然。至少作为热恋中的情人，太昭对她全无恶意。庞普尔紧紧捏着女儿的手，仿佛故意嘲笑她那轻轻的触摸。

“听我的话，你是我的女儿。今天必须走，爬也要爬到丛林那边。我们必须待在我们自己开辟的天地里。”

“我并没有说不跟您走，爸爸。”

她的表示和解的口气似乎打动了庞普尔的心。

“我们至少要仔细考虑一下这件事情。”

他们太累了，自个儿没法回家。卢陆便让黄船长用船送他们回去，太昭也想去送他的爱人，卢陆不准。不能冒任何危险。

黄船长撑船，庞普尔没有任何友好和尊敬的表示。罗斯试着说中国话，庞普尔听了气得要命。他把头转到一边，朝环礁湖吐了一口唾沫。他一直在想，自己是怎样或者为什么上当受骗的。那个中国小伙子为什么要诱奸他的女儿？他们到底想干什么？几个缺吃少穿、无处可去、也无法可去的人在这片荒凉的海滩奢谈什么帝业、王位，简直是滑天下之大稽！也许这个年轻人确实与众不同，以为自己可以在小岛唯一的女人身上发泄淫欲；也许骄横和轻蔑使得他们认为自己的亲王可以干这事儿，就好像她本来就属于他们，可以用甜言蜜语哄得她言听计从，但是不管怎么说，他们的行为都是对那个不择手段的老头对他大谈特谈的合作的不可原谅的背叛。

如果和母亲或者别的女人在一起，罗斯本来可以和她们探讨有关青春期、性心理的种种问题，从而更加理智地处理和那个小伙子的关系，可惜她失去了这样的机会。迪莉娅，作为母亲，从哪个角度讲都不称职，都是一个坏榜样。罗莎蒙德本来应该比她强得多。而他作为父亲，从来没有在这方面对女儿进行过教导。他只是拼命折磨自己，保护女儿的贞操，不使自己陷入乱伦的深渊。他为什么从来没有在这方面对女儿产生过怀疑呢？为什么他，她的父亲，从来没有想过这方面的问题呢？难道他就没有责任吗？庞普尔心乱如麻。小船在平静的水面上慢慢地划行。

回到小岛这边的时候，天已大黑。庞普尔拉着罗斯的手，帮她上了岸，态度生硬地送走黄，连一盏灯笼也没有给他。他们对女儿的亵渎和污辱已经造成无可挽回的损失。不可原谅，更谈不到什么礼貌。现在的问题是如何报复，以及痛苦地反思，弄明白已经发生的这一切到底意味着什么。她压根儿就不应该来这儿。她是他破碎的生活唯一的希望，现在却被一个黄皮肤的陌生人搞得怀了孕。那家伙还宣称她是他的王后。他把邪恶的种子播撒到那处女之地，玷污了她的纯洁。庞普尔自己纯正的英国血统居然受到异民族的污染。她会生出个什么妖怪？或者老天有眼，会让这个混血的杂种流产？

罗斯跪在地上揪着头发失声痛哭，泪水洒在庞普尔面前的泥地上。她赌咒发誓，她爱那个男人。她的所作所为是自己作为一个女人无可非议的选择。父亲为什么不能相信这一点呢？

“我难道不能找一位伴侣？我要永远当修女，一辈子不生不养？”

“在这儿不行。只有命运之神对你作出更合理的安排，你才能生儿育女。”

“这个地方就是我命中注定的归宿。”

“你还是个孩子。”

“我是你的孩子。你的逻辑是，你要在我身上播撒种子，在一个孩子身上繁殖出另一个更稀罕的玩意儿。”罗斯毫不留情地谴责父亲，目光犀利的眼睛直盯盯地望着他。这简直太可怕了。“我们为什么争论不休呢？父亲。现在已经为时太晚了。”

“除非打掉你肚子里头那个孽种！”

“我不会称你的心的。”

“我要报仇。”

“倘若那样，我们俩就成了仇人。我的孩子就是我。我的花蕾，我的果实，我自己的玫瑰。”

“亲爱的，这事儿不能怪你。你是那些中国人的牺牲品。他们设下毒计要把我们抓到他们的手心儿里。”

“可是，我们也是所有这一切的受益者。”

“此话怎讲？”

“我们从他们那儿学到了知识，汲取了力量，获得了生存下去的勇气。”

“还有什么？”

“对于我来说，还得到了爱情。”

他若有所思地凝视着她，目光凄凉，半晌才说：“改变我们命运的力量。”

“这个联盟也包括你，父亲。”

“你谈的是肉欲。那个老太监很清楚怎样干那些他自个儿干不了的事情。”

“我相信他懂，只是不能付诸行动。”

“他可以通过别人，”庞普尔怒吼着，“我真想捏碎他的睾丸！”

他没有把毒死中国人的计划告诉罗斯。丛林里背阴处长着一种榕树，树根上有一种毒蘑菇。这种蘑菇在黑乎乎的树根和黏滑的枯枝败叶间闪着紫色的磷光。这个奇异的发现把庞普尔迷住了。他采了一些准备晾干做标本。可是采完之后，他就觉得从腹股沟到胸口，再到心脏，一阵阵地痉挛。他明白是蘑菇通过毛孔和呼吸道将有毒的物质渗入了体内。如果一点点有毒的物质就能产生这样大的痛苦，剂量加大之后一定能置人于死命。

于是，一个恶毒的计划开始在他脑子里酝酿。

胎儿继续成长，展背舒腰，来回旋转，直到终于脱离母腹，开始漫长的人生之旅。他有时候威胁、哄骗，让那个封闭的世界带着他走向命运的劫数。小岛只是临时的家。她的孩子必须在更加广阔的世界，在文明之中养育。随着胎儿的发育，罗斯越发看清，必须离开这座小岛。她一直翻来覆去想这件事情，最后的结论是跟中国人一起走。他们有船，有运输工具。从他们的谈话判断，这些中国人还要继续远航，完成他们的使命。

拿定主意之后，她便把这些想法悄悄藏在心底。罗斯已经肩负了给明王朝传宗接代的“历史使命”。她的孩子能否成活，能否幸福，全靠她的努力。如果中国人答应这孩子将来统治中国，那就让他统治去吧。

“你说一定要把这个孩子处理掉，爸爸。但是我一定要把他生下来。不会有多大痛苦的。”

“远比你想象的痛苦，在这座荒凉的小岛，会给你的生命造成危险。记住，这将是非常可怕的分娩，不会顺利的。”

“我分娩之前能结束这次航行就好了。”

“可怜的孩子，我根本就不相信我们能轻而易举离开这座小岛，到达什么地方。不过，如果真的回到老家，回到哈尔，巫婆们会拿你肚子里的这个玩意儿派大用场。”

“爸爸！”

“在这座小岛出生的第一个人属于小岛。要让这片荒野，让海龟，让没有翅膀的小鸟养育他。”

“把他扔掉？”

“作为礼物，一种奉献和祭祀。”

“就像没奶的母羊在田野里生下一只小羊？就像在草丛里拉了一粒羊粪？不！”

“你情愿把他奉献给中国人？”

“你会喜欢他的，爸爸。”

“这事儿由不得我。”

“因为你的心里充满了仇恨？因为我逃脱了你的控制？”

“你没有逃脱我的爱，女儿。这是永远不可能的。听我说，我一直在考虑下一步怎么办。迄今为止，我们在这座小岛还能比较安逸地生活下去，还没到活不下去必须马上逃走的地步。我们曾经设想永远在这座小岛待下去，其实我们可以离开这儿。我们并不是永远囚禁于此的囚徒。我们可以造一条船。我们有工具。有斧子、绳子、布、知识。中国人的帆是用竹篾编的。我们也可以如法炮制，还可以用棕榈树纤维拧成绳索。”他说得很快，信心十足，“我要试试看。等到风向对我们有利，大海也比较平静的时候，我们就可以起航。”

她知道，其实他自个儿也不信。

“起航到哪儿，爸爸？”她问，“我们不知道现在身处何方，也不知道从何处来到这座小岛，只知道是一场灾难把我们送到这块陌生的土地。我们最后几位同伴满怀希望扬帆远航，结果连人带船落了个粉身碎骨的下场。我们怎么走？谁能帮你辨别航向，摇橹扬帆？大海充满了凶险，你是拿我们的生命冒险，拿我的孩子的生命冒险。一条玩具似的小船，茫茫无际的大海，没有东西可吃，任凭风吹浪打，在涡流中旋转，旋转，直到终于被大海吞没、毁灭。”

黑色的、鬃毛似的长发下面，他那双目光散乱的眼睛困惑不解地看着女儿。

“我们可以到另外一座海岛。像这座小岛一样的地方。”

“爸爸，你疯了！”

“你以前对我可是言听计从。”

“因为以前你从来不干这种傻事儿！你难道还不明白吗？”她坚持说，“你在冒险，爸爸。是对你的信仰的背叛。你该知道，是一种神秘的力量把我们带到这儿的。这是一个充满悲凉与苦涩的奇迹。完全靠运气才有了这种几乎是不可能的结果。事实证明，这座小岛是一个幸运之地。我们能够在这儿生存下去，已经远远超过我们的能力，超过我们的功德。我们不堪一击的身体经得起炎炎赤日的烤灼，绵绵淫雨的冲刷，饥饿疾病的折磨，是因为我们已经渐渐习惯了这个地方。现在你又大谈什么另外一座海岛，真是荒唐至极！我们能够在这里落脚已经是上帝的恩赐。那一群来自远方的水手之所以踏上这座隐蔽的小岛，也是上帝的安排，虽然他们宣称，是由于错误和偶然的机缘才踏上这块土地。他们是中国人，还有中国未来的皇帝。他们在海岛那边，山崖之下安营扎寨。结果，这座小岛的一个小伙子和一个姑娘相遇并且相爱了。他们强烈的欲望永远无法满足。只有深深的爱恋。爱恋中，一个新的生命孕育了。这是大自然的恩赐。山不转水转，有缘千里来相会，爸爸！”

“你什么时候变得这样伶牙俐齿，亲爱的？”

她的脸上现出一丝微笑：“你瞧，爸爸，不合逻辑的道理，不会发生的事情，约定俗成的模式，古今少见的奇观，这都是谁的发明？不止一位造物的男神和女神一直为美好和谐而努力，爸爸。”庞普尔想起自己的玫瑰，没有说话。“您能否认这一切吗，爸爸？否认各种力量这种显而易见的目的性？在这张大网之中，您会发现，我们不过是固执己见、气量狭小的小人罢了。为了保持自己的专横、傲慢，宁肯自杀……”

庞普尔连连点头，表示赞同：“我们的本性就是这样。”

“可我不想让我的孩子也这样。”她做结论似的说。

“你的意思是，我们应该和中国人团结起来，实现我们共同的目标。”

“这是天赐良机。”她轻声说，抓住父亲粗糙的大手。

他想起他的玫瑰。前些日子，他就剥开已经成熟的蔷薇果，取出形状像个逗号的种子，种到地里。就在种子在潮乎乎的泥土里萌发的时候，发生了这场变故。一个新的品种正在慢慢形成。这个品种不但花瓣重重叠叠，而且连续开花，色彩瑰丽，香气袭人。这是他的子孙后代。世界上最珍奇的玫瑰！

“我不否认这一点。”他发誓似的说。

“爸爸，我们应该去他们那儿，你要表示同意把我嫁给那个年轻人，这孩子将来也就名正言顺了。”

经过这场变故之后，他的女儿希望得到应有的承认和尊重。

这个孩子将来会叫个什么名字呢？

“要跟他们交换礼品和信物。”他表示同意。

亲王从云彩里面冲出来的时候，云彩闪着蓝色和黑色的光。紧接着，他又卷入潮湿的气浪，忽而冲天而起，忽而急转直下。他飞过空气、水、朦朦胧胧的光、江河瀑布、巉岩峡谷组成的奇怪的图形，扭动着，弓着腰，闪电噼噼啪啪地响着，在他身上穿梭般往来，仿佛他就是雷电的核心。电火沿着他的脊梁燃烧。生于动乱之中，真龙天子太昭像风中狂舞的风筝，忽而扶摇直上，忽而急转直下。他的肉体的存在仿佛无限大，光滑的肚子上布满鳞甲，脊背上长着尖尖的刺，眼睛像珍珠一样闪闪发光，嘴角的触须硬似钢鞭，头上的角像树杈一样闪着幽幽的光。他扭动着，盘旋着，在奔腾的云海、飞泻的瀑布中奋力拼搏。太昭梦见他就是这条龙。神的力量使他变得很长，像一条彩虹，横跨堆积在夜空的朵朵彩云。他可以随意延长自己的身体，就像连绵逶迤的山岭。天上的星星和龙旁边燃烧着的炭火交相辉映。月亮宛若一粒他可以撼动的巨大的珍珠。辽阔的大地接受他的雨露和恩泽。朵朵祥云包藏着生命的种子和顽强的创造力，又奔涌而来。就在他上下盘旋的时候，前面出现一座红墙环绕的金碧辉煌的建筑。那是他的龙宫。

太昭梦见他就是真龙天子，主宰万物的统治者。他在心里仔细琢磨这个怪梦的含义，最后终于意识到这种幻化的原因是他自己潜在的生殖能力。闪电划过深不可测的云团，她出现了……

凤凰在云彩的陪伴下展翅高翔。她弓着背，撑着腿，张开爪子，奋力拼搏，龙在她的身边盘旋，形成一个金光闪闪、充满喜气的图形。

太昭对这种龙飞凤舞的胜景几乎一无所知。他从小就没见过父亲也没见过母亲，不记得曾经拥有成群的侍女、保姆。老太监曾经煞费苦心送来一个又一个美女医治他心理上的毛病，但是全然无用。现在，他从龙与凤的嬉戏，情人与情人的爱恋，元素与元素的结合中，领悟到一种难以忘怀的、巨大的快乐与幸福。

太昭向卢陆讲述这个奇异的梦境时，老头以比平常更大的耐心默默地听着，不时点点头。每点完一次头就深深地呼一口气，下巴抵着喉咙，就像低头祈祷的人。他耷拉着眼皮，仿佛看见一个准确地表露出自己的目标的无形的世界。卢陆的精力已大不如前。他明白自己所剩无几的生命已经是以月计算而不是以年来计算了。他一直等待这一天。现在苍天终于显灵，给他带来无限的慰藉。不过他还是极力克制自己，以免在最后一个阶段的艰苦跋涉中被虚假的希望所迷惑。他知道这个梦的含义。它清清楚楚地传递了这样一个信息：继承王位的时机已经到来。为什么不可以这样理解呢？太昭登基的日子已经逼近，篡位的贼子将被赶跑。这个预兆非常清楚，也极有说服力。现在的问题是要尽快和小岛那边的洋人达成共识，带他们一起远航。

中国水手潜到海底捞到许多牡蛎，并且发现牡蜗里面有珍珠。老太监命令他们用当地产的木麻黄做了一个精致的盒子，盒子上面镶嵌着彩云，里面盛满珍珠。

卢陆派黄船长去送这盒珍珠。他们用酒椰树纤维编了一个篮子，篮子里面铺着粉红色的鸡蛋花。鸡蛋花正中放着这个精巧的盒子。

黄越来越讨厌自己这个“渡船工人”的角色。他是一个无限忠于旧王朝的理想主义者。他把忠于老太监看作自己的义务和职责。他知道，就像对船上的纪律不能表示怀疑一样，对老头交给的任务也不能说三道四，但是他心里常常纳闷，老头的判断难道都正确无误吗？快要踏上黄泉之路的卢陆只顾在回忆往事的精神世界里漫游，或者忙着考虑为太昭传宗接代，许多事情似乎已经无暇顾及。黄没有时间去那座小岛，除了临时在那儿停一下船。在岛上，虽然累得精疲力竭，但心里总是很高兴。那山水草木是一种极大的诱惑，给人以满足而无需报偿。他们的目的是，首都、宫殿、疆土、统治权。黄也可以算个政治家，从前也是有过头衔的行政长官。如果大明王朝真有复辟的一天，他肯定是个能脚踏实地干一番事业的人。他认为，如果仅仅为了满足亲王个人的欲望而和这两个外国人纠缠不休，实在是浪费时间。谢天谢地，他们终于为亲王找到这样一个不正当的宣泄对象。他对亲王总是持怂恿的态度，不仅仅因为卢陆醉心于这件事情，更重要的是出于长远的战略的需要。然而，如果只考虑凡夫俗子的声色口腹之乐，还奢谈什么恢复明朝的帝业？话虽这样讲，黄并无反叛之心，他只不过一个人发发牢骚罢了。他颇有风度地把那个精致的盒子送到洋鬼子手里。那人的头发好久没有修剪，胡子长及胸脯。

庞普尔学中国人的样子，伸出两手，掌心朝上放在胸前，接过礼物。他拱了三次手，眼角的皱纹颤动着，两个瞳仁闪闪发光。他觉得很可笑，自己居然扮演了异教徒和演员的角色。他乞灵于不曾预料的什么力量呢？罗斯跑过来紧紧地拥抱他。他们同意跟黄船长一起到中国人的营地去。

第四部　罗得里格斯岛，1653年

波浪拍打着礁石，细碎的浪花像新娘脖子上的花环，隐退，再生，再生，隐退，永无休止。这波浪的花环将深不可测的湛蓝的大海和碧玉般的环礁湖截然分开。中国人为太昭和罗斯的婚礼专门准备了海龟筵。最老的一只海龟被杀，温热的鲜血留给太昭做补药。海龟连壳一起被放到烧热的石头和灰烬之中。芭蕉扇扇着火。中国厨师十分熟练地掏出超大的肝和胆，供太昭享用。他们把胆汁挤到椰子酒里，以便保证他的生殖能力像大海里的鱼一样旺盛。海龟的脑子、肩膀肥嫩的肉和骨头里的骨髓经文火炖过十分鲜美，给了尊贵的客人爱德华·庞普尔——医生、前皇家学会成员、反教会的伪基督徒、假想的无名王国的朝臣。

短粗的四肢——半腿半鳍——比"笨蛋高帽"[1]大一点儿，和下腹部、甲壳一起熬成十分鲜美的汤，卢陆喝得津津有味。汤上漂着很小的睡莲的叶子，旱金莲橘黄色的喇叭花。海龟突出的嘴巴，白森森的眼眶正对老太监，很容易让人想到这两者之间有某种亲缘关系。大家估计这只海龟至少活了

①笨蛋高帽（deunce cap）：旧时学校作为惩罚，给成绩差的学生戴的一种圆锥形纸帽。

一百五十多年，应该是老太监的长辈了。

皇家学会的学者们会十分高兴地解剖这只少见的巨大的海龟。如果拿它做交易，一定有利可图。

美酒佳肴，陶醉了参加宴会的人们。他们绞尽脑汁调动各自的“外语知识”，争先恐后，高谈阔论，越发巩固了命中注定的、不可避免的、理智的联盟。卢陆以长者的身份主持了仪式。太昭和罗斯交换了用银币打成的戒指。

筵席证明小岛的食物有益于健康，也证明它的新居民的饮食文化别具一格。海龟是他们的象征，是这个地方的一大奇观，是英国人和中国人都认可的一种不可多得的美味。庞普尔知道，他登上“雪松号”的时候，实际上是戴了顶喜剧演员戴的绿色乌龟壳。因为麦克奎因船长告诉船员们，他是个妻子和别人通奸的“乌龟”。他之所以能谋到这个差事，是他的妻子和阿斯利·内维尔活动的结果。中国人之所以崇尚乌龟是因为它长寿，生命力极强。乌龟背上的甲壳像一块巨大的石板，镌刻着宇宙与生命最终的含义。悠长、忍耐和生存。最后的努力，最后的欢声笑语。正如卢陆致词时所言，乌龟象征着他们的事业，他们的联盟。用拉丁文说是“testudo”[①]。

别的菜有青葱炒槟榔籽。这种青葱像野草一样长在背阴的山坡上，中国人在那儿开辟了一个菜园。炒西葫芦，这是荷兰人的“馈赠”。这种葫芦藤蔓缠结，像一张张大网，长腿鸟常来啄食葫芦籽。红烧鱿鱼，清蒸鲈鱼，一把又甜又脆的蚕豆荚，凉拌菠菜，还有从罗斯的花园里摘来的酸橙。主食是面粉做的煎饼。这面粉是罗斯用来小岛之后种的第二代小麦磨的。庞普尔似乎出于完全的好意，曾经十分婉转地劝说罗斯不要送新磨的面粉给他们，因为中国人不喜欢吃面。其实，卢陆一行早就吃光了大米，只是靠一些植物的根磨成的杂合面为生。面粉的味道当然好多了。

还有一只烤得焦黄的、浇了汁的渡渡鸟盛在盘子里放在庞普尔面前。

---

① testudo，拉丁文，意思是陆龟，攻城用的龟甲形掩蔽物。

庞普尔悲哀地凝视着那只形状像鹤、无可奈何地躺在盘子里的渡渡鸟，嘴角露出一丝苦笑。他想用自己的语言说个笑话，便朝女儿大声喊了起来。

“鹅烧好了！鹅烧好了！”

中国人比罗斯笑得还厉害。她只是指了指另外一个盘子里已经剥了皮的煮渡渡鸟蛋。厨师把鸟蛋摆成一个圆圈，浇了香气扑鼻的汁。她的新亲戚对于烹调很有研究。

太昭背了一首他写的诗，老头翻译成拉丁文给庞普尔听。

越过茫茫大海，
孤岛与孤岛会面，
太阳和月亮交合，
白昼与黑夜更迭。
周而复始，永无完结。

庞普尔坐在那儿，裤子里面，紧贴腹股沟装着一个荷包，荷包里面装着用毒蘑菇磨成的毒药。他抚摸着那块奇异的碧玉，瑕疵上雕着一朵黑玫瑰——那是他的事业的象征。碧玉热乎乎的，紧挨那包毒药。他仿佛看见幽幽的磷光在黑暗中悄悄地闪烁。他完全可以把这紫颜色的粉末悄悄放进老头的汤里，把他们都毒死。可是他屈服了，放弃了这个恶毒的愿望。女儿的话不无道理。他不能无视既成事实。

罗斯像小孩围围嘴儿似的围着那块绣着凤凰的红缎子。金色的卷发插满玫瑰花，头上蒙了一块平纹细布。太昭撩起这块别出心裁的盖头，闻到一股扑鼻的香气。在小岛葱茏的树木、繁茂的花草中，他从未闻到过如此淡雅、如此芬芳的香气。

妒火中烧，庞普尔觉得仿佛有一根铁丝穿过一颗腐烂的牙齿勾住他的肠子使劲往外揪。那是一种刻骨铭心的嫉妒。

棕榈树和松树中间有一片空地，天黑以后他们就斜倚在林中空地的干草之上。礁石周围“新娘的花环”像骨头一样闪着幽幽的光。微风习习，和大海友好的喃喃细语一起缓缓而来，又终于消失在黑暗之中。星光闪烁，在这个温暖而又干燥的夜晚，乌云飘过陡峭的山崖，小岛似乎要下雨，突然之间变得凉爽起来，可是只一会儿那爽气又消失得无影无踪。这块土地虽然没有蒙受损害，但是空留下又一次的失望。

新婚之夜，天空和大地、云彩和高山一直情意缠绵。参加喜筵的人们都像这座小岛一样，平添了几分文静和耐心。

第一缕霞光升起的时候，他们嗅出山雨欲来的味道。淡粉色的天空布满海绵一样的云彩。亲王领罗斯上床。她酒足饭饱，衣冠不整，疲惫不堪。她推开他，一个人站了一会儿。她一只手抚摸着渐渐隆起的肚子，脑子里面好像着了火。所有的花草树木，所有的飞禽走兽，所有的山川流水，还有闪烁的群星，飘忽的白云，全都在她脑海中盘旋，并且目睹了这个以她为中心的时刻。

她走到父亲面前，当着大伙儿的面把他从地上拉起来。当胎儿在她越来越大的肚子里骚动的时候，父亲越来越憔悴，越来越衰老。她知道，他打心眼儿里讨厌今天的宴席；她知道，虽然父亲表面上默然无语，实际上，他对她的行为、她的欲望，十分反感。而他是她唯一的亲人！

她一双手搭在父亲的肩膀上，他的搭在她的肩上。泪水在他的眼眶里打转，终于像断了线的珠子，潸潸流下。

“让我去吧，爸爸。”她恳求道。那请求中已经有了几分皇后的尊严。

他不知道该说什么。他哽咽着，舌头颤动着不听使唤。一阵微风吹过，头顶的棕榈树和本地的松树发出沙沙沙的响声，宛若阵阵叹息。环礁湖那边，“新娘的花环”在晨光中颤动着，宛若一片烂银。

爱德华紧紧拥抱着女儿，颤抖的嘴唇贴着女儿的耳朵，喃喃着说：

“去吧，好好生活。”

她走了。

太阳升起来了，照耀着陡峭的山崖，赶走最后一朵云彩，驱散最后一线普降甘霖的希望。天空又是一碧如洗。

第二天下午，他拄了一根长长的竹竿上路了。他不愿意在他们的包围之下生活。所以，尽管中国人一再挽留，他还是一意孤行，给大家留下一个绝不放弃自己目标的印象。那天夜晚，他第一次感到思乡之苦。他被一场又一场生动的梦折磨着，仿佛又回到文明世界的乐园，回到布鲁姆府邸。他梦见在植物学会找到一个很好的位置，可以全心全意献身于科学和艺术，在那个遥远的世界，人们都在辛勤地劳作着。

中国人完全理解他这种离群索居、隐蔽于深山的含义，无需语言，只需察言观色，便可以准确地看出他的心理活动。

睡过之后，他的体力恢复了许多。可口的饭菜使他的脚步充满活力。爬上第一座小山，他停下脚步，回转头向山下眺望。中国人的营地静悄悄的，没有动静。那条船像一个核桃壳漂浮在海面。夕阳西下，平静的海面像一面亮光闪闪的镜子。没有风，船篷、布篷全都软绵绵地耷拉着。几座石岬就像女孩儿脱下来随随便便扔在那儿的几只拖鞋。他又回转身继续赶路。下坡背阴，十分凉爽，树枝交叉，藤蔓横生，遮蔽了蜿蜒曲折的小路。树枝就像小鸟的爪子，在他的脖颈上抓挠，让他觉得宽慰、舒服。黑色的土蟹急匆匆地钻到洞里。他呼吸均匀，装毒药的荷包还紧贴腹股沟，装在裤子里面。

傍晚，他来到玫瑰园。早开的红玫瑰已经枯萎，别的玫瑰却开得正热闹，由于暮色渐浓，越发显得娇艳。有一种淡粉色的玫瑰，仿佛点点灯光在绛紫的天幕下摇曳，散发着一股浓郁的香气，使人想起还发绿的小苹果。庞普尔张开想象的翅膀，想象各种味道，嘴里溢满了口水。小岛有一种野生的苹果，没味道不好吃，罗斯用它熬糖浆。还有一些玫瑰也已经含苞欲放。嫁接过来的中国玫瑰长得枝繁叶茂，为下一步的试验准备了极好的材料。刚刚成熟的几个品种已经结出红红的蔷薇果。他在蜜蜂辛勤劳作过的几株玫瑰花间寻找着，希望找到经过杂交而生的果实，结果白费力气。庞普尔把玫瑰园收拾得有条不紊，秩序井然。这里土壤肥沃，阳光明媚，雨水充足，远处的河沟还不时流来清冽的甘泉，浇灌这座争奇斗妍的花园。

他仔细察看自个儿悄悄授粉的那几株玫瑰。这几株玫瑰只有他自己知道，他最关心的也正是它们会发生什么变化。他发现花苞已经形成，黄色的花瓣共有两层。他剥开一个花苞，花瓣散发出浓郁的芳香，而这种香味是中国那种矮小的玫瑰所不曾具备的。不过还得过一段时间才能见分晓。

还有几株他特别关心的玫瑰尚处于新芽初上枝头的阶段，看不出个名堂。

“会看到的。”他点着头自言自语地说。

天开始纷纷扬扬落下细碎的雨丝。他感觉到那雨丝落在脸颊上，但是并没有去找一个遮风挡雨的地方，而是在一块卧牛石上坐下，欣赏那蒙蒙细雨。花园足以栖身。棚屋里没有人等他，火早就灭了。孤身一人，无牵无挂，难道他还有什么必要找地方避雨吗？只有他自己，他的思想，和那包毒药需要一个庇护之地。玫瑰叶子在雨水中抖动，花枝上的尖刺和绒毛作出无可奈何的回应。他张着大嘴打了一个哈欠，吞下一口冰冷黏湿的水汽。他两手抱膝，低着头，闭上一双眼睛。润物无声的细雨不知不觉浸湿了他的衣裤，先前靠在一块大石头上的竹竿滚落到地上。雨水浸透了他的帽子。睡梦中，他歪倒在那块巨石上面，像一只小动物不停地抽着鼻子。他蜷缩着，就像湿乎乎的草地上躺着一片蕨叶。

雨停了，月亮从云彩的缝隙钻出来，斜倚在林木葱茏的山顶，宛若半块灿烂的银元。从泥土中渗出的水汽化作夜的甘露，挂满枝头。月亮渐渐隐退，灰蒙蒙的柔和的晨光悄悄爬上山坡。一对彩虹鸟在霞光的照耀之下亮起它们色彩斑斓的羽毛。一只渡渡鸟一直紧张不安地站在玫瑰花丛中看庞普尔睡觉，现在在晨光的激励之下，放大胆子，不时低头啄食玫瑰的果实。三只鸟鸣叫着，盘旋着，小心翼翼地注视草地上躺着的这团湿乎乎的东西。也许是一只儒艮[1]？但是周围没有水。三只海鸟在好奇心的驱使之下，壮大

①儒艮（dugong）：一种状似鲸鱼的海兽。

胆子落下来，慢慢地向草地上的怪物接近。蓝天下，花香缭绕，蜜蜂、苍蝇营营嗡嗡，花粉如细细的尘埃在空中飘荡，阳光透过哗哗啦啦摇动的树叶照射下来。爱德华在衣袖的遮挡之下，先睁开一只眼睛，然后又睁开另一只。阳光强烈，他眨巴着双眼。他动了一下，浑身僵硬、酸痛。他坐起来使劲儿搓了搓黏糊糊的脸，把满头乱发拢到脑后，打了个喷嚏。

几只鸟儿吓了一跳。

他又打了个喷嚏。

在这座无名小岛的丛林之中，在这座丛林空地花香缭绕的玫瑰园里，他被彻底改变了。他的女儿找到伴侣，他也组成一个新家。事业等待着他去开拓，他为此而感到快乐。他已经找到自己力量之所在。他已经居于大自然的中心。

他解开裤子蹲在卧牛巨石那边拉屎。一阵风吹过，在他的光屁股下面发出轻微的啸声。

他打了第三个喷嚏。

他的裤子像一张湿牛皮，他干脆脱下来，到花园那边山石缝隙流下来的山泉清洗浑身的尘垢。他忘了系在腰间的那个皮荷包，费了好大劲儿才解开绳子上面的扣。他先取出那块雕刻着黑玫瑰的碧玉，在手中把玩着，欣赏那精美的工艺。紫颜色的毒药小心翼翼地包在从哈维[①]著的一本拉丁文书上扯下来的一页纸里。光天化日之下，就像一把紫色的短剑。他打开纸包，把毒药倒进汩汩流下的山泉。泉水跳荡着，载着紫色的粉末流过玫瑰园，流向远方。

原先要和女儿熔于一炉的激情已经成为过去。她已经抽身而去，走自己的路去了。他也不再为想要拥有她的渴望所苦。一股奇怪的热流从他的手掌升起，手指尖变得十分灵活、敏感。他仿佛掌握了一种神秘的法术。他从玫瑰园走过，抚摸着玫瑰的叶子。他在最后几株也是最重要的几株杂

①哈维（Harvey，1578—1657）：英国医师、生理学家，实验生理学创始人之一。

交玫瑰前面停下，十分珍爱地摆弄着。这几株玫瑰的花苞很硬，顶端呈绿色，暂且看不出什么名堂。

他又拿起竹竿向前走去。

他迷路了。

他心里想，他将建造一艘能经得起风浪的大船。

不过，他现在没有逃走的必要。他是女儿的守护神，他会尽最大的努力帮助她回到她的王朝。他不会放弃自己的责任，他将把自己的事业和他们的事业结合起来。

庞普尔整理了他以前作的关于小岛各种动植物的笔记。他将这些生物分门别类，加以归纳，力求准确，但到头来也只不过是对先人的模仿。没有他所界定的对象，自然就不会有他所做的鉴别。倘若对界定对象缺乏正确的认识，就只能对小岛的各种生命现象作出随心所欲、错误百出的估计和判断。他一再对自己这样说。他用麻绳把资料一卷一卷地捆好，放在“雪松号”为他配备的外科医生急救箱里。

他搬到中国人的营地。出于对他的尊重，他们专门为他安排了住房，自己却挤在一块儿凑合着睡。罗斯陪他用餐。她自己另有一个房间，因为产期临近，夜晚她都是独自在这个房间里休息。空闲时间，庞普尔就和老卢陆一起谈天说地。

到罗马的计划在逐步完善。卢陆接受庞普尔的建议，用笼子或者围栏带了许多禽鸟和别的小动物，比如渡渡鸟、长腿粉色的印度鸟和别的稀罕玩意儿。他们还把酸橙、椰子、露兜树和别的植物标本栽到花盆里准备运走。他们编了不少筐子装水果和蔬菜。腌了鱼干。要带好多可以用作贸易的沉香木。他们还发疯似的采集牡蛎。日复一日，直到周围的礁石几乎被剥了一层皮，直到他们吃得倒了胃口，最后采集到一大把十分名贵的珍珠。航行期间的食物也作了周到的安排，巨大的海龟将肩负为他们提供营养的重任。他们发现海龟喜欢吃椰子和野生的苹果，便储存了好多筐，给它们当饲料。

画出一张比较准确的海图自然至关重要。所罗门·特拉罗回来的时候，已是一堆被肢解了的碎尸。早些时候的荷兰人也消失得无影无踪。他们在小岛待了这么长时间，没有看到一条船越过水平线向这边驶来。有可能离开这儿吗？庞普尔认为可以越过这一片礁石纵横的水域。当然他也明白，他们之所以能越过重重障碍，从不同的方向在小岛登陆，完全是凭运气。可是越过这片布满暗礁的礁脉区，就是没有任何特征的茫茫大海。现在他们到底身处何方？夜里，他们观察星星，希望从中找到一点踪迹。星星好像故意挑逗，离他们似乎更近了一些。这些横七竖八的星星和在老家的位置大不相同。倘若按照它们现在的位置绘制海图，当然也可以画出若干条航线，但是通往何方就不得而知了。根据这些星星的位置判断，他们到底是在哪一块陆地，哪一片水域，庞普尔和卢陆的意见常常大相径庭。有一点他们的意见相同，那就是，他们处于欧洲、非洲和亚洲之间的三角地带。或者是一个四边形？他们先前是否正朝这第四块大陆航行？这都是很难回答的问题。庞普尔根据自己的实际经验坚信，既然信风能把他们吹到这儿，那么随着季节的变化就可以把他们再吹回到欧洲大陆。卢陆则认为，在没有任何标志、任何参照物的情况之下，仅仅依靠风吹，很难保证不错过想象之中的第四块大陆，一直驶到冰天雪地、永远黑暗的远方。再说，谁能保证那徐徐而来的信风永远友好祥和，而不掀起滔天巨浪，使航海者陷入灭顶之灾呢？他们还争论，即使能划分出东南西北，太阳和月亮在这儿运动的方向和在老家运动的方向也截然不同。尽管磁针顽固地指向同一个方向，可是谁能保证它指的北就是真北，它指的南就是真南呢？他们真正了解的只有这座小岛。不过不管怎么说，他们还是要选择吉日良辰，扬帆远航的。

黄玫瑰开了，两层花瓣，花朵比杯口还大，漂亮的黄色像纯净的奶油，散发着一股奇异的、既像苹果又像丁香的香气。这真是玫瑰史上从未有过的奇葩。庞普尔负责把玫瑰苗木搬到船上。淡红色的玫瑰、月季、已经嫁接过一次的玫瑰，都是他亲手把剪好的砧木栽到花盆里的。至于新培育出来的黄玫瑰，他准备晚几天再往船上移栽。他特别注意保护那些经过嫁接的玫瑰，把它们放在育苗室的竹帘子后面，这样可以较好地调节温度和阳光。

只有那几株花苞还呈绿色的杂交玫瑰，因为正趋成熟无法移走，必须等些日子再说。

卢陆对庞普尔安于孤独和执着追求产生了一种恐惧心理，对他的园艺学也不再相信。风烛残年，饱经沧桑，他认为一切都是天命。他九岁进宫，十岁被阉。当那个做手术的人一手卡着他的脖子，一手持刀阉割的时候，他像小猪娃一样尖叫。殷红的血从两条瘦腿中间汩汩流下。过了一会儿，他们才把伤口包好。十岁，他已经蒙蒙眬眬懂得一点男女之事。就像慢慢蠕动的蚕，不知道黏糊糊的分泌物最终会变成什么。从那以后，在宫里侍候皇上，成了他的爱好。他用有力的手指和灵巧的脚趾，顺着一条绳子在悬崖上爬，一直爬到最高峰。他的命运和整个王朝的命运紧紧连在一起。当天崩地裂、改朝换代的时候，他费尽心机，活了下来——在这方面他是了不起的大师——而且采取了最为实际的措施。他抱着永亲王太昭逃了出来。对于他，太昭就像他的儿子，他的既娇生惯养、又无限崇拜的儿子。以往的经验告诉卢陆，没有不可逾越的障碍。他们在泉州成功地建立了复辟明王朝的基地，消灭了敌对势力的反抗，平息了王室内部的斗争；弄到了这条所向无敌的大船，远航，在小岛登陆；碰到这位洋鬼子巫师和他的女儿，亲王迷上了女孩儿，女孩儿使他变得精力旺盛；他撒下生命的种子，她已经有孕在身……

中国人怕看女人生孩子。羊水破了之后，罗斯便被送进另一个房间。她的头发用一条围巾束在脑后，还准备了开水。没有接生婆。屋子外面中国人听见她的叫喊都吃吃吃地笑。黄船长费了好大劲儿才抱住忧心如焚的庞普尔没让他进去。卢陆在这群男人里面最近似女人，因而最有资格帮罗斯的忙。过了好几个小时，孩子才生下来。他用那双瘦骨嶙峋的大手抱起婴儿，剪断脐带。是个女孩儿，黑头发绿眼睛。她大声啼哭，一个饿坏了的小东西。

卢陆弯下腰，洗干净婴儿和母亲的大腿。然后，把孩子抱给妈妈看。罗斯把小东西紧紧贴在胸口，一种母女深情立刻将她和女儿紧紧联系在一起。

男人们鱼贯而入，看这个初生的婴儿。太昭小心翼翼地抱起孩子，唇边现出一丝惊讶的、又有点轻蔑的微笑。庞普尔祝福女儿和她的孩子——他的外孙女儿。他一下子就喜欢上这个小东西了。

她是他们的。深夜，庞普尔和卢陆喜欢在一片漆黑中和那个孩子、和罗斯坐在一起。太昭在不远处吹着笛子。一种神秘的、无法言传的感觉在他们心中流淌。

罗马将是他们下一个目的地。庞普尔已经决定为他们做向导，要运走的东西已经一点一点地搬到船上。

风从东边徐徐吹来，他们一直坐到深夜。

这天夜里，营地特别安静。是太昭带妻子和女儿上床睡觉的时间了。

“晚安，”罗斯说，“晚安，爸爸！”

她让父亲吻了吻女儿的额头。

过了一会儿，卢陆也站起身来，朝庞普尔默默地鞠了一躬，意思是他累了，也想早点儿休息，然后就告退了。

庞普尔站在岩礁上，在朦胧的月光下伸了伸僵硬的腿。他有点坐卧不安，突然想出去走一走，然后再睡觉。

他被一种莫名其妙的焦虑驱使着，离开营地的海岸，爬过几座小山，沿着熟悉的小路向玫瑰园走去。

黑暗中，他突然听见一阵嘈杂的声音——说话声，抱怨声，还有铁锹碰撞的声音。透过浓重的夜色，他看见影影绰绰，几个人正挖什么东西。

他喊了起来。黄船长从黑暗中跑过来，不作任何解释，挡住他的去路。

中国人在玫瑰园里挖了一个很深的坑。实际上他们已经挖遍了这块小小的盆地。有几个人还在一个已经没过头顶的坑里挖掘。庞普尔发疯似的叫喊着，命令他们停下。他挣扎着，想冲过去。但是黄船长紧紧抱着他，就像在他腰间上了一道铁箍。

玫瑰已经被糟蹋得不成样子，有的横七竖八躺在沙土里，有的连根拔掉，被他们踩在脚底。

庞普尔好不容易从黄船长的铁臂中挣脱，面朝下摔倒在地上。他没有武器，每一次“冲锋”都被黄船长打退。

后来，黄嚷嚷着，下达了一连串命令。挖土的人们都停下手里的活儿，从坑里爬上来，排成一行，沿着山间小路向营地走去。黄愤怒地扬着眉毛，凶狠地瞪着眼睛，咬紧牙关，露出满嘴白牙。他的脸上是一种极度羞愧和失望的表情，由于愤怒，看起来更像是自我轻蔑。等到最后一个人从他身边走过，黄勉强朝庞普尔点了点头，也转身跟在他手下人的后面，大步流星地走了。

玫瑰园被毁了。

庞普尔瘫在地上。他不知道他们为什么要这样做。也许是出于他无法理解的某种怪念头而进行的疯狂报复；也许是出于被扭曲了的心理，或者纯粹的野蛮与疯狂。他爬起来，把绊在脚下的玫瑰轻轻扶起来。有一两株还孤零零地挺立着，似乎充满了义愤。但是大多数玫瑰已经被连根拔起。他发现他精心培育的黄玫瑰也头朝下躺着，原本无比灿烂的花瓣上粘着泥土。他跪在地上，对着玫瑰失声痛哭。这时，妻子迪莉娅仿佛出现在眼前，她给他力量，激励他与自身的软弱抗争。他站起来，向宿营地顽强地走去。他下定决心要让他们对这种野蛮行径作出解释。

爬上俯瞰水湾的山脊，一抹鱼肚白从水天相接的地方升起，新的一天已经开始。他向山下眺望，目光直射中国人的营地。

大船、小船、布篷、跳板、筐子、笼子、围栏，还有那些中国人都走了。连一点儿踪迹也没有留下。走了！罗斯和那个刚出生的小女孩儿也走了！

他的目光越过一道道还算不上小岛的石岬，越过打在石岬上的碎浪。浪花像一条白色的锁链，曾经把他们幽禁在小岛之上。在那隐约可见的礁石中间，有一条通道，庞普尔看见通道那边似乎有什么东西在移动，那是另外一种形式的岛屿。帆高高升起，黑魆魆地映衬着渐渐放亮的天空，慢慢融入深蓝色的大海。

他愤怒地呼喊着。他们走了。她走了！一切的一切都走了。这里已经空无一人，空无一人！他举起一只手。是向他们挥手告别，还是想让他们赶快停下？是丧失理智，想把他们喊回来，还是谴责他们，喝令他们返回来接他——一位被人遗忘的乘客？

其实，他并没有被人遗忘。他不过是一场骗局的受害者，这一切不过是命运的安排。爱德华·庞普尔痛苦地呻吟着，瘫在地上。

卢陆命令手下人到玫瑰园挖黄金。他们计划一直挖到第二天凌晨，然后不管挖到与否，天一亮就出发。他不准备带这个格格不入的洋人术士。他要回中华帝国，太昭是那儿的真龙天子。卢陆已经尽可能多地吸收了这个洋鬼子的航海知识和天文知识。从这儿到马六甲估计要走二十天。于是他们准备了二十只大海龟，每天享用一只。到了马六甲就可以继续补充食物，然后直航中国。他们的船非常漂亮，帆经过多次修整，十分结实，完全可以乘风破浪，到达胜利的彼岸。

罗斯从睡梦中醒来，感到空气中的味道有一种变化，从竹篾编成的百叶窗照射进来的光线与先前大不相同。至于船的晃荡她倒不大在意，因为她早已习惯了这种水上生活。但是当她举目四顾，发现自己完全置身于起伏的白浪和喷涌的白沫间时，心里不由得一颤。出于本能，她首先想到的是，这条船是不是由于缆绳被风吹断，或者别的什么原因漂到了海上；船上是不是只有她和女儿。

“太昭！”她大声喊着，向丈夫睡觉的地方跑去。“我们在哪儿？”

他半睁开一只眼睛，然后又紧紧闭上。

“醒醒！”

他终于睁开一双眼睛，但目光散乱，神情漠然。她吓了一跳。

“太昭，告诉我，我们现在在哪儿？”

他躺在那儿，脸上还是一副呆板冷漠的表情，仿佛仍在梦中。

罗斯紧紧抱着女儿，推开舱房的隔板，爬上甲板。天气很好，一片汪洋。船帆在海风的吹拂下哗哗啦啦地响着。一种喜悦而又怅然若失的感觉溢满心头。终于起航了，向着一个更加广阔的世界进发。但是，她没有一点儿方向感，也看不见那座亲爱的小岛。它已留在身后，好像从来没有存在过。为什么爸爸没叫她起床向小岛最后告别呢？

上层甲板的围栏里，十只大海龟正吃着专门为它们准备的水果蔬菜。角落里还有几只正伸长脖颈从另外几只海龟的背上凝望湛蓝的大海。卢陆站在船头看那些肥硕的海龟，听见罗斯抱着孩子走过来，回头瞥了她一眼。

“我的父亲在哪儿？”她问道。“他在哪儿？”她知道他听得懂她的话。

他伸长胳膊，甩开刀片一样的手掌朝留在身后的远方指了指。她的父亲和小岛在一起，他在那儿。

卢陆没有面对她。这件事情没有什么可讨论的。

“你带走我，而把他留在岛上？你的意思是说，我父亲还在那儿？父亲没有跟我说过这事儿。一直没有迹象表明我们就要扬帆远航。你连一个字也没有对我提起过。也没有对他讲过，对吗？你没有给他选择的余地。你骗了他，抛弃了他，让他一个人留在岛上等死。你这个杀人凶手！”

卢陆理解她这种情感的爆发。他喊来太昭，让他领她回去，劝她安静下来。

“我们离小岛不远，现在返回去还来得及。不能把他这样扔在小岛。

我可怜的父亲！我求求你。”她怀里抱着孩子，跪下来向卢陆哀求。她没有眼泪，一颗心被愤怒刺痛。孩子哭了起来。罗斯稳住身子喂她吃奶。小东西心满意足地偎在她怀里，吮着奶头，罗斯心烦意乱，望着茫茫大海。她好像突然明白了什么，目光犀利的眼睛盯着卢陆那双浑浊的老眼。“你只是想要我的孩子。仅仅因为她需要我的奶水，才把我弄上这条破船。就像供你们享用的海龟。”

她从孩子嘴里轻轻揪出奶头。小东西又扭动着哭叫起来。罗斯抱着孩子向船舷走过去。她伸开双臂在老卢陆的凝视下，把孩子放在船栏杆上。海风徐徐地吹，小女孩的黑发在大海的映衬之下轻轻飘拂，凄厉的哭声在辽远的蓝天下回荡。

“你必须把船开回去接我的父亲！这件事必须由他作出决定。”

老卢陆干笑了几声。他知道，一个母亲绝对不会把女儿扔进大海。

罗斯好像冻僵了一样，孩子伸胳膊蹬腿，仿佛要从她怀里飞上蓝天，或者潜入水底。

太昭沉着镇定，面无表情，走过甲板，向他的新娘走来。看见太昭，罗斯立刻涕泪滂沱。她收回双臂，把孩子紧紧抱在怀里，低下头贴着女儿娇嫩的面颊，为自己刚才的举动而后怕。太昭把罗斯领回舱房，在门口又加了一个哨兵。

黄船长对老太监的做法一直持有不同意见。他虽然从来没和洋人就那些复杂的问题交谈过，但是他经常驾着船接送他，对他的为人处世略有所知，总觉得他不是那种能给他们带来威胁的人。中国人只消把他同化就是了。怀疑他要背叛，并且决定除掉他的只是老太监。对他来说，如果他们不得不依靠某个深藏财宝的人去发现象征帝位的黄金，那么能否找到这笔财富就是关系到他们此行成败的大事。

卢陆认为，庞普尔如此钟爱的玫瑰园下面一定埋藏着太昭复辟帝业需要的黄金。在他看来，东方也好，西方也罢，有了黄金就可以组建亲王继承大统所必需的武装。在秘密起航的头天晚上，卢陆命令黄船长去挖黄金。而且约定，不管结果如何，天一亮就出发。

他们挖开玫瑰园表层肥沃的泥土，然后全然不顾园丁付出的心血和汗水，砍掉枝繁叶茂的玫瑰。再往下挖，碰到一块块坚硬的玄武岩。每一次都以为是金块，每一次都大失所望。后来，他们挖了一个大坑，但还是一无所获。

卢陆得知庞普尔深更半夜跑到玫瑰园之后，越发认为他的猜测没错。不管这位巫师当时多么恼怒，不管他对他所掌握的秘密的价值有多少了解，他肯定有不可告人的目的。黄被庞普尔当场捉住，而且一无所获，越发激怒了老卢陆。最后，心胸狭窄的老太监满怀恶意，不和任何人商量，便抓住机会起锚开航，撇下可怜的洋人，而且完全出于报复心理，带走他的女儿和外孙女。他干得干净利索，充分显示了他这个非男非女的人没有生殖能力，但有一副铁石心肠。黄船长对他的做法特别反感。玫瑰园根本就没有金子。洋人没有隐藏任何东西。那天夜里，黄船长像贼一样被庞普尔当场抓获，但是黄亲眼看到，庞普尔之所以气得要命不是为了钱财，而是为了他珍爱无比却被人残酷杀戮的玫瑰。黄船长为老卢陆的多疑和背叛而羞愧。他哈哈大笑，驱除心中的厌恶。尽管对于对方来说，他们都是“外国人”，甚至可以想象成敌人，或者充其量不过是为不同利益服务的奴仆，但他们都是人，如果因为胡乱猜疑而相互残杀，对谁都没有好处。

庞普尔没有骗他们。根本就没有黄金。而现在，他们居然如此卑劣地对待他。

卢陆耸了耸肩，没有丝毫后悔的意思。“有黄金。有！”他坚持说。“是那个巫师给藏起来了。那就让他抱着他的金子自个儿受用去吧。”

“但愿他能活下去。”黄船长叹了一口气说。

老卢陆信心十足，认为他已经完全掌握了洋人的航海知识。太昭的梦使他获得启迪。他认为现在已经没有必要到罗马寻求教皇的帮助了。帝国已经敞开怀抱，准备接纳从流放之地回来的真龙天子。不必再等风向由东转西。这条中国船相当结实，经得起任何风浪。

二十天过去了，二十五天过去了，三十天过去了。从第十五天开始，剩下的五只大海龟就只能分配着吃了。搬上船的第一株玫瑰死了之后，黄船长便用有限的淡水包括尿浇灌还活着的那些花儿。看到天要下雨，他就赶快把花花草草搬上甲板。卢陆对这些事儿漠不关心，他只是坐在船头直瞪瞪地望着茫茫大海。现在船究竟驶向何方，他心中无数。先前的傲气已经荡然无存，他只在心底祈求赶快找个地方登陆。

第二十五天之后，天气变得酷热难当，水手们牢骚满腹，心生疑虑。罗斯待在舱房里，一边给孩子喂奶，一边给她扇扇子。太昭也是闷闷不乐，一天到晚在已经用过的纸上练毛笔字，要么就没完没了地吹笛子。由于空气中的盐分太大，竹笛有点儿变形，笛声自然也就不像先前那样悦耳动听。

闲来无事，孩子又睡着的时候，他就给罗斯送来一壶茶，让她喝下去，然后像从前那样用那琥珀色的热流沐浴他赤裸的身体。等那生命之柱冲天而起的时候，两个人又尽情欢乐。她对他的吸引力倒是一如既往。

听见他们的欢声笑语，黄捋着胡子忍不住想笑。当他望眼欲穿，希望在那水天相接的地方发现什么目标时，他们的欢乐多多少少减轻了一点心中的焦虑。

第二十三天，卢陆病倒了。这位明朝末年内宫太监大总管躺在闷热的舱房里浑身颤抖，就像滑冰的时候跌倒在冰面上一样。他的脑子好像大火烧烤着的坩埚，天翻地覆般地难受。不管吃什么喝什么，哪怕一口清茶也要吐出来。他皮肤蜡黄，如柴瘦骨清晰可见，一双眼睛好像珍贵的鸡血石——黄玉上面布满丝丝缕缕的“鸡血”。

他经常说胡话，说他们屡屡受挫的远航，说永亲王太昭是真龙天子，一定会登上帝王之位。他把小伙子叫来，让他几小时几小时地坐在身边，紧紧抓着他的手，就像握着舵轮。

有时候高烧减退，他挣扎着一个人走到船头，久久地凝望波涛汹涌的大海。

一个人倘若把自己和政治联系起来，并且让其主宰一生，究竟有什么意义呢？你为之奋斗的目标宛若夜晚的星星，从地球这边看，渺无踪迹，从那边看却光芒四射。如何才能实现这个目标？通往理想的道路总是充满艰难险阻，每前进一步，每完成一个阶段的任务都要付出沉重的代价。妥协、退让、迂回、折中，无所不用其极。而那目标呢？是不是总在眼前，一成不变？或者由于时局的变化，目标本身最后也变得面目全非？如何才能看出你的驻足之地就是未改初衷的目的地呢？卢陆一生灵活的头脑迸发出最后几点火星，照亮他渐趋黑暗的思维。他知道，自己已经走到生命的尽头，完成了他的定数。或者还没有真的完成？政治目标往往超过个人的定数。大千世界风云变幻，只有贯穿历史的社会法则才能造就理想的模式。如果现在还不能完成，那么总有完成的一天。一个人即使仅仅抓住这个模式的碎片，也可以重新创造这个模式。这是规律。就像卢陆，他把缰绳紧紧套在太昭的身上，让他按照自己的意愿行事，太昭就终于有了继承人（到目前为止还只是一个女儿），而且开始走上恢复帝业的道路。终于可以睡觉了。卢陆可以缩回到乌龟壳里睡觉了。但是他又陷入了沉思……如果发生什么差错……航向出了方向性的错误……一种幻觉的错误……那么……只要……只要能完成这漫漫航程……就一定要坚信，坚信……如果情况有变，就要抢风掉头，在港口靠岸。螺旋形前进。目标就在眼前，船在正确的航线上行驶。

“太昭。”他喃喃着。他的手放在小伙子的手里，只剩下一把骨头。邪恶的火终于吞没了他。他的眼前一片模糊。“我的孩子！万物之主！”

卢陆躺在舱房地板上。一个新的问题摆在大家面前——如何处理死者的遗体？老太监对于这种事儿是行家里手，可惜他已经撒手西天。没有他的忠告，大家七嘴八舌，各持己见，几经争论才决定必须把卢陆带上岸，不能就这样扔到大海。水手们把他的遗体清洗干净，放了香料，用他的朝服包裹之后，举行了简单的仪式，放到船尾。中国人哀号着表示他们心中的悲伤。令人心悸的哭声在海面上漂荡，渐渐消失在波涛之间。罗斯和她的女儿拒绝参加这场仪式。他们派了一个人看守尸体，以免海鸟啄食腐肉。就这样，大船载着腐败的尸体在第三十七天看到了陆地。那时候，他们已饿得变了形。几经周折，他们花了钱，又以武力相要挟，才劝说当地一位居民做向导，带他们到马六甲港。又走了二十四小时，才终于到达目的地。

黄船长在马六甲找到阿拉伯船业行会的头目。那人是他们先前的船长金的好朋友。黄送给他几粒罕见的珍珠，那人便替他整修了大船，还配备了继续航行需要的船员。自此，黄船长全权管理船上的事务。黄船长本来就是个少言寡语的人，现在对马六甲人越发谨言缄口，从来不谈他们到过哪儿，也不谈这次显然很倒霉的航行到底是怎么回事儿。他只告诉大家，他们要回老家。他从马六甲“中国城”的明朝遗老、亡命徒、混血儿、杀人越货的强盗、精神病人、行为古怪的人、病入膏肓的人，以及那些大腹便便的商人嘴里听说了不少关于中国的情况。忠于明王朝的老百姓为船上那具尸体举行了葬礼。没有人打听那个金发女人来自何方，也没有人想知道走在送葬队伍最前头的那位英俊小伙子是何许人。火葬之后，他们把骨灰装到一个坛子里，准备带回遥远的故乡。

第五部 尾声

进入泉州港的时候，周围一片混乱，雨像沙粒一样打在海面上。船刚靠码头，从马六甲雇来的水手便跨上跳板，一溜烟跑了，只留下黄船长安排上岸事宜。罗斯看着那些黑白相间、鳞次栉比的房屋，心里想，这是怎样一个世界呀！

那几个“捷足先登”的水手带来了清朝政府新派来的督抚。在马六甲，黄船长就听人说，泉州已经天下大变，江山易主。新任督抚不想给自己惹麻烦，当下逮捕了太昭。他们抓他的时候，太昭正无精打采地待在舱房里。对于踏上他的王国，太昭毫无兴趣。他们用一条绳子捆住他的两手，洋女人和她的孩子跟在后面。卢陆的骨灰坛子也被敬献给巡抚衙门，这玩意儿会为督抚大人赢来殊勋。一部分珍珠和还活着的玫瑰、其他植物标本也都被当局没收——除了那只渡渡鸟，它已经死在路上。

黄船长得到了报偿——荣升为南洋水师舰队统领。他把庞普尔培育的珍奇的黄玫瑰留给自己，并且使它设法存活下去。这稀世奇葩在他那幢坐落在泉州山上的宅院里开得十分繁茂，芳香四溢，来访的人嫉妒之余无不称赞这从未闻到过的如此奇异的香味。

一个多世纪以后，这种奇花被移植到宁波一个满清贵族的花园里，后来这座花园被一位商人、业余园艺家罗伯特·方丁收买。他把黄玫瑰带到伦敦，并且以他的名字命名：方丁黄玫瑰。

往北京押送的时候，永亲王太昭和他的妻子、女儿被迫分别上路。走到尘土飞扬的黄河平原，一位无名刺客受人指使，夜半时分将太昭勒死在他的房间里。至于他的尸体如何处理，无从得知。对于可能唤起民心、反对新政权的任何因素，最好的办法是把它扼杀在摇篮中。一切犹如过眼云烟，犹如洪水过后沉淀在平原上的淤泥。

那个外国女人被进贡给满清皇帝，满足他的好奇心。但是她无法激起他的欲望，尽管她婀娜多姿，丰满健美，满头金发闪闪发光。她最大的用处是待在后宫，拉扯她的孩子。这个黑头发绿眼睛的混血儿是明朝王室最后一个传人。在她的西洋母亲的抚养之下，她或许会长成一个奇而又奇的绝代佳人。那时候，皇上人到中年，性欲减退，倘若把她纳为妃子，或许可以使天子重振雄风。于是，皇上微笑着安排了母女俩的命运，从此以后，她们要永远待在紫禁城。不过，这位当朝天子全然没有想到，没等那女孩儿长大成人，他就一命归阴了。倒是他儿子的一双眼睛最终被这位神奇女子的花容月貌所吸引。

在御花园园丁的监督之下，罗斯在后宫一个幽静的园子里种下父亲培育的玫瑰。苗木是黄船长送来的。他从泉州派了一个送花的“使团”，经过仔细检查，皇上恩准西洋妇人接受舰队统领送来的礼物。如果没有这些花，她就和遥远的故土永远失去了联系——哪怕感情上的一缕纤纤细线。在这个缓慢遗忘的过程中，要想沉思默想，或者燃起希望的火花，几乎是不可能的。到后来，她几乎连自己的语言也忘光了，只记得常和女儿说的那些充满稚气的只言片语。虽然忘了英语，但是罗斯浑浑噩噩的脑海里还保留着精心构筑的“殿堂”，她要不时撕下总也清扫不完的蜘蛛网——用中国普通话给女儿讲那些怪诞的故事。女儿爱听，听到她的出生之地的奇闻轶事，总是咯咯咯地笑出声来。

迪莉娅·庞普尔和阿斯利·内维尔爵士坐在皇家学会橡木板镶嵌的套间里，仆人刚刚往炉子里面添了煤。屋外的石板和窗户周围结了一层白霜，天灰蒙蒙的，给人一种压抑的感觉。

爵士用一把银壶往托盘上的两个杯子里倒稠乎乎的巧克力茶。

“苦吗？不，”他温柔亲切地说，“不苦，如果加几匙这个……”

一个银罐里盛着冰屑一样的白砂糖。

“这是海岛种植园生产的砂糖。”他傻笑着说。

迪莉娅按照情人的吩咐，在黑乎乎的巧克力茶里加了几匙白糖，慢慢地呷着，心跳开始加快。

尽管丈夫已经好几年没有音信，迪莉娅还是觉得不能再婚。她总想，也许自己刚刚嫁人，爱德华就会突然出现在眼前。一直没有听到他的消息。“雪松号”原来的船长麦克奎因在开普敦被荷兰收容所遣送回英格兰。皇家学会为此花了一大笔钱——对于那家收容所，这是一桩好买卖。它向皇家学会索要了为数可观的赎金。麦克奎因向学会汇报了所罗门·特拉罗反叛的事儿。从那以后，再没听到“雪松号”的消息。要么，它已改名换姓，沦为一条海盗船；要么，早已葬身大海。不管怎么说，皇家学会已经把它除名。

迪莉娅·庞普尔还有一件烦心事，那就是女儿罗莎蒙德神秘的失踪。一下子少了丈夫和女儿两个累赘，只剩下儿子亨利关照自己，倒是轻松了许多，不过身为人母，她还是流了够多的眼泪。特别是她摇晃着满头秀丽的发卷，偎依在阿斯利爵士宽阔的胸膛前面时，越发显得形容憔悴，凄楚动人。

丈夫十有八九已葬身大海，除了阿斯利爵士，迪莉娅还能指望谁呢？动乱之秋，爵士看风使舵，干得相当不错。特别是随着共和政体对君主政治的屈从，爵士越发如鱼得水。治理国家的统治集团已经形成，不管政府采取什么形式，反正这条破船需要修补、改造，重新装配。那些兴风作浪的人、趁火打劫的人、真心治理国家的人，都来讨好阿斯利·内维尔爵士。他成了他们的首席顾问。那各色人等不管心里打什么主意，都要向他咨询一番。迪莉娅·庞普尔既然不能再婚，便觉得能从阿斯利爵士身上找到慰藉，意识到自己的价值，也不失为一件快乐之事，于是她成了他在伦敦的情妇。

“亲爱的，谢谢你的款待，”迪莉娅在进入主题之前柔声说。她是来为儿子亨利求情的。亨利对国王的事业热情澎湃，按照内维尔的指点，到一位清教徒大人物手下服务，以便给自己镀点金。亨利干了一段便腻味了，想回伦敦。

“阿斯利，给他在国会里找个位置吧。”

内维尔揉了揉近视眼：“这孩子有点迟钝。还年轻。不过，没关系，我会设法安排的。”

“他对你可是百依百顺。”她说。

这只不过是彩票赌博①，他提醒自己，彩票赌博。

喝了巧克力茶，妇人满脸通红，她觉得有必要搽点粉。

“你受刺激了吗？”他用一种研究科学的态度一本正经地问，“巧克力起作用了吗？看看你的乳头是不是也发生了什么变化。”

她解开胸衣，那两粒紫葡萄似的乳头比他上一次含着吸吮时还要红。爵士浑身颤动着大笑起来。被他称之为“不神圣的玫瑰”的玩意儿在裤裆里膨胀起来。他心痒难耐，想赶快做点儿什么。

“我替亨利谢谢你了，亲爱的。”她说着，镇静下来，喝干稠乎乎的巧克力茶。

于是，绅士亨利·庞普尔坐到了众议院的议事厅。人类文明又向前迈进一步。这景象无论通过放大镜从尽可能近的地方看，还是通过望远镜从远处看，都无关紧要。反正世界在不停地旋转。

爱德华·庞普尔站在那儿像一根标杆。他望着远去的帆船，一动不动，直到那个小小的黑点模糊不清，终于消失在波涛汹涌的大海。他断定，如

---

①彩票赌博（numbers game）：把赌注押在任何三位数上的赌博。

果还能看见那条船，那便是幻觉。这件可怕的事情发生的时候，他连举起一根手指的力气也没有。他无法相信正在发生的一切，只能眼巴巴望着那条船渐渐远去。这当儿，力气一点一点从他身上消失。当他设法对此寻求解释的时候，他已经浑身无力。可悲的是，甚至那条船消失的时候，他还觉得那可能是海市蜃楼，或者是造物主在玩什么魔术。命运给他留下的只是一个无法避免、也无法理解的现实。

他想到，可以自己造船，可以跟在他们后面远航。去哪儿？去罗马？永远只有他自己，连“缓刑”的机会也没有。再也不会看到那条船，再也不会见到一个人，再也不会和同类一起说话，探讨问题，出主意，想办法。再也不会看到人类的身姿，抚摸人类的皮肤。这前景太可怕了。简直不可思议，无法想象。他从思想上就无法接受。上帝连一个伴侣也不肯赐予，难道这就是他的回报？他将是这座土地肥沃、适宜生存、和平宁静、充满友情的小岛的国王，这块领土的元首。他将是这块领土的知己，不是名义上的知己，而是息息相关、患难与共、相伴到死的知己。

所以，他应当心满意足了。去了解并且爱这座小岛。而小岛也将努力展示自己的知识和爱，直到那个失去的世界从他的睡梦中完全消失。他是这里第一个也是最后一个居民。他将在这山山水水之间跋涉，维持生计，照料花园，心平气和地凝望环礁湖和礁石激起的、永无休止的碎浪花。还有空阔辽远而又风云变幻的天空。除非造物主突然赐给他一个伙伴。当然这种事情不大可能发生，最好不要发生。当他终于死去的时候，便只剩下小岛自己，就像现在这样，平静如水，不受干扰。那是他的一座纪念碑。他的心能承受得了这一切吗？或者他已经不再是人。一个脱离社会、没有同类的人还能算人吗？他是大自然在这座荒岛造就的一个怪物，一次失败的实验，一个日趋灭绝的物种。

这座海岛虽小，但地形复杂，因此就像英格兰一样，气候多变。而且由于温差大，气流创造出更加有声有色的变化。那条中国船开走的时候，天气极好，湛蓝的天空飘着几朵白云，辽阔的大海平静安详，碧波粼粼。

岸上所有的树木都婆娑起舞，为那远去的人们送行。

日上中天的时候，乌云开始聚集。庞普尔像一条被人抛弃的狗张皇失措，先跑到岸边，跑到那道岩架下面，在中国人驻扎过的营地窜来窜去，嗅来嗅去，希望找到人类留下的踪迹，然后又跑到海滩，涉水走进大海，一直走到没膝深的地方，好像要追赶他们。他心里还存着一丝幻想，希望他们能回来接他，希望谁也无法操纵的天意创造什么奇迹。当希望终于化为乌有的时候，失望像滚滚波涛扑面而来。

满天乌云，庞普尔从茫无目的的痛苦中挣脱，意识到他还有许多事情要做。世界已经从他眼前消失，被劫掠过的玫瑰园需要重新整修。他像一个形容憔悴、衣衫褴褛的香客拄着竹杖，慢慢地向山坡走去。他是山水之间的一位隐士。他不紧不慢地爬上山顶，然后沿着弯弯曲曲的山路向峡谷走去。他吹着口哨，是罗斯爱唱的那首关于小马内利的歌。棕榈树叶向他招手，热带地区那种花冠很大的红花向他点头。由于天光渐暗，那灼灼红花越发显得光彩夺目。小鸟看着他大笑。它们都知道，他已经属于它们大家。渡渡鸟也都从树丛中跑出来看他。它们不会展翅高翔，没有防御能力，应当把它们介绍给世界，而不是这个它们已经认识的人。它们拖着两只又短又粗的翅膀，趔趔趄趄地走着，脖子起伏波动，以一种“告诉你怎么办”的热情和尊严，向庞普尔走过来。它们以一种自己浑然不觉的怪诞、荒唐和典雅，摇摇摆摆越过那条属于它们自己的“风景线”，一直走到离真正的隐士——庞普尔很近的地方。在斑斑驳驳的树影之下，他对着那群渡渡鸟沉思，很想和它们聊天儿。

他疯了吗？如果此刻还没有，迟早会发疯的。他叹了一口气，擦掉额头的汗水。再往前一点儿就是玫瑰园。鸟儿一直跟在他后面。

他把中国人拔出来扔在一边的玫瑰又扶起来重新栽好。根部四周的土需要夯实，有水之后，活儿自然而然就可以完成。他忙活着，空气渐渐变得闷浊，天也凉了起来。看着劫后余生的玫瑰，他越发真真切切感觉到孤独，清清楚楚意识到他已经失去了女儿、外孙女儿、老卢陆和黄船长。对于这些中国人，他虽然常常抱怨几句，但从内心深处已经生出好感和敬意。都拔出来了。那宛若废墟的玫瑰园是摆在他面前的考验。他是什么造就的？他是什么？恐惧是什么？如果他能洗刷自己的心灵，像鸟或者树一样变化该有多好！然而他是这座小岛的君主，他必须去探索想象之中的丰富的知识。为了这个崇高的目标，他乞求上苍给他力量。

雨打在树叶上，沙沙沙地响着，越下越大。他压根儿没想找避雨的地方，也没想如何保护自己。为了不让衣服浇湿、发霉，他脱下来卷成一卷儿塞到岩石下面。他把鞋、腰带、刀、装玉的荷包也都取下来。他的头发、胡子缠结在一起。滴着水，黑乎乎一片。他浑身赤裸着站在雨水中，眼窝里盛满了雨水抑或泪水。一束束亮光从头顶乌云的缝隙照射下来。

中国人掘地三尺捣毁玫瑰园的时候，居然没有动庞普尔特别珍爱的那株杂交玫瑰。它在一个角落挺立着，黑暗使它躲过了那场劫难。没有受到伤害的花蕾已经绽开。庞普尔还没有平息心中的烦乱，没有从那撕心裂肺的悲伤中解脱。他还不能以一种怜悯之心对待周围的一切。他怀着敬畏，顶着细雨，屏住呼吸，赤裸裸地向那株玫瑰疾步走去。黑暗中，他突然看见那株玫瑰四周的土壤闪着紫色磷光。微风吹过，当阳光从云彩缝隙照射下来的时候，那磷光骤然消失。庞普尔意识到，是泉水把他那天抖落的毒药带到这里，肥沃了玫瑰周围的土壤。而这株玫瑰正是他为了做颜色变化试验，用中国黄玫瑰的花粉和他的深红色玫瑰亲手杂交的那株。他走过去，看见花蕾已经开放。雨打枝头的绿叶，阳光在花瓣上跳荡着，忽明忽暗，变幻出种种色彩。他又往前凑了几步，断定不是阳光变化而生的幻觉。那玫瑰竟是黑色的！他仰面朝天，爆发出一阵混和着毁灭前的喘息的极度快乐的呼喊。这朵奇花的创造者激动得发抖，胜利使他的精神得到了升华。他滑倒在地上，站起来又打了个趔趄，抓住一根玫瑰枝才稳住身体，花枝折断，玫瑰刺扎破他的手掌。他踢着玫瑰根部湿乎乎的泥土，脚趾碰到一样硬硬的东西。原来是一个暗淡的金属环。这个泥土中的障碍物得见天日以后，像黄金一样闪闪发光。

庞普尔叫喊起来。他疯了。他将为自己建造一条船，扬帆远航。他又咒骂起来。这个地方在捉弄他。他怎么能把自己创造的这株奇花交给大海呢？这是世界上玫瑰爱好者拥有的唯一的一朵黑玫瑰。他笑了起来，开怀大笑，直笑得喘不过气来。

“开吧，花儿，”他请求着，摔倒在地上，滚成了一个泥球。“开吧！”他带着一种苦涩，轻蔑地说。大千世界，他是最伟大的发明家。

红线

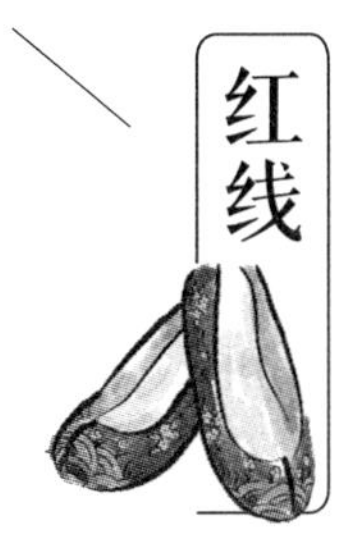

第一部 婚礼记乐

寒冬，下午。一位老人走下泊靠码头的渡轮。翁又高又瘦，而且驼背。他的提包不是拎着，而是抱在怀里，像抱着一个婴儿。他前额突出，两耳处变窄，上颚和下巴又变宽，整个脑袋像颗落花生。他的皮肤绷得很紧，几乎半透明。镜片厚厚的眼镜，从耳根架在扁平的鼻梁上，摇摇晃晃。旧式棉袄的衣领扣子扣到脖颈。他穿着落满尘土的布鞋，缓缓走过搭在渡轮和栅栏的“迷宫”之间有棱纹的木板，逶迤而出。

大半个世纪以来,翁一直保持着学者的风范,在后面的“密室”伏案工作,埋头于单调乏味的文书工作——抄写资料、整理文件——而外面，冰火不容的政治运动如火如荼。就这样，他和他的智慧一起得以留存，渐渐变成“老翁”。他一直沉湎于他的最爱，醉心于文物研究——把玩，收藏，经营。这种激情流淌在他的血管里，勾勒出他的一生。

现在，杯子里的茶已经发苦。从家乡顺流而下，一路风尘，他虽然又累又饿，但抵达上海仍然令他激动不已。他向一位双脚踩在脚蹬上正准备离去的三轮车夫走去时，脚步格外有力，两只眼睛闪闪发光。经过一番讨价还价，老翁压下了三轮车夫开出的价格。那人夸口说，这一天，他的三轮车后座已经运过装着一个计算机系统的许多纸箱，一桶活蟹，一大堆紧紧捆在一起的杂志，还送过形形色色的游客。

此时，三轮车拉的是老翁。他俯身于大腿上面放着的提包，两条小腿耷拉着晃来晃去。

年轻时他为之入迷的城市变得几乎认不出来。可是，不知道为什么，这座城市的氛围却没变，仿佛有些幽灵仍然留在这里。落日的余晖把宽阔的河流融入深紫铜色的天空，那景色和他的记忆毫无二致。轮船灯光缕缕，蒙胧、虚幻。要下班了，座座大楼华灯初上，小彩灯宛如繁星，沿河岸呈扇形排列开来，闪闪烁烁。新型企业一幢幢玻璃大厦拔地而起，使得古老而宏伟的石头楼宇相形见绌。

三轮车缓缓前行，迂回穿过熙攘喧闹的人群，拐入一条狭窄的小巷，然后抄近道来到另外一条拥挤繁华的大街。在新近落成的上海最高的一幢大楼外面，老翁跳下三轮车，付了车钱。大楼的自动门像一条不停喘息的鱼的嘴，一张一合，让他进入。往里走的时候，看见滑动着的玻璃门上的映像，想象着青春年少的过去，老人几乎认不出那就是自己。他走过宛如大海的绿色大理石地面，向电梯走去。

在第四十一层一间办公室的门上，黑底金字，一家公司的名称映入眼帘：上海国际艺术品拍卖公司。狭窄的门又一次向老翁敞开，他走进卤灯洒下的一池冷光之中，光池里“漂浮”着几张办公桌，空空荡荡，计算机的显示屏除一台亮着以外，其余都关着。

他把提包紧紧地抱在怀里。

“小沈。”一位年轻人走过来迎接他时，他热情地叫道。

“你一定很累了吧，”沈一边殷勤地应答，一边扶着他的胳膊肘，把客人领到窗边一把扶手椅跟前。“喝杯茶？”沈说，端来两杯茶，放在低矮的茶几上。老人摘下头上的呢帽，双手捧住茶杯暖手。按照他喝茶的习惯，先揭起杯盖，把茶杯举到嘴边，将浮在热气腾腾的水面上的茶叶吹向一边，然后放下茶杯，等待茶叶沉淀下来。

沈容光焕发，对客人喝茶的老式做派不无赞赏地点了点头。

“请问贵庚？”老人问。

“三十。”沈回答。

“三十而立，”老翁说，“正是孔老夫子所说的立业之年。”

随着时间的推移，沈的头也许会长成老翁那样的形状，不过目前而言，他胖乎乎的脸，线条明晰，像是某位制陶工塑造而成。他皮肤白皙，头发像渡鸦的翅膀又黑又亮。他按捺不住急切的心情，指了指茶几上的一块空地儿，让老人打开提包取出里面的东西。

老翁拉开帆布提包的拉链。第一个小包用一层层报纸紧紧包裹着，又用细绳十字交叉捆起来。他费了好大劲儿解那个扣，小沈不耐烦地看着。翁像剥洋葱皮一样，把报纸一层一层剥去，直到露出里面的物件。这是一把青瓷提梁大口水壶，釉彩精美、色泽鲜艳。老翁拿在手里把玩着。它虽然已有几百年的历史，却没有年款。它必定出自民窑，是同类瓷器中的精品，朴实无华，却难得一见。那青瓷现出烟雾般的绿色，仿佛映照在浊水中的云朵。不管怎么说，这都是一件好货。

沈一直在旁边走来走去，终于在老翁对面那张椅子上坐下，任由这位经验丰富的收藏家从容不迫地把玩他的藏品。

第二个小包包装纸的层数更多。去掉包装，现出一件洁净无瑕的浮花白瓷器。这是一尊不大的妇人塑像，她身材苗条、曲线优美，眼帘低垂，一只手捏着佛珠款款地放在腿上，另一只手呈合南状，放在胸前。釉面如珠玉般光滑，洁白似雪，宛如穿过薄雾的阳光微微闪亮。

“观音。”沈认出那是大慈大悲的观世音菩萨后说。菩萨站在莲心上，一只赤脚向前探出，仿佛站在荡漾于碧波中的小舟之上。

“德化瓷器。”老人点着头表示肯定，并指出瓷器的窑址，还推断出这件瓷器出自明朝。

“非常精致。”沈一边观赏，一边用手指抚摸着那尊精美的塑像。

老人得意地微笑着。他非常清楚，自己不仅拥有这件东西，而且具有识别它所需要的鉴赏力。他有点漫不经心地把塑像递给沈。沈把它捧在手里，转过来，掉过去，欣赏衣纹和佛珠的细部。

后来，仿佛想了想，老翁才指出确定工匠姓名的标识。“何朝忠。”他说。何朝忠是最有名的工匠。说话间，老翁已经动手解开第三个小包。他用灵巧的手指取出一只深红色的碗，然后把碗倒过来，让沈看碗底乾隆皇帝御用的标识。这只碗的神韵和皇家气派，使得它仿佛一下子成了上海国际艺术品拍卖公司敞开式办公室的中心。这样一件精美绝伦的珍品，深红色的釉面就像晶莹剔透的石榴石，吸收着这个世界奇异的光彩。当它映照出仔细端详它的那两个人的面孔时，距它烧制的年代已经有三百多年了。

沈把那尊浮花白瓷观音塑像放在茶几上，看到老人点头表示同意之后，才伸手拿起那只皇帝本人必定赞赏过的碗。这只碗摸起来，既不热，又不凉，给人一种光滑而又黏滞的感觉。“不错。”沈咧嘴笑着说。他觉得沿着脊柱自下而上一阵震颤，好像看到釉层下面一条龙在云海中翱翔。

他拿来便笺本和计算器。

沈计算价格期间，老翁很沉稳地打开最后一个小包。这个小包是长方形的，外面用两层《人民日报》包裹着，里面还包着一层褐色的纸。小包里包着一部针脚松散的线装书，书夹在两层红布包皮的硬纸板中间，用红色缎带捆扎，每一面都打着两个蝴蝶结。老翁解开蝴蝶结。这部书共有四卷，都很薄，老翁把第一卷递给沈。封面上的字木版印刷，大而粗壮，漆黑如炭。《浮生六记》。沈读出声来。这是其中的第一记。

他翻开第一页。书印成竖行，排列有序。字吸引了他的目光。花名。船。

“这是最早印刷的版本。”老翁解释说。

沈依次拿起分册装订的每一卷。“只有四记？”他问。

“唉，”收藏家叹了口气，嘴唇向后咧着，露出很宽的牙缝，“最后两记遗失了。”

“遗失？”

“丢了。从来就没有找到过。”

“从来？”沈颇感兴趣，抬起头，“你的意思是说这本书根本就没有写完？”

“作者活着的时候，这本书就没有出版过，”老人解释说，“最后两记也许从作者的文稿中遗失了，也许在送给出版者的路上丢失了，或者这本书压根儿就没有写完。他只是写给自己和自己的朋友们。这本书记述了他的生平。”

“他叫什么名字？”

“沈复。”

“沈——和我一个姓？”

“对，一个姓。”

年轻人越发神情专注地看起来。他把书攥得那么紧，有一会儿，那一页页纸好像从他的手指尖长出来，那纸就是被压印又脱落的一层皮。老人看了，会心地笑了起来。沈试图读出第一页前面几行，尽最大努力弄明白文言文的意思。后来，他惊讶地注视着老人的一双眼睛。

“我觉得它把我完全吸引住了。”他说。

因思《关雎》冠三百篇之首，故列夫妇于卷首，馀以次递及焉。所愧少年失学，稍识之无，不过记其实情实事而已，若必考订其文法，是责明于垢鉴矣。

老翁面带微笑，看着皮肤上依然闪烁着青年男子生机勃发的光泽的沈。“这是一个爱情故事。”他愉快地说。

沈长长地舒了一口气。爱情？他不知道他是否有过爱的体验。美，是的，造物主创造的完美无缺的事物，固然是一种极度的美，但他怀疑，那并不等于爱情。他十分利落地把四卷书插入两层红布包着的厚纸板中间，系上四个蝴蝶结，然后归还给老人。

他拿起铅笔在便笺本上写出估价。拍卖公司向卖主收取百分之十五的佣金，另外还要向买主收取落槌价的百分之十。必须按照市场价格估价。当然，估价可以略高一些，以显示拍卖品的品位，但不能高得离谱，否则会吓跑来“淘宝”的人。不管怎么说，最后的成交价和估价没有太大的关系。估价主要是印在拍卖目录上的一个基准价格，一个供竞买者竞争的底价。

过去，此类交易被严格禁止，所以“倒卖文物”风险很大，像这位老人这种秘密收藏的商人只能把弄到手的东西，偷偷藏起来。现在，随着市场开放，富有的海外华人愿意花钱，收复他们的部分遗产，于是，价格扶摇直上。那件青瓷水壶是罕见之物，那尊观音塑像是艺术珍品。那只深红色的碗更是稀世之宝——它是一件孤品。他们给这三件瓷器定出很高的底价。这个数字当然令老人高兴。他几辈子也赚不来、花不完这么多的钱。但是，那一串串零却无法说明问题的全部。这几样东西确实花费了时间、金钱，而且需要机灵，需要忍痛割爱的交换，需要花毕生的精力寻找那些早已被湮没的线索。而收藏品的价值，说到底在于构成它的文化品位，在于其艺术魅力。这种魅力不但使得它走向未来，而且假以时日，有增无减。

然而，书却不然。即使最早的版本也只是对专家研究有用。它不可能超越语言，像那只碗一样，说明其自身的价值。书需要在能对它作出正确评价的那些人的手中传阅。书不能仅仅摆在书架上。他们商定，那本书的估价要比那只碗的估价少三个零。即使这样，沈也承认，他定的这个价很盲目，因为他对古籍并不在行。六记中的四记。一个名气不大的文人写的古典文学作品。一部传记。想买的人恐怕只能出于好奇，他们就此达成共识。

宽敞的办公室里灯光如昼，摆满了文件柜和计算机，只有他们两人在聊天，喝茶。和平常一样，沈的美国老板早早就离开了办公室，沈留下来锁门。沈往茶杯里续上热水。他十分明白，不要打听老翁的商业秘密。老翁深入南部的偏僻地区，设法寻找那些不同凡响的东西，而且很少看走眼。沈认定自己是流通和交易系统中的一个组成部分，是那些永不过时的东西循环往复中的一个环节。被允许以这种方式进入老翁的领域，他感到十分高兴。

老人把拍卖公司的正式收据折叠起来，装进棉袄内的衣袋里，扶了扶架在耳朵上的眼镜，然后站起身来。即使驼背，他依然显得很高，但是，脊柱弯曲却使他看起来在向轭门[①]鞠躬。也许，他以抽象的方式，为过去而不是为现在服务。他挑起了已经覆灭的王朝留下的担子，并且完全是自行其是，不涉及任何人。往昔的荣耀为他谋得生计，使他得到回报。“涓涓细流”中偶尔有一大笔钱，但从来不足以使他摆脱粗衣布履的生活。他积累的是理解，而不是金钱。

他把用过的报纸和细绳仔仔细细收起来，放到提包里。“下次见。”在电梯旁边告别时，他握着小沈的手说。从大楼出来之后，他便沿着一条没有路灯的小巷，寻找一家小饭馆，在那里，他可以吃五香花生米，鸡，再喝上几杯黄酒。

沈用带泡泡的塑料纸把三件瓷器重新包好，锁到保险柜里。他看看手表，吃饭的时间几乎已经过了。他用手指拢了拢头发，然后坐在那位老收藏家坐过的椅子上，从口袋里摸出一支香烟。他拿起那本书，透过蒙眬的烟雾和耷拉下来的头发，眯着眼睛看那一行行文字，直到集中神志，将那文言文读了下去。

> 余生乾隆癸未十一月二十有二日，正值太平盛世，且在衣冠之家，居苏州沧浪亭畔，天之厚我，可谓至矣。东坡云：“事如春梦了无痕”，苟不记之笔墨，未免有辜彼苍之厚。

沈想，作者叫沈复，我叫沈复灵，我和你是同一个家族的成员。我在美国学习期间，随扮演詹姆斯·邦德的演员取名肖恩。因为叫个外国名儿

①轭门：用三根矛搭成的拱门，作为轭的象征，战败的敌人被迫从下面穿过。

办事总会容易点儿。否则，他们为了避免叫错，干脆尽量避免叫你名字。而没有名字，他们也许会很快就忘记你的存在。于是，我变成了肖恩。肖恩·沈。人们会问，喜欢肖恩·佩恩，那个电影明星？是的，没错儿。

我从上海复旦大学毕业的时候，英语已经很好了。在美国的大学生涯结束以后，我的英语像当地人一样流利，只是讲行话、术语的时候感觉有点困难。我父亲沈教授，任中美学术交流委员会的委员。他是研究中国现代史的著名历史学家，也是先进的共产党员知识分子。作为一个辩证唯物论者，他认识到，二十世纪末叶，在全球范围内，意识形态领域将发生重大的变革，利用这种力量，中国将再次变成一个富裕强盛的国家。因此，他依然是位革命者。我是他的长子，他为我谋划，要成为一名经济学家和美国绿卡的持有者，一名为正在中国拓展业务的跨国公司提供货币流通分析的分析员。正是由于他牵线搭桥，才使我进入乔治敦①大学学习经济学，与那些运动员、书呆子、天才、华盛顿律师和华尔街商人们的儿女为伍。

就在那个时期，我开始迷上了电视，法国油煎食品，巧克力冰激凌和泰国拉面。我去健身房锻炼，使我的肌肉发达。穿着大学校园宽松的无领长袖运动衫，我颇为得意。但骨子里，我始终是来自上海的，勤奋好学、有教养的年轻人。

周末，我通过参观市博物馆自学。博物馆藏品丰富，有古典的雕塑、中世纪和文艺复兴时期的手稿、18 世纪和 19 世纪的欧洲绘画，以及美国从早期民间手工艺品到最现代化设备创造的艺术品。结果，我的经济学没怎么学好，博物馆的“自学”倒是颇多回报。博物馆还有一批非常有价值的东方收藏品，其中包括一个传统的中国展厅，那里面的文物都是清朝末年，中国十分衰弱时，一个美国冒险家掠夺并运到美国的。展厅内专门辟出一

①乔治敦：美国哥伦比亚特区华盛顿西部地区。1665 年有居民定居并于一七八九年建镇，但 1789 年废镇，于 1878 年并入华盛顿市。它以高级的老住宅区和私人花园而闻名于世。

间文人画室，陈列着最精致的古代笔筒、砚台和书画卷轴。那些展品距它们自己的文化虽然遥远得令人难以置信，但在外国，它们受到的尊宠程度却是我闻所未闻的。

有一个玻璃橱柜里摆放着一个很特别的茶碗，使我恋恋不舍。它并不十分引人注目，它那细如发丝的纹饰时而呈灰褐色，时而呈栗褐色，时而呈烟灰色——或者宛如褪了颜色的布鞋的灰色，也许还泛着茶绿色，或者淡淡的紫罗兰色。其釉面被称为兔皮釉，黑色颜料中的铁在一定温度下熔化，形成水晶般的细线。茶碗本来是拿在手里的东西，可是在博物馆里，这种行为是被禁止的。每次去博物馆，我都要仔细看看那只碗，好像它属于我。我觉得，在我孤独的学生生涯中，那只兔皮釉碗是我为数不多的亲密伙伴之一。就这样，我渐渐意识到，我自己的文化深深地埋藏在我的心底，它需要我自己发掘，才能得见天日。

我被强烈吸引的另一件展品是一尊石佛雕像的佛头，它来自溯长江而上的庐山的一个寺庙。佛双目微闭，面容十分安详。雕刻于一千年前的佛头被锯下来，被一个战利品收藏者留作纪念。远在大洋彼岸的某个地方，无头的身子，被残杀的躯干，默默无言地等待着它那优雅的头颅的回归。也许，那是一件我应该做的事情，把缺失的部分拼合在一起。

参观博物馆改变了我对经济学的看法，虽然我出于孝道来到美国学习，但我对走上精明的老父亲那条追求财富和权力的道路实在不感兴趣。我永远不可能把注意力限制在经济学枯燥乏味的思考上。我明白自己是怎样的一个人——浅尝辄止，“半瓶醋”，一个可能朝秦暮楚的人。

那时，博物馆东方部主任把我当朋友看待，有一个与她分享对东方艺术的热情的参观者令她高兴。她帮助我转学艺术史的研究生课程。在获得只有一个学期经济学学分的情况下——在那个学期中，我学习了关于市场那些无法改变的法则——我现在可以致力于对那些蕴涵着美的事物的学习了。父亲大发雷霆，说我是个不务正业、自私自利的糊涂虫。从那时起，他就把恢复家庭时运的全部希望寄托在弟弟复明的身上。大家都认为他有经济头脑。

可是我却感到快乐，快乐得超过我的想象。毕业之前，我就被一家新近成立的拍卖公司看中。公司设在上海，与已经颇有名气的国际公司直接竞争。就这样，我以过硬的背景——流利的英语、响当当的美国研究生文凭以及对中国文物的鉴赏能力——回到家乡上海，为上海国际艺术品拍卖公司工作了。

三十立业，孔子说：三十而立。结婚。成家。

哦，我却要独辟蹊径了。

沈抽完最后一支烟，把书放下。书中，中国古典文学的语言读起来很慢。二百多年前的半文言、半白话文，读起来慢，却极其愉快。他仿佛得到许可，举止文雅地迈着小步，走进沈复的隐秘的世界，走进他那扇敞开的心扉。在那心灵的密室，作者最深处的记忆、最坦诚的告白呈现在你面前。

利用业余时间，一天读一页，沈花了两个星期读完第一记。那一记的标题是“闺房记乐”。那时，即将来临的拍卖会的目录已经印刷完毕，参观将如期举行。他恋恋不舍地暂且放下这本书。

为了这次展览，上海国际艺术品拍卖公司租用了一九四九年前法国夜总会的舞厅。舞厅经过精心整修，椭圆形灰泥天花板装饰着雪白的拉毛粉饰花环，窗户上安装了新近工艺的彩画玻璃。旋转楼梯新颖、华丽的铁栏杆从门厅蜿蜒上升。新任日本经理已经同意把这个舞厅保留下来，作为条件，换取在主要商业区修建五星级宾馆的地基所有权。虽然展厅豪华气派，可是沈总是闷闷不乐。那本标签上写着《浮生六记》、包在红色封皮里的古籍善本，孤零零地摆在显得过大的白色底座上，甚至连个停下脚步看一眼的人都没有。在精美而适于装点门面的艺术品拍卖会上，它显得格格不入。不过，话说回来，在读完这本书之前，他舍不得和它分开。

参观者陆陆续续走了进来，沈坐在咨询台旁，一会儿巧妙地回答参观者的询问，一会儿登记那些有意竞拍者的名字。他的同事里基，一个年轻的英国人，坐在他旁边闲聊。里基·奇特莱勃罗夫虽然在牛津大学接受过有关中国文化知识的教育，但对文物的鉴别却是外行。他头发淡黄，耳朵上戴着莱茵石[①]耳钉，一副乐呵呵的、喜欢挖苦别人的样子，显示出他在现代化大城市的生存能力。在加盟这家拍卖公司之前，里基通过带领游客逛上海文物市场而赚钱。他知道怎样说服游客，使他们相信，交易没有吃亏。实际上，他的英语比沈好不到哪儿去，但因为他是外国人，薪金比沈高。公司和外国社团打交道时，他是个“宝贝”，尤其对于那些从来不真正相信中国人的欧洲买主更是个“宝贝疙瘩”。

沈和里基喜欢互相开玩笑，沈觉得里基的姓念起来很麻烦——奇特莱勃罗夫冗长而拗口——因此管他叫里基·奇蒂。里基过分浪费精力。下班后，他和沈一起吃饭。吃完饭，里基总要提议再去别的地方——酒吧，夜总会，或者和一些有“传奇色彩”的人物到什么地方聚会。沈虽然乐意和里基一起到夜总会，但他是个有教养的上海人，所以和里基的大多数朋友无话可说，也不想和他们搞得很熟。沈一直冷漠超然，直到深夜，有了几分醉意，才到俗丽的酒吧，和那些眼睛又黑又大的姑娘、小伙子们一起放松一下。那里烟雾腾腾，大家打闹嬉笑，气氛热烈。第二天上午在办公室，里基就会拿他取笑，说他生来喜欢逛贫民窟。

“当心，琳达来了。”里基说。

琳达·哈默尔，他们的老板娘，是个美籍华人，1949年共产党接管上海时，他们举家逃离大陆。她的丈夫斯坦利，一直在德克萨斯休斯敦的公司总部工作，公司在制定向中国扩展业务的计划时，琳达在总经理面前大肆炫耀她在上海的关系，于是，斯坦利被派到上海建立一个分公司。斯坦利喜欢这样表白，言外之意要大家信任他的妻子，那是她当之无愧的。他和琳达同舟共济。他们的使命是，五年之内，使上海国际艺术品拍卖公司在上海

①莱茵石：一种无色的含铅玻璃或玻璃的人造宝石，常具有钻石般的发光表面。

市这一行业独占鳌头。

“喂，小伙子们。”琳达边说边向里基和沈的办公桌匆匆走来。她的头发用发胶固定着，好像戴了个壳。她穿一身淡绿色套装，皮肤仿佛也微微泛绿。“猜猜什么事？”她俯身悄声说，又回转头看看是否有人偷听。“我侄女艾薇说，副市长已经表示，对拍卖会很感兴趣。啊，我真希望他能说到做到。我正给艾薇做工作呢。”琳达伸出两个手指，互相摩擦着。“艾薇和副市长的私人秘书就像这一样，肖恩，你见过艾薇，不是吗？她不仅漂亮，而且那么聪明。”

沈对琳达称呼他肖恩很反感。这说明，她虽然是中国人，但不喜欢中国名字。至于艾薇，沈想，即使撇开名字不说，她也不过只是琳达众多所谓侄女中的一个罢了。她们为她工作，作为交换，盼望她帮助她们寻找未来的丈夫。琳达已经拿定主意，倘若沈和什么人结婚，那个人必定是她“侄女”中的一个。她可不能让他白白浪费他这个“人才”。

“是的，”琳达说，转过身，背对里基。就她而言，她觉得里基对沈不会有什么好影响。“艾薇和副市长办公室的张军先生关系密切，她还说张军对艺术很感兴趣。哎哟，那块彩喷广告牌，”她说，转向里基，一脸责难，“难道你不觉得那上面的灯光太暗了点儿吗？”

广告牌金黄的底色上，画着红白两色的山茶花，山茶花中间站着一对蓝绿色的孔雀。“人们也许看上一眼就晕过去呢。”里基反唇相讥道。

“这是个色彩搭配是否协调的问题。”沈说，不乏外交手腕。

“你们是专家嘛。”琳达笑着说，不怎么信服，说罢找斯坦利去了。

斯坦利·哈默尔对有意参加拍卖会的人数非常满意。邮件联系取得成功。参加者有的来自北京、香港、台北，有的来自欧洲和北美。可是他心里明白，一个新成立的拍卖公司是根据拍卖师的娴熟技艺和成交价来评判的。虽然琳达已经找到一位当地的拍卖师，但是为了确保拍卖活动万无一失，顺利进行，斯坦利又从总部邀请了一位最高级的拍卖师。那人准备届时乘飞机到上海。可是就在拍卖会举行的前一天，那个家伙从休斯敦打来电话，取消了他的行程，斯坦利非常为难。

“让我们自己的小伙子干，”琳达说，“这对肖恩是个锻炼的好机会。”

于是斯坦利征求肖恩的意见，因为老板有意栽培，除了同意，沈别无选择。

舞台上挂着红色横幅，上面用大头针别着黄色汉字：首届上海国际艺术品拍卖会，很像从前的宣传标语。凸窗上摆放的红色剑兰、白色百合和画家亮闪闪的粉红色的调色板，像烟火一样绽放开来。头顶之上，巨大的枝形吊灯在暖融融的气流中轻轻颤动，灯下的人们扇着手中的拍卖品目录。那些在后面乱转的人们伸长脖子张望着。

那位经验丰富的拍卖师面颊红润，系圆点花纹红色领结。他站在拍卖台上，像个以说笑话为主的喜剧演员在那儿表演。当身穿紧身旗袍的年轻姑娘三人一组绕场转着，把一个号码接着一个号码的拍品展示给观众时，他一直兴致勃勃地说着拍卖的行话。他已经退休，为了这次活动才被临时聘用，但是他的技巧并没有荒废。上海拍卖活动被迫取消期间，他一直在旅游车上干兼职导游，但拍卖的行话他没有忘，现在派上了用场。那个年代谴责拍卖颓废，可是老百姓却那么喜欢它，那鲜花，那灯光，那些美丽的姑娘，令人眼花缭乱而又不无矫揉造作。现在，拍卖又回到社会生活之中。拍卖师擦了擦额头的汗水，似乎他觉得大厅太热。买主的喊价十分踊跃，从左到右，从前到后，此起彼伏，气氛非常热烈。

沈从舞台的侧面望过去，紧张得胃里翻江倒海。那位拍卖师休息的时候，他真希望出场的是里基，而不是他。可是里基正在下面忙着观察交易大厅买主喊价的情况，然后给那位目光敏锐、经验丰富的拍卖师发出信号。拍卖师就可以在谁都来不及仔细思考之前，像施了魔法一样，让对面哪个角落的竞争者报出更高的价格。

三十九号拍品！德化瓷观音，明朝，底座上面有工匠何朝忠的名款。一位初露头角的女明星身穿镶嵌着闪闪发光的小珠子的紫色丝绒长裙，把大慈大悲的女神塑像高高举起。观众中的某一位，垂涎的也许是那位姑娘，而不是这位明代女神的塑像。幸运的买主出天价购买的不仅是衣袂飘飘、如珠似玉的瓷器，而且买到了神灵对他贪欲的宽恕。菩萨瓷塑像在模特戴着白手套的手中转过来，转过去。满面红光的拍卖师吊着人们的胃口，希望有人喊出更高的价格。观众屏住呼吸等待着。

沈从舞台侧翼观察人群，寻觅一张或许能和自己产生共鸣的面孔。可是所有的人都被展示在眼前的珍品吸引住了。后来，他看见一位淡色头发的年轻姑娘站在舞厅的后边。她的脸与众不同。他纳闷，这位姑娘来这儿有何贵干。可是他还没来得及多想，推推搡搡的人们就挡住了他的视线，那姑娘从他眼前消失。

“竞价阶梯”以一万美元为单位大幅攀升，然后，以五千美元为单位攀升，后来降到一千美元，最后变成了两个买主之间的竞争。一位买主是来自德国博物馆的妇人，她瘦骨嶙峋，满头华发，每次加价前都要征询同事的意见。另一位身穿黑色西服，系梅花形领结，身材魁梧，大腹便便，麻脸上毫无表情，是位中国绅士，被称为香港最自负的收藏家之一。他每一次叫价都增加一千美元，而德国博物馆的代表听完他的叫价之后和身边的同事商量的时间越来越长。后来，那位德国妇女终于明白，她的对手是志在必得，决不放弃。香港人最终购得那件珍品。他站起身鞠了一躬，毫不激动地答谢交易大厅里的掌声。对他来说，获胜是个面子问题。一项新纪录诞生了。

拍卖师依然擦着额头上的汗水，在三位美女的护送下，得意洋洋地离开舞台。身穿紧身旗袍的小姐们走在他身后，袅袅婷婷。她们边走，边有节奏地拍着手掌，就像三个穿着软底鞋的游泳健将。

在舞台侧翼，老拍卖师握着小沈的手，祝他好运。他的表演很难效仿，沈很紧张。

“对于你，这是一个极好的机会。”斯坦利说，拍了一下他的后背，把他推上舞台。

那位年轻姑娘在人群后面找到一个可以看见全景的地方。她是白种人，外国人，淡黄色的秀发短短地环绕在耳边，大眼睛上面，修过的眉毛宛如两弯月牙。她双臂交叉，放在胸前，欣赏着拍卖的场面。因为没人阻拦，她就按照街上的告示牌所指，一直往前，飘然而至，走进正门，手扶被无数只手磨光的螺旋形楼梯的栏杆蜿蜒而上，来到舞厅。从人头攒动的舞厅望过去，她注意到那位滑稽的拍卖师的头发是染黑的。她喜欢注意这样的细节。她喜欢观察事物。这时，另外一个拍卖师出现在眼前，一个比较年轻的男子，小心翼翼地走向拍卖台。

下一件拍卖品是张大千的一幅画。张大千是位多产的老画家，曾经当过铁匠，周游世界，逝世于台湾。画家的印章是可信的，因此，沈相信，这幅画即使不是画家亲笔所绘，至少也是出自画家画室的真品。但是，他对以翠鸟蓝为画家鲜明特色的、模糊而抽象的泼墨山水画兴趣不大。这幅画拍卖一开始，台湾的收藏爱好者出于保护本地区艺术珍品的热情，喊价相当踊跃。沈用了太大的力气，把小木槌一击，宣布拍卖成交。这时候，他的眉毛轻轻地颤动一下。下一件拍品登场前，观众们在座位上挪动着身子，沈的目光扫视着面前攒动的人头，又一次看见后面站着的那位金发女郎。她似乎正盯着他看，目光坦率，充满鼓励。她容光焕发，脸像只苹果，充满活力，令人愉快而又出乎意料。

他有点羞涩地低下头，看了看拍卖单，宣布开始拍卖第四十一号拍品。礼仪小姐楚楚动人，身穿缀着金属闪光片的紫红色旗袍，走上拍卖台，手里拿着拍品——那本古籍善本。

沈认出那套书的红布封皮和熟悉的丝绸蝴蝶结。虽然拍卖单是他安排的，但是他已经忘记排列次序。他的面前，是如饥似渴的竞买者。突然之间，他舍不得把这本书推到他们面前。与那些估价不菲、令观众激动不已的瓷器、绘画和名贵的翡翠相比，这部版本古旧、残缺不全的书很可能相形见绌。而且，在这本书流落到凡尘俗世之前，沈一心想先睹为快，体会作者沈复写下的香艳的文字。礼仪小姐缓缓走近时，他看见那本书被倒过来，拿在她戴白手套的手里。沈不由得一阵战栗。为了老翁的利益，他有责任卖个好价钱。老人对它的珍藏品是不肯轻易出手的。可是没有人对这部古籍善本的内容真的感兴趣。在这个豪华舞厅明亮如昼的灯光下，倘若由于一个初出茅庐的拍卖师报价，而使书的竞拍冷场，结果将会怎样？作为一个艺术品鉴赏家，那将是玩忽职守，将因失败而蒙受耻辱。

冲动之下，沈伸手从礼仪小姐手里拿过那本书。

“女士们，先生们，我谨向你们致以最深切的歉意，”他一边说，一边把书放到拍卖台下面，“四十一号拍品已经退出拍卖，我们对由此带来的一切不便表示诚挚的歉意。现在继续进行四十二号拍品的拍卖。”

沈挥手让那位惊讶不已的礼仪小姐离开拍卖台，好像她是只绵羊。由于安排上小小的疏漏，台下的人哗哗啦啦地翻着拍卖目录，掩嘴窃笑。里基在大厅那边朝沈直翻白眼儿。琳达坐在舞台一边，毫不掩饰地皱起眉头。斯坦利两手捧着脑袋，从琳达不满的表情推测出沈失误的严重程度。副市长的私人秘书和艾薇就坐在前排。斯坦利真希望那个人压根儿就没来。他不该把这么重要的工作交给沈。他本来能雇到别的有经验的拍卖师，可是琳达叫他不要浪费钱财。

“第四十二号，具有代表性的拍品，”沈大声说，“乾隆牛血红碗。”交易大厅顿时安静下来。迎面走来的礼仪小姐突然意识到她手里端着的这只小碗的分量，手指尖不由得颤动起来。手套不合适，她生怕碗掉下去。站在观众面前，她气喘吁吁，在整个大厅的注视下，竭力保持托在手掌上那件稀世之宝的平衡。

“底价两万美元。”沈说，端庄而不失优雅。

仿佛一群信鸽被放飞，一场竞赛由此开始。他简直看不清谁在喊价。

“那儿！”里基大声喊。

德国博物馆的女代表又开始竞拍。还有那位香港收藏家。新加坡一位年老的企业界大亨的夫人。为加利福尼亚一家研究机构竞拍的相当活跃的美国男子。

沈的目光掠过那位金发女郎时，她大睁着一双眼睛看得那么专注，沈差点儿朝她打手势，让她报价。

十二万四千美元……前排有人点了点头，谁也不可能超过这个价格了。人群中爆发出一阵欢呼。第二项纪录被打破。人们兴高采烈，似乎他们能因此而分享到一点好运。

沈长长地舒了一口气，有点心不在焉地向观众鞠了一躬，把那本书夹在腋下，离开拍卖台，心里想，最好没有人注意自己此举。

“干得漂亮，年轻人。”斯坦利说，快步走过来挡住他的去路，“这只小碗将载入拍卖史册。四十一号拍品怎么会搞糟呢？”

“我原本就打算取消这件拍品，斯坦利。对不起。我太忙了。你知道中国古籍，得花费时间研究。《浮生六记》，书名有误，名不符实。实际上只有四记——四本分开装订的小册子，不是六本。如果我们在这种情况下把它卖掉，买主很可能向我们索赔。我准备再去老翁那儿一趟，看看他是否有书的其余两记。我们可以把它列入下次拍卖会。”

“琳达说，这件事把我们在副市长的代表面前搞得像个乡巴佬。”

“别急，斯坦利。”沈说，容光焕发。

“那一刻真令人尴尬。”斯坦利说。这时大厅里又爆发出一阵掌声，如惊涛拍岸。

“你听，斯坦利，”沈说，“我们成功了。”

前厅，斯坦利与贵宾握手，琳达站在他身旁。

“祝贺你，哈默尔先生，”副市长的私人秘书张军说，“多么值得纪念的一天啊！我自己也真想去竞拍，可惜价格高得吓人。你们已经证明，我们懂得在上海如何管理拍卖市场。”

“这是上海的传统。”琳达插嘴说。

“我想知道的是，”张继续说，“你们从哪儿找到这些东西？你们如何鉴别它的真伪？”

张四十多岁，身体强壮，不乏阳刚之气，目光炯炯，身材挺拔。他温文尔雅，是一个与各方面关系都不错的“党政干部”。因此，只要他在追逐私利方面不太过分，就与批评处分沾不上边儿。一直受党的培养教育，他懂得如何约束自己。尽管琳达的侄女跟他套近乎，但他总是尽量避免与她的身体接触。艾薇的头发过分鬈曲，穿上花哨的针织套装，看起来像塞得满满登登的长筒袜。她虽然长得迷人，但按照当地人的看法，已经接近束之高阁、无人问津的年龄了。

“哦，有一位才华横溢的年轻人和我们一起工作，”斯坦利大声说，“一位真正的中国艺术品鉴赏专家，他在美国学成归国，从事这个行业的工作简直如鱼得水。你在拍卖台上看见过他。”

“那个年轻人？”张问。

“没错儿，”斯坦利说，“你也许认识他的父亲。复旦大学的历史教授。”

“肖恩在哪儿？”琳达不耐烦地问，“肖恩！”她大声喊，声音大得连后台都能听见。

沈正在收拾准备送回办公室保险柜里的东西。大多数买主当时手头都没有带现金，没法把他们的“战利品”带回去。只有我带了，沈想，为公文包里的书焦急不安。他去应付琳达的召唤时，把书放到别人看不见的地方。他必须尽快向老翁解释这件事情。

“你认识我侄女艾薇。”沈走过来时，琳达说。

艾薇面颊飞红，向远处张望。张迎上前，握了握沈的手。“这么说，你就是那位专家了。认识你非常高兴。”他上下打量着这个年轻人，立刻就在心里对他作出评价，然后撇下艾薇，转身走开。艾薇不知应该跟着他走，还是留下来和沈谈谈。

“对不起，”沈尴尬地点点头说，“我还有事要办。”

观众拥挤着向门口走去时，里基正坐在服务台上一堆拍卖品目录的后面。那位金发女郎挤过人群向他走来。

“嗨！”他友好而有点鲁莽地说。“想要一份目录吗？”他递给她一份目录，“免费赠送。”

“你能帮我个忙吗？”她问。里基听出她的澳大利亚口音，“我正在举办我的作品展。我带来一些请柬。如果我留几份在这张桌子上，你不会介意吧？这些人那么有钱。如果他们在这儿没有找到称心如意的东西，说不定会买我的一件作品呢！”

里基笑了起来。“你来得太晚了，他们都忙着回家呢。”

“谢谢，”她说，递给他一沓请柬，“你永远都不可能想到谁会出现在你面前。”

“鲁丝·加勒特。当代中国传统绘画。”里基读着，皱了皱眉头。“挺酷呀，”他把这一沓请柬放在拍卖目录前边，“看看我们能钓到谁吧。”

她朝他不好意思地笑了笑。她令人愉快，但若即若离，里基想。她给人的印象是一个很随和的人。

“如果有时间的话，也许我会去的。”里基说。

“好极了。”

“我带一个朋友去可以吗？”

“没问题。”说罢，她飘然而去。

“瞧这个，”他们把目录和拍品装进面包车以后，里基用请柬轻轻拍了一下沈说。

“抽支烟？”沈问，“你知道，我不喜欢当代艺术。”

他们靠在公司的奶油色面包车上，抽着“云烟”。他们的上方，新建的宾馆大楼高耸云霄。

“你干得真漂亮，”里基说，“不过我更喜欢那位老人。他很有水平。你能相信那些价格吗？这个城市拥有的金钱太多了。喂，那本书是怎么回事？就是你一直在读的那本书，不是吗？”

沈点点头：“《浮生六记》。”

“说的就是它呀。怎么了？出什么问题了？”

“问题倒是没出，可是我还没有读完。”

里基哼了一声：“你这个家伙。斯坦利怎么说？”

“我不能就这样把它抛出去，”沈解释道，对自己此举依然感到意外，“我对斯坦利说，我之所以这样做，是因为这部书缺后两记。话说回来，这也的确是问题的实质。自从第一次发现这部书，故事的结尾部分就一直下落不明。”

“可是人们还要读它？”

“我想有的人并不十分在意它是否完整。”

“也许从来没有结尾，”里基说，“也许作者半途而废了。”

“但这本书是作者对自己生活的记述，”沈坚持道，“必定有个结局。”

牛血红碗被一个年轻的房地产开发商购得，此人即将首次腰缠十亿元。他正忙于筹备结婚，而且希望正在建造中的新房完全按照传统的中国文化来装修。在拍卖会上，他的代理人代表他竞拍，但碗是他亲自陪着他的未婚妻来取的。他穿一身黑白条纹相间的运动服，未婚妻一直透过运动衣，对着他的上腹部捅捅咕咕，运动衣发出细碎的响声。

“我不会赔钱，”他把墨镜架在额头，端起那只碗，“肯定不会。等我们中国人都成了百万富翁，就没有足够的真品满足每个人的需要了。那是肯定的。这是你的了，宝贝儿。”他把碗递给未婚妻，然后把墨镜拉下来。

沈从她的手中把碗拿过来，然后用几层带泡泡的塑料纸包起来。

“谢谢，老兄，”那人说，然后伸出一只胳膊搂住未婚妻，扬长而去。

沈被惹恼的时候，因审美情趣而生的恃才傲物便显现出来。他被深深地刺痛，世界上的事情居然这样。那些腰缠万贯的人对过去的文化是掠夺而不是拯救。为了宽慰自己，他走回到办公桌旁边，取出《浮生六记》，从上次停下的地方继续读下去。有些文言文词汇，他需要查阅词典才能弄懂。那本辞典就翻开在他的面前。

> 余忆童稚时，能张目对日，明察秋毫，见藐小微物，必细察其纹理，故时有物外之趣。夏蚊成群，私拟作群鹤舞空，心之所向，则或千或百果然鹤也，昂首观之，项为之强。又留蚊于素帐中，徐喷以烟，使其冲烟飞鸣，作青云白鹤观，果如鹤唳云端，怡然称快。

“我可要动手拉你走了，老弟。”里基从他背后走过来说，“去参加一个画展的开幕式，还得对付市区的滚滚车流。去欣赏一下当代艺术，换个花样有什么不好。你在故纸堆里花费的时间也太多了。”

“我要把这本书带上，”沈拿定了主意，“整夜把它锁在保险柜里有什么用呢？”

沈站起来，穿上夹克衫，把衣领弄平，又对着窗玻璃看了一下领带结。鸽灰色的烟雾已经笼罩了这座城市。远处，河流那边，落日像一勺西瓜冰激凌渐渐溶化在暮霭之中。里基望着沈用手指梳理头发。沈转过身，笑了笑，做好了出门的准备。

出租车、私家车、轻型摩托、自行车、挤满乘客的公共汽车、卡车，都涌向繁华的商业区。那里步行的人熙熙攘攘，每天这个时候，闹市区的街道都要堵塞。那么多时装店和高档百货公司，那么多街边小摊、小酒馆和面食店，那么多正在回家途中或者已经离家又要去过夜生活的人，形成一道渴望时尚的风景线。里基和沈在面包车里像蜗牛一样，在人流中慢慢地爬行。

两个腿很长的年轻妇女像穿过旷野的鹭那样，看也不看，径自大步走到车流的前面，里基紧急刹车。

“差点撞上她们。”里基笑着说。

两个妇女中的一个转过身，用最粗野的上海话大声叫骂，好让周围的人都听见。旁观者指指画画，嘲笑这个外国人。里基除了按着喇叭做出无力的“应答”之外，没有别的办法。沈无动于衷，只是低着头，全神贯注地看展开在他面前的那本书。

画廊在一座写字楼四楼一个朴素的房间。画挂在从顶棚轨道垂下来的绳子上，沐浴在一片白光之中。一群中外画家、投资者和礼仪小姐飘然穿过以华丽图案装饰的场地。人群后面孤零零地跟着一个服务员。他托着一个托盘，上面摆着盛满香槟的细长高脚玻璃酒杯。就这几个杯子，他也要摆出一个图案。里基想去聊天，沈打算先去看画，于是他们在门口分手。沈纳闷，自己来这儿干什么呢？

画的尺寸完全相同，和一本书的大小差不多。每一幅画都裱在经过精心选择、色彩十分和谐的立轴上。这些画都是按中国工笔画的传统画法精心描绘出来的。看到如此精美的绘画实在难得。沈觉得，一位外国妇女画这种风格的画能达到如此高的技巧真令人难以置信。工笔绘画不仅吸引了人们对画家描绘的对象——花鸟，偶然还有其他生物，人物比较少——细节的注意，而且吸引了人们对画家应用错觉艺术手法是否娴熟的注意。这是一种需要付出艰苦努力、技艺精湛的绘画方法。

画家笔下的每一幅画都是传统与现代的结合与对比。一只黑色与橘黄色斑纹交错的蝴蝶落在计算机显示屏上。俯视拆迁工地的窗台上放着一盆迎风怒放的粉红色牡丹花。一只白鹤从起重机上方飞过。一尊小小的金佛像放在显示出胎儿模糊轮廓的超声波扫描仪旁边。过去与现在并存。创造与破坏。自然与技术。竞争的力量。阴与阳。每一幅画上都盖着一枚红色印章。

沈意识到，他之所以来看画，完全是为了找出显示画家对中国传统是门外汉的蛛丝马迹。或者说，找出能够显示一个“门里人”试图有所突破时，在想象与构图方面那么笨拙的证据。他已经在画廊里转了一圈，又回到第一幅画前面——一只落在直升机螺旋桨上的蜻蜓——这时，他听到从画廊中央传来一位女士的声音。

> 小时候，我喜欢观察微小的东西，从中获得一种浪漫的、超凡脱俗的乐趣。夏天，蚊子嗡嗡地飞来飞去，我就把它们想象成一群在空中飞舞的白鹤，这使我感到极大的愉快。

他朝那说话声转过身去，定睛细看那个说话的人。他认出她就是拍卖会上看到的那个姑娘。他还记得人群中那张宛如鲜艳苹果的脸和明亮的眼睛。她身穿灰色长裙，那裙子就像尼姑穿的道袍。她的头发剪得很短，而且没有化妆。她正在和刘露娜交谈。刘经营着上海最大的一家模特代理公司。她身穿黑色和银灰色搭配的套装，脚蹬细高跟皮鞋。露娜和那位素面朝天的外国姑娘相比，真有天壤之别。“文革”期间，露娜曾经当过红卫兵司令。不论在什么地方，露娜都能谈她的业务。她从来不放过做买卖的机会。此刻，她紧紧抱住画家——鲁斯·加勒特——的一只胳膊，好像要吃了她，或者至少要把她登记在模特儿代理公司的名册上。

“请原谅。”沈说，打断了她们的谈话。他不好意思地看着画家，不知该说什么。

“你想买画？”露娜利用短暂的沉默问。

“我没钱。”沈有点尴尬地说。

“你至少有名片吧？”露娜坚持问。

“他是搞拍卖的。”鲁丝说。

“这么说来，你们俩认识？”

“我在他工作的地方见过他。”鲁丝说，低下了头。

沈也低下了头。这时他才注意到，她穿着一双中式绣花鞋。他抬起头，四目相对。她长着一双绿色的大眼睛。

“你是在哪儿学中国画的？”他问。

什么都瞒不过露娜那双眼睛。鲁丝和沈刹那之间传递的信息就像发生在她的身上一样。“鲁丝刚才对我说，”她说，“小时候，她就能把普通的东西想象成图画。一群蚊子在她的想象中变成千百只白鹤。”

这时候，里基走了过来。他从服务员的托盘里端起一杯香槟酒。

“感谢光临，”鲁丝说，“也感谢你带来你的朋友。”

露娜看看里基，再看看沈，然后目光又从沈的身上落到里基身上，似乎要弄明白他们之间的关系。“今天晚上有个聚会，”她说，“庆祝你的画展开幕，亲爱的。”她拍了拍鲁丝的手。“你忘了今天晚上是牛郎和织女相会的夜晚吗？我们中国人的情人节。我相信你知道这个节日。我已经租下金山寺的花园，还邀请了一些很有趣的人士。你们都在被邀请之列。”

沈几乎没有听见露娜说什么。他的耳边依然回荡着鲁丝刚才说的话。

“怎么了？”鲁丝问，举起手在沈的脸前晃了晃。

沈用一种全新的目光凝视鲁丝。她刚才说的话居然和他下午在《浮生六记》中读过的那段话一模一样。他满腹狐疑，不知从何说起。

“你还没有回答呢，”她说，“你去参加聚会吗？”

“当然去，”他回答道。“谢谢。我们为什么不一起去呢？顺便介绍一下。我姓沈。肖恩·沈，像肖恩·佩恩一样。”

鲁丝笑了起来：“可是你的真名叫什么呢？”

“我的中国名字叫沈复灵。”他告诉她名字时，目光闪闪。

金山寺的花园里碧水奇石，曲径通幽，一溜石阶两旁柳丝垂拂、灌木丛生。夜色宜人，飘过天空的云朵边上镶着月光。那迷人的风景虽然乍看给人以荒凉无序的感觉，但是这种“荒凉无序”匠心独具，泰然从容，自然也不乏人工雕琢的痕迹。形状各异、大小不一的红色亭台楼阁遍布寺院，上面挂着已经点燃的纸糊灯笼。灯光下，人们有的坐在丝垫上谈笑、品茶、喝酒，有的在传统乐器演奏的流行音乐的伴奏下翩翩起舞。沈对鲁丝说，在外国人到来、上海变成大贸易港口之前，这座寺院在往昔宁静的岁月里，曾经是人们远足的旅游胜地。他们俩撇下其他客人去散步。这座寺院建于明朝，很久以前已陷入无人照管的境地。现在，主持寺院的和尚们十分欢迎像刘露娜这样的商人表现出来的兴趣，已经开始重修寺院。

沈问鲁丝的年龄。她说，她二十四岁，从悉尼来上海找工作。不过，除了利用业余时间在一家宾馆教员工们学习英语之外，她还没有找到正式工作。她的大部分时间都用在绘画上。

“你知道牛郎和织女吗？”他问，“天上有两颗常年分离的星座，只有农历七月七日夜晚，才会被一座桥连接起来。而且只有一个夜晚！”

人们漫步在花园幽暗的、波浪般起伏的小路上，有的低声细语，有的大喊大叫，有的哈哈大笑。一位老和尚坐在旧红木椅子上，对每一个经过的人都咧着嘴笑。悦耳的二胡声从格子窗飘逸而出，在空中回荡。《在老橡树上拴一根黄丝带》。露娜和模特儿代理公司最高的姑娘脸贴脸地跳舞。她身穿黑色与银灰色相间的套装、雪白的衬衫，看起来像一只与长颈鹿跳舞的大熊猫。人工湖那边最大的凉亭里，服务员正忙来忙去，在橘黄色的灯光下布菜。

沈对金山寺的花园和它的特色非常了解。学生时代，他常来这儿玩。有他领着游览，鲁丝感到非常愉快。他们沿着蜿蜒曲折的小径向前走，穿过一小片竹林，登上一座小山，来到一座六角凉亭。亭子正好能容纳他们两个人。亭子的一面被树遮挡住视线，而另一面，可以透过弯弯曲曲的松树枝俯瞰湖和假山。

“要是月亮出来，”鲁丝凝望着乱云飞渡的天空说，“我就在天堂了。”

“现在就已经离得很近了。”沈说，喉咙里一阵痒痒。

“我只希望更近一点。”鲁丝说。她面带微笑，在木凳上向沈挪近了一些。茉莉的蔓爬上亭柱，一根卷须缠在她的头发上。她挥手一拂，误以为那是昆虫。

沈深深地吸了一口气。“你头发的香味与茉莉的香味混合在一起真令人愉快。”他说。

“哦，是吗？我喜欢茉莉。”

“茉莉的香味太浓烈，”他不以为然地说。“太俗艳。此刻有种香味倒很淡雅，”他说。凉亭旁边长着一棵柠檬树，正花满枝头。沈把头伸进树枝间嗅着花香，“这才是真正的绅士。相比而言，茉莉就像夜总会表演娱乐节目的艺人。”

鲁丝走到柠檬树跟前。她那深色的长裙和温暖的身体擦他而过。“这么说，我应该更喜欢柠檬的香味了。”鲁丝笑着说。

下面的湖突然“扑通”响了一声。鲁丝吓了一跳，抓住沈的胳膊。“什么东西在响？”

“也许是只鸭子？”沈说。

他们向下望去，湖面上涟漪层层，一圈接着一圈，向远处荡漾而去。

“什么东西也没有。”鲁丝说。

“这座花园里有鬼，”沈压低声音说，“寺院里闹鬼。这就是人们不再来这儿的原因。”

鲁丝打了个寒战：“这是你编的。你怎么知道有鬼？”

“一个年轻的和尚为了爱情在这个湖里投水自尽。他饱受感情世界的折磨。别的和尚想把他赶走，他却不能摆脱心中的渴望。他的鬼魂经常回来，呼吸阳世芬芳的空气。他无法放下这段情。”

“瞧，”鲁丝仰着脖子说。高天之下，一轮明月正在穿出银灰色的云海。“多美呀！”她赞叹说。天空变成奇妙的、半透明的蓝色。花园里，明暗之间的界限变得分明起来。假山和弯弯曲曲的树枝参差不齐的轮廓线格外醒目。湖面涟漪层层、波光闪烁。

“你现在是不是身在天堂了？”沈问。鲁丝的热情让他欣喜不已。她的目光已经投向什么地方了。皎洁的月光和飘飞的云朵展现出新的美景。粉白的墙上，壁龛里摆着一盆兰花。兰花的花瓣非常优雅地向外舒展。月光把兰花的影子投射在白墙上，朦朦胧胧宛如一幅淡淡的水墨画。

“啊，真是独具一格。”鲁丝说，“月光投下的兰花的影子比兰花本身还美，倘若我能把它画下来，一定更美。捕捉平淡无奇的事物难得一见、稍纵即逝的美才是对我最有吸引力的事情。”

“我觉得你才真正懂得美。”沈说。

后来，一声呼喊越过水面，打破了他们田园诗般的恬静。“喂！”一个男人的声音在喊。

“哎呀，不好，”鲁丝说，“是孙达。我刚到上海的时候，他领我游览过这座城市。我一直躲着他。”

不一会儿，孙达、里基和另外几个男子以及他们的女友沿着那条蜿蜒曲折的小路来找鲁丝和沈。他们拾级而上，一直走到凉亭跟前，因为这“一对儿”被他们逮了个正着而哈哈大笑起来。

“这么说，你们一直藏在这儿！”孙达用汉语说，“我一到这儿，就一直在找你。”他身材高大，拖着一条长长的黑马尾辫。他的皮肤晒成褐色，蓄着挺长的胡子。他是一位画家，工于水墨，兴之所至，情之所动——即所谓“气”从中来——便浓墨泼洒。“眼下的情景就是一幅绝妙的画，”他嘲笑说，把鲁丝和沈定格在皎洁月光下的凉亭里，“你们之中谁能把这幅画画得最好？”

“还有比这更美的呢，”鲁丝用不容置疑的口吻说，“那朵兰花在墙上的影子。我们刚才谈论的就是它。谁能把它画出来？”

“也许不必把它画出来。”沈摸着下巴说，“观赏并且在它消失的一刹牢记心中就足够了。”

云彩好像听命于他，漂浮着再次把月亮遮住。失去皎洁的月光，周围的景色又变得朦胧，兰花的影子也随之消失。其他人旁观着，察觉到什么不寻常的事情正在发生。

鲁丝脸上露出一丝不易察觉的微笑。她将把兰花的影子刻在心头带走。

后来，里基在脖子上重重地拍了一下，打破沉默。“该死的蚊子。”他说，“你们讨厌蚊子吗？”

一面铜锣响了三下，响亮的锣声在湖面久久回荡。

“饭菜准备好了，”里基双手掐腰说，像个男管家，“在贪婪的秃鹫捷足先登之前，我们还是赶紧动身为妙。”

孙达赞成这位英国人的意见，领着他那帮人顺着来路返回，把沈和鲁丝留在后面。

沈最后看了一眼这美丽的夜景，以便把它留在记忆之中。月亮在云海中沉浮，时隐时现，鲁丝伸开双臂，在凉亭里旋转。

“你知道我最想吃的是什么吗？”她放慢旋转的速度说，“一碗粥。我不想面对那伙人。”

沈目不转睛地看着她，却不大明白他究竟在看什么。他觉得自己在下沉，脚下坚硬的土地仿佛变成泥浆，他正穿过地面，旋转着，由慢到快急剧下沉。他踮着脚尖儿，朝前晃了晃，身体失去了平衡。这当儿，他一直目不转睛地看着她。他们之间好像已经存在着某种关系，可是这种关系来自何处呢？她看着他，他觉得自己完全迷失了方向，但又找到了方向。

他们离开聚会的人们，乘出租车返回市中心，一路上，为他们的“逃离”兴高采烈。司机把他们送到一个十字路口。他们在那儿下了车，然后由沈带路，沿着一条小巷，走到食品街的一个摊位。那里供应上海最可口的粥。灯光下，摆着一张粗糙的桌子，他们坐在桌旁的木凳上，点了鸡肉粥、泡菜和炸油条。

“月亮又出来看你了。”沈说，抬头仰望着天空。

鲁丝盯着看他，而不是月亮。

热气腾腾的大米粥端了上来，摊主满脸堆笑看着这对年轻人，等着欣赏他们品尝第一口粥时体验到的快乐。鲁丝学沈的样子，把撕碎的油条泡在粥里，然后加入许多腌萝卜。

“再来一些花生米，”她说，“要现炒的，多加点盐。还要点熏豆腐干。”

“你知道你喜欢什么，”沈说，“我是说——你喜欢中餐。”

“你知道，喜欢中餐的不一定都是中国人。我喜欢又酸又咸的东西。”

她一边用嘴吹着汤匙一边说。

“你喜欢喝粥吗？”

“我一向喜欢素淡的大米粥。”

“我正读的那本书中写的那位妇女就喜欢喝粥，”他继续说，“她和她爱人一起喝——就着腌咸菜和熏豆腐干。”

鲁丝耸了耸肩：“那就是我们俩。”

“你还喜欢什么？”

“冰淇淋。”她笑了起来。

“在美国的时候，我总爱吃冰淇淋。”沈说。

“真遗憾，上海没有好冰淇淋。”

“我可以领你去一个能找到好冰淇淋的地方。我们中国人发明了冰淇淋。”

“你们总是那么说，”她回答道，“是意大利人发明了冰淇淋。”

“你的鞋呢？”他说。

“我自己绣的。我知道这双鞋很可笑。”

“我以为只有中国姑娘才学习刺绣呢。”

“我上过女修道院办的学校。那里的修女什么都会绣。我母亲也喜欢绣花。我们过去常常一起绣。她就那样，让我边练边学。现在，刺绣对于我不过是寻常事罢了。”鲁丝伸出双脚，骄傲地弯了弯脚趾。昏暗的灯光下，两只鞋上双喜字图案凸起的花纹清晰可见。“我正在学习用中国的色调和图案刺绣，”她说，“那些修女们一定会大吃一惊。”

沈看鲁丝裸露的脚踝。那脚踝比她的鞋更让他入迷。“我正读的这本书中的那位妇女也擅长绣花，”他说，“她的鞋都是自己绣的，那是她丈夫见过的最精美的刺绣品。”

“那是本什么样的书？”

“一个古代的爱情故事，”沈回答说，“书名叫《浮生六记》。”

“就是你在拍卖会上撤出拍卖的那本书？你是临时决定撤出的，是吗？

真不知道你为什么这样做。”

“我没读完。”

“这能算充足的理由吗？”

“我把它带到这儿了，”他说，“你能看懂汉语吗？”他从包里取出那本书，放在桌上。

鲁丝把手放在红布封皮上。沈解开丝带，找到书中的一段话。

夏蚊成群，私拟作群鹤舞空。

“这话在哪儿？”她说，“你想骗我吗？”

“你懂得这句话的意思吗？”

“当然懂得，这是我说过的话[①]。”

“我在画廊里听你说过，那时你正在和刘露娜交谈。你说的话和书中写的完全一样。你引用了书中的话。”

“我怎么可能引用呢？我从来就没有读过这本书。甚至根本就没有听说过。这本书的作者是谁？”

沈翻到扉页，指着作者的名字。“他是个年轻人，热爱美好的事物，一位在官府中作幕僚——无官职的助理人员——的儿子，生活在两百多年前。他的名字叫沈复。”

“沈，”鲁丝眨了眨眼睛，“和你同姓。”她又把目光转向那本书，心里暗忖，她已经感觉到自己和坐在对面的这个年轻的中国人之间有一种非常奇妙的关系，不知道这本书能否对此做出解释。

①此处的英文原文和前面鲁丝在画廊对刘露娜说的英文原文完全相同，但因为此处系主人公沈引自《浮生六记》中文原版，而前者出自一个外国人之口，所以译文无法保持前后一致。

沈住在旧城区一幢布局凌乱、年久失修的楼房的阁楼上。楼房被分割成许多自成一体的单元，拥挤不堪。沈和鲁丝爬上四截楼梯到达顶楼时，她已经累得气喘吁吁。沈打开房门，领她进入阁楼。屋里一片漆黑，好像盘山路尽头一个秘密洞穴。地板嘎吱嘎吱作响。沈打开灯，她看见屋子中央摆着一张床，上面有四根帷柱和红木雕刻的图案，床脚放着叠起来的花被。床前，有一扇漆屏风、一张桌子和两把椅子，还有一个盛着颜色鲜艳的橘子的蓝白花碗。

她环顾沈为自己营造的这个安乐窝。屋顶，黑色的瓦片整整齐齐地排放在椽木上。蜜黄色的格子窗朝天开着。屋子的一角，有个水池，还有一个煤气灶和一排炊具。墙上挂着他在乔治敦大学读书时戴的棒球帽和装在相框里的全班同学的合影。横梁一颗钉子上吊着一个可以充气的捉鬼的天神。架子上有一台袖珍 CD 机，旁边还有一尊镀金的佛像，供佛的香已经烧成灰烬。屋子里的陈设还是他离开时那个样子：毛巾搭在床头，哑铃放在地板上，茶杯、牙刷、牙膏和一包打开的饼干一起放在水池旁。已经洗过的衣服晾在绳子上。

“你喜欢这个阁楼吗？”沈问，“过去，这幢楼都是我们家的。是我祖父建造的。那时我还没有出生呢。”

他把水壶放在煤气灶上。等水烧开的当儿，他给她讲述了他的家世。

在旧社会，沈的祖父经营着上海一个最现代化的印刷厂。小时候，祖父给一个排字工人当学徒。那时，他连一个字也不认识。那位排字工人把他当成自己的儿子收养了他。他很快就学会了如何识别印模，而且掌握了一套准确无误、连一个细枝末节都不会出错的技能。后来，他因为印刷外文广告资料大发其财。他的信条是，如果顾客发现一处错误，就免费重做。

临近印刷生涯的终点，他在城市最好的地段上盖起了梦寐以求的公馆。那是一幢仿都铎式的高大建筑。红砖，露明木架，别致的石材。他和他贤惠的妻子以及亲如一家的忠诚的用人们一起住在那里。那些用人们年轻时跟他一起在印刷厂里干活。

当时，他唯一的忧虑是，他的儿子，沈的父亲，成了共产党的地下党员。可是革命成功以后，儿子的党员身份却给这个家庭带来好处。20 世纪 50 年代，他们总算平平安安待在这幢豪华的公馆里，没有遭到什么磨难。只是在“文革”进入高潮，大楼才遭到洗劫。一家家工人携儿带女搬了进来。还是通过儿子的斡旋——他那时是干部——老沈一家才保住了阁楼的使用权。年复一年，他们爬上四截楼梯，吃力地往上携带生活必需品。由于住在下面的人家改建水管的管道，他们甚至不得不到楼下提水。

沈和弟弟复明就生在这间塞满做工精美的家具的阁楼里，并且在这里长大成人。对于命运的巨变，祖父和祖母与其说痛苦，不如说困惑不解。而沈的父亲开始鄙视这间狭窄、破旧的住宅。且不说它狭小不便，没有现代化的设施，它还总让人记起那不光彩的、让人难以接受的资本家家庭出身。1978 年改革开放之后，他被提拔到复旦大学的一个系当领导。机会一到，他就把家搬进校园的家属住宅区，并且把两个儿子送进那儿的重点学校。沈的母亲也毫无怨言地一起离开了那间阁楼。今后再也不在楼梯上爬上爬下了，这令她十分高兴。

阁楼被锁了好几年，燕子在天窗上筑了一个个窝。小沈从美国归来之前，它一直保持着那种状态。那时候，私有权再次得到承认，他们家本来可以提出收回整幢楼所有权的诉讼。但出于某些原因，沈教授不愿意那么做。他说，这种诉讼不但要花钱，而且可能旷日持久，还没有胜诉的把握。作为借口，他又说，他的妻子眼神儿不好。但是，他允许沈临时住在阁楼。

“我自己用家里还幸存的家具和从跳蚤市场买来的几样东西把阁楼布置了一番，”沈说，“我营造出一间中国学者传统的工作室，不过是属于我自己的一个寒酸的‘版本’。”

“好极了。”她说。

他点燃一支蜡烛，关掉灯，把盛着橘子的碗推到一边。他又打开一个玻璃橱柜，取出一对小瓷杯。那杯子看起来像一对儿缩小了的高脚玻璃酒杯。他把冒着热气的黄绿色液体倒进杯里，然后伸开手掌做了一个请她端起杯子的手势。

“请喝茶。”他说，端起另一茶杯，双手举起朝她致意。

“这杯子真美。”她说。那只紧贴手掌的杯子，又温暖又光滑，就像一枚鸡蛋。杯子表面的纹饰是缠结在一起的葡萄叶和胭脂红的葡萄。杯底有标明年代的蓝色年款。一片茶叶漂在水面上，宛若一朵飘飞的云。

“是明朝的，”他说，“来自成化皇帝的皇宫。是天造地设的一对儿斗彩高脚酒杯。”

“你舍得用它喝茶？”鲁丝说，“我真喜欢这杯子。”

“这是头一次，”他说，“干杯！”然后他呷了一口。

他的红润的嘴唇半张着，露出牙齿。他小心翼翼地把酒杯放下，然后揉了揉眼睛，恍如梦中，仿佛失去了自己本来明晰的自我。

鲁丝不禁想伸手摸摸他，连自己也感到诧异。她挪到床边，沈走过来坐在她旁边。他们透过窗子，凝望着从云彩后面钻出的月亮。皎洁的月光把窗格的影子投射下来，好像地板上方的一个笼子。

“无论在什么地方，这样的夜晚，人们都不会睡觉，而是在赏月。”他说。

“如果在一起赏月的是两个人，他们必定是情侣。”她应答道。

“我觉得，不会再有一对像我们这样的情侣一起赏月。”言外之意，他们还不是情侣。

“月亮会使人们变成情侣的。”鲁丝说。

“即使他们还没有意识到他们是情侣？”沈有点纳闷。

“你在说什么呢？又是那本书上的什么人吗？”

“不是，但有些情侣像牛郎和织女一样，只有在天体运动允许的情况下，才能相遇。”

“那本书在哪儿？”她问，“让我看看。”

他把书拿来，放在两个人的膝盖上，翻开第一卷。沈用手指指着汉字，一字一句地读着，然后，两个人一起粗略地翻译成英文。鲁丝了解了原文的大概意思之后，就按照自己的想象，把它流畅地翻译出来。他们以这种方式，艰难地阅读着这篇美文，渐渐熟悉了沈复和他迷人而气质不凡的新娘芸，以及他们的朋友、用人和亲戚。也了解他们怡然自得、觅美于万物的情趣和洒脱不羁的性格。

蜡烛行将燃尽，沈又点燃一支。一个小时又逝去，第二支蜡烛熄灭了。他们靠着枕头，半躺在被子下，喝茶提神。月光拉长了格窗影子，铺洒到床头，落在他们身上。茉莉和柠檬的香味——寺院花园留给他们的最微小的纪念——隐隐地弥漫在空气中。

他们逐字，逐行，逐页，仔细地阅读那些古老的黑色汉字。伴随着词句、思想和感情的流淌，把他们自己也编织到字里行间。有时，书上出现一个木刻的人物肖像，一个花瓶，一扇屏风，嶙峋的奇石，两位妇人，水上的船只。有时候不解其意，沈就伸手拿来三卷浩如烟海的《辞海》查阅一词一句。更经常的是，他们根据一个字的偏旁、部首以及与发音相关的要素猜出这个字的意思。他们的翻译更像速记，只是展示出那些词语中包含的经验。而这些经验他们也曾感同身受。

“芸？”鲁丝问，“她的名字是什么意思？”

“芸是一种芳草，味香，略苦，可供药用。”

“它对应的英语单词可能是哪一个呢？”她想知道，坚持让沈从《汉英词典》里查出这个单词。

字典上的字小得几乎看不清楚。沈用小拇指细长的指甲指着那个单词。鲁丝眯细眼睛仔细看。

“Rue[①]。”她说。

“鲁丝？”他问。

她用胳膊肘捅了他一下。“Rue，”她重复说，声音更高了一些，她倏然想起这个在她脑海里掠过的单词。“Rue，the herb of grace。[②]”

“什么？”他问。

“我上中学时学过的一个单词。”她把字典推到一边，靠得他更近一些。他们把被子一直拉到下巴，在伴随着黎明而来的寒气中，偎依在一起，直到瞌睡得再也读不下去为止。

寺院，烛光映照之下，凉亭的木柱闪着微光，宛如红色的蜡烛，将要融化在温暖的烛光里。青铜香炉的香灰中香柱林立，香烟弥漫在空气中，熏得眼睛水汪汪、亮闪闪。新娘头顶红盖头，坐在一把专门为她设置的红木椅子上。红裙下，双膝直打哆嗦，好像被风吹得摇来晃去的枝头上的苹果。她把绣花鞋平踏在地板上，使自己坐稳。绣花鞋是她亲手刺绣，专门在这次结婚庆典上穿的。新郎并排坐在她旁边的红木椅子上，身穿黑色长袍，肩上披着一个红玫瑰花结。她只能看见他放在膝上那双修长、白皙的双手，像两只贝壳。她知道他在颤抖，好像潮涨潮落、海水向新的方向

①Rue：芸香。一种生长于亚洲西南部或地中海沿岸的芸香属植物，尤指装饰用的臭芸香，具有羽状复叶，能生产一种旧时作药用的刺激性的挥发油。

②这句话的意思是：芸香，气味优雅的芳草。

涌去那一瞬间即将破碎的浪花。

贵宾们在致词。媒婆刘太太发髻上插一根镶着珍珠的金簪。新郎的父亲老沈是位有名望的学者型官员，板着面孔，眯着眼睛，表情严肃，活像某位老祖宗的画像。一个看似精明的妇女和一个圆滑而内行的男人站在新娘旁边。年逾八旬的老道士翁，身穿褴褛的法衣出现在婚礼上。还有国画家孙达，双颊红润，胡须茂密，长发飘拂，颇有游侠骑士风度。

方丈敲响木鱼开始诵经，他身材瘦削柔韧，好像一根竹竿。新郎面前的桌上已经摆好酒和一对酒杯。新郎满脸通红，为新娘激动得发抖。新娘坐在他的旁边，躲避着他的目光。

和尚躬身施礼，把酒斟满。他的左脸上有块胎记，宛若半个“门”字。新郎端起第一个酒杯，虽然酒面鼓胀，却没有溢出一滴。和尚让新娘端起第二个酒杯。她端起酒杯时，不禁溢出几滴酒来，她任由新郎用胳膊勾住她的胳膊，然后把各自的酒杯送到唇边。与此同时，他舔了一下从她的杯里溢出来的酒，觉得那酒火辣辣地“顺流而下”。就这样，他们好像给婴儿喂食的母亲那样，尽量轻柔地倾斜着酒杯，喝完了合卺酒。

孙达走过来鞠了一躬，想把他画的一幅画送给这对新人。新郎建议，画家应该把他的礼品打开，让大家观赏。孙达解开蝴蝶结，把画挂在供桌后面的钉子上。他慢慢地把画卷展开。画上画着一位手指间扯着一条红线的月下老人。孙达解释说，红线象征着相爱的人们此生的情缘，聚集在周围的客人热烈鼓掌。

“我相信，我们不仅今生在一起，来世也将在一起。”新郎悄声对新娘说，不让别人听见。

“来世我们将体验到今生不能体验到的一切欢乐。”芸从红盖头下面回答说。

“今生结为夫妻，来世还结为夫妻。”沈复满意地喃喃着。

“不过来世，”芸吃吃吃地笑着说，“我做男人，你做女人。那样，我们才能体验到前世未曾体验过的东西。”

方丈用力把木鱼敲了三下，向年轻人做了一个婚礼已毕的手势。沈复欣喜若狂地掀起盖在芸脸上的红盖头。他俯身用嘴唇轻轻地吻了吻她的脸颊，吻得那么轻，谁也没有察觉；吻得那么轻，芸娘几乎怀疑这是否是真的。

鲁丝躺在床上，在沈的身旁睡着了。他不愿唤醒她，但他的嘴唇一触及到她的肌肤，她便睁开了眼睛，一点儿都不觉得意外。

“对不起，”他面颊飞红，“我梦见……”

“也许我们在睡梦中继续读那本书呢。”她说。

他抿着嘴唇，把舌头顶在牙齿上，目不转睛地看着她，好像她在捉弄他。

一辆汽车在街上鸣着喇叭。从马路那边的幼儿园里，传来做早操的乐曲声。沈把头探出窗外，看见一台推土机举起巨大的铁铲，开始清除隔壁被推平的房屋的瓦砾。他打了个冷战，张望着。

他打开煤气灶，然后开始熨上班穿的衬衫。“你打算干什么？”他问。

鲁丝觉得头发纠结在一起，身上一股汗味儿，于是走进浴室洗澡。她出来时，水壶正冒着一团团蒸汽。她环顾四周。在月光和烛光下，每一件东西都朦朦胧胧，让人觉得精致而华贵，可是清晨，这间阁楼却显得寒酸，甚至阴森，像一张褪色的照片。她注意到墙上挂着一幅画，便走过去仔细观赏。由于经过几代的烟熏，画已经褪色，几乎变成单色。已成黄褐色的纸上，月老以墨勾勒，眼睛像葡萄干儿。他弯腰执杖，懒洋洋地低着头，面带微笑，从左手大拇指和另外四指到右手大拇指和另外四指之间，绕着一条丝带。烟火熏黑的画面上，丝带的颜色宛如日久年深的血迹。

“这是红线。”鲁丝说。

“你也梦见月老了？”沈笑着问。

“我不可能什么都梦到，”她反驳道，“必须是我生活中的一部分。”

她故意逗他。

“你住在哪儿？”他问，“远吗？”

“我在徐家汇租了一间房子。我不知道在那儿能住多久。”

“喝杯茶吧。”

他用清水把那一对杯子洗净，然后斟上新泡的绿茶。两个人分坐在桌子的两边，把杯子举到唇边，一种世事轮回的感觉油然而生。他们也许一直用书中新郎和新娘用过的高脚杯喝茶。

“一生中，我们有多少次泡茶、喝茶？”沈问，“把开水冲在一小撮茶叶上。这是最平常的礼仪，不是吗？”

“你满脑子都是这些事情，”她高兴地说，“遇到你十分高兴，沈。昨天晚上我过得非常愉快。谢谢你做的每一件事情。”

“你可以往我工作的地方打电话，”他说，“电话号码在名片上。”

“我没有你们公司的名片，”鲁丝说，“名片在刘露娜手里。”

“我再给你一张。给你，我把手机号码也写在上面。”

“画展结束以前，我得把时间都花费在画廊里。我急需卖出几幅画。从来不会有分文不收的艺术品吧？”她叹着气说。

“那是共产主义的梦想。”她起身要离开时，他伸手拦住她，“鲁丝，我不知道你如何看这事儿。我们俩的事儿。”

“对我来说，这像阵雨一样，来得太突然了。”她回答说，“我们俩像《神曲》[①]中的保罗和弗兰切斯卡[②]。你还记得吗？一天下午，他们开始阅读兰斯各特[③]和圭妮维娅的故事，直到激动得再也读不下去为止。我在中学就读过这个故事。”她轻轻吻了吻沈的嘴唇，然后走出房门，沿着四截楼梯，

①《神曲》：意大利诗人但丁的名著，写于1370—1321年。

②弗兰切斯卡·达·里米妮：意大利拉文纳大公之女，富文采，被迫嫁给马拉泰斯特，因与其夫弟保罗相爱，被丈夫双双杀死，此爱情悲剧被但丁写入《神曲》，成为歌剧、绘画等的题材。

③兰斯各特：英国亚瑟王传奇中以英武著称的圆桌骑士，是王后圭妮维娅的情人。

留下愈来愈轻的脚步声。

上班的路上，沈紧握扶手，站在拥挤的公共汽车里。他想着鲁丝，如在梦中。想起她的画、她的绣花鞋，想起在古老寺院的花园里，“扑通”一声溅着水花跳进湖里的幽灵，还有兰花月影以及他们一起喝粥的情景。时间按部就班地朝着既定的方向一刻一刻地流逝，每一刻的流逝都使得他们俩和那本书之间离奇的关系以及其中蕴涵的意义愈加明晰。这犹如他们在岸上凝眸眺望，看见一只在海水的涌动中几乎难以辨别的小舟，但这只小舟终归要露出它的真面的。

在公共汽车上这样梦想的时候，沈发现自己在肉体上对鲁丝的渴望，仿佛他已经熟悉了与她在一起的那种感觉，仿佛他的肉体已经对她了如指掌。汽车突然紧急刹车，他赶快握紧扶手，避免摔倒。他想起紧紧缠绕在月下老人——夫妻的保护者——手指上那条由挚爱编结而成的红线。那是一条把一颗心与另一颗心连接起来的线，仿佛源源不断的血液沿着它流过两个躯体。它也是一条穿越时空的纽带，随着生命的轮回，把灵魂归还它附着的肉体。它是永不停息的渴望，直到寻找到它的归宿。一条使爱情不断更新的红线。这可能吗?

他的头发梳得光光亮亮，领结也打得整整齐齐，不过，他还是迟到了。里基一眼就看出，他睡眼惺忪，行动木讷呆板。“昨天晚上你怎么了？”他笑着说，“我还以为你真的不喜欢现代艺术呢！斯坦利要见你。”

早晨喝咖啡的时候，斯坦利喜欢叫人到他的办公室里聊天。他爱听小道消息。这也是他征求意见的一种方式。尽管按规定他不应该在办公室吸烟，但妻子不在身边的时候，他可以少受点约束。所以，喝咖啡的时候，通常总会点燃一支香烟。

沈接过斯坦利递给他的香烟，然后在椅子里坐下。为了庆祝拍卖会的成功，斯坦利特意穿上他最好的黑色西服，打上法国领带。可是，不知道能不能再次获得成功，他的满意很快就变成焦虑。必须设法鼓励收藏家出卖他们有品位的收藏品。这是一个供应与需求的老问题。

“琳达一会儿来，”斯坦利说，长长地吐出一口劲儿很大的“弗吉尼亚”烟，“她带她的侄女一道来，艾薇还带她的朋友张军来。”

“张军？”沈问。

“就是他。副市长办公室的那个年轻人。我们这次拍卖给他留下深刻的印象，所以他要带来一批画参加下次拍卖。”

“画，斯坦利？”

“卷轴，”老板说，故意做出一副高深莫测的样子，“私人收藏的珍品。”

“谁的收藏品？”了解收藏品的出处应该是沈的职责。

斯坦利的一根手指沿着鼻梁下滑，停在紧闭的嘴唇上。不过，他是个多嘴多舌的人，忍不住透露出一点消息，让人觉得他人缘不错。他说：“可能是副市长本人的收藏品。我们不便打听。”

沈撇了撇嘴，一声没吭。他能想象出，这些年来，上海个别有权有势的政界人士可能有相当多的机会，采取未必能经得起审查的手段，聚敛艺术品和古玩。

“张先生已经同意让我们评估几件。这非你莫属，肖恩。你是专家。”

沈避开斯坦利凝视的目光：“我算不上真正的专家，斯坦利。”

“你给它们估个价就行，”斯坦利搔着耳朵，很直率地说，“估计一下在拍卖会上这些画儿能卖多少钱。出一个足可以鼓励他让我们拥有这些画儿的价格。这也许是他对我们公司表示信任的了不起的举动，肖恩。”

“估价是所有环节中最难的一环，”沈揉着惺忪的眼睛说。他预料到这件事情会有麻烦。尽管他好奇，想见识一下这些藏品，但他又真想有个不干这件事的借口。你永远都无法知道什么时候会出现什么奇妙的事情，但他不愿意被人强迫做某项工作。他情不自禁地想起鲁丝，心头一阵冲动，真想和她一起逃离这个唯利是图、贪赃枉法之地。

琳达趾高气扬地走了进来。她身穿定做的套装，上面饰有很大的铜纽扣，裙子开叉，露出大腿。她浓妆艳抹，仿佛要出战的斗士[①]。艾薇紧紧跟在她的后面。琳达一边数落斯坦利抽烟，一边把通风设备调大，以便把烟味排出去。她叫艾薇去检查茶杯是否干净，水是否已经烧开。

不一会儿，张军便大步跨进斯坦利的办公室，然后伸手指了指，示意他的助手把画放在什么地方。有一个卷轴滚过低矮的茶几，落在地上。艾薇立刻俯身把画轴捡起来，面带迷人的微笑，把画交给走过来取画的那位助手。

他们围坐在一起，喝了一会儿茶。张军点燃一支香烟，男人们学着他的样子也点烟抽起来。

“我很喜欢你办公室的装饰，哈默尔先生。”张说。玻璃罩面儿，定制的陈列柜，紫红色人造革面软椅，仿古唐代的小塑像。

“我们请当地一家室内装修公司给设计装修的。”琳达迫不及待地说。

张军看了一下手表。“好，我们开始吧。”他说，“我代表的那位收藏家想对他的藏品进行一次合理的调整。他打算变卖掉他不再感兴趣的东西。我们带来几件经过初选过的作品供你们鉴定。”

他一边介绍，一边打开第一幅画。大家都兴趣盎然地围了过去。一轮红日下，三条船沿着雄伟的长江三峡顺流而下。画面上，诗文题跋、年款、签名、印章一应俱全。

“真是一幅好画儿。”斯坦利说。

“这幅画富有革命精神，”张军说，“是刘海粟上世纪60年代创作的。我对艺术不怎么懂，这些画该由诸位仔细鉴赏。”

他摆了摆手，意思是这幅画已经展示完毕。艾薇立刻动手把它卷起来。他亲自打开另一幅卷轴，然后很快就示意琳达把它收起来，再展示下一幅，给“诸位专家”进行评估、形成意见的时间短而又短。

---

①这里用 war paint 修饰，而 war paint 指印第安人及非洲一些部落成员出战前涂在脸上和身上的颜料，故有此说。

琳达和艾薇装腔作势，赞叹不已。“一幅比一幅精美。”斯坦利发表结论性的意见。

“这些绘画作品已经很久没有得见天日了。”张军进一步说。

他心满意足地把那一大堆画都放在桌子上，然后拿出一个显然经过深思熟虑的意见。“仅从这几件作品，你们就可以看出，这是一批几乎无与伦比的中国画收藏品。这一点将反映在人们愿意支付的价格上。”展示就这样匆匆忙忙走了过场，“好了，轮到你们了。”

斯坦利摩拳擦掌：“现在就看你的了，肖恩。”

沈攥着拳头，真希望那堆画从眼前消失。正在这时，里基把头向门里一探，说外面有人找他。他从里基的话音中听出揶揄的腔调。“对不起。”他边说边向门口走去。

“等一等，肖恩，”斯坦利说，伸出狗熊似的胳膊挡住他的去路，“你估计什么时候可以完成对这些画的评估呢？”

“哦，”沈犹豫了一下，“不知道。这需要一番研究。那得花费时间。我说不准。”

斯坦利鼓起腮帮：“在这件事情上，我们可不能迟疑不决。如果你放下别的工作，把精力集中在这件事情上，到本周末能拿出一个初步的评估意见吗？”

沈尽量忍住心头的怒火。“我只有认真研究过每一幅画之后，才能拿出意见，”他说，“我将尽力而为。”

说罢，他就离开斯坦利的办公室，从外间办公室的办公桌之间走过时，深深地吸了一口气。

鲁丝正在公司玻璃门外等待着。他看见她正焦躁不安地徘徊。她身穿蓝色牛仔裤，蓝色劳动布夹克衫，头戴棒球帽，像个男孩子。她戴着墨镜，背着双肩包。沈从玻璃门走出来的时候，她转过身。门在身后关上，他感觉到有人从办公室里面望着他们。

“我硬是找到这儿了，”她微笑着说，然后把帽子倒转，帽檐朝后戴到头上，“但愿没有打扰你的工作。我只想看看你。”

“你想进来坐会儿吗？”他问，不知道该怎么办。

“你能脱开身吗？”她问，“我们可以去个好玩儿的地方。”

“你想去哪儿？”

“随便，只想出去走走。”她说。

有时他想休息一个下午，可是办公室的例行公事总是纠缠着他。鲁丝的建议似乎提供了“公然抗命”、自由自在度过一个下午的可能性。

“关于老翁那本书，我得抽个时间尽快去拜访他。他住在这条江的上游。”

“我们去吧，”她说，“今天就是外出的好日子。”

“就这样走？”

“为什么不能？我们需要的东西背包里都有。食物饮料路上就能买到。我在外面大街上等你。”说话间，她按了电梯“下”的按钮，“不要让我久等。”

她看着他，眼睛闪闪发亮。决心已定。他返回斯坦利的办公室，神情冷漠地在椅子上坐下，跷着二郎腿，好像什么事也没有发生。艾薇坐在对面的椅子上，噘着嘴，不高兴地看着他。斯坦利正在签署张军的助手放在他办公桌上的收据。

“张先生，”琳达连忙说，“饭店正等着我们呢。一顿便餐——就在回市政府的路上，不会耽误您宝贵的时间，也就半个小时。”

张军摇了摇头。他去意已决。斯坦利跟随他走到门口。

琳达猜测，他一定有别的更重要的约会，不便明言，只好作罢。她把注意力转到沈的身上。“你不认为他令人钦佩吗，肖恩？职业精神和效率！他给我们树立了一个良好的榜样。”

“他妹妹是我的同学。”艾薇说。她对沈的希望已经破灭。她想了想又说，“他的夫人已经当上新建成的国际机场的副总经理了。”

他知道鲁丝在外面等他，压根儿没听见艾薇说了些什么。

“午饭期间，我们可以尽情聊聊，”琳达兴致勃勃地说，“互相了解的好机会。我已经预订了‘十三妹’最好的雅间。”

“哦，不行，琳达。”沈说，“你跟我事先打个招呼就好了。”他双手抱拳，夸张地表示歉意。“我已经有个约会了。”

“你可以晚一点儿去嘛，”琳达说，“没关系，让他们等等你。”

“我不能迟到，”沈解释道，“如何处理和这些文物贩子的关系可是很微妙的事情。”

艾薇看着他，目光中不无恳求。沈虽然觉得自己说得有点过分夸张，但他知道，对琳达只能大肆渲染、竭力阿谀，否则说什么都没用。他知道，艾薇看破了他。她性情温和。“下次吧。”他抱歉地笑了笑。

琳达不肯罢休。斯坦利送客人回来之后，她仍然坚持自己的意见。对沈来说，在老板面前继续装模作样更为困难，因为老板熟悉他的做派。

“如果我言而无信，将产生严重后果，”沈一边故弄玄虚地说，一边把画轴夹在腋下，送到他的办公桌，“我将尽快开始这项工作。”

“这可是你要考虑的头等大事，小伙子。”斯坦利在他身后喊道。

斯坦利的话，就像落在雨伞上的雨滴，反弹到空中，消失得无影无踪。沈拿上他的随身物品，包括老翁的《浮生六记》，匆忙走出办公室。他走进电梯，踮起脚伸了个懒腰，觉得身轻如燕。

渡船隆隆响着驶向江心。鲁丝和沈站在甲板上，靠着护栏吃冰淇淋，沈伸出胳膊搂住她，以免风吹到她的腰。

江水宛如搅拌中的掺奶咖啡，岸边那一幢幢具有历史意义的建筑物渐渐留在身后。灰白色的高楼大厦延伸着，直到消失在烟雾迷蒙之中。宽阔的江面上，长长的载货驳船在军舰和装满乘客的小船间穿梭。江岸两边，旧码头和旧仓库的废墟清晰可见，它们的木料破裂，红砖之间的灰浆也碎裂开来。混凝土筑成的堤岸上，昔日的革命标语褪成粉红色。一条住家的船停泊在岸边，甲板上，晾晒的衣服在风中飘拂，盆栽的玫瑰正在绽放。沿岸水流缓慢的水湾里，海鸥在漂浄的弃物中觅食。沿江两岸，到处都是工厂、浓烟滚滚的烟囱、用栅栏隔开的空地和建筑工地，直到芦苇开始出现。接着是围堰开垦的稻田，田里的稻谷和蔬菜随风摇曳，满眼翠绿。一群群鸭子在岸边游弋。

鲁丝注意到，从旁边经过的一条渔船船舱的窗子上贴着剪纸。剪纸在风中哗啦哗啦地颤动着、撕扯着。主人用红纸剪成鱼和花，象征美满的婚姻。在渔船低而平的船尾，船主利用有限的空间用竹子和胶合板搭建成一家人可以睡觉的小屋，玲珑小巧，紧凑简洁。这时，一阵风把沈的领带从夹克衫里扯出来，吹到鲁丝的脸上。远处的山峦遥遥在望。

沈吸了一口气，再呼出去的时候，第一次感觉到，他这样做的时候，是把自己的生命又归还到这个世界。

“你在想什么呢？”鲁丝问。

“余凡事喜独出己见，不屑随人是非。即使论诗品画，莫不存人珍我弃，人弃我取之意，故名胜所在贵乎心得，有名胜而不觉其佳者，有非名胜而自以为妙者。”

“这话是沈复说的吗？”

“你怎么猜到的？”

“我更喜欢沉醉于风景，”她说，“目光对准一个特别的东西，直到它消失为止。比如那条小船——”她指着正沿江查看渔网的一条小船。一个头上缠着布的人正弯下腰顶着波浪解开被风吹得缠绕在一起的渔网。他从一个浮子划向另一个浮子的时候，她只能分辨出红色的桨柄。

江拐了个弯，渡船便掉转船头，划船的人向远处退去。航标灯的灯柱标出航道。鲁丝咳嗽起来，咳得脸色苍白，接着又咳了两三次。她从衣袋里掏出纸巾，咳出什么东西，吐在纸巾上，然后把纸巾揉成一团。

“你没事吧？”沈问。

“那些褪了颜色的标语让我想起我母亲，”她说，“她总是读错字，好像那些字就在她眼前消失似的。她对未来总是忧心忡忡。我父亲离家出走以后，我继承了她的这种忧虑。”

也许是渡船余波旋卷起来的含盐的风使鲁丝眼里噙满泪水。她眯起眼睛，因为她不愿沈再提什么问题。

“你一定很想念她吧。”沈平静地说。

“你认为由于不计后果而被惩罚是公平的吗？那种惩罚就降临到我母亲头上。是啊，不管怎么说，她毕竟冒了风险。”

“出了什么事儿？”他问，“冒了什么险？”

鲁丝的母亲玛丽是法国人，像她一样，曾经在女修道院办的学校里念过书。作为一个具有献身精神的年轻姑娘，她满怀创造新生活的坚定理想，离开巴黎，去了新喀里多尼亚[①]。在那儿，她和一个名叫卢克·加勒特的新喀里多尼亚当地人相爱了。加勒特说，他的祖父是位澳大利亚商船船员。完全不考虑事情的后果，她就贸然嫁给了卢克。

鲁丝记得，她父亲长得很英俊，是棕榈树绕岸的一个岛屿上一位讨人喜欢的男子。鲁丝的童年就是在那个岛屿上度过的。孩提时代，鲁丝就知道，自己的未来将漂泊不定。虽然与修女们一起居住在修道院，与尘世隔绝，但她从来不喜欢周围的环境，她仿佛知道她的未来不在那里。父亲抛弃了她和母亲之后，她们移居到悉尼。那时她十四岁。

四年后，母亲患病并且被确诊时，她在一所艺术学院读书。医生说，如果玛丽按照他们的治疗方案治疗，一定能治好。她住进一家最好的医院，而且以宗教般的虔诚遵从医嘱，但是对自己的病情从来没有清醒的认识。最终，连一点疗效都没有。玛丽饱受病痛的折磨，只能发泄心中的愤怒和

①新喀里多尼亚：法国在西南太平洋的海外领土，由新喀里多尼亚岛和几个较小的岛屿组成。新喀里多尼亚岛于1774年被詹姆斯·库克船长发现并定名，1853年被法国吞并。1864~1894年，它是一个刑罚殖民地。

悲伤——正如鲁丝亲眼目睹的那样——最后死于癌症。

卢克·加勒特有个姐姐，住在悉尼，是鲁丝在人世间唯一的亲戚。她和丈夫住在郊区，不但要抚养自己的孩子，还得饲养良种狗，忙得不可开交。她表示愿意收留鲁丝，让她过上正常的家庭生活，可是那地方离艺术学院太远，鲁丝决定还是不去为妙。她根本不相信住在那里会有什么好结果。她形单影孤，继续住在和母亲一起住过的小平房里，设法用手头仅有的一小笔钱支付房租。她接受了必须完全依靠自己的事实，慢慢地习惯了独立生活。

在艺术学院期间，每到中午时分，她就独自坐在修道院里的一条长凳上。修道院用砂岩建造而成，流放时代曾经是一座关押犯人的监狱。有时候，她走到外面的大街上，倚着墙晒太阳。路面被树根撑出一条条裂缝，只粗略修补过，那些神情古怪的孩子们来来往往，走到这儿都有点小心翼翼。晚上，人们在这里贩毒，卖淫，或者为自己的伤心事哭得死去活来，但谁也视而不见。

中学时代她就一直学习汉语，后来成了艺术学院的学生，就去夜校继续学习。那时，她已经找到一位老人，教她中国绘画。她最初发现自己患病时，又是这位年迈的中国老师劝她去唐人街看中医。仿佛这是唯一的明智之举。母亲的经历使她对医生产生了一种恐惧之感。于是她做出更极端的事情，动身来到上海。

微风阵阵，鲁丝越过护栏极目远望。她的故事非常复杂，一下子跟沈说不清。再说，他也没有必要知道。

“我来上海，”她说，“有生以来，第一次不再为未来担心。我也不知道为什么。”

她唯一的预防措施是去看当地一位著名的医学专家蒋医生。可是他收取的诊费非常高，以致她再也没去复诊。

此前，她也许只是自己生命的幻影，可是现在，她突然意识到，眼下的一切就足够了——她有了毋庸置疑的目标。

那条桨柄是红色的小船在远处的波涛中跳荡，最终消失得无影无踪。她想，不是消失，而是运动。

沈找到一个背风的地方，用手拍了拍，让鲁丝挨着他坐下。他们还像昨天晚上那样一边读书，一边嗑着瓜子，把瓜子皮扔到船外。她渴望触摸他，也想让他触摸，但是没有把话说出来，只是挪了挪身子，离他更近一点。

若夫园亭楼阁，套室回廊，叠石成山，栽花取势，又在大中见小，虚中有实，实中有虚，或藏或露，或浅或深，不仅在“周回曲折”四字，又不在地广石多，徒烦工费。

汽笛一阵长鸣，渡轮向码头靠近。由于沈早先来这里拜访过老翁，所以熟悉这座运河小城。从宽阔的码头延伸开来的一条条街上，排列着饭馆、商店和维护欠佳的古老建筑。老树被修剪得那么彻底，以至于从粗壮的树干抽出新枝，别有一番风韵。小镇到处摆放着鲜花盛开的花盆。贸易把文化带给这座小城。然而，尽管变化如此之大，与小城历史纠缠在一起的美感却依然存在。不过现在，小城辉煌的过去只是为它定了一个基调，创造了一种氛围、一种理解。让人感到欣慰的是，小城不仅不会阻碍现在的发展，而且能够继续它的事业。

他们跨过一座宛如新月的白石拱桥。一条沿着运河河岸的小道，通向一处柳丝垂拂、白墙青瓦的住宅。他们来到老翁住宅的前面，沈站在门口呼唤，正在阳光充足的墙脚打盹的老人高兴地走了出来。沈的信已然收到，老人正期盼着他的来访。老人感激地点着头，欢迎这一对年轻的客人。他的老伴儿端上茶水和个头不大、味道却甜美的香蕉。门和窗子都敞开着，鲁丝能听见外面墙头上喵喵的猫叫声。在门的横梁上，挂着一个柳条编的鸟笼，里面是老翁养的一对金翅雀。一只脚步轻快的小虎斑猫走了过来，直盯盯地看着那对啁啾的鸟儿。

沈开始解释围绕那本书发生的事情。他觉得有必要说出几条理由为自己的行为辩解。在没有得到藏家许可的情况下，他本来不应擅自作主，把藏品从拍卖会上撤销。但是，他实在抑制不住自己对那本书的渴望。遗憾的是，他没有足够的钱把它买下来。他很想知道什么样的价格老人可以接受。

老翁依然记得沈第一次看到那本书时脸上的表情。那是一种求之若渴，甚至贪得无厌的表情。当你意外地遇到自己一直寻觅的，甚至连自己都不知道的什么东西时，脸上就会出现这样的表情。那东西将培育你成长，就像老树上长出新芽。老翁纳闷，他是不是有意把这本古书交给这个年轻人，希望看到这种着了魔似的表情。也许他希望以这种方式，把沈和自己用鉴赏家渴求的、坚韧的绳索连接在一起，把一代人和另一代人连接在一起，把过去与现在连接在一起。不管怎么说，沈得到这本古籍当之无愧。

“你可以欠着这笔钱。过一段时间之后，如果你还凑不齐那笔钱，我们再拍卖它。”

老翁和沈谈话期间，鲁丝观赏着这对老夫妇家里的摆设。一个圆玻璃养鱼缸吸引了她的注意力。鱼缸里，老翁的老伴儿为他们的热带鱼创造了一个小小的水下世界。她用太湖奇石做成小巧玲珑的险崖、洞穴和塔，彩虹般美丽的小鱼在塔的周围迅速地游来游去。彩色沙滩上的水草像垂拂于水塘上方的树。她还用长满绿色水藻的瓷片做成房屋和小桥，小小的竹人儿聚集在那里。当鱼儿像精灵一样在他们周围游来游去时，他们的衣服摆来摆去。

容纳着这个小小世界的鱼缸放置在一个方形乌木座上，乌木座放在敞开的门口，阳光在缓缓波动的水面上闪耀。鲁丝跪下，透过玻璃，仔细地观赏着被放大了的景物。她不禁想起在努美阿[①]过生日时父亲在杂货店给她买的那幅小巧的软木刻风景画。那幅画来自中国，十分优雅。

老人呵呵地笑了起来。“你的朋友喜欢上我们鱼缸中这些玩意儿了。”

①努美阿：新喀里多尼亚岛首都。

他说。

“她是位艺术家，”沈说，“喜欢微型景物。”

“正像书中的芸。”

沈抬起头，十分好奇。他纳闷，这位老人是不是知道点什么。他很快就相信，有些年纪大的聪明人也许知道事情怎么会那么巧合。正如有些难以解释的奥秘，我们无法相信对于它们的深刻了解其实就深藏于我们自己的内心，而不在于别人的经验。

“你是在哪儿淘换到这本书的？”沈问。

老翁捏着他的长下巴。“年轻时淘换到的，”他说，“上海有个街头小贩，他总能弄到好东西。他在商贾云集的城隍庙附近的一条小巷摆摊。有一天我路过那儿，他把我叫过去，说那本书是为我准备的。那是1948年。就在那年，蒋介石把皇宫的收藏品偷偷运往台湾。那是个什么世道啊。周围有那么多的古玩，可是谁也没钱买，我也包括在内。许多人世世代代收藏的珍品流落街头，变卖成毫无用处的现金。古董比大米还便宜。简直便宜透了。我估计，那本书是本地一位文人的收藏，这个人在追随国民党飞往台湾前，正在变卖他的藏品。也许为了给儿子买张船票，以便把他祖传的宝物从水路上运走。

“后来，我几乎失去这部书。你知道，它是一部相当颓废的作品——如果你愿意那么看的话。由于我热衷于收集古玩而被怀疑期间，我把它藏在这间屋子里，一藏就是十多年。我幸存于世，它也幸存下来。‘动乱’结束之后，我动手找它。它还在那儿，和我把它藏起来的时候一模一样。我把它巧妙地伪装成一本毛主席著作。”

老人透露出来的有关这部书的每一个细节都使沈激动不已。他觉得他已经变成了一个监护人，不仅是这本书的监护人，而且是生活、历史以及经历过时代大风暴的人间奇迹的“守望者”。

“遗失的几卷呢？”沈支支吾吾地说。

老人点点头，叹息了一声：“哦，是的。我和国内其他图书收藏者一样，一直希望找到它们。动乱的年月，它们‘浮出水面’得见天日的可能性比较大。我在向上海的那个街头小贩淘换这四卷的时候，就再三叮嘱他，替我搜寻那遗失的两卷。他的联络网很广，遍及长江两岸以及所有支流流经的内地。我做过研究而且查明，这部书写于嘉庆年间，但一直不为人知。直到光绪年间，也就是慈禧太后垂帘听政那个时代，才出现在一个古旧书店，那已是作者死后几十年的事了。我说它终于得见天日，指的只是原来六卷中的前四卷。从那时起，关于遗失两卷的猜测一直很多。大约在抗日战争爆发，也就是国共合作时期，一位出版商声称发现了遗失的两卷。实际上那只是两卷写得不错的赝品，为伪造者赚了一大笔钱。但骗局最终被一位潜心古籍的书呆子戳穿。”

“是不是作者从来就没写过后两卷呢？”沈说。

“哦，肯定写过。这个人活的年纪很大。倘若他打算只写四卷，为什么要叫《浮生六记》呢？”

“作者也许发生了什么意外，”这时，鲁丝接过话茬说，“什么事情让他不能继续写下去了。”

“即使真的出了什么意外，他也会坚持写下去的。”老翁反驳道，“几年前，我就停止了寻找。到处都是失散的资料，完整的东西在哪儿呢？如果命运主宰了这本书的创作，过快地终止了后两卷的问世，我们得到的就只有现在的前四卷——这本书的大部，又是实际事物的一个影子，就像我们的知识，我们的生活。”说到这里，他大声笑了起来。“太令人费解了！对不起，一个前言不搭后语的老朽。不，还是小沈说得对。命中注定，这位伟大的作家迟早会交出他撰写的后两卷。某日某地，这两卷书或许错放在某人嫁妆箱的家庭文书中，在玻利维亚或者新西兰的某个旧货商店里出售。甚至现在我就听说，杭州有个狡诈的商贩声称，他手头就有那两卷。”

沈握着椅子的扶手说：“我一定设法找到它们。”

正在这时，那只猫把目光从小鸟移到鱼缸。只有这一次，鱼缸放在它正好能够跳过去的地方。猫从邻居家的墙头上一跃，就跳到乌木座上。鱼缸向地面滑去，似乎落得很慢。鲁丝伸出双手去接，想阻止这“飞来横祸”。她以为能把鱼缸接住，但鱼缸哗啦一声掉在地上打得粉碎。覆水难收，她再急也没有用处，水把活蹦乱跳的小鱼从铺着瓷砖的地板冲到院子里。

“快！”她大声叫喊着，弯下腰，手呈杯状抓鱼，而水从她的指缝流淌下去。猫吓了一跳，机警地跳到一边，后来又偷偷摸摸地返回来，逮住一条小鱼。

老人喊他的老伴儿。老伴儿提着水桶匆匆忙忙跑过来，鲁丝把抓到手里的鱼放入水桶。她把猫赶开，然后把能找到的鱼都救起来。“厚颜无耻”的猫又跑回来，吃掉一两条鱼。鲁丝从地板上一堆碎玻璃片中把那个“小小的世界”捡起来，放在乌木座上，水一滴一滴往下淌，一幅凄凉的景象。

“整个‘世界’都碎了。”她含着眼泪难过地说。由于十分欣赏那个“小小的世界”，她对自己未能拯救它而自责。“即使那么小的东西被毁坏，”她愤怒地说，“我也无法忍受。”

“即使那么小的东西，也会引起神的妒忌。”沈用胳膊搂住她的肩头说。

“这就是我们的生活。”老翁点着头说。

鲁丝和沈在小城里闲逛，看正在出售的好玩儿的东西，直到听见从码头传来渡轮的笛声。他们跑到码头边，船刚刚离开，驶入浑浊的江水。他们无可奈何地摊开两条胳膊，笑了起来。他们误船是故意的——现在就得找个地方过夜了。

码头区附近，有一幢浅褐色的楼房，叫金世纪宾馆。那是因公出差的旅行者和官员们住宿的地方。他们询问有无房间时，接待处的接待员要他们出示结婚证，因为鲁丝没带证件，接待员就拒绝给他们提供双人房间。

“从现在起，我要装扮成一个男人，”鲁丝气愤地说，“如果我们是两个男人，想合住一个房间，他们就不会担心了，是吗？可是一个中国男人和一个外国女人就让他们惶恐不安。我真想洗个热水澡。”她抱怨道。

“我们会找到一个更好的住处，”沈说。他不知道怎样才能照顾好她，

“这个宾馆至少不十分好客，我们可以找到别的住处。”

看见他一副关切的样子，鲁丝笑了起来：“住哪儿都行。”

沈在街上打听，有人告诉他城外不远有个小旅馆。一溜石头台阶通向两扇关闭着的大门。他们敲了敲门。无人应答。他们又敲敲门。一位老太太终于把门打开。“喂！喂！”她大声说。她皱着眉头，板着面孔，气呼呼的，鼻翼大张。沈说，是老翁让他们来这儿的，想租间房子过夜。老太太听了，二话没说，痛痛快快地把他们领到院子里。

老太太指给他们一间宽敞的屋子。屋子面对一片茂密的竹林，竹林的那边是运河。屋里没有什么陈设，只有一张低矮的双人床和一个洗脸盆架。鲁丝见院子里有一盆红牡丹，就问老太太他们能不能把它搬到屋里。老太太咧嘴笑着，表示同意。她独自一人带着小孙子住在这里。她说了房价。沈说，如果这个价钱包括饭费，他们就接受。老太太说，饭菜另算。沈只好说，如果包括洗澡的热水，再加一瓶当地产的好黄酒，就同意这个价。

老太太姓马。她说，过几条马路，有个澡堂。如果他们不愿意去那儿洗，她可以在炉子上烧一大壶开水，年轻姑娘可以在院子里的澡盆里洗。天儿很热，而且谁也不可能穿过竹林看见她。

鲁丝喜欢这个主意。等两壶热气腾腾的水和凉水掺和好倒进院中的木澡盆时，鲁丝便披着自己的浴巾，穿上马奶奶给她拿来的拖鞋，走到屋外，然后小心翼翼地把身子泡在水中。如果蜷缩起来，水一直能浸泡到她的脖颈，还能舀水浇到头上。清风吹得竹林沙沙作响，一只船驶过运河，听得见河水拍岸的响声。马奶奶一会儿拿肥皂，一会儿提热水，跑前跑后，鲁丝觉得十分有趣。

一头皮肤粉红、身上长着紫黑相间的斑点的小猪在院子里跑来跑去。它伸长鼻子，在澡盆上又拱又嗅，逗得鲁丝直乐。马奶奶的小孙子绕着门，和她玩躲猫猫[①]。那个头发金黄、皮肤白皙的陌生姑娘忽而弯下身子，躲在

①躲猫猫：一种把脸遮起来或藏起来，然后又跑出去对着孩子说“皮克布”，借以逗小孩的游戏。

澡盆后面不见了，忽而探出脑袋，让他大吃一惊。

屋里，沈坐在敞开的窗口旁边抽烟。他可以听见鲁丝泼水的声音。虽然她隐在竹子后面，他还是背朝她坐着，听那泼水的声音就满足了。他想象着她用肥皂擦洗脖子和肩头的情景。他意识到，想象与她在一起的愉快，就是渴望得到她的愉快的一部分。愉快存在于尚不可及的期望之中，和回忆过去的愉快没多大差别。他想得到她。她洗完澡走进来的时候，皮肤湿润，散发着香味，头发湿漉漉的。他感到那种想要得到她的冲动流遍全身。

卧室那边还有个小套间。鲁丝走进那间小屋穿衣服。“出去玩玩吗？”她准备好之后，朝他大声说。

“黄酒怎么办？”

“回来再喝。天还亮着呢，酒可以晚点喝嘛。”

马奶奶站在小旅馆的台阶上向他们挥挥手告别。想到他们回来之后，一定饿得要命，一定会更加赞赏她家美味可口的家常便饭，她抿着嘴笑了。

他们沿着一条石头铺成的小路，穿过树林和梯田，登上一座小山，来到田州著名的佛寺黄橡寺。空气凉爽，一块块菜地散发出傍晚时分泥土的芳香。大路上一片繁忙景象，农民，孩子，拖拉机、轻型摩托车、骡车，以及游客和寺庙里的僧人络绎不绝。沈和鲁丝慢慢走到比较高的地方时，脚下的小城变得宛如一条黑色和浅灰色相间的被子，边上镶着闪闪发亮的运河。道路在结实的土墙中间向上攀升，路旁的沟渠长满瓜蔓和竹子。

黄橡寺因庭院里曾经长过一棵黄橡树而得名。自从九百多年前一位长老筹建起来之后，它的命运几经沉浮。黄橡寺上一次鼎盛时期是在明朝。从那以后，一路衰败，几近废弃。寺院里，樟树和松柏依旧巍然挺立，茂盛而壮观，但那棵黄橡树已经不见踪影。池塘里，淤泥堆积，野草丛生，肥硕的鱼游来游去。在松针日久年深的“擦拭”之下，琉璃瓦的釉面已经磨损。鲁丝和沈悠然登上巨石凿出的台阶，对寺院饱经风霜而风水未变赞叹不已。在布满尘土的寺院，他们在古树掩映之下，从一个佛殿漫步到另一个佛殿，然后走到后院。那里堆放着修复工程所需的木料。工人们正在锯樟木，准备用做横梁，空气中盘旋飞扬着刺鼻的粉末。一座工棚里，一位老人正用手揉捏着红色的泥团，给他的徒弟们演示如何塑造寺庙英武的门神塑像，那尊塑像的尺寸是他的三倍。

在一个比较小的佛殿里，供奉着大慈大悲的观世音菩萨的塑像。佛像的描金已经发暗，但依然那样安详。她在那里赐福于人已经有几百年了。她从头到脚裹在粉红色的丝绸袈裟里，一位把灵丹妙药送给病人、把子孙送给不孕妇女的仁慈的母亲。善男信女们无限虔诚，他们从放在殿门外面火盆周围燃烧的红蜡烛上把一束束供香点燃，然后再把香的火焰吹灭，闭上眼睛，给这尊菩萨磕三个头。观音菩萨原来是男身，佛号观自在，后来穿过神秘的时间隧道，变成女身——众人景仰膜拜的观音。穿着高跟鞋和漂亮连衣裙的姑娘向她膜拜。穿着花呢上装和运动鞋的小伙子也向她顶礼。

后来，坐在大殿入口的僧人敲响锣。锣声伴随下沉的夕阳在天空回荡，薄纱似的金色阳光变浓。乌鸦呱呱叫着飞过天空，落入树冠尖尖的松林。父母呼唤跑到一边玩耍的孩子。和尚敲响木鱼，低沉的诵经开始了，那高低起伏、呢喃细语般的诵经声排除了众僧心中的一切杂念。

鲁丝和沈在寺庙后面发现了一座宝塔，他们沿着螺旋形的阶梯拾级而上，来到塔顶。鲁丝气喘吁吁，沈也上气不接下气，极目远眺，玫瑰红和橙黄色的暮霭在整个平原弥漫开来。平原上，河道纵横交错，闪闪发亮，宛若一条条电线[1]。他们倚在宝塔的女儿墙上，紧贴那古老的砖石，皮肤热乎乎的。他们的胸膛一起一伏，衣服摩来蹭去，皮肉挨着皮肉，很快就激起了情欲。

“你觉得别人也会有我们这样的感觉吗？”沈问。

“我从来没有过这么美妙的感觉，你也一样，不是吗？”她回答道，轻轻地抚摸着他肋间的肌肤。

下山的路上，沈执意要去寻找一潭不同寻常的碧水。一位高僧曾经在

①原文 live wire，意为“载电线”“火线”，喻生龙活虎的人，精力充沛的人。

俯瞰这潭碧水的棚子里修行多年。据说，薄暮时分，倘若你向那潭碧水凝眸观望，就能看见前世的模样。

夹杂着银斑的金鲤鱼，穿过水面上褐绿色的浮萍，在水中游弋。他们一起从破损的石栏杆上方向下望去。落日的余晖把那一潭碧水变成金光炫目的镜子，照出他们的映像。有一刹，那水中人仿佛穿过爱的烈焰凝望着他们，直到池水轻轻荡漾，改变了光线的角度，映像也随之破碎。

在水池的另一边，一个身穿黑色皮夹克、身材魁梧的男子也在凝眸观看他的映像。

“啊！”他喊了一声，趔趔趄趄向后倒退着。

“你看见什么了？”他的同伴们问。

“一只该死的猴子，”他骂骂咧咧地说。朋友们哄然大笑。

“你看见什么了？”沈轻声问鲁丝。

“映像重叠在一起，”她回答道。“女人的面孔和男人的面孔无法分开。那女人是我，又不是我。”

夕阳灿烂。一条金色的鲤鱼在水草下环游。

“她是芸。”沈说。

“这么说，他就是沈复了。”鲁丝回敬道。

她俯身向前，把手伸进水里，模糊不清的映像向她靠近。

“你不可能触摸到他们，”沈提醒说，“接近他们唯一的途径是成为他们，那才是他们所希望的。”

一条鱼跃出水面，大张着嘴在半空中喘了一口气，然后“扑通”一声又落入潭中。

鲁丝正想弄个明白，太阳落到树后，映像完全消失了。

他们穿过寺庙最后一段幽暗的游廊，破旧的僧舍用木板封起来，等候着修复的资金。老翁告诉过他们，这个寺院的住持是他的朋友，法名“破门”，他把恢复黄橡寺昔日的辉煌当成自己毕生的使命。可惜对“破门”来说，恐怕也是“来日无多”了。

鲁丝依然琢磨着水中的映像，那映像怎么会被看成别人的化身呢。“你的意思是，他们又重回人世了，是吗？”她说。

“不完全是这个意思，”沈回答说，“应该说，是我们重回人世了。上苍又给了我们一次机会。”他用胳膊搂着她，希望她明白自己的看法。

“你真的相信轮回转世？”她问，绿眼睛在薄暮中像猫眼一样熠熠闪光。

马奶奶把碗和酒杯摆在方桌上，还摆上一小碟五香花生米、一小碟新鲜的豆荚和腌姜。热菜有煎鳗鲡、鸡、稍微有些泥土味儿的田鸡腿和青菜。他们以马奶奶烫好的黄酒佐餐，狼吞虎咽地吃着味美可口的家常菜。吃饭的时候，他们时而在桌下碰碰脚，时而蹭蹭臂，时而又碰碰杯，直到醉意蒙眬，把酒瓶中的酒喝了个精光。

像端酒上菜时一样迅速，桌子很快就被清理擦拭干净。马奶奶吩咐小孙子老老实实躺到屋角的床垫上，不要做声。她向他们道了晚安，然后把灯关上。沈和鲁丝踉踉跄跄回到他们的房间。

月光穿窗而入，窗台上的牡丹陷入一片蒙眬。他们甚至连灯也不开，看看自己身处何方，而是摸索着向那张床走去。只觉得脚步飘飘，天旋地转，他们相拥着，开始爱抚、亲吻，把手伸到衣服下面，相互抚摸着。

他们躺在床上彼此探索，万分激动，让简单的运动获得急迫的不断重复的力量。沈把舌尖儿伸到鲁丝的耳朵里搅动，痒得她扭来扭去。他又用舌头舔遍她的全身，让她既春心荡漾又身心放松。她围绕他坚实而扁平的乳头，舔着他光洁的胸脯，把他刺激得弯腰曲背，不断呻吟。他用手轻轻抚摸她的脚心，用下巴去蹭她的下巴。他们热吻时，她双手搂住他光滑的脖子，紧紧地抱住他，两个人目光交织，觉得已经融为一体。

沈跪在她叉开的双腿中间，她伸出手，把他轻轻地拉向自己。他抱起她，两个人紧紧贴在一起。他听任她的导引，直到他们的身体合二而一为一个圆。他们屈从于肉体合成的那个圆奔涌的力量，仿佛正穿越一个血肉的通道，到达那样一个高度。在这个高度，一个肉体的化身和另外一个肉体的化身相结合；在这个高度，那令人销魂的爱的律动就是时间本身的律动。

沈体验到进入另一种存在的火一般的感觉。他听说过“迷失在爱中”的说法。意思是，攀缘到巅峰的那一刻，忘记自己是谁。沈感觉到，结合与分开需要的同样的力量；感觉到，一种形式解体，又聚合成另外一种形式需要的同样的力量。转世再生。一种从其他生命而来的感觉，一道闪光，一种暗示。他做过爱了，变成另外一个人，但那个人还包容着他自己。

她轻轻抚摸着他的脸，用手把他的眼睛捂住，后来，他们的激情平息下来，两个身体形成的“圆”又成了并排睡在一张床上的两个人。

太阳升起在屋顶，邻居家的公鸡开始打鸣，马奶奶的小孙子从锁孔窥视。马奶奶打了他一下，叫他不要淘气，以免把这对年轻人吵醒。“他们整整折腾了一夜。”她说。

九点半，沈的手机响了起来。他一边翻身，一边嘟嘟囔囔抱怨着。

电话是里基打来的。从他咝咝咝的说话声中，沈听出事情紧急。“喂，你最好赶快到这儿来，伙计。琳达已经怒气冲天了。他们估计副市长就要上钩了，而你却甩手不干了。赶紧到这儿来吧。”

“我赶不回去，我不在城里，”沈带着睡意说，“我正在田州拜访老翁呢。”

“听我说，你要是还想保住这份儿工作，就走最快的路线尽快从田州赶回该死的上海。我可以告诉他们，你请病假了，还可以说，你的病一好，马上赶到这儿来。”

“谢谢，里基。”

“鲁丝和你在一起吗？真是个笨蛋。你就不能等到周末再去吗？”

“谢谢，里基，再见。”

沈坐起来，揉了揉眼睛。“唉，天哪，”他打着哈欠说，“我们得赶回上海了。”

鲁丝穿了件衣服，走到阳光明媚的院子里。一对麻雀从竹林中掠过。她找到一条穿过竹林通向围墙的小道，踮起脚，能越过墙头看见运河。一位船主用篙撑着一条载着鸭笼的驳船沿着运河行驶，一对鸭子——一公一母——正迅速向相反的方向游去，以便逃进芦苇荡。鲁丝揉了揉赤裸的胳膊，越过围墙凝眸眺望，没有人在看她。

她对自己这具肉体与时间轮回之间的关系感到诧异，对这具肉体与其他可能存在的许多物体之间的关系感到诧异。她不知道她和沈现在能去哪儿。她哪儿也不想去。

“嗨！”小男孩喊了一声。他哗啦哗啦地闯过竹林找到她。他手里拿着半个馒头。另半个已经被他吃掉。他对着鲁丝笑。

“给我好吗？”她说，也对他笑着。

小孩把那半个馒头递给她。她用手掰下一块，揉成碎屑，越过围墙扔进河里。那对公鸭和母鸭游到围墙另一面的墙根下去吃。她能听见鸭子们嘎嘎的叫声。“听，”她对小男孩说，小男孩连裤子也没穿。“嘎，嘎，嘎……”她学鸭子叫。

不一会儿，剩下的馒头就扔光了。她擦擦手，然后张开双掌让小男孩看。什么也没有剩下，一点儿也没有剩下。

“我们能同甘共苦吗？”鲁丝走进屋里激动地问沈，“我们能相互是对方的一切吗？”

“不知道，”他回答说，“我们可以试一试。”

至乾隆庚子正月二十二日夜花烛之夕，合卺后，并肩衣膳，余暗于案下握其腕，暖尖滑腻，胸中不觉怦怦作跳。戏探其怀，亦怦怦作跳。因俯其耳曰：“姊何心舂乃尔耶？”芸回眸微笑，便觉一缕情丝摇入魂魄，拥之入帐，不知东方之既白。

是年七夕，芸设香烛瓜果，同拜天孙于我取轩中。余镌“愿生生世世为夫妇”图章二方，余执朱文，芸执白文，以为往来书信之用。是夜，月色颇佳，波光如练，轻罗小扇，并坐水窗，仰见飞云过天，变态万状。芸曰：“宇宙之大，同此一月，不知今日世间，亦有如我两人之情兴否？”

“你这个蠢货，”琳达恶狠狠地说，“你玩得很开心吧？老板吩咐你做的事情，你偏偏不干。你也太傲慢了。没有生意，知识一文不值。你明白这个道理吗？”

沈垂着头，等琳达呵斥完，才说：“你凭什么对我大喊大叫，琳达，斯坦利和你究竟谁是老板？”

“你这个卑鄙的家伙，斯坦利对你太软弱了。马上把张先生那些画的评估意见写出来。”

沈重重地坐在办公桌旁边。里基想让他消消气，给他端来一杯咖啡，一句话没说就走了。

沈打开第一幅画的时候，愤怒有增无减。画家的笔法过于平庸，过于呆板，而且纸和墨褪色的程度似乎不同。他从书架上取下几本书，用放大镜仔细观察，这样，就能把这些画与经正式鉴定作品进行比较。他打开其他卷轴，仔细比对。它们应该是相隔几个世纪的不同艺术家的作品，但在纸墨和绘画风格上却有相似之处。画面上盖的印章，虽然刻工精细，风格迥异，但用的印泥相似。他满怀热情地研究着，揭开了把他与事实真相隔开的那几层纸。

他填写了鉴定意见表，然后把这些意见归纳到一起，认定来自副市长办公室的所有绘画都是赝品。这些赝品也许是三十年前，某位艺术品鉴赏家为使别人落入圈套而精心伪造的。沈想，它们也许是被没收充公的真藏的替代品。这些画儿临摹得足以乱真，很难被人发现，而真品可能已经被转移到一个安全的地方了。

他做了十次深呼吸。在把这个重要发现提交给斯坦利之前，他想冷静下来。他必须小心谨慎，不要直接涉及副市长。

他刚刚把头抬起来，就看见父亲正穿过玻璃门往里走。沈教授提着公文包，没有察觉到儿子正注视着他。他脸上还是平常那种闷闷不乐、不以为然的表情。

他高大、魁梧。满头银丝整整齐齐梳在脑后，戴一副工程师喜欢戴的金丝眼镜，穿着那身一年四季都不换的高级灰毛料套装。

“爸爸。”沈迎上前，握着父亲的手说。

“昨天晚上我去阁楼找过你，”老人说，以此解释他不请自来的原因。他朝办公室四周瞥了一眼，一副要把儿子安顿在这儿的样子，“你们办公室的计算机比我们全系都多呀。”他说，话中有话，似乎故意让儿子难堪。

父子俩坐在窗户旁边墙角待客的扶手椅上喝茶。沈教授很愿意俯瞰上海发展的宏伟景象。从这个高度望去，可以更客观地评判城市的变化。立交桥，隧道，一幢幢高楼大厦，仿佛画在蓝图上一样。而从地面上看去，就显得杂乱无章。

"投资那么多，"老人满意地说，绞着一双手，急于把谈话引到他想说的话题上，"如果我们能弄到点外资，可就发达了。重要的是资本。你弟弟的公司迫切需要注入一笔资金。一个千载难逢的机会摆在他面前。如果你能助一臂之力，儿子，全家都将跟着受益。你知道，他有经商的才干——"

"银行不是已经贷款给他了吗？"沈问。弟弟已经挥霍了一笔贷款。

"我们得另找门路，"老人回答说，"这就是我来找你的原因。"

沈用手指指着自己的胸脯。"我？我可是一贫如洗。"

"可你和钱财打交道呀，"父亲说，脑袋左右摇晃着，"上海国际艺术品拍卖公司。你和外国人有联系，也许什么人正在上海寻找前景看好的小额投资的机会呢。"

沈耸了耸肩。

"如果我们找不到可以借贷的外资，"老人继续严肃地说，"就只好自力更生了。"他一边说，一边把一只拳头击在另一只手掌上，那是他引用革命口号时的习惯动作。

"自力更生？"沈不解地问。

"变卖我们的资产。"

"什么资产？"

沈教授从公文包里掏出一份政府文件，然后把它摊开在茶几上。他指着盖有上海市政府红印的通告，说："市政当局计划拆掉我们的旧房。"

沈觉得脸颊发烫："他们不能这样做。不能就这样拆迁。不可能。"

"这是不可避免的，"他说，"他们会付给补偿金的。"

"那是我们家族的房子，是你父亲留给后代的遗产。我们已经差点儿失去过一次了。现在必须为挽救它而斗争。"

“就它目前的情况而言，它对我们有什么用处呢？”

“我住在那儿呀，爸爸。”

“你需要的是一套像样的新房，有适当的水暖设备。情况就是这样，孩子。仔细考虑考虑。”

“不屈不挠的老同志”站起身来。沈觉得，茶几上那份文件虽然象征着市政府的最高权力，但和父亲强加给他的家族的责任相比，微不足道。

“见到你很高兴。你身体不错，多保重。”父亲说，“我得走了。”

“再见，爸爸。”沈无精打采地说，目送父亲身穿灰色套装的背影穿过写有金色文字的玻璃门，走了出去。

太不公平了，沈想。经过几十年的政治动乱，那幢楼房总算幸存下来，而且它的一个角落依然属这个家庭所有。他爱那幢房子。他爱他为自己营造的那个栖身之地，那个传统文人的陋室。从那个角落开始，他可以重建他认为它应该变成的世界。逐间、逐层地重申对房子的所有权。仿佛那幢楼房本身就有新生的力量。证据就是，他和鲁丝已经在梦里分享了这里的一切。那梦使芸和沈复重返人间。

他回到办公桌旁边，又看了看他为那些画写的简明扼要的评语。和父亲见面之后，他不想再和别人发生什么冲突了。他把他写的鉴定意见从头至尾阅读了一遍，把疑点一一明确列出，环环紧扣，使自己的推论更合乎逻辑。

他还不时用眼角的余光注意斯坦利什么时候从办公室走出。

机会来了，沈迅速溜进老板的办公室，把鉴定报告放在斯坦利办公桌中间。放在那儿，报告不会丢失。等到斯坦利发现他的鉴定，沈可能已经走出大楼，正在大街上走着呢。沈可以想象出琳达的愤怒和斯坦利的痛苦，但他别无选择。他必须揭露赝品的真相。明天早晨，他将准时到办公室，勇敢地承担一切后果。可是现在，他只想去赴那天早晨分手时他和鲁丝订下的约会。鲁丝会理解他的感受。她一定会支持他。她不会反对。

画廊已经售出鲁丝的三幅画。除了受欢迎的金钱之外，让鲁丝高兴的是，还有几个陌生人很欣赏她的作品。她高兴地听说，三个买主中，有两位是中国人。但她觉得很累，而且头痛。在这种情况下，她无法把注意力集中到工作上，于是她回到租住的房间，躺下休息。

父亲从新喀里多尼亚给她寄来一张明信片。是对她寄给他的一封短信的回应。那封信上有她在上海的地址。他写道，他又结婚了，而且从城里搬到海边的一处住宅，那儿新成立了一家公司，他任经理。他没说是什么公司。她的父亲总是坐等机会到来，然后抓住机会以此谋生。女儿可不喜欢那样。她有丰富的想象力，绝对不会安于现状。

和她同租一套房间的人中，有一个年轻的德国银行职员，正在屋里，想聊天。他总是抱怨中国和中国人。“你绝对不能相信他们，”威尔弗雷德双目圆睁，大声说，“他们撒谎。中国人撒谎。”鲁丝纳闷，什么原因使威尔弗雷德对中国和中国人产生如此消极的看法呢？而她也讨厌他，因为他对别人毫无同情之心。听他在那儿怨天尤人的时候，鲁丝知道，她不会在这套房子里继续居住了。她一边和他有一搭没一搭地闲聊，一边把衣物装进背包。然后对威尔弗雷德说，他们可以把那间屋子租给别人，她要离开一段时间。她只说了那么一句，就找沈去了。

她提前到达，在呈“之”字形的桥上走来走去，从不同角度，观赏池塘里游来游去的鱼，不到他们约好在茶馆见面的时间，不想露面。沈到了之后，他们就走进茶馆。沈坚持某种茶和某种小吃相配，可是鲁丝还想品尝别的东西。外面，雨打在池塘里的荷叶上，发出滴滴答答的响声。

“下雨时，坐在敞开的窗口品茶，别有一番情趣。”沈一边观赏一边说。

鲁丝飞红了脸。“我们在哪儿都能享受生活，”她说。

“一定要有让我们感到快乐的什么东西——具有美感的事物，轰动一时的趣闻，或者一个特别的场所。”

“你的意思是，像普普通通的茉莉那样，我们需要依附在什么东西之上。”

“我想是这样。”

“即使什么丑陋或者平庸的东西？”

“对于我们，不会是丑陋或者平庸的东西。”他说，黑眼睛亮光闪闪。

“即使什么危险的东西？”

“我们会化险为夷。”

“你的话听起来就像要去冒险，”鲁丝说，“我们为什么不能只待在家里呢？”

“倘若那样，用不了多久我们就会感到厌倦、乏味。那时候，什么东西都提不起我们的兴趣了。”

“我们可以品味我们已经拥有的东西。”

“你认为那会历时多久？”

“我认为它会自我更新，经久不衰。”鲁丝平静地说。

“可是悲剧总是不期而至。”他说，几乎连自己也不知道这话是什么意思。

他们走出茶馆，慢慢走过为旅游者开设的商店。那里出售珠宝首饰、表达爱情的黄金纪念品、钻石饰物和银器。然后沿着那条大街，向他的住处走去。直到走进那间阁楼，关上门，他也没有跟她说话。他们仰面朝天躺在床上，周围是他的家当——瓷器、画和那几件家具。他搂着她，吻她，两个人没有丝毫拘束。后来他说：“他们要拆掉这幢楼了。”

“谁？”

“市政府。”

“他们有权那么干吗？”

“我弟弟同意。我父亲同意。我不能理解他们为什么不设法把房子收回。那是祖上留下的家产。”

“如果真是家族的房产，他们就有可能搬进来。你该怎么办？”

“不知道。”

“我就喜欢这样，”她说，“几件给人以美感的东西，还有你。”

“还有你呢。”他迫不及待地补充说。

“我想搬出现在的住处，”她说，“我可以住在这儿吗？”她能想象到他说的任何话。因为无论他说什么，都遂她的心愿。

“我们本来就应该在一起。”沈说。

让他兴奋激动的是，她“变化无常”。娇弱无力之后是生机勃发，温文尔雅之后是嬉笑怒骂，深思熟虑之后是心血来潮。而对她来说，他不但体现了一直存在于她内心深处的感觉，而且体现了那些外在的东西，从而融化了内外之间的壁垒。有时候她想抗拒，但又意识到这是不可抗拒的客观存在。这种存在不可捉摸，能把她带到任何地方。

“我们为什么不出去庆祝一番呢？”她说，于是他们跳下床，直奔门外而去。

> 乾隆甲寅七月，余自粤东归，有同伴携妾回者。曰徐秀峰，余之表妹婿也，艳称新人之美，邀芸往观。芸他日谓秀峰曰：“美则美也，韵犹未也。”秀峰曰：“然则若郎纳妾，必美而韵者乎？”芸曰：“然。”从此痴心物色，而短于资。
>
> 余骇曰：“此非金屋不能贮，穷措大岂敢此生妄想哉！况我俩人伉俪正笃，何必外求？”芸笑曰：“我自爱子，子姑待之。”

沈和鲁丝依偎在一把雨伞下面，在雨水中择路而行，无法保证身上不湿。爱情就像上海的毛毛雨，似有若无，直到把每样东西都湿透。后来雨过天晴，在迷蒙细雨闪闪发亮的“余波”中，火红的晚霞燃烧在城市上空，赫然耸现的高楼大厦被它映照得宛若黑色的图腾。

一条金龙飞舞在红玫瑰歌舞厅的上方。用霓虹灯镶嵌的眼睛不停地眨动，龙口里有一支红玫瑰在闪烁。鲁丝和沈走进歌舞厅，从几个保镖身边走过，然后沿着幽暗的通道，进入一个由巨大的玫瑰组成的幻梦般的世界。玫瑰的颜色从粉红到深红让人眼花缭乱。几个人懒洋洋地用吸管吮吸着鸡尾酒。

“怎么没什么人。”鲁丝说。

“还不到时间，”沈说，“听里基说，这是一家新开张的歌舞厅。他晚些时候肯定来。”

一位女服务员把他们领到一张桌子旁边。鲁丝在包着天鹅绒的沙发椅上坐下，沈挤坐在她旁边，女服务员请他们点饮料。一杯加冰块的苏格兰威士忌。一杯草莓代基里酒①。光怪陆离的灯光把他们映照得像鬼一样——眼睛亮光闪闪，仿佛从遥远的地方凝望；肌肤像糕点上那层白色的糖霜，暴露出下面的骨骼。

“你看起来真好玩儿。”鲁丝深情地说。

他们一边吃着花生，一边饶有兴趣地观赏一个接着一个的登台演唱者。那些家伙在卡拉OK刺耳的音乐伴奏下，尽管跑调跑得十万八千里，朋友们依然为他们齐声喝彩。

“下一个轮到你了。”沈说。

“不嘛，”鲁丝说，一边连连摇手，一边在长沙发上蹭着他，“你来！”他吻她的脖颈。她从酒杯中拿出粉红色小阳伞插在他的耳朵后面。

这时，里基陪着一个年轻的中国男人从黑暗中走过来。他介绍说，那个年轻人叫黑牡丹。里基耳朵上的饰钉闪闪发亮，亚麻色的头发油光锃亮。

“你是谁？‘绸绸伞’。”黑牡丹看着沈耳朵后面插的小阳伞咧开嘴笑着问。他眼睛下面的眼袋十分明显。

“今天晚上韩要登台唱歌，”里基说，“她是上海最红的歌手。”

“那你就等着吧。”黑牡丹说。

韩“闪亮登场”时已是午夜时分，她容貌漂亮，唇上涂着鲜艳的口红，眼影画得十分怪异，活像食肉的猛禽。她虽然身材瘦削，但很结实，就像男运动员。她虽然年轻，但不会对你准确地说出她的生日。她穿着漂亮的

---

①代基里酒：一种由朗姆酒、莱姆汁或柠檬汁和糖混合的加冰鸡尾酒。

网眼长袜，头戴高顶黑色礼帽，身穿黑色紧身连衣裤，领口开得很低，露出双乳。聚光灯投在她身上时，听众都俯身向前，刚好能看见她。她开口一唱，就好像甩出一个倒钩。这倒钩能钓住任何东西，从幼小的墨鱼到庞大的鲨鱼。她在细声细气的卡拉 OK 带的伴奏下唱歌——她就是那么学会唱歌的。但怎样演唱音乐作品——过分甜蜜或多愁善感，沙哑粗犷或性感十足——却靠她自己发挥。她半似充满魅力的明星，半似街头卖艺的小孩，因“过度曝光”而扼杀了人们耳熟能详的经典名曲和通俗歌曲的灵魂，既注入某种活力也招来辱骂。

“她是个混血儿。”沈说，试图解释韩“感染力”中包藏的“异国情调”和那种难以言喻的东西。她身体的各部分似乎“装配”有误。表演时动作失控，好像一个被发了疯的提线人拉动的木偶。她脸皮太厚，滑稽可笑，不可思议，用英语、普通话和上海话演唱歌曲。

“她是从哪儿来的？”沈想知道。

“上海街头。”黑牡丹说。

“也可能来自任何地方。”里基说。

她唱歌时嘴巴那副样子迷住了沈。她喜欢双唇往后一咧，厚厚的、粉红色的舌头朝观众舔一下，然后亮闪闪地贴在牙齿背面。

“你觉得她怎么样？”沈问鲁丝。

“很有诱惑力！”

韩跪倒在舞台上，答谢观众的掌声。她的头顶插满了黑鸭子蓬松的羽毛。听众大声呼喊，要求再唱一支。经理——一个狡猾的、脸像三角形的男人——宣布歌手休息五分钟。韩退回到灯光照不到的地方，一位姑娘递给她一罐软饮料。在听众的一再催促下，经理走过来牵着她的手，把她拉到舞台上。她猛然把头向后一甩，微笑着向热爱她的听众展开歌喉，用普通话唱起《我的祝愿》。

电视屏幕上出现了一幅幅画面——铤而走险的人在喜马拉雅山陡坡上滑雪，尼亚加拉大瀑布从悬崖顶飞流直下，轰鸣着激起滔天的雪浪花。然后是一曲《难言的梦》。临近结尾，听众也跟着她一起唱了起来。韩脸上挂着“掠夺者”的微笑，目光在观众席扫来扫去，留意着新来的人。

听众开始点歌。沈点了一首他特别喜欢听的旧上海的爱情歌曲《永远微笑》。韩已经注意到这位新来的英俊潇洒的中国男子。他挽着一位外国的金发女郎，灯光下，那位姑娘的眼睛显得格外有神。她向他们那张桌子走去，伸出手。一把握住韩的手的人是鲁丝。韩哈哈大笑。她紧紧握住鲁丝的手，不肯松开。

“请和我一起唱吧。”韩说，拉着挺乐意的陌生人走上舞台。她伸出胳膊搂住鲁丝的腰，好像她们是一对姐妹。

“多好的一对儿！”里基激动地说。

她们开始演唱沈点的歌儿。鲁丝虽然知道歌词，但唱不准调。她那细弱、干扁的嗓音和韩当然无法相比。韩扯开嗓门，大声唱着那首令人伤感的老歌：“心碎的时刻，依然微笑……”鲁丝只能“啦——啦——啦”地和着，充其量不过是给韩伴唱。唱完之后，韩抱住鲁丝，在她的唇上吻了一下，观众哄堂大笑。接着，她快步走到聚光灯下，留下鲁丝自己择路返回桌边。

沈伸手握住鲁丝那只被韩握过的手，拿她开心。鲁丝手指上都是汗水。她坐到座位上，不好意思地把脸伏在沈的脖颈上。韩的演唱进入尾声。一组流行歌曲过后，她开始用蹩脚的法语演唱她的代表作。演唱中，她模仿比阿夫①的风格，把胸脯一挺，然后把高顶礼帽放在乳沟上。鲁丝非常喜欢那首歌——《玫瑰色人生》。韩的演唱结束以后，空了一段时间，但业余爱好者们谁都不敢登台演唱。寂静过后，响起一片对歌手表示敬意的不大的喧闹声。

过了一会儿，韩又出现了。她的行头换成黑色的牛仔裤和短上衣。她向鲁丝和沈走过来。

---

①比阿夫（1915—1963）：法国卡巴莱歌手。她最让人难忘的歌曲包括《玫瑰色人生》和《不，我一点也不后悔》。

“对不起，”她对鲁丝说，觉得自己刚才的淘气很可笑，“我没让你难堪吧？你真棒。非常感谢。”

“别，别，别。”鲁丝说，然后介绍她的几位朋友。

“我可以坐下吗？”

“请。”沈说。

女服务员给她端来一杯柠檬威士忌酒。“请，请。”她一边和大家碰杯，一边说。接着她向经理的方向瞥了一眼，经理马上递给她一支小雪茄烟。

沈掏出打火机，咔嚓一声打着，举到韩的眼前为她点烟。

“我是一个顽皮的姑娘。”韩说，刺鼻的烟雾在桌子周围回旋。

沈赞美她的歌声，但韩对他的恭维置之不理。从他的举止来看，她可以肯定，他是一个有学识、有教养的人。她问沈从事什么工作。他告诉她，他研究古董。

“我对古董一窍不通，”韩说，“我没有受过那方面的训练。我从来鉴别不出真伪。他是你的男朋友，是吗？”她问鲁丝。

鲁丝微微一笑：“也许是吧。”

“要么是，要么不是。真的还是假的？”

“我们前世曾经是情侣，今生又相遇在一起。”沈说。

“你们真的相信轮回转世吗？”韩笑着问。

“是不是所有恋人都相信他们前世就见过，而且命中注定，终生都在互相等待？”里基问。

“照这么说，一见钟情该如何解释？”“黑牡丹”问，“如果已经轮回过两次，还有什么兴奋激动可言？”

“如此看来，你们彼此已经十分熟悉，该了解的早就了解了。”里基的目光从沈扫视到鲁丝，用质问的口气说，“多么乏味呀。两次闪电无论如何不可能击中同一个地方。”他作结论似的说。

“只要闪电击中我一次，我就心满意足了。”韩大声说，“你们的故事听起来那么浪漫，可是证据在哪儿呢？”她笑着说，乌亮的眼睛直勾勾地盯着鲁丝，贪婪的目光捕捉到她脸上闪过的焦躁不安的表情。

韩突然变得不耐烦起来。酒吧里已经没什么人了。“该走了。”她说，扬长而去，留下别人付账。

沈和鲁丝相互看了一眼。他们对可能引起的指责很警惕，没有停下来对正在做的事情做任何辩解，便跟在那位歌手身后，匆匆离开歌厅。

韩快步走进一条小巷，那儿有一个人，睡在门口草席上。韩把他唤醒，对他说她要用车。那人沿着小巷一步一拖地走到一辆汽车旁，打开车锁，取出一个出租车的标志——TAXI，放在车顶上。他发动引擎，打开车灯，倒退着把车开到歌舞厅前门。里基和“黑牡丹”已经在黑暗中消失得无影无踪。鲁丝和沈摇摇晃晃地互相搀扶着，在空荡荡的大街上慢慢地走。出租车驶到身边，打开车门，韩在背后使劲一推，把他们推进车里。

“上哪儿去？韩小姐，”司机问，然后就慷慨激昂地抱怨肉价飞涨。

在韩的指引下，司机把车开到苏州河畔，那里有一家通宵经营的小麻将馆。麻将馆老板说，韩的朋友都是他的朋友，但他不喜欢外国女人，因为她可能给大家惹来麻烦。他很快就把盛满面条的碗端给他们，为的是不让他们逗留的时间太长。手指灵巧地移动着，麻将牌哗啦哗啦作响，纸币过往，茶杯举到唇边，唯独赌客们灰白色的面孔一动不动。别人一口接一口吃面条的时候，出租车司机大口大口喝着烈酒。然后，就像刚才风风火火把他们带到这儿一样，韩又以“迅雷不及掩耳之势”把他们送上出租车。

这一次，她与沈和鲁丝一起坐在后排座上。她生性好动，面条把肚子填饱之后，便又打开话匣子。她喜欢辣椒拌面。鲁丝喜欢辣椒吗？她敢打赌，鲁丝喜欢甜而不喜欢辣。她说，那个地方的牛肉面是上海最好的。至于海鲜，她知道另有一家。她问他们，还想去那儿吗？

“我可以像马一样吃草，”她说，“除了这家，我从来不吃荤。”说罢，她挺起胸脯。“摸摸看，这儿的肉太多了。吃得越多，这儿就越胖，胳膊和腿却还瘦得皮包骨。因为我是混血儿。遗传点儿这个，又遗传点儿那个。

这事儿你们都明白，对吧？”她把身转向沈，以示歉意，“对不起，你也想摸摸吗？”

可是没等沈把手伸过去，她就一巴掌打开，哈哈大笑起来。鲁丝也忍不住大笑。

“韩小姐的奶奶当年是旧上海滩上最有名的白俄夫人，”出租车司机突然插话说，“我爷爷曾经热恋过她。”

“我祖母曾经经营过一家妓院，共产党接管政权以后，勒令她停业，可是她依然暗中干着那行，还干了很长时间。”韩说，“她懂得如何见机行事。”

“她还活着吗？”沈问。

“有个年老的新疆富商，每年都来上海看她。他七十五岁那年，生下我的母亲。那个老家伙对自己还能干那事儿十分高兴。老年得子，实在幸运，后来有一年，他没有按时回来。祖母多方打听，可是再也没有他的消息。祖母后来被遣送到农村改造。在乡村里，她没有生意可做，最好的办法就是把她的女儿嫁到一户农家，给这家的白痴儿子做媳妇。那女儿就是我妈妈。她别无选择。我谈到的白痴，就是我父亲。迟钝，你们知道。我的迟钝就是从那儿遗传来的，”韩轻轻拍了拍脑袋，“他经常抽羊角风。”

讲到这里，她的故事似乎要结束了。“这么说，你有新疆血统？”沈问。汽车行驶在空荡荡的马路上，在斑驳的灯光下，他目不转睛地看着她。她的血管里，仿佛流淌着上海的全部历史。

出租车在一家宾馆的外面停下，一个身穿白色制服的年轻服务员躬身打开车门。韩对这种殷勤之举作出回应，仿佛这是她的权利，仿佛凭借她的身份，她应该享受这座繁华都市提供给她的最上等的服务。她塞给那位出租车司机一些钱。为了过去的友谊，他把钱退还给她。可是韩执意付钱，强迫他勉强接受她的这番好意。

韩带头穿过旋转门，沈和鲁丝脚步轻盈跟在后面，三个人像飞鸟掠过空寂的门厅，时间是凌晨三点钟。到达第三十一层之后，他们一直向前，走到走廊拐角那套房间，门铃响了两声，门打开了。

“韩，亲爱的，”刘露娜说，“这个点儿，来的人只能是你。”她那身宽松的丝绸长睡衣外面，套着宾馆的晨衣。“哦，你们这对儿相思鸟[①]！”她又高兴又诧异地看着沈和鲁丝说，“我不知道你们彼此认识。好了，进来吧。你的那位台湾绅士延期了，亲爱的。你上哪儿去了？我已经打了好几个小时的瞌睡。得了，我可不想知道你那些事儿。”

“有香槟酒吗，露娜？”韩问，无拘无束。

“到小酒柜找找看。我要睡觉去了，我得美美地睡上一觉。”说罢，露娜走进套房的另一个房间，随手关上房门。

韩噗的一声打开半瓶法国香槟酒的软木塞，然后把灯光调暗，这样，他们就可以观赏上海灯火阑珊的夜景了。

沈把脸贴在玻璃上。“变化真大呀，”他说，“我们现在像鸟儿一样俯瞰，等落到地面上的时候，也许会发现，甚至连我们的窝都被拆掉了，我们无家可归，别无选择，只得飞呀飞呀，直到从天上掉下来。”

“旧的东西被毁掉了，”韩一边把鼻子凑近冒着泡沫撕嘶作响的香槟酒，一边说，“新东西出现了。干杯！你不认为，生活在这样一个充满机会的年代，我们很幸运吗？”

沈觉得跟韩待在一起挺快活。鲁丝也迷上了韩。她看沈，看见他的眼睛亮光闪闪。沈没有阻止她。不，他在鼓励她不要约束自己。一时间，她被他们的行为弄糊涂了。但是，她不停地问自己，究竟发生了什么？或者问，半夜三更，他们为什么在一家豪华饭店的第三十一层楼上喝香槟呢？这只是韩消遣娱乐的一部分。

韩在屋里跳来跳去。即使累得直打哈欠，她也不肯坐下来。因为一旦停止运动，她立即就会进入梦乡，而她偏偏不想睡觉。她是那么生气蓬勃，活泼好动。她抓住鲁丝的手，和她一起在屋里旋转着跳起舞来，直到沈抓

---

①相思鸟：也叫“情鸟”，一种东半球的小鹦鹉，经常养在鸟笼里，以雌雄间恩爱闻名。引申的意思是“恩爱夫妻”——情深意切的一对夫妇，尤指公共场合互相感情外露的夫妇。

住她们俩，硬把她们揪扯到他身边。

“鬼是很难驱走的，”韩说，“这家宾馆从前是一片墓地。只有愚蠢透顶的外国人才会购买这块地皮。有一对度蜜月的香港夫妇曾经住在这家宾馆。半夜醒来，他们看见一男一女，从外面跳上那么高的楼层，拼命抓挠玻璃，想破窗而入。度蜜月的夫妇吓呆了。他们想大声喊叫，但喊不出声来。他们立即下楼，要求退还订金，结账走人。服务台的服务员说，这种事情经常发生。老鬼无家可归呀。”

沈和鲁丝都捂着嘴笑了起来。

“好了，对不起。”韩说，然后走进浴室，随手把门带上。

“鲁丝，”韩大声喊着，“你能给我端来一杯香槟吗？”

韩拧开金光闪闪的水龙头，把浴盐倒入白色大理石浴盆，一面镜子从地板一直镶嵌到屋顶。她弯腰进入散发着香味的温水中，出神地望着镜子里自己的映像。鲁丝走进来，把盛着香槟的酒杯放在浴盆边上。“鲁丝，可以帮我洗洗脖子吗？”韩问，“因为总是唱歌，握着麦克风就那一个姿势，脖子痛。哦，使劲擦。”

“我不知道该怎么擦，”鲁丝说，在浴盆旁边跪下。那儿有一摊水，“哎呀，把我衣服都弄湿了。”

“你为什么不进来呢？”韩说。

鲁丝连想也没想，脱掉衣服，爬进浴盆，站在韩的背后给她擦背，因为用力过猛，地板上到处淌着漂浮着泡沫的水。

“你们俩干什么呢？”沈大声问，可是谁也没有搭理他。

“该你了。”韩说。她终于站起身，在浴盆里把鲁丝的身子转过来。看到她们俩身材那么悬殊，韩不禁笑了起来。鲁丝亭亭玉立，杨柳细腰，乳房不大。韩却矮而结实，除了乳房高耸之外，扁扁平平，没有优美的曲线。她捧起乳房让鲁丝看，又为自己这副傻乎乎的样子咯咯地笑。她们想坐下来的时候，肥皂水剧烈晃动，溢过浴盆边缘。

韩伸手拿起洗发液开始洗头。“错过这样的机会实在可惜。”她边说边睁开眼看鲁丝在镜中的映像。“哎哟，洗发液钻进我眼睛里了。”

“你比我还白。”鲁丝说。

“我的头发比较黑，”韩说，“我洗完头以后，你应该看看水的颜色。”

“水很脏，”鲁丝边说边跨出浴盆，“我不想再坐进去了。”

鲁丝抬腿跨出澡盆，站在滑溜溜的地板上，韩在她大腿上拧了一把，鲁丝打了个趔趄。

“嘿，”鲁丝说，“当心点。”她擦干身子，裹上浴巾，打开门，蹑手蹑脚地向沈走去，沈在沙发上睡着了。

“谁？”他迷迷糊糊地说，连眼睛也不睁，碰了碰鲁丝温暖湿润的肌肤，“你们在那儿干什么呢？”

“韩还在浴盆里。”

“你是说轮到我了？”

“你想帮她洗洗吗？”鲁丝问。

“她自己会洗。”沈说。他把鲁丝拉进卧室。里面有一张特大的床，枕头上放着巧克力。他把一块巧克力塞到鲁丝嘴里，另一块放到自己嘴里。她嚼巧克力的时候，他开始吻她。这样一来，他们钻在被单下面时，亲吻的感觉和融化的巧克力香味便融合在一起。鲁丝扭动着，从潮湿的浴巾中挣脱，让沈紧紧地抱住她。“她不会知道我们去哪儿了。”沈说。

鲁丝咯咯笑着：“我敢说，她很快就会找到我们。”

韩已经从浴室里出来，独自坐在窗口旁边的椅子上。她擦头发的时候，感到柔软的、漂白过的浴巾紧贴在自己的肌肤上。听得见门那边传来做爱的响动。她吞云吐雾，一口接一口地抽着小雪茄，以排除心头的重压——所有的欲望，所有的追求，所有狂热的念头——直到忘记自己是谁。她的手指懒洋洋地划过洁净的、富有弹性的肌肤。她可能是任何人。她可能是任何物。她一判断出沈和鲁丝做爱完毕并且终于入睡之后，就踮着脚尖儿悄悄走进卧室，在他们睡着的那张大床边儿上为自己找到一块地方。鲁丝在睡梦中微微动了动。韩嗅出他们的气味。屋里散发着一股巧克力的香味。

后来，她自己也渐渐进入梦乡。

灯光亮起，一个男人站在门口。他们猛然惊醒。服务生领那个男人进门时，按了一下主开关，打开了所有的灯。“对不起！”服务生——一个油头粉面的上海人——盯着床上的三个年轻人说。他们好像童话中的三只狗熊，揉着惺忪的睡眼。身穿西服的男人怒目而视。他才是饭店真正的客人。他是台北人。他乘坐的航班经过香港时不得不取道另外一个机场。这是他包的套房。

不过，不等这个台北人开口讲话，刘露娜就赶来救场。她领他转身走出卧室，然后请他坐在另一个房间的沙发上。

“袁先生，”她说，设法使她的客户平静下来，“我们等了你整整一夜。”

与此同时，她催促三个睡意蒙眬的人下床，并且告诉沈和鲁丝收拾好东西赶快走人。鲁丝找到她的衣服，发现衣服在浴室地板上弄得精湿。沈对受到如此粗暴的对待十分恼怒。韩走进另一间卧室整理仪容，以便能够见人。露娜夸赞袁先生的新西装。她擅长息事宁人。她一边给那个男人沏茶，一边解释说，他们一直在跳舞，消磨时间。他们实在精疲力竭了，才躺下来打个盹，仅此而已。当然这样做很不合适的。露娜把那人的怒火平息下来之后，小心翼翼地撤退出来，向韩打了个手势。

半睡，半醉，韩扭捏着向沙发走去。袁先生已经为她准备就绪。韩具有独特的魅力。只要被她看上一眼，任何男人都把持不住。此刻，她就用这样的目光瞥了他一眼，袁先生顿觉骨软筋酥。他咧开嘴，被烟火熏黄的牙齿之间有几颗金牙。接着，把手伸到她的两条腿中间。

沈和鲁丝穿过空寂的街道往家走。沈边走边给鲁丝讲述他们经过的地方的传说。那些地方属于另一个时代，而且只有在午夜时分才从隐秘中显现出来。环绕着黄色高墙的寺庙建于明朝末年，黑色的庙门像月光下的黑檀木。沈说，上个世纪，这儿曾经是可怕的“盗魂中心”。如果有人从你的头上拿走一根头发，就能盗走你的灵魂。以前，这个地方到处是理发馆，所以“盗魂者”生意兴隆。沈指着不断旋转的条纹灯饰和橱窗里一张张时尚发型的照片说，这一带依然有不少美发店。他们在街角停下脚步，20世纪30年代，上海最高级的美容店就在这里，著名的宋氏姐妹经常来这儿烫发。马路对面有座公园，人们依然在那里展示她们的发型。直到今年，因为建设的需要，公园才被关闭。他们朝已经挖掘出来的大坑望去。地洞逐步向下延伸，像座陵墓。那里正在建设一条新规划的地铁线路的车站。

沈热爱这座城市，他拉着鲁丝的手，边走边谈。穿过上海建筑物十分密集的、寂静的市中心时，他看来好像在絮絮叨叨地说着梦话梦游。大街上，到处都是广告。让人眼花缭乱的时髦玩意儿、先进的工业技术、严肃的政府公告——都在为引起人们的注意竞争，而效果却互相抵消。

他们离开南京路，经过已经很旧的市图书馆。它的前身是赛马俱乐部，基石上刻有创始人员们的名字。他们沿着大剧院往前走。这座宏伟的建筑看起来像个水晶棺材。他们经过从前的娱乐大厦，毛主席的夫人在那儿跳过舞。最后，他们穿过音乐学院的校园，抄近道来到沈住的街区。音乐学院的前身是犹太人俱乐部，过去，有钱人家常去那儿喝茶。革命成功之后，有两位从莫斯科归国的留学生，在柴科夫斯基的影响下，创作出《梁祝协奏曲》。沈开始哼唱那首曲子，鲁丝也跟着哼起来。他们挥动手臂，在新的一天的第一缕曙光照耀下，沿着法国梧桐浓阴覆盖的大道向前走去。

回到阁楼，沈发现，那本书还摊开在那对酒杯旁边。

“我们一直忙得要命，没来得及往下看。”沈说。他找到第三卷，手指沿着开头的句子往下移动。

余则非也，多情重诺，爽直不羁，转因之为累。

他把时钟设定在几个小时后唤醒他们的时刻上，然后拿起书坐在床上，鲁丝偎依在他身边。沈打了个长长的哈欠，鲁丝跟着也打了一个。“你现在读不下去了，是吧？我的眼球都快从脑袋上掉出来了。”

人生坎坷，何为乎来哉？往往皆自作孽耳。

他的话含混不清。文言文使他昏昏欲睡，他耷拉着眼皮，再也睁不开了。于是，立即沉沉入睡。鲁丝把书从他的手里抽出来，合上放在一边。她蜷腿靠他躺下，拉开一条毯子，仿佛拉上这个夜晚发生在他俩周围的种种事件的帷幕。最后，她替他念完了那句话，但他没有听见。

皆自作孽耳，余则非也。

斯坦利走出办公室，这次要当众与沈对质。里基觉得不自在，把头低下。他可以想象到沈的感受。

“这就是你的评估意见吗？荒唐可笑，老弟。你断言副市长所有的画都是赝品。只有一页纸的报告，连个备份也没有。哼，昨天我发现这篇报告时，他们都听见我气得暴跳如雷，而你却像只老鼠一样，沿着水管道溜走了。我不明白你中了什么邪，肖恩。也不知道背后的隐情，不过，这可不是闹着玩的。”

沈瞥了里基一眼。里基可怜巴巴地坐在那儿，活像一只泄了气的皮球。里基出面想缓和一下紧张的气氛。“昨天的事一笔勾销了，对吧，斯坦利？”他瞥了沈一眼，示意他说几句服软的话。

“哦，显而易见……”沈开口说。

“你想暗中破坏我们的生意，肖恩。这才是显而易见的呢。”琳达说，“你拿了我们一位竞争对手的佣金。”

“听我说，斯坦利。不要相信琳达的话。”

“问题很简单。我们需要这笔生意。我们需要副市长的支持。没有这种支持，我们在这座城市寸步难行。张军是在考验我们。你本来可以轻而易举地给这些画做出价值五六位数字的估价，可你偏偏说这是一堆一文不值的赝品，这也太离谱了。人无完人，肖恩。谁也不可能百分之百的正确。也没有百分之百的赝品。人们的领悟能力总是有限度的。”

“你是老板，斯坦利。我只是受雇于人，提出自己的意见而已。决定权在你，责任也在你。”

听到这话，斯坦利有点儿自命不凡了：“既然你已经开了个小小的玩笑，那就允许我也算开个玩笑吧。你马上坐到那儿去，而且不要离开，直到再写出一份评估报告，肯定那些画都是真品。过一会儿，张军和琳达还有她的侄女就要到了，这一次我们大家一起共进午餐，庆祝我们同心协力，合作成功。包括你，肖恩。现在着手工作吧。”

可是沈却不肯轻易让步：“如果你是对的，先生，那个张军是在考验我们，那么，他是在考验我们的诚信。倘若我们打算在这座城市生存下去，诚信才是我们不可或缺的商业道德。必须让人们相信我们，依赖我们。让那些有意忍痛割爱的人相信我们，也让那些愿意付天价买东西的人相信我们。没有好名声，我们在这儿连一个季度也维持不下去。”

“你拒绝做我让你做的事情吗？”

“是的，先生。”

“你可能丢掉你的工作，我警告你。”

“那样做公正吗，先生？”

里基走到他们中间，趁着拳头还没有挥舞起来之前，先让他们有一臂之遥的距离。“嗨，嗨，你们两位，冷静一下。这只是个意见分歧的问题嘛。真正的行家都会持有——”

“你别插手这件事。”斯坦利咆哮着说。

“他竟然要我造假，里基。”沈气得浑身发抖，“这是对我的信仰的背叛。他要我出卖自己辨别真伪的能力，混淆真伪之间的区别。也许看起来是件小事，但这却是世界上最重要的东西。这是一个涉及艺术品生存的问题，也是一个涉及生命价值的问题。”

斯坦利被逼到一个死角。沈的桀骜不驯给其他员工树立了一个有害的榜样，而且还有琳达需要面对。

“说实话，我不想让你太为难，斯坦利。”沈说，“可是这件事我的确不能干。不过，我会让你心安理得的。”当他说出这几个字的时候，一阵轻松之感油然而生，从脚到头流遍全身，几乎使他飞离地面。“我辞职。”

“想辞就辞吧。你不是必不可少的人。里基会干这件事情的。做你应该做的事情吧，里基。”斯坦利边说边把沈的评估报告扔给里基。

“里基？”沈的声音里不无悲凉，希望他的朋友有拒绝的勇气。

可是里基无可奈何地盯着沈，他的喉咙发干。他知道自己没有沈的刚毅。“对不起。”他结结巴巴地说了一句，便带着文件离开了。

斯坦利向他的办公室走去。沈独自在那儿站了一会儿，茫然不知所措。结束了。他失业了。他走到办公桌跟前，把个人物品扔进一个空纸箱。

鲁丝去红玫瑰歌舞厅拜访韩，可是歌舞厅白天关门。看门人坐在门口的椅子上打盹儿。鲁丝问他是否见过韩，他大声呼喊，喊声传入附近一条小巷，一个笨手笨脚的小姑娘应声而来。小姑娘领着鲁丝穿街走巷，踏着垫路的木板，绕过一片泥泞的空地，来到一处废弃的别墅前。十几家人像“洞穴居民”一样在这里营造出属于自己的栖身之地。曾经是豪华而井然有序的庭院，如今变成一座杂草丛生的、破败的混凝土建筑物。门口拥挤着车门上锁的破旧汽车和堆放在一起的自行车。后面的一间屋子里，摆满了床、桌子、电视机、箱子、碗橱、电冰箱和一张还算别致的小沙发。她们看见韩坐在沙发上。这是韩的表姐家，同住在一起的还有表姐的丈夫、婆婆和领她来的小女孩。白天，韩就和表姐的婆婆待在一起。老太太瘫痪在床，来日无多。鲁丝拉开房门，韩看见她，脸上露出惊讶的微笑。老太太在床上呻吟。她旁边的地板上放着一个便盆。便盆里，深色的尿液散发出难闻的气味。韩请鲁丝在沙发上坐下，自己挤在鲁丝身旁。接着，她吩咐那个小姑娘去倒便盆。她凝视鲁丝，仿佛她是个宠物——一只毛茸茸的卷毛狗，或者油光水滑的小猎犬。除此而外，她不知道该作出怎样的反响。一个陌生的外国姑娘和这样的环境格格不入。

鲁丝对韩说，把她一个人留在饭店，跟刘露娜和那个台商待在一起，一直让她十分挂念。韩只是淡然一笑。“那一幕非常可笑，”韩说，“没事儿。”倘若她给自己招惹来什么麻烦，也是她心甘情愿的事情。

“这是你住的地方吗？”鲁丝问。

“有时候来住住。”韩说，“那个孩子非常淘气，老太太又整夜呻吟不止。”

老太太盖着一条灰色的毯子仰靠在墙上。褐色的面孔上布满横七竖八的皱纹，宛若一片落叶。

“我回来得很晚，他们又早早出门，倒也相安无事。他们照顾我。有朝一日，我一定要弄到自己的住房。”

鲁丝对韩说，沈有个阁楼，收拾得像学者的书斋。他们在那儿度过许多美好时光，就像一对相思鸟。

“听起来不错，”韩说，充满渴望，“能带我去看看吗？”

韩在书架上找到一本相册，里面有一张她母亲的照片。那是一张在照相馆拍摄的黑白照片，月牙形的边。照片上的女人十分漂亮。“她依然在村里，”韩说，“她现在守寡了，在那儿一个亲人也没有。我想把她接回上海，可是我们首先需要一个住处。我每月都给她寄钱。这就是我的钱永远不够花的原因。只要有一点儿现金，她在村子里就可以扬眉吐气了。”韩实话实说。“在村儿里，一点儿钱就能花好长时间。”

“你的生活经历真够复杂的。”鲁丝说。她纳闷，倘若自己的母亲还活着，她是否会待在家里伺候她，是否永远不会来到上海，而且这么突然就坠入爱河。

“你母亲是怎么死的？”韩问。

“癌症，”鲁丝说，“乳腺癌。”

韩点点头。“你自己也应该注意保养，”她说，“你的身体不是很强壮。”

“你很健康，”鲁丝说，“我知道。”

“妈妈说我应该离开农村，而且永远不要回来。”韩说，“她说，我的一生全靠机遇。人们挣扎，受苦，犯错误，活下来。我就是这种生命历程的结果。摆脱一切羁绊，无牵无挂地走出去，永远不再回来。美丽，富有，显赫。这就是我的追求。这就是我为什么忘不了年迈的母亲的原因。她是我唯一的牵挂。我要让她晚年过上舒适的日子。我就这样向前走着，不知道路通向何方，但我却知道我的脚步来自何处。人生就是这样的，而且也只能这样。”

韩吃吃吃地笑了起来。鲁丝凝眸看着她，钦佩之情油然而生。

韩轻轻地吻了吻鲁丝的脸，然后说：“你想出去逛逛商店吗？我喜欢逛商店！”

她们手挽手，阔步走在人行道上。人们注意到这是引人注目的一对儿。她们象征着国际友谊。淮海路新近落成的富丽堂皇的百货商场预示新的生活方式。而她们象征的这种友谊也属于人们想象的这种生活方式之列。

韩喜欢衣料挺括又有军人气派的深色服装，而且肩要宽，口袋要深。鲁丝虽然也喜欢深颜色，但在款式上，却喜欢优雅而线条流畅的服装。她们试穿晚礼服和运动装。在试衣间里，她们对着镜子，像模特儿一样展示不同的服装，试了一件又一件，把不中意的扔在门外，直到把服务员惹恼。韩只是一笑置之，她说，那是服务员分内的事。商店本来就是为顾客开的。要不然，谁还来买它那些破玩意儿？至于服务员嘛，巴不得货物卖不出去，那样一来，她们就可以把那些衣服当成在商店里陈列旧了的残破商品带回家。

她们接着试穿睡衣、喇叭裤和睡袍。韩喜欢那件白兔毛镶边、上面有小白点的粉红色睡袍。她试穿时哼着曲子，仿佛就要开始演唱了。鲁丝说，那件睡袍看上去那么完美，她要给韩买下它。韩希望鲁丝也有一件，于是为她挑选了一件边上镶着珍珠的靛蓝色睡袍。韩说，只有鲁丝也有一件时，她才会接受礼物。韩没钱，于是鲁丝就把两件睡袍都打在她的信用卡上，并且希望账单无法转到中国。

“不管怎么说，到时候就能卖出更多的画。”她对韩夸下海口，没怎么考虑后果。

她们既然开始购物，继续下去容易，停下来可就难了。她们拎着百货商场的购物袋，走向化妆品柜台，在那儿买了润肤霜、唇膏、睫毛膏和香粉。楼上，她们在商场人来人往的交叉之地，发现了一个叫作香榭丽舍的咖啡馆。咖啡馆的装潢是19世纪末20世纪初的巴黎风格，演奏着法国乐曲，镀成金黄色的桌子和不大稳当的粉红色椅子上方，低悬着饰有流苏的吊灯。她们在靠近窗口的一个角落坐下。窗口与外面的广告牌和闪闪烁烁的霓虹灯处于同样的高度。她们点了热牛奶咖啡和咖啡糕[①]。她们刚才买的东西放在旁边的空椅子上，华丽的购物袋互相靠在一起，一副神气活现的样子。鲁丝说，买了这么多东西，转来转去，把她累得头晕目眩。

天下起雨来。她们的下方，身穿粉红色、黄色和蓝色塑料雨披的骑自行车的人用力蹬着自行车，迅速穿过十字路口。两个姑娘俯瞰窗外从她们坐着的这个角落斜射下去的雨水，感到温暖舒适。

“你为什么不来与我和沈住在一起呢？”鲁丝突然提议说，“那肯定有趣。”

韩只是笑了笑，但鲁丝却是认真的。对韩来说，沈的阁楼肯定比她现在住的那间破房子舒适。那间房子里，不仅住着她的表姐夫妇，还住着一个淘气的小姑娘和一位生病的老太太。这就是鲁丝建议她搬家的理由。她想“拯救”韩。

“我们可以穿上新睡袍，”韩说，目光闪闪，顽皮而又不无嘲弄，“我相信沈也喜欢那样。我们不妨试上一个晚上，看看我是否喜欢。”

“这么说你愿意来了？”鲁丝问。

“你疯了，”韩回答说，用小勺撇去咖啡上的泡沫，“如果你想这样做，

①咖啡糕：一种常在喝咖啡时吃的松软的糕点。

为什么不呢？”

“我想我们可以成为朋友。”鲁丝说。她说不出这件即将发生的事为什么让她如此激动。韩来和他们住在一起的想法很有吸引力。这使得她和沈的关系看起来更加特殊。虽然她和沈都希望他们像已经结婚的夫妻那样，但韩的存在使他们不同于大多数夫妻，给他们的关系带来极大的特殊性。鲁丝知道，沈可能更快活，尽管他未必能说得出口。“三个人在许多方面都比两个人好，”鲁丝以一种老于世故的语气说，“沈上班的时候，你我也可以做我们的事儿。”

韩听任她新交的朋友喋喋不休。后来，她伸出手去，刮掉鲁丝上嘴唇上的咖啡。鲁丝给那个为她们服务的身穿粉红色褶边工作裙的姑娘留下一份小费。韩不赞成，想拿回来，但鲁丝一巴掌把她的手打开了。

几个留着中间分缝的流行发型的“小玩儿闹”——头发像字母 M 一样，在额头跳来跳去——在街上尾随着鲁丝和韩，大声叫喊，问她们去哪儿。“猫和狗，”他们叫喊着，“大米和土豆。东西杂交乱了套。”两个姑娘一边闲逛，一边观看商店橱窗，伺机摆脱那几个坏小子。她们经过一个橱窗，里面摆满戴假发的人头模型。各种颜色、各种发型的头套戴在既无面孔又无躯干的乳白色脑袋上。韩打开商店的门，把鲁丝推了进去。那几个“小玩儿闹”不敢再跟进去起哄。商店里，韩和鲁丝一边笑一边没完没了地试戴从俄罗斯进口的廉价假发，直到选中两套。

鲁丝把韩领回家想让沈看，可是他不在家，出去找鲁丝去了。沈一进家门，便发现鲁丝和韩正在等他，两个人浓妆艳抹，头戴假发，打扮得像交际花一样。韩穿着那件白兔毛镶边、上面有白点儿的粉红色睡袍，头戴淡银灰色假发。那假发长及肩头，发梢向上卷起，是 60 年代流行的发型。鲁丝穿着那件饰有小珠的靛蓝色缎子睡袍，头戴黑色假发，剪得很短，30 年代流行的式样，浓密的刘海和两道秀眉相连。她们看起来好像广告上的姑娘、初涉影坛女演员，又像酒吧里的招待女郎。沈乐不可支。一个是中国美女，一个是好莱坞的妖艳女郎。梦想成真。可是谁是谁呢？

“你喜欢哪一个？”鲁丝问。

“为什么一定要作出选择呢？”他不知道怎样说才万无一失。恐怕只能是要么两个人都高兴，要么都不高兴，“一对儿美女，我可是最幸福的那个男人了。是不是先给我漂亮的姐妹们准备些吃的东西？”

鲁丝和韩笑着拥抱在一起，从那时起，她们就姐妹相称了。

他们坐在桌子旁边，吃着沈做的可口的小吃。筷子使得又熟练又灵巧。几杯酒下肚以后，鲁丝告诉沈，她已经邀请韩和他们一起待一个晚上。沈感到意外，高兴，惊讶，又不无疑虑。但他不能拒绝鲁丝兴之所至生出的怪念头。

“你们对我这么友好，”韩说，“非常感谢。我永远忘不了你们俩对我的厚爱。”

鲁丝活到现在，从来没有感受过这样的幸福。她不知道怎样控制自己的感情。韩刺激她，吸引她，仿佛走进她的内心、盗走她的灵魂。她看不出中止这种感情的理由。

那天晚上，她们出去的时候，戴着假发。韩头戴淡银灰色假发登台演唱。鲁丝戴着黑色假发和沈一起坐在听众席。后来，韩也和他们坐到一起。人们议论纷纷，这反而使他们感到更勇敢，更自信。

他们的现金很快就花光了。红玫瑰歌舞厅的经理只有在韩身无分文的时候才给她钱，而且非常吝啬。鲁丝在来上海的路上已经花掉她的大部分现金，除了售出几幅画之外，没有别的收入，而且她试图用信用卡提取现金的时候，也被银行拒绝。现在，沈没有了月薪，因此，就连维持稍微奢侈一点的生活方式的钱也没有了。再过两个星期，他们可就真的一文不名了，何况沈还欠着老翁的书款。

有一天，鲁丝连起床的力气也没有了。沈和韩急得要命。鲁丝怕他们担心，就让他们出去看电影，自己待在家里休息。鲁丝对他们说，这种情况只是偶然发生，没必要着急，睡上一觉就好了。

但是，沈和韩离开以后，鲁丝就起床穿衣。她知道，这几天的虚弱意味着她又犯病了。她来上海就是为了逃避疾病。她害怕别人提醒她有病，而因为沈和韩的缘故，她更觉得自己不堪一击。为了他们，她不想出任何差错。于是，她决定再看一次医生。她打电话预约时，医生的接待员说，因为有个病人取消了预约，她可以马上过来。

她在瓷碗中选择了一个，她认为，沈也许不会马上发现这只碗不见了。这是一只黄碗。她用报纸把碗包起来，然后放在她的手提包里。她觉得自己这样做光明正大，暂借罢了。通过沈，她认识了跳蚤市场上的一个摊贩。她相信此人会给出一个合理的价格。她太虚弱了，实在想不出别的办法弄到她急需的钱。经过一番讨价还价，她把那只碗留给摊贩，换回一些现金。她认为，这是典当，不是出售。严格地说，只是暂时的。她明白，她本来应该征求沈的同意，但她不能让他知道她的病情。现在还不能。然后她前往医院，这次她付得起蒋医生看病的费用了。

鲁丝在沈和韩回来之前，赶回家。医生的建议没变。她又一次选择了置之不理。她抵制一切药物治疗，抵制一切调理。但医生警告过她这样做的后果。她不仅不去休息，反而摆好桌子，取出绘画用的纸和笔墨。她画了几幅“兰花月影”的草图，不满意便随手撕掉。她动手画《浮生六记》的几个场景。是她想象出来的场景，而不是书中描绘的场景。

韩和沈进来时，发现她因埋头作画而满脸通红。

“这是什么呀？”沈问。

“《浮生六记》中的几个场景，”她笑嘻嘻地回答说，“遗佚的两卷中的场景。”

“你怎么知道那两卷的情节呢？你的意思是，你虚构出来的？”沈问，鲁丝笑而不答。

韩决定这个晚上不去红玫瑰歌舞厅演唱了。她，那么生机勃勃，却要请病假。她不想让自己“曝光过度”。她更喜欢在她的新家中享受一个夜晚。

沈边做饭，边闲聊。饭后，他们继续饮酒，沈给两个姑娘讲自己童年时代的趣闻轶事，让她们高兴。

“小时候，有一次我自己在院里玩耍，我的那个男孩子最娇嫩的地方被什么东西咬了一口。有人说虫子咬的，但更像是蝎子咬的，正好咬在我那个小玩意儿的头上。”

说到这儿，他双腿分开，朝后一仰，就要展示他所说的部位，鲁丝和韩恰到好处地表现出她们的惊慌。

“我的睾丸肿得像鸡蛋一样。照看我的那个农村妇女十分焦急，怕我长大之后受到影响，也怕自己被东家责备。她们那个地区的农民都相信，鸭子的唾液是解毒的良药。平常，他们就用这种偏方消肿。于是她从院里捉来一只鸭子，让鸭嘴正好对准我那个特别的部位。鸭子嘎嘎嘎地叫个不停，最终从她的手里挣脱，想咬我。鸭子几乎把我那玩意儿一口吞下去！我吓得大哭不止！”

韩在他肩上拍了一巴掌。“我敢打赌，你肯定是个淘气的男孩子，那是你遭的报应。”

“现在他也还是个淘气鬼，”鲁丝说，“我敢打赌，这是那本书里的故事。这事儿发生在沈复身上，而不是他身上。”①

“反正都一样，”沈说，“不是吗？”

他们哈哈大笑，谁也没有听见沈教授的敲门声。老人自己打开门，走进屋子，严厉地扫视着眼前的景象。儿子正在饮酒，还让两个陌生的姑娘

---

①《浮生六记》中有如下描述：

余忆童稚时，能张目对日，明察秋毫，见藐小微物，必细察其纹理，故时有物外之趣。夏蚊成群，私拟作群鹤舞空，心之所向，则或千或百果然鹤也，昂首观之，项为之强。又留蚊于素帐中，徐喷以烟，使其冲烟飞鸣，作青云白鹤观，果如鹤唳云端，怡然称快。于土墙凹凸处，花台小草丛杂处，常蹲其身，使与台齐，定神细视，以丛草为林，以蚊虫为兽，以土砾凸者为丘，凹者为壑，神游其中，怡然自得。一日，见二虫斗草间，观之正浓……卵为蚯蚓所哈（吴俗称阳为卵），肿不能便。捉鸭开口哈之，婢妪偶释手，鸭颠其颈作吞噬状，惊而大哭，传为话柄，此皆幼时闲情也。

跟他一起寻欢作乐。

“爸爸。”沈说，猝不及防。

“复灵，”老教授免了客套，声音低沉地说，“我听到一个坏消息。你弟弟已经被公安局拘留了。因为他无力偿还合伙人的债务。这是组织上的决定，我们能做什么？人家有权有势，而他只是个小萝卜头。如果我们能凑齐一笔钱交给他们，他们答应立即放人。”

沈甩开鲁丝和韩，把衬衣弄平，站起身来。“爸爸，在这个世界上，我拥有的一切都在这间屋里。为了帮弟弟复明，我愿做任何事情，可是我的财力有限呀。”

沈教授说：“除了接受拆除这幢楼房的补偿款之外，我们别无选择。不能拖延了。只有拿这笔钱做抵押，我才能贷款偿还你弟弟的债务。”

听到这话，沈把脸沉了下来。弟弟的愚蠢最终使老祖宗遗留下的这点房产化为乌有。他为自己有这样一个弟弟而感到十分遗憾。他也为自己的任性而感到惭愧。因为正是他的任性才导致父亲偏爱弟弟，而事实已经证明，弟弟是那么愚蠢。

“复明被关在哪儿？”沈问。

“上海第一监狱。”沈教授愤愤不平地说，“我一弄到释放他的那笔钱，就去看他。刚才，我已经代表全家在有关文件上签了字。这幢楼房的房地产所有权已经转让给市政府了。事情都办完了。我来只是告诉你，你必须搬出去了。你可以把你的物品存放在我那里。我们的公寓虽然不大，”他父亲接着说，“但可以给你一个房间。你母亲恳求你不要闹事。可怜的女人。因为视力极差，她现在连门也不出。有你住在家，她的心境一定会变得好一点。”

这已是既成事实。

“我不明白，我们的生活为什么这样艰难，”沈教授边向门口走去边说，“我不认为我应该自责。”

沈感到震惊。老人一离开，鲁丝和韩就伸出胳膊搂住他。听着老教授下楼时沉重的脚步声，她们眼里涌出泪水。

“我们将来上哪里去？”她们异口同声问。

“无家可归了，”他说，“我失去了我的家。”

后来鲁丝突然大声叫喊起来。她说：“我们哪儿都可以去！我们可以去云游天下！”她跳着脚，搂住沈的肩膀，让他也跳起来。“韩愿意和我们一起去，你去吗？”他们三人拥抱在一起，跳跃着，“我们可以返回运河边上那家小旅馆，像燕子一样在那儿生活。”

他们把那张古色古香的床拆卸开，和其他家具一起留在阁楼里，打算日后处理，然后收拾起沈的其他物品，贵重物品随身携带，几件瓷器塞到鲁丝的背包里。沈发现黄碗不见了，怀疑被韩偷走，但他什么话也没说。眼下，他不想招惹任何麻烦。

在这段旋风般匆忙的日子里，他没有读《浮生六记》。虽然那本书一直带在身边，但他宁愿找机会从容不迫地阅读，花些时间去诠释书中费解的引文和隐晦的暗示。鲁丝却不耐烦，急于知道后面发生的事情。让故事中途搁浅，她心里很不舒服。但是，无论那本书，还是两位朋友对那本书的兴趣，韩都漠然视之。她甚至有点怨恨。沈说，尽管她渴望知识，但在知识面前望而却步。韩回击说，那本书只不过是早已死亡的流传于世的一件散发着霉味的老古董罢了。她为什么要替他们的命运担心呢？据她看，他们一生也没有什么建树。

他们一起去普陀山游玩，朝拜大慈大悲的观世音菩萨。传说中，普陀山是观世音降生的地方。那次旅游期间，在寺院的僧舍里，鲁丝开始在一块布上刺绣《心经》的汉语经文。韩在祭坛前点燃一束香祈求菩萨降福。

就在香的火苗即将熄灭那一瞬，一股突如其来的风把火苗吹得发了疯似的摇曳起来。鲁丝觉得这是一个不祥的征兆，心里不由得生出几分凄凉和忧伤。

为了消灾，韩和鲁丝决定每上两个台阶跪下给观音磕一头，直到爬完通往小岛顶峰的一千级石头台阶。爬了三分之二的台阶之后，她们在一家茶馆旁边停下脚步，极目远眺银波粼粼的大海，凝眸观看松树间跳来跳去的松鼠。沈沿山路往上爬，早就到了顶，返回来在茶馆旁接她们。他取笑她们累得精疲力竭，也没有完成虔诚的朝拜。

有两位姑娘陪伴，沈觉得非常快活。无论走到哪儿，只要有可能，他们就同居一室。鲁丝说，否则他们中的一个人就太寂寞了。

他们以形影不离为乐，以周围世界的万物为乐，以发现自己过着自由自在的漂泊生活为乐。他们个人的存在，只是沿途即兴创作的一部乐曲中不同声部最和谐的组合。他们暂且把满腹的忧虑、问题和责任抛到脑后。只要还有东西可卖，做到这一点并不难。

最后，他们乘船到达运河小城田州，住在马奶奶的小旅馆里。此时，已是一派初秋景象，那盆牡丹已经枯萎，搬到了院子里。一盆含苞待放的白菊花代替它摆在窗台上。

鲁丝和沈睡在大一点的那间屋子里的大床上，像已经结婚的夫妻。韩住到比较小的套间里。有时候，鲁丝半夜醒来，觉得韩一定很孤独，便会走进小屋，爬上床蜷缩在韩的身旁。睡梦中的韩，手指甲沿着她背部的肌肤懒洋洋地滑动。有时候，地板潮气上升，韩觉得冷，就会跑过来，紧紧地偎依在沈的身边。她说过，男人身上更热。

几个夜晚以后，菊花绽放，楚楚动人，旋涡般的白色花瓣镶着淡绿的边，轻轻颤动着舒展开来，细长的花瓣交错在一起，宛若掉在搅拌过的奶油里的塔兰泰拉毒蛛。他们的爱情也像那朵错综复杂的花，迎风绽放。

沈送给鲁丝一只玉镯，那是他拥有的一件年代久远的极品。玉镯是上海郊区盖房子清理地基时挖掘出来的。它是一个朴实无华的褐绿色手镯，色泽柔润，内有云状斑纹，外雕带状图案。经过三千多年的漫长岁月，它比以往任何时候都更有活力。韩虽然有点妒忌，但从来不说她想要它。鲁丝强忍着，没有让她试着戴一下。她们坐在一起时，韩喜欢转动鲁丝手腕上的镯子，转了一圈又一圈，好像那是一部水车。

沈望着她们，找到沈复书中这句话。

玉取其坚，且有团鸾不断之意。

“它是一件信物。”鲁丝说，探询的目光从沈扫视到韩。

沈用同样倾慕的目光看着她们俩。

韩说：“谁将首先摆脱这信物的束缚呢？”鲁丝内心深处仿佛领悟了什么，心头不由得一阵颤抖。这颤抖几乎让她昏厥过去。

一天下午，他们懒洋洋地逛了一天之后，回到小旅馆休息。他们去过茶山，摘下最嫩的芽尖，只是为了好玩。现在，他们打算到游船上小酌，度过这个美好的夜晚。

沈拿出书阅读。他已经读到四卷中的最后一卷。鲁丝在打盹儿，似睡非睡。韩却安静不下来。她走到院里哼唱着，与竹林中的风的啸吟相伴。

因抚慰之再三，而芸终以受愚为恨，血疾大发，床席支离，刀圭无效，时发时止，骨瘦形销。不数年而逋负日增，物议日起……余乃赁屋于邗江先春门外，临河两椽，满望散心调摄，徐图骨肉重圆，然自此梦中呓语，时呼“阿双逃矣”，或呼“憨何负我”，病势日以增矣。

余欲延医诊治，芸阻曰：“妾病始因弟亡母丧，悲痛过甚；继为情感，后由忿激，所谓病入膏肓，良医束手，请勿为无益之费。忆妾唱随二十三年，蒙君错爱，百凡体恤，不以顽劣见弃。知己如君，得婿如此，妾已此生无憾。神仙几世才能修到，我辈何人，敢望神仙矣！强而求之，致干造物之忌，即有情魔之忧。

芸曰："连日梦我父母放舟来接，闭目即飘然上下，如行云雾中，殆魂离而躯壳存乎？"

余曰："此神不收舍。"

"愿君另续德容兼备者，妾亦瞑目矣；"言至此，痛肠欲裂，不觉惨然大恸。余曰"卿果中道相舍，断无再续之理。况'曾经沧海难为水，除却巫山不是云'耳。"

芸乃执余手而更欲有言，仅断续叠言"来世"二字。忽发喘，口噤，两目瞪视，千呼万唤，已不能言。痛泪两行，涔涔流溢，既而喘渐微，泪渐干，一灵缥缈，竟尔长逝。时嘉庆癸亥三月三十日也。当是时，孤灯一盏，举目无亲，两手空拳，寸心欲碎。绵绵此恨，曷其有极！

余有负闺中良友，又何可胜道哉！奉劝世间夫妇，固不可彼此相仇，亦不可过于情笃。语云："恩爱夫妻不到头。"如余者，可作前车之鉴也。

屋里，沈倚靠在床头，大声翻译。生离死别的动人场面把鲁丝从似睡非睡中唤醒。"此恨绵绵。"鲁丝重复说，"竟尔长逝。"听着他的翻译，她变得脸色苍白。"我现在还活着。芸为什么非得先死不可呢？"

这时，韩停止了没有歌词的哼唱，走进屋里。她凝视着鲁丝和沈，好像完全明白沈大声读出的词句的确切含义。她紧张不安，难以平静。

……有女名憨园[1]，瓜期未破，亭亭玉立，真"一泓秋水照人寒"者也。

[1]憨园：《浮生六记》中的主要人物，歌伎，芸与其感情甚笃。

“你不会离开我们，是吗？”鲁丝问，她那永远旺盛的活力让她害怕。

“你拿什么东西挽留我呢？”韩咧嘴笑着说。

鲁丝抬起手腕。玉镯。

韩把头向后一仰，嘲讽地笑了起来：“你要把你最珍贵的信物送给我，我可承受不起！”

窗口的灯光照射在运河上。寂静中，散步的人们的说话声传得很远。夜幕低垂，田地和池塘渐渐归于平静。电视机时隐时现的图像、时高时低的声音，屋檐下的呢喃细语，餐桌上的盘碗叮当，交织在一起，融合在暮色之中。

沈、鲁丝和韩一行三人沿着运河岸边的小路向郊外走去。那里有许多接待汽车司机和民工的大排档和小饭馆。当地人也去那儿休闲娱乐。运河在那儿变宽。运河停泊区，有一家水上餐厅。餐厅在水面上轻轻摇晃。装饰性彩灯闪闪烁烁。餐厅里，乐声悠扬，舞步翩翩。老顾客们坐在上层的甲板上，一边嗑瓜子，一边喝啤酒或者白酒。年轻人顺着栏杆伸开手臂，挺起胸膛向远处瞭望。情侣们低着头窃窃私语。聚光灯在跳舞人的头顶转来转去。一听到熟悉的乐曲，韩就坐不住了。她搂着鲁丝跳起舞来，沈坐在一边抽烟，心里想，她们好像一对羽毛不同、激动不安的小鸟。韩主动，推推拉拉，张弛有度，带着鲁丝翩翩起舞。鲁丝被动，只能跟着她跳，消耗着无法再生的精力。

餐厅女老板个子不高，但是很结实，四十多岁。她走到沈旁边，夸赞他带来的两位姑娘。“豆腐和辣椒，”她说，两个姑娘给她留下很深的印象，“她们俩都是你的朋友吗？”

几个人从下层甲板走上来，他们刚刚在那儿吃过茶熏咸鸭宴。现在，又坐在一张桌子旁边，继续闹哄哄地喝酒行令。他们都穿着皮夹克，四个外地商人正在为成交一笔生意而祝贺。他们找了两个姑娘，一直陪他们喝酒。其中一个人竟然是孙达。

“喂，你来这儿有何贵干？”孙达看见沈就大声喊，接着，他发现了鲁丝。他捋着大胡子，心里想是不是产生了幻觉。后来，他目光的焦点又落到韩的身上。灯光闪烁，她正紧紧搂着鲁丝，随着音乐的节拍翩翩起舞，看起来有一种野性的美，“喂，伙计，别在那儿待着呀，过来和我们喝两杯。”

“你到这儿干什么来了？”沈问孙达，把凳子拉到他们那张桌子旁边。

“做一笔小买卖。”孙达回答说。

“可你是画家呀。”

“我是搞企业的画家，”他吹嘘道，“我们的辛迪加①已经投资上海的房地产市场了。”

沈把眼睛眯了起来：“我看你把牛皮吹破了。”

“一点儿也不吹牛，”孙达说，“你嘛，可得学聪明点儿！”

他们的酒令是联打油诗。谁先完成，谁就是赢家，而且有权首先出一个句子让别人联。输家喝干杯中的酒。

“花船女唤梦中人。”孙达大声叫喊，目光射向正在跳舞的那两个姑娘。

其他人绞尽脑汁想一个押韵的句子。沈脱口而出：“梦中人醒梦更沉。”沈成了赢家，那几个人都为他鼓掌喝彩，孙达斟满喝干的酒杯。

接下来轮沈出酒令。“古琴寂寂无人弹。”沈吟诵道。

其他人结结巴巴对出半句，就没了下文。鲁丝听见沈的起句，从韩的怀抱里挣脱，走过来说出自己的答案。“琴弦默默唱美满。”她得意洋洋地吟诵，得了个满堂彩。

现在该鲁丝出上句了，但她一下子想不出合适的诗句。

“没关系，”沈说，他正想和鲁丝跳舞。孙达走到韩身边，伸出熊掌般的手臂，邀请她跳舞。但是韩没有理睬，径直走出去，倚着栏杆想自己的心事。孙达讨了个没趣，摇摇晃晃回到那几个朋友身边。

水上餐厅周围弥漫着淡淡的咸味。杂草丛中，青蛙呱呱地叫个不停。

---

①辛迪加：授权承担某项责任或进行特定的商业交易的人们或公司的联合体。

远处，一辆卡车隆隆驶过。随着音乐的节拍，韩的头点来点去。她回过头，透过舱房的玻璃窗看见沈和鲁丝跳舞。鲁丝的头靠在沈的肩上，沈明亮的眼睛凝视着外边。他注意到韩，向她粲然一笑，而鲁丝却没有看见。后来，舞曲结束，沈和鲁丝走出舱房，与韩一起站在甲板上。鲁丝伸手握住韩的手，三个人手拉手站着，凝眸观赏满河繁星。他们脚下，船在轻轻摇晃。

“你们看见那心形的浮萍了吗？”韩指着一串浮萍问。月光下，片片浮萍泛着微光，时而分开，时而聚合，宛若天上的浮云。恰在此时，韩喜欢的乐曲响了起来，她一把拉住沈，一前一后，匆匆返回舱房。

他们跳起舞来。韩紧紧搂住沈的腰，身体向后仰着，就像风帆运动员紧紧贴着风帆一样。她目不转睛地盯着他，大张着嘴。她又搂住他的肩，两个人的臀部协调一致地摇来摆去，激情在他们中间迅速燃烧，犹如火苗沿着浸满油的绳子窜动。

鲁丝从舱房外面观看，没有一丝嫉妒，反而担心沈和韩彼此可能并不十分倾慕，以致得不到幸福。他们的幸福是她自己幸福的必要条件。她觉得自己像个窥淫癖者，只有感受到别人的欢乐自己才能满足。

鲁丝看见韩纤细的手指抓着沈的脖颈，沈有力的双手搂着韩的腰肢。孙达大步走过去，想插在他们中间。他拍了沈一巴掌，翘着胡子，神气活现地横插在沈和韩中间，然后用笨重的身躯把沈使劲顶到一边。沈失去平衡，摔倒在地。韩已经喝得晕晕乎乎，跳得如醉如痴，闭着眼睛，像鱼儿入网一样顺势倒在孙达怀里，直到发现孙达用力向她贴过去。沈从地上爬起来，猛然掐住孙达的脖子，使劲把他拉开，力气大得足可以让孙达骨头散架。沈咬牙切齿地叫喊着。韩双臂抱在胸前保护自己。沈和孙达互相挥拳猛击，直到滚到地上扭打在一起。

沈和孙达在地上滚做一团时，餐厅老板娘从炉子上端起满满一屉刚蒸好的饺子，怒吼着走过来，不问青红皂白，向他们狠狠砸去。

“韩！韩！”鲁丝大声叫喊着。韩跟在鲁丝身后跑出舱房，然后，两个姑娘匆匆走下通往下层甲板的台阶，那儿搭着一块木板，通向河岸。韩跨过木板时，木板颤动着，反弹起来，正好打在鲁丝的胳膊上。鲁丝摔倒在船边，上臂受了伤。她爬起来，跌跌撞撞地跟在韩身后，沿着一条小路走到一个长了一圈柳树的地方。浅唱低吟的柳丝在微风中形成一道帷幕。

旁边就是运河，在散乱的灯光照耀下轻轻荡漾。她们还没有走到石头河堤，两个人手挽着手，随时都有落水的危险。站稳脚跟后，韩开始在柳树围成的圈子中旋转，柳丝轻轻地抽打在她身上。她伸出一只手，让鲁丝跟着一起旋转。鲁丝受伤的上臂一阵剧痛，只好把那条好胳膊伸给韩，然后两人一起旋转起来。她们仰面朝天，身子向后弯曲，看得见天空。她们头晕目眩，仿佛要向前扑倒，连忙抱到一起。韩感觉到鲁丝热烘烘的身子贴着她，感觉到鲁丝的双唇吻着她的脖颈。她使出全身力气，粗暴地把鲁丝推开。鲁丝炽热的目光在燃烧。她可怜兮兮地抚摸着受伤的右臂，说话时，一阵哽咽。她嗓音低沉。“你在我身边时，我就感到幸福，”鲁丝说，“我不能解释我的这种感情。我不希望你离开我。永远不要离开。”

韩走到她身边，摸了摸她的额头。一朵蓝色的电火花在她们中间跳跃。鲁丝连忙往后缩了一下，双臂抱在胸前。“看看我怎样把能量传递给你。”韩说。

“那是我的生命之火。”鲁丝说。

韩笑了起来。“你的生命和我的生命是两码事。”她生气地说。她摸出一支小雪茄，耸起双肩挡风，点燃了香烟。她向鲁丝的脸上喷了一口烟，又笑了起来。“你太当真了，”她说，“只不过玩玩罢了。”

韩离鲁丝很近，鲁丝不无试探地用手抚摸着她的脸。“我们之间的感情是什么样的感情？”

“你和沈之间是什么感情？”

“哦，沈！他是我的男朋友。但你给了他极大的欢乐。”

“男人都控制不住自己，”韩说，“你不妒忌，是吗？”

“你才妒忌呢，”鲁丝说，在心里琢磨说什么才好，“你能引起共鸣。你的激情把我们结合在一起。我无法解释这一切，只能说它并非来自这个世界。它来自我们曾经在什么地方经历过的一种热情。”

“这么说来，你真的完全相信那种说法了？”

“跟我们住在一起吧。跟我们住在一起。”

韩如果愿意，一双眼睛可以睁得非常大。那时候，她脸上的表情就显得狰狞可怖。“我属于我自己。我已经拿定了主意。我和你们毫不相干。”韩说。

“可是你也无法对此作出解释。”鲁丝说。

韩走到鲁丝面前，两手捂住她的眼睛。她们之间的关系超出双方理解力的极限。韩吻着鲁丝的前额，鲁丝伸开双臂紧紧抱住她。她们在河边的石头台阶上坐下时，听见餐厅里的喧闹声更大了。

韩把小雪茄扔到河水里，黑暗中，烟蒂发出嘶嘶的响声。她口袋里装着沈的手机。她按了一个上海的电话号码，但电话不在呼叫范围。“没用的东西，”她说，“把它也扔掉吧。”她一边笑一边把手机扔进河里。手机扑通一声沉入水底，响声比蛙鸣还小。“反正打不出去。这个地方真让我毛骨悚然，”韩说，“你没事儿吧？你朝后摔的那跤可够重的。”她揉着鲁丝的胳膊。

平静下来之后，韩和鲁丝必定意识到，她们都在做同样的思想斗争：要么陷入生活这一团乱麻之中，要么“快刀斩乱麻”，抽身而去。

后来，她们听见沈喊她们的声音，听见沈沿着小路向她们跑来的沉重的脚步声。黑暗中，他跌跌撞撞，全靠一双脚探路。他的衬衣被揪扯出来，撕了好几个口子，上面血迹斑斑。血从鼻子流到嘴里，下巴上留下一道乌黑的血迹。

韩站起来，喊着他的名字：“沈！沈！”

他终于拨开柳丝的帷幕，找到她们。“孙达要杀死我。”他大声说。

姑娘们花容失色。沈喘着粗气，情绪异常激动，顾不得疼痛。

鲁丝搀扶着他，韩查看他的伤口。“都是因为我！”她说，为沈是个斗士而骄傲。她不停地抚摸着他，安慰他。她说，他们必须赶回小旅馆，去找医生。

“你的牙齿没事吧？”韩说，“应该把血洗掉。”

沈的舌头在嘴里舔了一圈儿。“没问题。”他说。

听得见孙达和他的朋友追赶他们的脚步声和咒骂声。“这么说，你没把他们彻底打败，你这个笨蛋。”韩轻轻地拍着沈说，“赶快离开这儿吧。”

他们沿着运河走，直到听不见那些人的动静。“你应该相信那些姑娘，”韩说，“那两个本地姑娘肯定会把他们引向相反的方向。她们不会希望我和鲁丝挡她们的财路。”

沉睡中的小城，大街上突然响起急促的脚步声，狗汪汪汪地叫起来，睡梦中的人们被吵醒。

“谁？”他们到达小旅馆时，马奶奶从床上爬起来大声问。她一看见沈血迹斑斑的样子，就冷笑着端来一盆热水，拿来一块毛巾。

沈抚摸着阵阵发痛的鼻子和红肿的嘴唇，仿佛抚摸一件做工拙劣的粗陶器高低不平的釉面。他暗自发笑，心里又充满那种奇妙的轻松之感。

“你应该坚持画画儿，读书。”马奶奶一边擦去他脸上的血污，一边责备道。

“我要晕倒了。”鲁丝突然说。

他们连忙回头向她看去，就在鲁丝倒下去的一刹那，韩扶住了她。

“怎么回事儿？”她睁开眼问。

“你晕过去了，”韩说，“你累得精疲力竭。我们都该睡觉了。”

她们把沈安顿在单人床上，在那儿他可以不受干扰地睡上一觉，韩和鲁丝睡那张大床。鲁丝脱掉衣服，韩看见她臂上有一道青紫的伤痕，从胳膊肘一直到肩膀头。鲁丝也盯着看，可是她太疲劳了，什么事也不能做，甚至不能入睡。后来，她不由自主地进入了梦乡。

鲁丝一觉醒来，听见沈粗重的呼吸声，那声音穿过肿胀的鼻子，从另一间屋里传来。床上，她身边的地方空着。她做了一个梦，梦见她漂浮在一个深邃的、无形的空间里，寻找自己的躯体。她从茫茫无际的时空，返回到这个地方、这张床上，但是没有找到自己的躯体。看见床上空无一人，她就惊慌起来，吓得抽泣起来。后来，她想起，韩本来应该在她身旁。她听见院子里传来轻轻的泼水声。她趴到窗口，向外面张望，那朵硕大的菊花低垂着头，花瓣摇曳，遮挡住她的视线。

韩在浴盆里，舀水浇在赤裸着的肩膀上。她擦拭皮肤，涂抹肥皂，用清水把肥皂沫漂洗净，然后再把毛巾拧干。半个月亮在她身上洒下一层银白色的光。韩在浴盆里转身的时候，脊柱慢慢地扭成螺旋状，身体侧面的轮廓正对鲁丝的视线。鲁丝看得入迷。韩用湿毛巾擦拭双乳，实际上是在仔细查看它们。蒙眬的月光下，鲁丝感觉到那个侧影的坚实和力量。鲁丝恍然觉得离韩很近，那么近，仿佛伸手就能触摸到她那温暖的、给人以营养的乳房，而且正因为离得这样近，因为这样渴望被关注，因为这样一种血肉相连的依恋，就可以汲取生命的力量。

韩就那样毫不拘束地、毅然决然地洗着，仿佛明知道有人在窥视。也许韩一直就不是只为她一个人洗浴。但她没有停下来察看是否有人窥视。她全神贯注于自己的洗浴，而且，一旦满意，就从浴盆里走出来，一边任凭身上的水像雨水从芭蕉叶上流淌，一边用手轻轻拍打自己，直到皮肤微带湿润为止。

鲁丝真希望韩能通过敞开的窗口看见她，但从韩所在的位置看去，窗口只不过是由模糊不清的一团菊花标明的一个黑洞而已。韩不可能看见鲁丝正像猫头鹰一样窥视她。后来，鲁丝转而为韩没有发觉她而高兴。喜悦蔓延到全身。怀着这样一种发自内心深处的温暖和愉悦，她在床上属于她的那边躺下，盖上被子。保守住她的秘密。

沈在黑暗中突然醒来。他蹑手蹑脚走到外面，对着竹林后面的墙撒了一泡尿。马奶奶的公鸡受到侵扰，叫了几声，附近几家的公鸡也提前啼鸣起来。沈悄悄溜回到床边，发现鲁丝身旁没人。他早已习惯在那儿躺着休息，于是没有多想倒头便睡，直到鲁丝睡梦中把胳膊伸到他的脸上，压在他一触即痛的鼻子上。

“哎哟！”他疼得叫了一声。

鲁丝睁开眼睛，茫然失神地看着他。这目光让沈迷惑不解。接着，鲁丝由茫然转为恐惧。“韩上哪儿去了？”她问。

她已经知道答案了。韩半夜三更洗澡就是为了上路。

沈察看另一间屋子，床空着，韩的所有物品都不见了。马奶奶告诉他们，为了赶上去上海的头班渡轮，韩在拂晓时已经走了。她去上海有急事要办，所以把旅馆老板从梦中唤醒，并且吩咐给她烧一壶开水，以备离开前洗浴。

“我们一定要去找她。”鲁丝说。

可是鲁丝一用力往起坐，就开始头晕目眩，像前一天晚上一样。她觉得随时都可能晕过去，只好慢慢退回去，重新躺在床上。“我起不来了，我太虚弱了。”她说。她盯着自己的手看，发现几块青斑。手臂上青斑更多，左胳膊上还有被跳板打成青紫的伤痕。她脸色煞白，没有一点儿血色，有气无力地喘息着。“会过去的。”她说。但她分明熟悉这种症状。尽管如此，她还是要调动自己所有的意志力，努力附着于那不再成为她“家园”的躯体之上。

沈对马奶奶说，得给鲁丝请个医生。马奶奶猜测，鲁丝得的可能是“妇女病”，还说她可以做一些特殊的东西给鲁丝吃。沈说他们需要城里最好的医生，马奶奶说他应该请老翁帮忙。

“我很快就回来，”沈向鲁丝保证，“我离开期间，不要过度疲劳。马奶奶会照顾你的。”

鲁丝几乎连告诉他别着急的力气也没有了。马奶奶的孙子跑了进来，他为自己有机会和这位外国姑娘玩激动不已。看见他鲁丝很开心，可是马奶奶却呵斥他，硬把他拉了出去。鲁丝闭上眼睛，悲凉之感油然而生。闭上眼，她就情不自禁地想起韩在这儿的情景。倘若韩依然在这儿，她就不会犯病。她也许已经起床，和她一起出去做点什么。

“哦，小沈。”老翁一面把沈让进屋里，一面拍着他的背说。

沈客客气气地喝着茶。老人处事一向拐弯抹角，但倘若真的有了麻烦，就会直截了当地询问。他指了指沈青肿的鼻子和嘴唇。

“我需要一位医生，”沈说，“但不是给我看病，而是给鲁丝看病。”

“什么病？”老翁问。

“我也不知道什么病。她非常虚弱。也许我们这几天太累了。她连床也起不来。胳膊受了伤，又青又紫。”

“唉，天哪！”老翁说。

“事情发生得非常突然，”沈解释说，“我一觉醒来，发现我们的朋友，那位歌手，韩不见了，接着鲁丝就病了。”

老人目光炯炯地盯着沈看。“那位歌手不辞而别，接着你的爱人就病了？这正是发生在那本书里的事，你没读过吗？”

沈一心想找个医生，过度的焦虑使他一点儿也没有想到这两者之间明显的相似之处。“这不可能，”他说，“在书里，芸死了。”

老人会意地点了点头：“你必须马上给她找个医生。”

“一个人怎么就那样死了呢？”沈愤愤不平地说。

“她一定认为那个歌手背弃了她。”

“这种事情经常发生。她为什么那么在乎呢？”

“有的人还会跳崖呢，”老人平静地说，“他们可以舍弃生命。”

“鲁丝不会那么干，”沈说，“她为什么要那么做呢？”

“芸那么做了，”老人回答说，“就因为那个歌伎。”

“韩对她那么重要？”

“你一定要认真阅读那本书，从中找出答案。人世间确实有一种信守不渝的真情。这是生命的法则。”

“你是说韩背弃了这一法则？”

“而鲁丝却继续信守它。你也一定要信守。但要明白，你的力量也许超不过另一种力量，那力量已经对她起到支配作用。”

“此话怎讲？”沈问。

老人的手从颧骨揉擦到下巴。他欲言又止，不知如何开口。话题很微妙。沈等他回答的时候，心里想，也许多年的按摩才使他的脸变成落花生的形状。

“学者们依然在争论芸对憨园痴情的性质。要知道，这种痴情对他们三个人的生活有一种毁灭性的作用。我听说，外国的评论家非常尖刻地给她们的关系贴上一个标签。我国著名的学者们评论说，芸只是向往人世间美丽的东西，而在那个年代，美的东西是循规蹈矩的妇女可望而不可即的东西。芸在一个美丽的歌伎身上发现了一种美，她被这种美迷住了。怀着同样的兴致，她也想游遍中国的名山大川。这是无可非议的，只是她没有遍访名山大川的机会。她既没有闲暇，也没金钱。在憨园身上，她发现了一种魅力，一种她闻所未闻的品质，于是就放任自己，去感受那种僭越礼仪的感情，而在她的心中，对自己深爱的丈夫的痴情没有因此而稍减。这就是我们从残本中能够了解的一切。这一直是一个令人思考的问题。”

沈坐在那儿，听得眼睛都发直了。他慢慢领悟到老人话语中的含意。“遗佚的几卷一定能给我们一些启发。”他说。

“这一点我也意识到了，可惜谁也没有读过遗佚的两卷。自从沈复完稿那天起，手稿就遗佚了，谁也没有读过。”老翁说。

“记得，你有一次提到，你听说过一个谣传……杭州有个文物贩子……”

老翁深深地叹了一口气。“你为什么认为，你就是这么多年以后才找到那两卷书的人呢？”

“你看不出来吗？”沈指着他的心口窝，“鲁丝就是芸。我就是沈复。我们的‘荒唐’背后，一定有某种意义。遗佚的两卷正等待着我们。它们可能为我们指明摆脱眼下困境的道路。好了，老朋友，请马上写下那个商人在杭州的详细地址和电话号码吧。”

老翁把沈所需要的信息写在一张薄纸上。“要提防他，”老人补充说，“他是个奸诈之徒。”

沈在迅速地思考，顺着如丝如缕的条条线索和暗示，把眼下的危机和支离破碎的过去联系起来。如果说鲁丝是无可救药地被韩迷住了的话，那么，他就是被寻找那本书遗佚的两卷的迫切需要迷住了。

“有一位姓冯的女大夫，学识渊博，医术精湛，是田州最好的医生。”老翁把话题转到紧迫的问题上，“不过，她未必就能看得了鲁丝的病。”

“只要她能让鲁丝上路就行。我们直接返回上海，送她去那里最好的医院就医。”

“你有那么多钱吗？”老人言语中有点讥讽。

沈只能咬紧牙关，恍然记起他还欠着老人的书钱。他将不得不卖掉自己珍藏的几件宝贝。

马奶奶给鲁丝端来一块猪血“布丁”。那玩意儿蒸得又松又软，颜色像紫蘑菇。吃过之后，她觉得身上有了劲儿，便披着红花被坐起来继续刺绣。但是这“劲儿”不是来自她自身的力量。她在绷紧的布上飞针走线的时候，还在发烧，她绣出字迹工整的用汉字书写的《心经》：……乃至无老死，亦无老死尽……

老翁干笑着向马奶奶道谢。那笑声像树叶哗啦啦的响声，然后又向坐在床上的姑娘点头打招呼。他已经在外面准备好一辆手推车，接鲁丝去诊所看病。

冯大夫在诊所后面一间没有装饰的房间里给病人看病。她是位中年妇女，身穿白大褂，乌发齐肩，发梢向里鬈曲。她目光炯炯，显得朝气蓬勃。她仔细地给鲁丝做检查，察看她的舌头，仔细观察她的眼睛，把脉，把完左臂又把右臂。她仔细观看鲁丝青紫的伤痕和手上的黑斑。气血严重失调，精神倦怠，脉搏微弱，心律不齐。冯大夫毫不怀疑鲁丝病症的严重性，而且从病人悲哀的表情，大夫判断鲁丝对自己的健康状况一清二楚。

他们在诊所期间，冯大夫坚持为沈缝合面部的伤口——他的上唇需要缝几针。这件事倒也无关紧要，只是疼得要命。

沈问，鲁丝是否能安然无恙地乘船返回上海。肿胀的嘴唇把他弄得发音不清。冯大夫说，她将开些药，供病人旅行期间服用，另外再开几副，到了目的地之后再服用。

药房里，靠墙放置的药柜有许多木抽屉。冯大夫就从那些小抽屉里抓药，然后把各种药材——干草药、真菌、骨头、昆虫躯体、树根、贝壳，还有海藻——按比例混合，再按每日煎服的剂量分开包装起来，这个过程花费了相当长的时间。沈再三道谢，她打断他这些没用的客套话，强调她对这位年轻姑娘的诊断。“你的病情很严重，但是如果严格按照我开的剂量服药，你完全有康复的可能。”

老翁舒了一口气。听了大夫言之凿凿的嘱咐，他也有了信心。接着，冯大夫开出账单。鲁丝看沈，沈看老翁。老翁拿起账单问大夫，她可以宽限多长时间付款。

“一个月，”冯大夫说，“加点儿利息。”

沈把最后剩下的一点现金支付马奶奶的房费。马奶奶领来她的一位亲戚，是个供应活鳗鲡的商贩，那天清晨他正要驾驶着平底船到上海送货。马奶奶说，如果不嫌弃那条船上简陋的条件，他们可以免费乘坐。

平底船停靠在小旅馆墙外卵石铺成的台阶旁边。沈抱起鲁丝，把她递给船老板，船老板把她抱到一把椅子旁边。椅子面对着船头，放在舱房前大篷下面最突出的地方。鲁丝坐在椅子上，然后搭上马奶奶送给她的被子。甲板上摆满了水桶，桶里装着蠕动的鳗鲡。

马奶奶的小孙子骑在老太太的肩膀上，向他们挥手道别。沈跳上船，老翁站在祖孙俩的旁边。他对年轻人的临别赠言是，那本书也可能变成他们的灵丹妙药。那卷古书中有他们的必经之路。因为它将贯穿他们的整个人生，他们别无选择。它很深奥，老人说。他自己也看不清楚。但是，不管怎么说，他们都必须找到那条通往故事真实结局的路，这是毫无疑问的。那是他们必须走的路。

螺旋桨艰难地发动起来了，平底船费力地离开河岸时，一股股浓烟喷向空中，船向河面驶去。即使这样，船头还是微微向上昂起。鲁丝把它想象成一条平卧的长龙。她跨在这条“龙”上，感觉出水的波动，仿佛自己也在水面上奔腾。沈蹲在她坐的那把椅子旁边，揉着她的双肩。鲁丝没有看他，伸出那条伤痕累累的胳膊，用手梳理他那浓密的黑发。

鲁丝把糕饼碎屑抛向空中，看海鸥、鸭子和鱼争食的情景。平底船破浪前进，糕饼碎屑慢慢沉入视线看不见的地方。她意识到，茫茫人海，芸芸众生，她根本不可能知道他们的命运。她曾经努力与命运抗争，那是何等艰难。她心里明白，自己在上海变得生气蓬勃是个奇迹。在任何其他地方，恐怕变魔术都变不出这样的精力。为了让自己精神焕发，她最大限度地透支了体能，结果整个人濒临崩溃，像只空壳，又回到精力完全枯竭的状态。

她想起母亲在悉尼生病住院期间，随着母亲病情的变化——尽管那变化也许只是虚假的表面现象——她奔波于家、美术学院和医院之间的情景。有时候，母亲病情恶化，跌到谷底，希望的浪潮却达到了高峰。她一走进美术学院的沙石围墙，就把全部精力集中到绘画上。母亲躺在医院，她独自住在空旷之地的那栋平房里，尝试独立生活，好像她已经从家里搬了出去。她把家里那只老猫想象成母亲派来的间谍。医院里的工作人员都认为鲁丝很了不起——头脑清醒，沉着镇定。她一直是母亲想活下去的唯一的理由。但人世间，最好的理由也常常于事无补。

母亲去世后，鲁丝觉得自己好像受骗了一样。她不喜欢医生为了安慰她，编造的那些关于母亲病情的盘根错节的“故事”。其实每一次“编造”都导致更大的损失。那时候她就下定决心，把注意力集中在真正重要的事情上，好像这样一来，她就能防止毁灭。

来上海求医也许是错误的。天下的医学界都一样。她想有张安全网①，想知道自己的身体状况到底怎么样。蒋医生没有对她许诺，让她放心。他一直很诚实。他曾经说过，离最糟糕的情况还有一段距离。上次她用黄瓷

①安全网：为护住落下或跳下的人设的大网。

碗兑换现金找他看病时，她说，因为没钱，只能停止服用他开的药。蒋医生听了很不高兴。他说，对于一个不按他的医嘱服药的病人，他就很难作出什么承诺了。

那天在船上，沈想起那些微不足道的小事。那是他记忆中的事情。沈无法把注意力集中到其他事情上。生活本来就凝聚在这么多琐事上，但人们总是视而不见，总把目光投向别的地方，投向意义更大的事物之上。沈曾多少次诅咒过那些琐碎的东西——物质上的东西，生活必需品——却没有意识到它们具有多大的作用。一把拿错了的钥匙，一张找不到的纸，一根点燃蜡烛前几乎燃尽的火柴。我们的欢乐都是相同的。日常生活的快乐，在别人眼里也许不足挂齿，几乎反映不出它给人们带来的寻常的幸福。然而，那些微小的东西却很重要，那一根根浸透了我们激情的细线，把我们——不论心灵还是感情——与物质世界连接在一起，把我们互相连接在一起。我们渴望和一个特别的人——特别的面孔和身材，在一个特别的时间和地点，结合在一起。而那条浸满激情的红线又把我们与比我们更大的东西连接在一起。那条线如血般鲜红，穿在针上，穿过我们的心，把我们的爱缝入来世——那正是所有情侣们的希望。

尽管那时没有理解，现在沈逐渐懂得了这个道理。

蒋医生透过金丝边眼镜高傲地凝视着什么。他身上的白大褂像雪一样白，皮肤细腻而有光泽。抹了油的头发贴在头皮上，掩盖了开始变秃的头顶。他双手放在宽阔的桌面上，显得很轻松。他叹了口气，然后俯身抓住那位姑娘的一只手，察看那些小小的黑斑。这些紫色的淤斑是由于内部出血引起的。显然，她血小板的数量已经突然下降，引起血液不能正常凝固。他想了解造成这种突然下降的原因。是疲劳过度，还是受伤引起失血？是某种疾病，还是月经过多？是因为紧张过度，还是受了什么刺激，或者心理负担过重？

蒋医生说，鲁丝需要休息和观察，也需要医疗监护。他建议鲁丝立刻住院。蒋医生提到住院费用的时候，沈神情木然地凝视着他。他说，医院的病床非常紧张，要想马上住院，必须另交一笔费用。听到蒋医生报出的“天文数字”，沈和鲁丝只能找了些冠冕堂皇的理由，客客气气退出诊室。沈觉得自己无能，不觉悲从中来。健康和疾病，生与死，自己完全没有能力控制。

“快去找韩，”鲁丝恳求道，“把她带回到我身边来。”她用不容置疑的口吻说。“如果她来看我，我的病就会好转。我清楚。”她从手腕上脱下沈送给她的那只玉镯。“把这只玉镯给韩，”鲁丝说，“她就回来了。”

护栏外面，人群从人行道拥上车道。比手掌还大的褐色树叶从法国梧桐上飘落下来。这儿总是人声喧闹。绿灯亮起，人们突然之间开始行动；红灯闪烁，都市生活的连贯性又被打破。母亲拉着打扮得漂漂亮亮的孩子急匆匆走着，罗圈腿男人推着小推车步履蹒跚，妇女边走边叽叽喳喳争论不休。

沈知道，韩肯定在这座喧闹都市的某个地方。她不甘落后，总想钻个空子出人头地。随便和什么人待在一起，隐伏起来，甚至不屑回头一顾。她坚信这座大都市一定会把她推向下一个机会。

红玫瑰卡拉 OK 歌舞厅的经理含糊其辞。他说，韩在一家大宾馆有个约会，刚才只是来歌舞厅露了个面儿。这话让沈想起刘露娜，脑海中浮现出露娜那副模样：满脸横肉，这个女人似乎在某种意义上掌握着韩的命运。他立即从歌舞厅跑到马路边，叫了一辆出租车，迫不及待地坐在后座上，催促司机赶路。司机换挡，加大油门，左冲右撞，驶入缓慢行进的车流。

出租车开到那家宾馆时，华灯初放，给城市蒙上一层神秘的色彩。

沈穿过旋转门，在年轻侍者怀疑的目光注视下，跨过前厅光滑的地板，来到电梯跟前。他按了一下“31”。电梯徐徐上升，他在电梯间焦急地挪动着一双脚，摸了摸背在肩上的鲁丝的双肩包。

他敲了敲门，没有回应。一个房间服务员推着装满床单的小推车从走廊那边走了过来。“他们出去了。”服务员冷冷地说。

“都是些什么人？”沈问。

“一个老太太，有钱、很胖，还有个上海小婊子。都围着台湾来的一个阔佬转。”服务员说，没有一丝歉意。

“谢谢，”沈客气地说，“他们去哪儿了？”

“吃饭去了。”

“在哪儿？”

“到宾馆最高级的餐厅找找看。”她翻着白眼说。

沈上到顶层，走进旋转餐厅。餐厅名曰“曼哈顿”。全景式窗户旁边的一个角落，深色地毯上放着一张圆桌，桌沿下边围着雪白的布。坐在桌旁的正是韩。她的两边坐着刘露娜和一个男人。此人正是那天深夜在宾馆套间里撞上他们的那个男人。韩身穿红丝绒紧身短上衣，头戴红玫瑰花蕾和薄纱。她涂脂抹粉，像个瓷娃娃。她是新娘。

袁先生身穿黑色晚礼服，系红蝴蝶领结，因为喝酒和高兴，满脸通红。刘露娜穿戴得珠光宝气。他们正在为盛宴上一对儿新人的幸福举杯庆贺。

沈快步走过去，怒视着韩，等待她给个说法。韩也凝视着他，对他无声的谴责不以为然。她那件红嫁衣高高的衣领上密密地缀着两排珍珠，好像要把她的头从躯干上提起来，使她的脸失去血色和表情。她怒目而视，嘴唇噘得像玫瑰花蕾。她那张与众不同的美丽的脸——它的魅力使那位新郎官骨软筋酥——变得像铁一样冷峻。

露娜对沈的突然出现表示万分惊诧。他看起来像疯子一样。他的心跳得异常剧烈，他不得不把双手放在胸前使它平静下来。她没有请他落座。

“鲁丝住进了医院，”沈突然大声说，紧紧盯着韩的眼睛，“你离开以后她就崩溃了。你为什么要不辞而别呢？鲁丝快要死了，她希望你去看看她。”他恳求道。这是个多么渺小的心愿。

韩垂下目光，没有反应。

露娜笑了起来。袁先生也跟着笑了起来，但声调不同，有点莫名其妙。

“在他们结婚的大喜日子里，你应该向这对幸福的伴侣表示祝福呀！”露娜说。她既是媒人，也是真正的受益者。在高雅的服饰和奢华的餐厅后面，这只是她计划的一部分。

“韩，”沈大声说，“如果你去看看她，她就可以活下来。你不能就这样一走了之。”

韩慢慢抬起头，像花儿绽放时抬起花冠一样。她的脸上荡漾着快乐的微笑，既没有表现出柔情，也没有表现出关心。远离同情和怜悯的世界，令她十分高兴。她绝不会去看鲁丝。她当然不会为了这样一件事情搅了自己大喜的日子。

“这怪不得我呀。”她说，面带着矫揉造作的得意的微笑转向她的新婚夫婿。

她的冷酷无情让沈惊讶得目瞪口呆。沈和鲁丝都爱过她，因为她那样热情，那样充满活力。而此刻，她竟然自我克制到铁石心肠的地步，竟然为扼杀掉一切同情和怜悯而得意洋洋，好像她已经完全地、十分顺利地转移到了另一种人生游戏。

“你打算去吗？”沈厉声问道，却又害怕她的回答。

韩不耐烦地把脸转过去。

“不要搅了我们的婚宴，年轻人。”露娜说，“你们不了解这位姑娘。你们误解了她。她压根儿就不是你和那位可爱的鲁丝姑娘想象的那种人。是呀，人心叵测！”

沈继续目不转睛地盯着韩，无法从震惊中解脱。一个如此光彩照人的女人难道会包藏着这样一颗毫无同情怜悯而又工于计算的冷酷的心吗？难道鲁丝对她真的无关紧要吗？

“我太不了解你了，”沈绝望地说，“你怎能拒绝这样一个人伸出的求援之手呢？”但此刻，他只是喃喃自语了。他摸了摸衣袋里的玉镯。他甚至不能忍受让他们看上一眼的想法。毫无用处。他退出餐厅，意识到他必须另谋出路。

沈把手伸进衣袋的时候，也摸到那张纸，上面写着那个杭州商人的电话号码，他有《浮生六记》遗佚的后两卷。现在，沈的手机也找不到了。他在饭店大厅找到一部公用电话，然后拨通了那个商人的电话。那人回话，同意当晚与沈会面。

这样马不停蹄地奔波真让他疲惫不堪！他在开往杭州的夜车上摇来晃去时，觉得浑身的骨头都在咯咯作响。他担心独自在医院等待化验结果的鲁丝，希望她能安安稳稳地睡上一觉。他想起她身上的疤痕。有一天，他一一数过。脚踝。阑尾。下巴上还有一个小疤。他焦躁不安地坐在硬座上，尼龙窗帘轻轻地抽打着他的脸。他又喝了一口瓶子里的冷茶，让自己保持清醒。他想起韩被亵渎的美丽，并且痛恨它的破坏性。他知道，倘若鲁丝死去，他就会在永无休止的悲伤中度过余生。她一定不会像书中的芸那样死去。她的一生的答案一定在遗佚的两卷里。这是一个尚未结束的故事。他、鲁丝和韩之所以转生人世，重续前缘，就是为了一个不同的结局，写完这个故事。

晚上十一点半，列车隆隆驶进杭州东站。学生时代，沈常来杭州游览，还大声吟诵古代的诗词。他依然记得苏东坡的诗，把著名的西湖比作女子：浓妆淡抹总相宜。杭州是这样一个地方，只要四处漫游，你就能创作出自己的浪漫曲，自己的美，自己的爱情故事。但是深夜里，它却变成一个昏暗、了无生气、激发不起灵感的地方，变成一个店铺停止营业的商业区、寂静的停车场、“太空时代”的办公大楼和毫无特点的宾馆聚集的地方。他不知道沈复和芸是否结伴来过这里，或者芸死后沈复是否独自来这里漫游消愁。书中没有这个情节，再说，古代的杭州早已不复存在。

深夜，沈去市中心一家最奢华的洗浴中心会见那个商人，他姓司徒。沈把衣服和随身携带的其他物品锁在一个可锁的衣物柜里。然后裹上浴巾，拿起背包，走过人们洗完澡和桑拿之后懒洋洋地躺着休息的地方。虽然水汽迷蒙而芳香，但在如此深沉的夜晚，这里的人依然很少。沈毫不费力就认出那个人。

司徒只看了沈一眼，就算和他打了招呼。他很胖，长着一对扁平的小耳朵和满嘴大黄牙。门牙还掉了一个。他正忙着让一个干瘦的老头给他修脚，同时，一个年轻女人给他按摩左手手指间的“蹼”。他用闲着的右手握了握沈的手，然后懒洋洋地指了指旁边的一张铺着新毛巾的躺椅。

从司徒脖子上戴的粗粗的金项链，沈一眼就看出他是个做买卖赚了钱的主儿，需要认真对待。像头经过训练寻找地下块菌的猪，这位司徒也长着个能嗅出真品的鼻子。

同样，司徒也打量了沈一眼。这个年轻人只凭田州老翁的一句指点，就一刻不停地连夜赶来，使他多年的等待变成现实。司徒是个商人，没和知识分子、学者打过交道。他要“宰他一刀”，大捞一把。他把那两册线装书弄到手的时候，就知道，总有一天，一个极想得到它的人会出现。现在他找到了这个人，他就是沈。

“这么说，你是从上海赶来的？”他毫不客气地问，“何必这么着急呢？”

“我想知道小说的结局。”

司徒哼了一声说：“就是为了这个呀？我希望你不要把我当成公共图书馆。书是卖的，不是让人看的。你要不要修修脚？”司徒谦让了一句。“我请客。”

老头修完了司徒的指甲。沈甚至没有淋浴。“我来这里只是为了与你会面。”他说。他不想显得无礼，但是，他实在不愿意一边躺在床上修脚，一边谈生意。再说，他压根儿就信不过那位修脚师的视力。老头老眼昏花，吃力地看着。他修剪指甲、拨开嫩肉的时候，与其说是依靠视觉，倒不如说全凭触觉。

沈心里想，司徒对某些东西的贪婪超出严格的商业利润的范围。他有一种以占有高档物品为荣的愚蠢的观念。那两册书虽然是孤本，但书毕竟和玉器或瓷器不同。它重在内容，而不是形式，重在精神，而不在物质。此时此刻，沈倒希望这位司徒先生不要也持有这样的观点。

“我想先让你看件东西。”沈边说边从背包中取出两个酒杯中的一个，让司徒看。这是一个设计好的“赌局”，以证明他明白自己在做什么交易。

司徒粗短的手指和柔软的皮肤经过按摩变得很敏感，他伸手接过那只小酒杯。瓷器温润如玉，给他留下深刻印象。酒杯紧贴手掌，钻石戒指和金戒指把酒杯碰得叮当作响，那戒指与酒杯相比，显得既粗俗又平淡无奇。酒杯“斗彩釉”，釉彩反差强烈，一串葡萄纹饰，以蓝色勾边，浅黄的底色上又隐隐现出绿色和红色。它的形状朴素而优雅，做工十分精湛，不仅内在的神韵让人叹为观止，而且从某种意义上讲，那似乎不是凡人可以使用和鉴赏的东西。把酒杯握在手中，拇指和食指围绕，宛若五片花瓣。把酒杯举到唇边，仿佛觉得芬芳的美酒在他舌头上流动。司徒把酒杯放到旁边的茶几上，虽然酒杯与皮肤不再接触，他对这杯中极品依然赞不绝口，司徒显然已经陶醉了。

“另一只呢？”司徒问，“一对儿？”

“那两卷呢？”沈以问作答，“在哪儿？”

司徒的手腕上套着一个潮湿的橡皮圈儿，橡皮圈儿上拴着衣物柜钥匙。他取下钥匙交给那个女服务员，吩咐她把他的公文包拿来。他心里明白，他必须采取相应的举动，但是，他的东西与这只明朝鼎盛时期流传下来的成化“斗彩”高脚酒杯无法相比。那个女人拿着一个黑色塑料公文包走过来，然后把公文包塞在司徒的腋下。司徒打开公文包，取出两册线装书，递给沈。

沈阅读第五卷的标题：树花记意。语言具有沈复那种严谨朴实的风格。

> 余自以为无花不识，至此（广州）仅识十之六七，询其名，有《群芳谱》所未载者。海幢寺规模极大，山门内有菩提树，其叶似柿，浸水去皮，肉筋细如蝉翼纱，可裱小册写经。

沈进而察看纸张和油墨，但流畅简洁的语句使他热泪盈眶，难以明辨。这样看来，在心爱的芸死后，沈复依然以公正而审慎的眼光探索这个世界的细节。仿佛是为了芸的缘故观察事物，仿佛有一天他能对芸叙述他观察到的这些事物。

看到沈那样被感动，司徒试图乘虚而入。

“我可以看看另一只酒杯吗？”司徒故意装作漫不经心地问，“趁你阅读期间？”

沈没有同意：“你是怎么弄到这两卷的？”

这个人是个粗人。他的鉴赏能力以与物质世界紧密结合的方式表现出来，对事物的依恋完全以为自己的利益为基础。沈复遗失的珍贵篇章竟然通过这样一个人的手传递，真让人难以置信。然而沈承认，沈复也被物质世界、芸芸众生的每一根纤维吸引。就是物质世界这些“细线”，通过变了质的纸上古老的油墨这样粗糙、脆弱的媒介，把作者与司徒，现在又与沈，联系在一起。那些文字记载就这样幸存于世，流传下来。

> 余自绩溪之游，见热闹场中卑鄙之状不堪入目，因易儒为贾。余与友琢堂设一画铺与家门之侧，聊佐汤药之需。琢堂今翠明红，俗谓之“跳槽”，甚至一招两妓。故逋负日增。然琢堂乃余一生之挚友也。

司徒给他看的两卷具有沈复特有的韵味。沈把书举到鼻前，好像书的霉味与词句的韵味相称一样。

“沈复有个朋友，名叫琢堂，他挥霍掉沈复所有的钱财，使沈复雪上加霜。”司徒解释说，“沈复死后，琢堂想出版朋友回忆往昔岁月的书。他希望以此赚点儿钱。可是这个希望也破灭了。他把书稿胡乱扔在一起。书稿的页码想必在那种情况下弄颠倒了。也有人说，他把书稿掉在地上，书稿的页码弄错了，他又把弄错页码的书稿放回原处。琢堂在老家杭州找到一家要价最低的印刷商。印刷商要求，印一卷付一卷的钱。由于某种原因印刷商停止营业的时候，他们已经印出了最后两卷的毛样。我猜想，也许是琢堂破产，付不起印刷费，也许恰恰在那个时候他死了。接着又出了一件事，那个可怜的出版商由于还不起债坐了牢。那本谁也不知道的，甚至连个书名也没有的第五卷和第六卷，压在一堆破旧的小册子和海报下面不见天日。

“有一年，因为西湖洪水泛滥，这两卷书才浮出水面。那一天，几箱子书和纸漂在洪水之上，沿马路漂进一位茶商的庭院。这个茶商有个规矩，不管什么东西，漂到他家就是他的。许多年后，这家茶商被指控为敲骨吸髓的地主，财产没收充公。他家的书最终进了市档案馆。后来，红卫兵洗劫了档案馆。那几箱子书肯定既破旧，又散发出异味，谁也不担心被什么人拿走。于是，书箱被扔进一个仓库。后来，为了修建新的电信局，仓库被拆除。书被扔进垃圾堆，有一部分就到了我的手里。长话短说吧。”

司徒清了清嗓子。他指着第五卷首页上方的一角，上面有用草体写的琢堂的名字。

“我一直珍藏着这两卷书。喏，你的第二只高脚酒杯呢？”司徒再次粗鲁地问。

“这两卷被伪造的赝品多的是。”沈说。

“你不可能伪造出一位作家的风格。”司徒狡猾地回答道。

沈仔细察看一行行字：“我得先读一读。”

“你对它的价值有何高见？”司徒咋咋呼呼地说，“一部完整的杰作。这部作品的读者将遍布全世界，而且会代代相传。这部书将被反复重印。这可是一台印钞机呀。”司徒拿着书在空中舞动，以显示它的价值。“一个美国出版商曾经开出五十万美元的价格。那个价格可比一只成化酒杯的价钱高多了，同志。”

沈打了个冷战。他无法想象，一个美国出版商怎么会与这样一个粗俗不堪的人讨价还价呢？矮胖的商人汗流浃背地裹在散发着漂白剂和消毒剂气味的毛巾里，躺在他面前。他待在洗浴中心逍遥自在，活像爬在巨大蛛网中心的一只蜘蛛。

“先给我一些时间让我仔细看一看，”沈说，“然后我们再谈。”

“然后你就去复印一份，再把复印件转移。你也许需要拿点什么东西作为抵押放在我这儿。”

“在我抽时间阅读期间，酒杯可以放在你这儿。”

“一只酒杯，一册书。我看到另一只酒杯以前，我们的谈话只能到此为止了。”

沈只好软了下来。他以极度的敬重和虔诚从背包里取出另一只酒杯，交给那个人。司徒没有把酒杯握在手里，而是把两只酒杯放到一起仔细观赏。杯子配成一对的意义，不仅仅是数量上增加了一倍，价格翻了一番。这种完美使它的价值增加两倍，再增加两倍。两件珍品，并非一模一样。历代帝王、王妃用它们饮酒，流传至今，已有五百多年。仔细比较，可以看出彼此的区别，倘若没有这种区别，它们就更加完美了。两个人的目光一起凝视杯子的时候，他们仍然是一对各自心怀秘密的“合伙人”。司徒充满贪婪的欲望，生怕做不成这笔交易。但是看到沈对这本书不可遏止的渴望，便放下心来。他和这个狂热的年轻人也是般配的一对儿。他们渴望交换彼此拥有的东西。

司徒说：“如果你能拿出证据，证明那两记是赝品，我可以把酒杯还给你。我向你保证。可以成交吗？”

沈心里明白，不管怎样，他除了抓住眼下这个机会以外，别无选择。一想起鲁丝，他就容不得自己重新考虑。没有时间了。

两只酒杯静静地立在茶几上。沈倏然想起他发现它们那天的情景。酒杯用油布包着，放在一位老太太家的一个抽屉后面。沈还是个孩子的时候，老太太经常哄他玩。有一天，老太太失踪了，一个政治牺牲品。就这样，两只酒杯变成老太太间接送给他的礼物。

司徒拿起第二只酒杯，握在手掌里，恨不得把它贴在皮肉上。沈没有再讲客套话，把那两册书塞进背包，整理了一下围在光着的身子上的浴巾，急于踏上归途。他不愿回想他所做的事情。他那对珍贵的成化高脚酒杯——

可能是曾经存在于世的同类中的极品——伴随着蒸汽弥漫的热水那永无休止的汩汩声和喷涌声，被摈弃在这个闷热的、散发着香味的房间里。洗浴中心已经过了营业的高峰期。

然而他知道，他换回来的是什么。两百多年来，沈复那部关于生命与爱情的著作给后人留下难解之谜。命中注定，他就是解开这个谜团的人。而且他可以从中找到自己一生的答案，找到他心爱的姑娘鲁丝一生的答案。

沈站起身伸出手时，司徒甚至没有起立。那人把两只酒杯紧紧贴在他肌肤松弛的心口窝。他没有让自己失去平衡，只伸出手握了握沈的手。他咧开嘴笑着。他心满意足了。那一刻，两个男人的生命，他们的聪明、愚蠢、成功的喜悦完全交织在一起，编织成一股线。

回煞之期，俗传是日魂必随煞而归，故房中铺设一如生前，且须铺生前旧衣于床上，置旧鞋于床下，以待魂归瞻顾。延羽士作法，先召于床而后遣之。邗江俗例，设酒肴于死者之室。

邻家亦嘱余设肴远避。余冀魂归一见，姑漫应之。同乡张禹门谏余曰："回煞犯煞，不利生人。夫人即或魂归，业已阴阳有间，窃恐欲见者无形可接，应避者反犯其锋尔。"

时余痴心不昧。

余乃张灯入室，见铺设宛然，而音容已杳，不禁心伤泪涌。又恐眼泪模糊，失所欲见，忍泪睁目，坐床而待。抚其所遗旧服，香泽犹存，不觉柔肠寸断，冥然昏去。转念待魂而来，何遽睡耶！开目四视，见席上双烛，青焰荧荧，光缩如豆，毛骨悚然，通体寒栗，因摩两手擦额，细瞩之，双焰渐起，满室通明。余得以藉光四顾。余悄呼其名暗视，见烛焰渐起，高至尺许。

火车迎着黎明的曙光，隆隆地驶向上海，周围的旅客都穿着暖和的棉衣，垂头睡着了，而沈却继续阅读着。感觉到她在那儿，但默然无言，如豆的烛焰却突然蹿起，这与他对躺在医院里的鲁丝的思念完全相同。怀着同样令人绝望的焦虑，他想象鲁丝已经远去，漂流到他无法触及的地方。火车穿过蒙眬的田野和笼罩在黑暗之中不断扩大的郊区飞驰，沈希望列车跑得更快一些。也许就在他旅行的当儿，她的生命正在一点一点地消逝。他催促滚滚的车轮赶快缩短他和鲁丝之间的距离。犹如火焚白杨，蜡烛在他内心深处燃烧，他怕得发抖，仿佛他那精疲力竭的身体已然经历过鲁丝的死亡。

不，新发现的书稿不是这样描述的。

权葬芸于扬州西门外之金桂山，俗呼郝家宝塔。买一棺之地，从遗言寄于此。守坟者曰："此好穴场，故地气旺也。"

余暗祝曰："芸！秋风已紧，身尚衣单。卿若有灵，佑我……"

余服孝侍芸墓侧，蓦闻山麓有声，惟见一少妇，数僧引领，伴而急趋墓茔。倏忽舍众僧急驰于前，蓬发垢衣，裸臂露青紫斑驳。近前余审视之，乃憨园也。彼号哭甚哀，花容变色，瞥余，珠泪顿如泉涌，自身侧狂奔，扑身芸坟，痛哭失声。众僧环伺，尽哀毕，始扶掖而起，人几近于狂。以拳捶胸，哀呼芸！芸！汝命本不该绝，惟汝情痴过甚矣！"

余为坟前之哭詈所惊。芸若有知，将视此于事无补，付此大恸，纯属徒劳。而憨园犹哀伤不止，心自悔咎，迨芸已故，始迟迟来归。芸若知其诚悃，断不至疾病颠连，赍恨长逝。

夺憨园之有力者视彼如奴，阖家中境遇犹逊于犬，酷虐之，致彼度日如年。然不敢逃逸，心知终将为人追回，再遭痛殴。每忆与芸及余共欢之日，及芸之怜爱多情，憨园尤追悔莫名。

彼询余夫妇讯于家人，惊悉芸已故，迨闻余犹留侍墓侧，夜深乃自有力者卧榻悄然脱逃。访得守护陵园众僧，乞领往芸墓地。芸因何致死，诸僧皆如所闻告，值芸期以相守以度余生之际，为盟妹所负。憨园由是证实，芸致死实缘于己之背盟。

诸僧度彼即众所疑议之女。方引抵墓前，憨即夺路而前，值瞩余回首一瞥之际，示以冷眼轻藐之态，益信所闻属实。芸却因其猝然背离而殁，如此异事，恐别无另解。

香纸熊熊，燃于山麓冢墓之侧，轻烟缥缈，散升空杳。尤似吾辈之魂、吾辈之情、吾辈之痴，消融于无形。时已日暮，诸僧欲扶憨归，憨嘶声哀号，置阴雨泥泞于不顾，拒舍芸娘而去。彼终信钟情与芸愈诚愈痴，定能将其挽返人世。否之则遁入空门，以伴芸。余惟求憨园速离，以安芸之灵。

稍后，余赴一偏远小城，游幕于县府，图以俸金偿债。由是余仍操佐幕生涯，庶能一时忘忧，偶寻片刻之欢。

余闻憨园未再返有力者之家，亦未重操歌伎旧业。浪迹深山，以乞食为生，柄身于荒村。时或卖身为娼，致骨瘦形销。后又闻彼最终寻得安身之所于尼庵。此所谓事物变换之轮回也。

沈叹息了一声，揉了揉疲劳的眼睛。此时，他认出了窗外的景物。沿铁轨望去，熟悉的街道、公寓、晾晒着洗过的衣物的小屋和摆满花盆的被烟火熏黑的阳台尽收眼底。他不同情韩。他虽然欣赏过她，但对她从来没有过深刻的了解。现在，他并不希望她从困境中挺过来而不受伤害。他无法理解鲁丝为什么对韩一往深情，那种情感在他看来没有来由。同时，他对自己无法理解的那些东西也忿忿不平。另一方面，这本书成了他的“行动指南”，给他带来一线希望。对韩，还不能彻底放弃。

多年以往，一长老访憨园于静修之尼庵，质以因何处此恶况，犹能持续献身苦修。彼解答曰：其心已冷，万念俱空，所深爱之二人未能倾其所爱，今日祇求驱散犹炽之痴情，犹如香火化为灰烬。彼以芸钟情于彼为鉴，惟愿专注于对芸之怀念，永留于心。

憨园决赎前愆，务期洗刷己过，及尽解愧疚之日，惟遗纯净空灵之心，以报芸于暂欢之日待彼之真情。

长老曰：适得其反，憨园待芸之痴情，将持续彼等之俗缘。其为芸，为痛失爱妻之夫、为己，无休止之哀悔与忍苦修行，惟寄望于捆绑三人于一处，实无助于追回已逝之温馨时光。长老再告，待倾注之痴情最终化解，始能挣脱情索，此唯一之法也。若然，彼亦将解除由此俱来之痛。

长老之指点触悟憨园，犹如醍醐灌顶。诚如长老所见，憨园之痴情已净化为极纯洁之精神，能促成彼颠倒习以为常之苦修戒律。憨园自此将步入另一段人生，从中省悟，应如何竭诚以对发自肺腑之情。

彼谨遵长老忠告，挣脱苦誓，重归尘世。

沈明白，韩虽然不辞而别，但终究会返回他们身边。只是这一次时间的选择将有所不同。参与者表明他们心迹的力度将有所不同。现在，他们对自己将有更明确的认识并且勇敢行动。韩将明白，她委身于袁先生是一种什么行为，并且否定自己丑恶的动机。她将回到鲁丝身边，鲁丝将活下来！这一点沈深信不疑。舍此别无他途，只有永久的灾难。韩还有一次机会，把他们大家，包括她自己，从肩负了如此之久的重压下解脱出来。沈确信，韩付诸行动、回到鲁丝身边、报答鲁丝对她一片痴情的路是畅通的。没有其他选择。这两卷的内容证明一切都是可信的。

他想起鲁丝画过的一幅画——削发为尼的憨园伏在芸的坟头哭泣。

他翻着书，进一步确认自己寄托的希望到底是什么，除了思想中凭若干证据拼凑成的那个结局，对什么都视而不见。

外面，在新的一天铁青色的曙光中，列车缓缓驶进站台。沈迫不及待地打开车门，跳下火车。他的责任是劝说韩回到鲁丝身边。想到韩冷艳的面容和火辣辣的眼睛，他几乎又想得到她，为她的蔑视而激动，同时赞赏她的利己主义表现出来的“绝妙的美”。

……傅粉如粉墙，搽脂如榴火。

沈挤上从火车站开往韩住的饭店的公共汽车。他在一个十字路口下车，从那儿看得见那幢宛如一座纪念碑似的饭店，除了几个射出黄色灯光的窗口像大睁着的眼睛之外——那是彻夜不眠的客人们的房间——整个大厦一片黑暗。灯光疏落，在庞大的建筑物上勾勒出一幅极简抽象主义的图画。沈想起韩讲过的野鬼，夜半时分，几近疯狂的野鬼紧紧贴在窗外，试图破窗而入。这时即将天明，他希望野鬼们销声匿迹。第三十一层楼上一个角落的套房里，亮着灯光，他可以看见，窗帘完全敞开着。

沈敲门，韩没有理会。直到喊她的名字时，她才打开房门。她阴沉着脸，盯着沈看，态度粗鲁，精疲力竭，仿佛除了保护自己的本能之外，一无所有。接着，她伸手抓住沈的手腕，把他拉了进去。家具散乱地摆在屋里，橱柜门和抽屉都被拉开。此刻，鱼肚白的晨曦从天边升起，映照着远处的河流。

沈问，那位男士，她的丈夫，袁先生现在何处。韩苦笑了一下。她正在感受彻夜喝酒、抽烟产生的作用。那个人为了赶上飞往台湾的早班飞机，已经离开饭店。他不是她的丈夫，而是个台湾情夫。在台北，他有位太太。韩是他在大陆包养的二奶，他把她当作廉价的投资，总有一天会“发薪遣散”。他不叫她去机场送行，因为他不想让别人看见他们在一起的场面。韩讲述她的故事时，那只戴着一枚贵重钻戒的手在空中一挥。那是她的“奖品”。既然蜜月暂停，韩就得面对刘露娜给她安排的生活。“新婚”之夜，那个人把她当畜生对待，既没有尊敬，也没有感激，然后，天亮之前就踏上做另一桩交易的旅途。韩独自一人梳洗打扮，尽可能装出一副尊贵的样子，走出饭店前厅。服务员将清扫、通风、整理房间，在花瓶里插上鲜花，在果盘里摆上水果，做好迎接下一位客人的准备。除了韩变得富有了一点，并且有一枚钻戒显示这种富有，而那个男人就像一个热心的顾客，肯定再来“购物”之外，这一场小小的闹剧或许会了无痕迹，就像从来不曾发生过一样。但是，她的价格会越卖越低，直到早晨，在那些看着她走出大饭店的人眼里，她应该再回到大街上去做她的皮肉生意。

韩把一杯酒递到沈的手里，他却真想喝杯热水。反过来，他给她冲了一杯袋泡茶。“坐下，”他对她说，“请你安静下来，听我说。”

韩把头一歪，走过来，举起茶杯碰了碰沈的威士忌酒杯，让他喝酒。她伸出胳膊搂住他的脖子。“放松点儿，”她温柔地说，“你看起来简直像疯了一样。把鞋脱下来，在沙发上躺一会儿。你来这儿到底想干什么？现在才凌晨五点钟呀。”她轻轻地吻了吻他的嘴唇。如果她想引诱他，他也许抵挡不住她那无形的欲望之火。她靠他更近一些的时候，他感觉到那欲火缠绕着他。他真想什么都不顾，投身到韩的怀抱，体味彼此肉欲的吸引，但他克制住了。

他放下威士忌，抓住她的手。“不，”他说，把她的注意力转移开来，“我们可以晚些时候再相互慰藉。我得告诉你一件更重要的事情。我马不停蹄奔波了整整一夜。我去过杭州了。我已经找到遗失的最后两卷了。”

“又是那本书！”韩不由得叫了起来，像弹弓弹出的弹子，一下子跑到窗口，仿佛要纵身跳出那堵玻璃墙。

“韩，”沈继续说，“你如果不听我的话，就会遭受无穷无尽的轮回之苦。我心里清楚，你虽然不辞而别，但那是迫不得已。你一直就打算回来。你一直在爱着。你一直是忠诚的。你并不想因为你的缘故造成别人的死亡。当你发现已经发生的事情之后，你饱受悔恨的折磨。在那个古老的故事里，正是由于你的虔诚和忠贞，才使我们今世重逢。你就是憨园。你不能再置若罔闻。”

韩双臂交叉，两手握着胳膊肘，站在窗口，不想面对沈说的这番话。“你疯了，”她大声说，“不要打扰我了。我不可能为鲁丝做任何事情。”

“我希望你去看看她，仅此而已。”沈平静地说，好像在哄一头受惊的困兽，“你曾误入歧途，毁灭了爱情。后来，你认识到自己的错误，并且做了弥补。去看看鲁丝吧，她爱你。去吧，去救救她。然后你就解脱了。这是最后一步。”

韩直往后退。“你们永远都不会放过我。”她气愤地说。

“看一看外面的世界吧。”她凝视着窗外的城市，“我想在这座城市有一块立足之地。你已经有了，沈先生。你受过教育，你有背景。作为一个居家过日子的人，你有光明的前程。你也有地位。至于那个愚蠢的外国姑娘，她有病。她弱不禁风。她是个生活在梦幻世界里的人。她活着的时候，就让她活个痛快，但不要把我牵扯进去。那是死亡。那是疾病。她是一朵美丽的娇嫩的花朵，一摘下来就凋谢了。我可不愿为了她而放弃自己的机会。我不欠她什么，也不欠你什么。我们之间从来没有任何交易。我们曾经有过一段令人愉快的交往。现在，就让我走自己的路吧。我的位置在这儿，万丈高楼之上，而不在大街上。我的丈夫答应过我，每次一枚钻戒。在我看来，这好极了。哦，再见。”

她一边用手抚摸玻璃，一边面对黎明前依然未退的夜色，好像那些孤魂野鬼中的一个，极力想在这个物质世界中找到一个立锥之地。

“即使你不相信，或许也可以应付一下，只这一次。你毕竟是个演员嘛。”

“不。”她说。

“难道你不担心，”他说，“我要说的真是你的命运吗？”

“书中是怎么说的？”

“如果一意孤行，你就会被烧成焦炭。救赎你自己吧。”

她转过身，面对着他：“我才不相信那本书呢。对我来说，它毫无价值。我只相信我可以触摸到的东西，或者吃到的东西。”

沈把手伸进衣袋，掏出玉镯。这只镯子是偶然发现的，代表着已然变成这座城市的沼泽地最早的文明，距今已有三千多年的历史。它的质地也是无与伦比的。他手里拿着玉镯，一步一步地、缓缓地朝韩走去。他边走边观察她的脸色，走到她跟前时，跪在地上，然后给她磕了个头。

她不无嘲弄地把头向后一甩。

沈双手举起玉镯，极其敬重地送给她：“求求你了。”

她迫不及待地伸手接过玉镯，好像一只急于得到一件闪闪发亮的花哨小玩意儿的猴子。褐绿色的玉镯刻有纹饰，色泽温润，年代久远。当初，镯子戴在鲁丝手腕上的时候，她曾经满怀渴望转动过它。现在，它到了她的手中。她把它戴在手腕上。它对她有多么强的吸引力，一件古老的无价之宝，避邪的“护身符”。可以理解，这是一桩交易。她一定会去的。

沈喃喃地说了声再见，便局促不安地退了出去。他离开之后，韩模仿沈磕头的样子，双膝跪在地板上。“求求你。”她呻吟着，一遍又一遍地重复着他说过的这句话，直到大声咳嗽起来。“求求你。”她捂着肚子，呕吐在厚厚的地毯上，觉得自己的身体也完全排空了。她弯下腰，胸脯靠在弯曲的腿上，像一个皮囊，一头栽倒在地板上。哦，这就是空虚，这就是虚无，这就是对世界的依恋被割断、只剩下厌恶时那种感觉。如果挣不脱她已经卷入其中的生命的轮回，她就只能在痛苦中煎熬。沈要告诉她的正是这个意思。

这当然不是他发现的什么真理，和他毫无关系。他只是传递信息的“渠道”。那本书页页黄纸比风中的灰烬强不了多少。这个真谛来源于她和更为广阔的精神世界与道德规范的结合点。在这个结合点，同情怜悯是其中的一环。前世，她斩断了这个结合点环环相扣的绳索，但是“藕断丝连”，一条无形的丝线又把她拉了回来。她把玉镯顺着胳膊往上捋，镯子挤压着她的肌肤。她把凉水泼在脸上。她眼睛浮肿，皮肤灰黄，感到恶心。她穿上与黑牛仔裤和无袖黑上装相配的黑高跟鞋，露着脚后跟。她不想破衣烂履、土里土气，而是脖颈上戴着金项链，手指上戴着钻戒，手腕上戴着玉镯。

鲁丝躺在医院昏暗的病房里，心里想的只有韩。她独自一人，闭着眼睛，抚摸腹部柔软的肌肤和丝绒般光滑的大腿内侧，想象着，那就是韩的肌肤，紧紧地贴着她，芳香而湿润。她抚摸着自己的双乳，觉得那是韩的乳房。

即使她这样静静地躺着，努力排除对韩的思念的时候，记忆依然像不肯妥协的手指伸到她体内，强迫她屈服。鲁丝明白，她会因为这痛苦而死去。

她在床上翻来覆去，辗转反侧，精疲力竭，好像这样才能使韩从她的脑海中消失。她始终渴望韩来这里，抚摸她，拥抱她，与她一起欢笑，再次变成她秘而不宣的好姐妹。作为了结痛苦的唯一途径，她但愿她充满渴望的心死去，但愿韩死去，但愿自己死去。她想起韩紫褐色的嘴唇和妩媚的眼睛。她把自己湿漉漉的舌头抵在牙齿上，想象韩的舌头，想象韩的舌尖舔着她。她诅咒那只手，在结识韩的第一个晚上，就是那只手把她拉上舞台。她若是当初拒绝该有多好。

她回忆起在田州的柳树下，韩怎样把她推开，然后又扶住她，安慰她。她看见韩在月光下洗澡。她潮湿的手指沿着胸骨滑下，想象着自己正给韩洗澡。然后，她转过身，嘴捂在床单上。她想死。韩离开了她，背弃了她，带走了她的生命。她什么也不是，一文不值，她希望自己能永远埋葬在医院的阴暗之地。这时，她呻吟起来，护士闻声跑了过来。

“把这东西从我身上拿开。”鲁丝说。护士不明白她的意思，便开始整理寝具。然而鲁丝指的是那个动物，它紧紧抓住她的心，爪子陷在肉里，挤压她生命的脉搏：那个黑头发、大眼睛、夜间出没的动物，她把它叫作爱。

沈走进病房，鲁丝脸色苍白，微微泛光。只要他在，天大的事情都没什么了不得。她辗转反侧，一夜无眠，此刻，既累又弱。她和护士达成谅解，虽然不符合医院的规定，但护士还是为她煎好中药，她拥被而坐，慢慢地呷，把盛药的茶杯藏在雪白的被子后面。

她认识到，她生活中那么多快乐都是笼罩在别人梦的光环之下。直到碰到沈才找到真正属于自己的幸福。后来又碰到韩，不可能的事重又出现。那就是对于别人的依赖，而那些人你根本无法走进他们生活。

“见到她了？”鲁丝问。

“我把那只玉镯送给她了。”

沈不知道是不是应该把找到了那本书最后两卷的事告诉她。那两卷预示，假如憨园能够学会真诚，芸娘就有可能复生。韩极想得到那只玉镯，但她能不能来还没有把握。现在，他们再没有别的东西可送了。

蒋大夫拿着化验结果走进病房。他看见沈这么早就在病房，有点不悦。

“探视的时间在下午。”他边说边带着勉强的微笑和沈握了握手，然后把脸转向鲁丝，脸色变得充满焦虑。“对不起。”他说，挽起鲁丝的一只手。他从衣袋里掏出一根针，在鲁丝掌根的肉皮上刺了一下。一滴血渗了出来。医生看着手表，用纸巾轻轻把血涂开。三分钟后，血依然未干。蒋大夫对他的试验感到满意，他看看鲁丝，再看看沈。“你们看，血液没有凝固。任何严重的出血都可能给你带来麻烦。你有大出血的危险。”他读出他写的病历，“血小板数量下降。自身免疫反应的其他症状明显。ITP[①]处于晚期。最佳治疗方案是脾切除。切除脾脏的外科手术。”

鲁丝默默地抚摸着床上的被褥。

“你有把握吗？”沈怀疑地问。

“这是合乎规范的治疗方法，”蒋大夫说，不肯进一步解释。“你恐怕别无选择。如果成功，你们就是赢家。”由于没有说出不成功将有什么后果，他实际上没有把话说完，“手术之前，我们需要得到亲属的许可。”

“那就只有我的父亲了，”鲁丝说，“他在新喀里多尼亚。”

“费用需要多少？”沈挡住医生的路问道。

“那当然是一个复杂的过程。先得看我能把她的手术预定在什么时间。不要着急。我们这里有进行这种手术的良好设备，也有最好的医生，病人可以受到最妥善的照顾。”

蒋大夫离开病房时的安慰反而使沈更加焦虑。

“手术！”鲁丝摇着头说，“在悉尼时，医生们就是这么说的。脾脏切除。反正它是个没用的器官。”

---

① ITP：次黄苷三磷酸。

“这么说，你知道自己的病情？”沈问。

“我来这儿就是为了逃避手术，”鲁丝说，“现在来了，还是无路可走。”

“有我们在一起。”沈说。

“麻烦你，”鲁丝说，“你得给我父亲打个电话，告诉他。我把他的电话号码写给你。”

沈走过来，吻着她的嘴唇。她发出愉快而满足的声音。他轻轻地抚摸她的额头，直到她闭上眼睛。后来，她蓦地睁开眼睛，直挺挺地坐了起来。“我不想做手术，”她说，“我们无论如何都付不起手术费。没有东西可以变卖了。沈，我一直没有告诉你——那只黄碗。我在跳蚤市场把它典押了。拿走黄碗的不是韩，而是我。”

“甚至在那时你就知道？”

“是的。你现在只剩下那对高脚酒杯了，你总不能连它们也卖掉吧？”

“高脚酒杯已经卖掉了，”沈阴郁地说，“换了那两卷书。”

鲁丝叹了口气：“不，它们比书更有价值，比我更有价值。”

“您是加勒特先生吗？对不起，您讲英语吗？我是在中国的上海给您打电话。我是您女儿鲁丝的朋友。”沈站在宾馆走廊里对着电话机大声说，“我姓沈。”

一个不熟悉的声音沙沙拉拉从漫漫远方传来。电话里回声不断，两个人的声音不停地碰撞。

“鲁丝在哪儿？”那个人问。他在的地方阳光灿烂。游泳以后，他那湿漉漉的头发梳得平平整整。他心烦意乱，早晨没心思接电话。刚才，他还在诅咒当地的小政客。为了在争取独立的全民公决中保持协调一致，巴黎方面已经作出让步，并且愿意作出更大的让步，但是他们没能利用这个有利时机，向法国提出更多的要求。卢克一直说，没有一个努力推动这一事业的人。他的衬衣敞开着，激动地用手梳理着汗淋淋的胸毛。他那位新娶的妻子劳拉正在做洋葱炒辣椒，已经让他觉得饥肠辘辘，想赶快吃午饭。

“你说什么？”

“Quoi”穿过油锅的嗞嗞声和烟雾，传来劳拉的大声叫嚷。

“鲁丝现在住进了医院，在上海。”沈对着话机大声说，“她的病情十分危急。她需要做手术，需要得到你的许可。”

“她为什么要去上海呢？她如果需要就医，应该返回悉尼。我们可以去悉尼。我们怎么能去上海呢？你究竟是谁？”

“情况紧急，我们需要您的许可。我姓沈。”

接电话的时候，卢克·加勒特感到血缘关系已经像一条绳子把他圈了起来。过去，当他的前妻，已故的妻子，要求他付出他无法拒绝的代价时，他就知道，总有一天，鲁丝也会向他提出要求。打电话的那个小伙子说，鲁丝患的是一种血液病，医生建议，需要切除脾脏，挽救她的生命。卢克一直在等待——现在，这一天终于来临了。

“把她的准确地址告诉我。”他说。

“这么说，你能来了。”沈似乎想把事情敲定。

一阵风开玩笑似的从太平洋上吹来，吹过棕榈林和香蕉林，把房子周围九重葛[1]紫色的花朵刮得摇来摇去。后来风势减弱，逐渐平息在午前的宁静之中。

“你和鲁丝是什么关系？”

“我是她最好的朋友。”沈说。

“谢谢，”卢克说，“你们需要我的书面许可吗？”

“有一张表格，我会发传真给你。”

“我会把我的行程告诉你。”说罢，卢克挂上电话。他转向劳拉，把这个消息告诉她。他搂着妻子的腰，把前额贴在她的前额上。在表格上签了字，就意味着他不得不承认自己对女儿的责任。

①九重葛：一种南美洲的植物，色彩艳丽。

鲁丝躺在医院的病床上，心里想，一个人不在场怎么会引起另一个人如此强烈的思念呢？好像他们的真实性就源于自己内心感受到的渴望。另外那个人会不会对这种感情浑然不知呢？这种感情挤压着她的身体，就像雕塑家捏一块泥。不懂得围绕在他们周围的炽热的感情，怎么能继续走完他们的人世之旅呢？他们怎么能无动于衷呢？

麻醉师很快就要来了。鲁丝不知道爱与痛有什么不同。爱不在身边的韩让她痛苦，可是如果没有韩，沈也会令她痛苦。她努力让自己平静下来，希望她的感觉能够消失。然而，除了这种感觉别无他物。她眯起眼睛，渴望再次在她周身骚动。只有韩握住她的手，或者她的生命停止的时候，骚动才能停息。

沈乘坐长途公共汽车来到他父亲居住的大学校园。学生时代，他和父母亲住在一起时，就常坐公共汽车进城，逛书店、报摊，探亲、访友，或者只是寻找他下一阶段人生道路所需要的信息，探求他人生之谜的线索。然而，直到碰到鲁丝并且与她相爱、落入命运之网，他才知道了这条线索。他终于“找”到了自我，这比什么都更重要。而这一切应该归功于鲁丝。

沈教授苦笑着把儿子领到沙发旁边，让他坐在妈妈身边。

“一闻见这股味儿我就知道是你，”母亲边说边用她那只既温柔又准确的手抚摸他的脸，“你闻起来像燃烧的沉香木——又刺鼻子又有股霉味。”

“别这样，妈妈。”他说，轻轻拿下母亲的手。

沈问父亲，转让给政府那幢楼房的补偿款是否已经到位。沈教授点了点头。那笔钱已经还给复明的债主了。他弟弟已经出狱，并且重新经商了。

“我能从这笔钱中借一点吗？”沈问。他把鲁丝的病情告诉了父亲。

找钱，花钱，还钱，借钱，哪儿是个头呢？老教授竖起了眉毛。“这么说来，为了你女朋友的手术你需要一笔钱？她有亲人吗？让她从国外弄钱吧。”

“时间来不及。”沈说。

“你不应该辞掉工作，”父亲训斥说，“你应该预料到这种后果。”

“我怎么可能预料到呢，爸爸？”

“你不是还有可以卖掉的值钱的东西吗？”

“一件也不剩了，爸爸。”沈说，停顿了一下。正如父亲一直是位喜欢追根究底的历史学家一样，他一直是个以发现而感到自豪的收藏爱好者。“只有这件了。”他一边说一边把手伸进背包摸索。

“古籍。”父亲吸了吸鼻子，查看线装的针脚和黑色的粗体字。

“一本古书遗失的后两卷。清朝沈复著的《浮生六记》第五卷和第六卷。”

老人爱不释手，喜悦从心底升起，一向板着的面孔上浮现出笑容。那是孩童般的欣喜，仿佛有一片羽毛在脖颈上轻轻拨弄。“我知道那本书，”他说，“还记得你小时候我常常对你讲起的那个故事吗？芸和沈复。他们的生活悠闲而又不无荒诞，浅薄而又不无虚妄。哦，我过去很喜欢那本书。”

沈感到意外。他不记得父亲提起过这本书。

“我记得，”母亲轻轻地抚摸着他的胳膊，“你爸爸年轻时是个热血青年。”

“流传于世的只有六卷中的四卷。另外两卷早已被历史的长河湮没。作者的写作风格怪怪的。书的结尾深深印在我心中。我依然记得。革命也没有把那些废话从我的心头洗刷掉。”

从此扰扰攘攘，又不知梦醒何时耳。

“这不是书的结尾，爸爸。”沈说，“我已经找到了真正的结尾，是花高价换来的。现在我身无分文，没钱为鲁丝交付手术费用。鲁丝于我正像芸对于沈复一样重要。而我只有浑身的债务和沉重的负担了。求您帮帮我吧。”

为了鲁丝他情愿在父亲面前低三下四。

沈教授拿着那两卷书，激动得手都发抖。他想先睹为快，了却期待已久的青年时代的心愿。“先把书留在我这儿，”沈教授说，“看看我能有什么发现，提出什么看法。”

“那幢楼房拆了吗？”小沈问道。

“拆迁公司和拥有楼房下面地下管道所有权的自来水公司之间出了一些问题，目前还僵持着。楼房虽然还没有拆，但一部分围墙已经被推倒。他们告诉我，你有一些东西留在那里。我正想把它们搬回来，不然的话，就会被什么人据为己有。”

沈不想听父亲不无苦涩的话。像一个被责骂又被原谅的孩子，一想到父亲可能给他弄到一些钱，他的眼里就涌出感激的泪水。

“你那位外国姑娘的健康状况有所好转的时候，”看见儿子向门口走去时，老人忠告说，“就把她送回国，再找一个能给我们生个孙子的媳妇。找个门当户对的姑娘，你会生活得更好。找个中国人。一个病弱的妻子对谁都没有好处。”

鲁丝闭着眼睛躺在被子下面，她转过身去，避开从窗口直射进来的阳光。她和那位护士已经成了好朋友。蒋大夫走后，护士又端来一杯黑乎乎的药汤让她喝。护士说，要想真正取得疗效，就得有耐心。她来自农村，尽管接受的都是现代医疗技术的教育，但对古老的中医疗法却深信不疑。她知道，信念非常重要，心理暗示有时能起很大的作用。她对鲁丝从田州带来的药方大加赞扬。那张药方上面开的几味药有的不值一钱，有的难得一见，还有的苦得要命。她设法确保鲁丝每日服四次药。鲁丝搔着皮肤上的紫斑。她为抗拒命运而采取的行动看起来是荒谬的，无用的。

后来，鲁丝睁开眼睛，看见韩。

韩没有敲门就大步走进病房，鞋跟把地板踩得咚咚响，两条腿像剪刀一样一开一合。鲁丝一骨碌爬起来，靠在枕头上坐好，慢慢地睁开眼睛。韩从头到脚一身黑。她摘下墨镜，折起来放在衣袋里，让鲁丝看见她红肿的眼睛。

“你上哪儿去了？”鲁丝问。

“哦，四处漂泊，忙得要命。”

“我可以看看你的戒指吗？”

韩走过来，伸出一只手。鲁丝很平静地看着。宝石确实令人赞叹不已。旁边那个手指上戴着一枚很重的金戒指。那只玉镯戴在另一条胳膊上。

“你要是喜欢，可以摸摸它。”韩说，“见到我，你感到意外吗？我一打听到你在这里就来看你了。”

憨为有力者夺去。

“‘有力者’暂且放了美人儿一马。”韩笑着说。

鲁丝拍了拍床，韩坐在她旁边。

“你怎么了？”韩问。

“我也许要死在这儿了。”鲁丝无精打采地说。

韩皱起眉头。鲁丝这样说真有点大煞风景。

“治疗我造血功能失调的最佳疗法是切除脾脏。脾脏，你知道吗？身体上一个不太重要的器官。这没什么意义。我不想让他们把我开肠破肚。那样会要了我的命。”

“那就不做。”

“他们说不做手术就无法治愈。”

“你能拖一段时间吗？”

“我一直在拖着。”

“如果做手术时，他们找不到你会怎么样？我是说，你应该离开这儿。”

“他们不让我走。”

“他们怎么能拦得住你呢？我可以安排你离开医院。”

“我连路都走不了。”鲁丝反对说。

她感觉到韩激动的喘息声，她的胸脯不停地起伏着。韩俯身握住鲁丝的双肩。鲁丝觉得一股力量顺着她的脊柱迅速向上升起。“我要让你离开这里。”韩坚持说。

韩走到护士服务台和那位护士攀谈。护士说，未经医生许可，病人不能离开医院。如果医生不在怎么办。护士说，科主任可以代替主管的医生签字，又补充说，倘若那位外国姑娘觉得身体好得足可以走路，那得归功于她喝的汤药。

“帮助我们离开吧，好吗？”韩问。

那位护士迟疑片刻，然后说，过一会儿她可以设法找人在表格上签字。她和韩一起走到鲁丝旁边，然后从挂钩上取下输液的瓶子。鲁丝站起身，觉得头晕目眩，慢慢穿上衣服。护士把最后一副汤药递给鲁丝，让她随身带走。韩把一些钱塞在那位肯于帮忙的护士手里，接着，她们一起扶着鲁丝离开医院。

“什么时候想回来，再来。”护士边说边向汇入车流中的黄色出租车挥了挥手。

“我想去看看沈那间破旧的阁楼，”鲁丝说，“我想在那张古香古色的床上躺一躺。”

“楼已经拆了，”韩说，“你不记得了吗？”

“我想去看看。”鲁丝说。

韩转过脸，透过出租车的有色玻璃，望着滚滚车流、鳞次栉比的高楼大厦，处处显示出贪欲的都市生活，对她们的冒险行动颇有点沾沾自喜。可是，如果手术有可能夺去鲁丝生命的话，那么，这种从医院跑出来的怪念头也同样会把鲁丝置于死地。韩突然意识到她是始作俑者，不由得为自己的行为害怕起来。

出租车从过街桥下面驶过，进入老城区，为了修建新的高速公路，那里的一排排房屋已经被夷为平地。沈住过的老宅虽然完全失去了左邻右舍，围墙也荡然无存，但楼房还矗立着。砖石裸露，灰泥斑驳，院子里停放着等待施工的推土机。窗户虽然已经用木板封闭，但“掠夺者”还是设法钻进去，撕走漂亮的壁纸和别的装饰物。门厅里铺着报纸和破布，民工们就睡在那儿，四周散发着一股尿臊味儿。楼房成了一个空壳。

鲁丝几乎不可能爬上那四截楼梯。韩连哄带拖地扶着她往上爬。每上到一个楼梯平台上，就停下来休息一会儿。爬到最后一截楼梯，鲁丝索性坐下，不肯站起来，直到韩把她拖起来。走到沈的门口时，她们发现门用挂锁锁着。鲁丝不由得骂了起来。

韩掏出一把小刀，想把锁撬开，但是一点用处也没有。后来，她返身下楼，来到院里，找到旧围栏上的一根铁栏杆，然后，拿这根铁栏杆当撬棍，撬开木头门框，挂锁从门框脱落下来。她们进入阁楼。

屋子蒙着一层薄薄的尘土。那张拆卸开来的床依然堆放在屋子的一个角落，还是他们把它留在那儿时的样子。和床放在一起的有沈装个人物品的箱子、洗脸盆和水壶。煤气灶依然连接在液化气罐上，水管里流出的水足够煮一壶茶。鲁丝虽然知道，如果碰伤，她就会流血不止，可是当韩安装床需要帮助的时候，她还是不顾自己精疲力竭，帮她把床组装起来。

把床支起来之后，屋子看起来像她们记忆中的地方了。她们并排靠在床上，用破损的杯子小口小口地喝茶，就像举止优雅的小姐，直到韩被灰尘呛得咳嗽起来。

“你睡觉吧，我把这屋子彻底清扫一番。”

很快，屋子变得像个家的样子了。韩在床的四角点燃起四支蜡烛，红木床架的床腿在烛光下闪闪发亮。煤气灶上，正用文火煎药，那股很特别的药味在屋子里缭绕。韩双腿交叉，坐在擦得闪闪发亮的五斗橱上抽着小雪茄。鲁丝睡着了，在烛光的映照下，她的头发像一缕缕火焰，脸宁静而安详。韩冷冷地想，倘若这就是死亡，那也不错。

可是，这不是死亡。鲁丝呼出的气缓缓吹过她宽松的白衬衣。她动了动，脸颊无意识地、又好像警惕地抽搐了一下。她睁开眼看着韩，然后坐起来，一股力量缓缓注入她的躯体。她站了起来，缓慢，从容，出于本能。

“我觉得好些了。”她说。

韩一口接一口地抽着烟。鲁丝穿过屋子，用手扶住韩的肩头使自己站稳。

韩转过头，吸了最后一口小雪茄，然后把烟掐灭。她站在那儿，听任鲁丝把她紧紧抱住。她们闭上眼睛，整个世界仿佛变成红色，为她们俩漂游起来。

“非常感谢。”鲁丝说。

“不要夸大其词，”韩说，“你应该吃点儿东西。我出去给你弄点儿。你躺着吧。”

“我不饿。”

“一定要吃，要恢复食欲。”韩撇撇嘴，哼了一声。

“什么时候我才能再听你唱卡拉 OK 呢？”鲁丝问。

“我已经厌倦卡拉 OK 了。我打算制作一张 CD。”

鲁丝咧着嘴笑了起来：“我在病床上完成了我的刺绣。放在哪儿了？我的手提包在哪儿？是送给你的。”

鲁丝在手提包里翻了半天，找到一块深褐色的方绸子，上面有几行她绣的非常工整的金色汉字。顶端还绣着一朵金色的莲花。

“色即是空，空即是色。”鲁丝念道，念完之后，把它送给韩。

韩把绸子贴在脸上。

“睡觉时我就枕着它，”她说，“我没有东西回赠给你。对不起。”

“你在这儿就够了。”鲁丝说。

“这只镯子本来就是你的，”韩说，“现在还给你。一个完美无缺的玉环。”说罢，从手臂上撸下玉镯，然后捉住鲁丝的手就要给她戴。

“它是你的，不是我的，”鲁丝坚持说，“非你莫属。从我第一眼看见它，我就希望它属于你。我从沈的手中接过这只镯子的时候，就打算传给你。是我要沈把它送给你的。我不得不想出一个让你接受的办法。”鲁丝把手指张开，这样镯子就戴不上去了。“这个圆环象征着你。”

韩拒绝。她不再需要什么象征她的“环”。相反，她希望从中解脱。从心底生发并且环绕她们的爱，必须返回它的源头，然后沿着那条红线一直走到底。她们抓住镯子，推来推去。镯子像套在绳子上的一把钥匙晃来晃去。她们笑着，每个人都想用镯子套住对方的手指，但那手指却像绽放的兰花伸展开来。她们感觉到彼此的气息和汗津津的肌肤。她们的眼睛闪闪发亮，脑袋、脖子和肩膀弯来扭去。她们的手闪避时，胸脯却蹭来蹭去。后来，镯子咔嚓一声断了，不再是一个圆环，成了两个相等的半圆。

韩原本绷得很紧的神经一下子松弛下来，手软软地拿着那半只无用的玉镯。鲁丝紧张不安地笑着，把她手里拿着的半只举到眼前，透过它凝视着，仿佛那是个单片的眼镜。

“每人半只？”她们异口同声地说，好像一起犯罪的同谋。

鲁丝咬着嘴唇，又觉得头晕目眩。

韩把她那半只玉镯包在绣着《心经》的绸子里，然后放入她的手提包。她给鲁丝盖上被子，弯下腰，轻轻地抚摸着她的头。她好像一只流浪的猫，找到了一个临时的住所。鲁丝连眼也没睁，找到韩的手，紧紧地握着。

“一言为定。”鲁丝喃喃地说。

“我去弄些吃的。”韩内疚地说，然后就离开了。

正月既望，有署中同乡三友拉余游河观妓。下小艇，如剖分之半蛋而加篷焉。先至沙面，妓船名花艇，皆对头分排，中留水巷，以通小艇往来。妇呼“有客”，即闻履声杂沓而出。余试招之，果即欢容至前，袖出槟榔为敬。入口大嚼，涩不可耐，急吐之，以纸擦唇，其吐如血。

余曰：“少不入广者，以其销魂耳，若此野状蛮语，谁为动心哉？”一友曰：“潮帮妆束如仙，可往一游。”至其帮，排舟亦如沙面。有著名鸨儿素娘者，妆束如花鼓妇。其粉头衣皆长领，颈套项锁，前发齐眉，后发垂肩，中挽一鬏似丫髻，裹足者着裙，不裹足者短袜，亦着蝴蝶履，长拖裤管，语音可辨。而余终嫌为异服，兴趣索然。

琢堂曰：“靖海门对渡有扬帮，皆吴妆。君往，必有合意者。

所谓扬帮者，仅一鸨儿，呼曰‘邵寡妇’，系来自扬州。”

因至扬帮。妓或红袄绿裤，或绿袄红裤，有着短袜而撮绣花蝴蝶履者，有赤足而套银脚镯者，脂粉薄施，阔袖长裙，语音了了。所谓邵寡妇者，肥妇矣。头用银丝为架，高约四寸许，空其中而蟠发于外，以长耳挖插一朵花于鬓：身披玄青短袄，着玄青长裤，管拖脚背，腰束汗巾，或红或绿，赤脚撒鞋，式如梨园旦角。登其艇，即躬身笑迎，搴帏入舱。邵寡妇心热面丑，请余择妓。

余择一雏年者，身材状貌有类余妇芸娘，而足极尖细，着短袜而撮绣花蝴蝶履。余与友放艇中流，开怀畅饮。至更许，余恐不能自持，坚欲回寓，而城已下钥久矣。盖海疆之城，日落即闭，余不知也。

及终席，有卧而吃鸦片烟者，有拥妓而调笑者。平头各送衾枕至，行将连床开铺。余招小艇渡到邵船，姑往探之，寮适无客。邵寡妇曰：“我知今日贵客来，故留寮以相待也。”遂移烛相引，由舱后梯而登。寮宛若斗室，旁一长榻，几案俱备。梯门之上，叠开一窗。邵曰：“从台可以望月。”

邵寡妇去，仅余与雏妓在寮。余与妓蛇形而出，即后梢之顶也，三面皆设短栏。一轮明月，水阔天空。纵横如乱叶浮水者，酒船也；闪烁如繁星列天者，酒船之灯也。更有小艇梭织往来，笙歌弦索之声，杂以涨潮之沸，令人情为之移。少不入广，当在斯矣。

回顾雏妓，月下依稀似芸，因挽之下台，息烛而卧。

次晨，雏妓悄然离去。昧爽，邵寡妇登寮。借晨曦之光，余始知邵寡妇乃憨园也。昔日之美貌歌伎竟变化为如此粗陋之圆脸肥妇。此时方知，昨夜灯烛之下，余已为憨园所识，故择一与芸相似之女伴余。

余未知当否相认。窃以为，彼虽貌似欢愉，然多舛之命运必令其困窘。彼或许暗忖余未识彼何人也，宁愿秘而不宣。然则待余致谢完毕，彼此对视之一瞬，余即明了，一切尽在不言中。

沈赶到医院，径直向血液科奔去。走廊里看到的都是陌生的面孔。先前的病人已经离去，新来的病人坐在他们刚才坐过的椅子上，等候大夫叫号治疗。鲁丝住的病房的门半掩着，窗帘也拉上了。凉爽清洁的屋内，光线昏暗，一片寂静。平平整整的床铺没有人动过。床头柜上只有一盏台灯和一个数字钟。这不再是鲁丝住的病房了。沈知道他没有弄错。她的物品一旦拿走，病房就完全没有个人色彩了，幽暗，清洁，像他和鲁丝先前来时那样，有一种病人一般不会注意到冷清。

鲁丝上哪儿去了？去手术室了？搬到另一层了？会不会……？想到这儿，沈不寒而栗，仿佛背上结了一层冰。这种事情会发生的这么快吗？生命，死亡，然后就清理得一干二净。此时此刻，她的尸体也许躺在……躺在哪儿？鲁丝消失得无影无踪。

他又冲到走廊，寻找他认识的人。不熟悉的护士提供不出任何消息。后来，就在他惊慌失措，不知道该怎么办的时候，帮助鲁丝煎过汤药的那位护士喝茶休息后，打着哈欠走了过来。

“出什么事儿了？”沈迫不及待地问。

护士耸了耸肩：“她办完手续出院了。”

“什么时候？”

“刚才。是她的朋友安排她出院的。她来拿走了她的草药。”

“她的朋友？她有没有留下信之类的东西？”

“她依然十分虚弱，”护士说，“我不晓得让她们走是否正确。但她不听。我又让她喝了些汤药，以便增强她的体力，后来，我帮她们叫来一辆出租车。”

“医生知道吗？”沈问。

护士耷拉着肩膀不吭声了。

“谢谢，”他说。他估计，在这件事情上，这位护士违反了医院的规定，

“她的朋友是个什么样的人呢？”

“一位女士，年轻的小姐。看样子挺有钱。”

沈上楼时，破旧的楼梯在脚下嘎吱嘎吱作响。为了寻找鲁丝和韩，他去过了她们可能去的每一个地方，后来才恍然想到，芸的灵魂返回她和沈复找到极大的幸福的老宅，隐藏在摇曳的烛光之下。他推开房门，那张床闪耀着血红色的光泽，四根帷柱，各插着一支行将熄灭的蜡烛。穿堂风把一支蜡烛吹得噼啪作响，随后熄灭了。鲁丝果真在这儿，躺在被子下面。夕照之下，落满尘土的窗玻璃和顶楼上方格式木窗仿佛组成一个发光的笼子。屋子里鬼气森森，除了擦得锃亮的床架和那口旧樟木箱子之外，屋子里每件东西上依然覆盖着一层薄薄的尘土。

“韩？”鲁丝喃喃地说。

她独自一人，看不出她是怎么来到这儿的，也看不出她现在的健康状况如何。沈犹豫着，不知道该不该叫醒她。

“不，”他说，“我是沈。”

“沈，”她重复了一句，声音中充满快乐。沈走过来的时候，她睁开眼，目不转睛地看着他。他在她的身旁坐下。被子下面，她觉得身上暖洋洋的。“我逃跑了，”她说，“我想回到这儿来。我在等待这栋楼房倒塌在我的周围。”她微笑着，脸上容光焕发，肌肤光洁动人。眼睛里那层阴郁呆滞的薄翳不见了。“我不需要做手术，沈。”

“是什么治好了你的病？”他问，纵容她说下去。看起来她和医院病床上那个鲁丝的确判若两人。

“是冯大夫的药。”

他的目光在她身上转来转去。他虽然非常怀疑，但是在她身上看到的那种活力却是千真万确的，不管这力量来自哪里。“韩回来了？”他问。

“是她把我从医院接回来的。”鲁丝说。

“她去哪儿了？”

“她说，去弄些吃的东西。”鲁丝回答道。

“我简直无法相信你的变化，”沈用手抚摸着她红润的面颊说，“正像遗失的两卷中所描述的那样，憨园以另一种生活方式救赎自己，而我的芸也将获救。”

“关于这本书，你的看法自始至终是正确的，”鲁丝说，“我们一直在等待这样的时刻。”

“两百多年了，”沈笑着说。他觉得那么轻松、那么愉快。他开始亲吻鲁丝。“如果没有你，我就像要被烧成灰的枯枝，真正的行尸走肉，只是为了寻找过去漫无目的地流浪。现在我们又有机会了。”他几乎要爬上床和她躺在一起了。

正在这时，第二支蜡烛摇曳着熄灭了。“我希望再去一趟那座小城……那个小旅馆。”她说。

“难道你忘了，我们所有的麻烦都是从那儿开始的。”他抱怨说。

“我那儿副药快吃完了。我得再去看冯大夫。”

“鲁丝，你爸爸就要来了——还有你继母。他们正在到上海的路上，”他急切地说，“正像你希望的那样。他们明天早晨到。”

她用手把嘴捂住，想起她的人生，她就心烦意乱。她想象着父亲那张宽宽的脸，越来越少的头发，一轮月亮似的大脑门儿。他油亮但稀疏的头发依然那么黑吗？他那短而硬的唇髭夹杂着黄褐色和白色的胡须。眼睛里总是闪烁着希望的火花。希望，失望，重新燃起希望，没完没了。她自言自语地重复着这个消息。“他真的要来这儿？为了临终的仪式？”

“不，为了手术。”沈说。

鲁丝咯咯地笑了起来：“哦，他会感到意外的，不是吗？他真的要来？太棒了。可是，现在他用不着来了。我们必须阻止他们。”

他们听到有人登上这座空楼房楼梯的脚步声，木板咯吱咯吱的响声在空洞似的破楼里回荡。

“可能是韩。”鲁丝说。

沈走出阁楼，走到楼梯平台上察看。不像韩。她的脚步总是那样轻快。脚步声临近时，一束手电筒的亮光斜射上楼梯井。

“谁？”沈大声问。

“复灵！孩子，是你吗？”楼梯井传来父亲低沉的声音。老人在楼梯拐弯处停下来喘息时，沈教授的影子赫然耸现在墙上。昏暗之中，他的脸愈发显得刻板，“拆迁办的人给我打电话说，有人闯进阁楼。他们害怕，不敢进来，担心是地痞流氓，或者鬼。只有你一个人吗？”

沈引路，向屋里走去。父亲跟在后面，像只鼹鼠。穿堂风又吹灭一支蜡烛。现在只剩下一支发出枯黄的光。借着微弱的烛光，他看见了那位姑娘。她那浅色的头发、金黄色的肌肤、宽松的白衬衣在一片昏暗中闪着神秘的光。他把手电筒的光朝鲁丝的脸照过去，她看起来面无血色。

“原来是你，”沈教授干笑了一声，“小狐狸。哦，你们不能待在这里了。现在，所有障碍都解决了。明天他们继续拆除。清早。”他以学者的腔调说，似乎在品味永久与暂时之间颇具讽刺意味的关系。“这幢楼房实际上不存在了。它已成为历史。”

“这是您父亲的房子。”沈平静地说。

“不必提醒我，”他父亲责备说，“正是因为要建造一座谁也无法忽视的豪宅的宏伟梦想，我那位资本家老子才使我受够了牵连。是的，现在一切都变成了历史。”

沈没有理会父亲激烈的反应。“鲁丝正在康复，爸爸。她的病情正在好转。威胁她生命的疾病已经得到控制。这是发现沈复那两卷书的直接后果。”

“不要犯傻了。”父亲说。

“您读过第五卷了吗？书中不是有一位佛教大师说过，在另一世，憨园将得到返回芸身边的机会，芸的病也因此而被治愈。从而他们继续幸福地过着漂泊的生活？”

沈教授哼了一声。他从衣袋里掏出卷成一卷的第五卷。“作为一个受雇于拍卖公司的文物鉴定专家，你不学无术，太可悲了，孩子。这两卷显然是赝品。”他把书扔到床上，然后翻开，用笔形手电筒指着其中的一段，“这种写作风格，这种字难道你不知道吗？这是20世纪初期的玩意儿，民国时期的。经过部分改造的文言文。沈复本人绝对不会那样用词。”

沈教授挥舞着那束“光”，就像挥舞着手术刀，逐字逐句地划过，指出近代才出现的简化字，指出新创造的词形和用法上的改变，虽然为数极少，但足以暴露赝品的真面目。“这是某个文人仿造沈复时代的旧式文体编造出来的一件最有趣的赝品，目的是通过满足这本书的爱好者们想了解故事结局的心理而取悦于他们。这是一件没有历史根源或历史背景的颓废之作。”这位辩证唯物主义者、老干部断言说，“你因为盲目相信被骗了，儿子。”

可是，事实表明，那两卷的内容是可信的，已经被生活本身的律动所证明。韩的去而复返和鲁丝的康复就说明这本书里写的那些事情都是真的。父亲也许按照学究式的年代学做了一番研究，认为这种事不可能发生。然而沈正经历着书里的情节，像他自己的亲身经历一样。

“应该有打击这类犯罪的法律，”老人说，“我们的国家是个发展中的国家，规章制度还不够健全。你可以把书退回去。”他边说边把沈以高昂代价换来的两卷书交给沈。“对不起，儿子，你们不能在这儿待了。这所住宅现在已经成了危险区，禁止入内了。它和我们已经没有任何关系。为了你和她的安全，你们最好马上离开。”他皱起眉头，条条皱纹显示出他一生经历的风雨沧桑。“你可以搬到你弟弟那儿住。他已经回家了。他知道你为他放弃了自己的住处。唉，我没有能力管你们了。”

沈教授离开之后，沈把第五、第六两卷和其他四卷放在一起，然后又把它们分开。

“狗杂种。”他气愤地骂道，眼前又出现杭州洗浴中心那个豁牙露齿的文物贩子。如果父亲说的没错，他们就成了这一精心设计的骗局的受害者。而蒙蔽自己双眼的竟是心中的热望。为了这两卷，沈放弃了自己收藏的极品——一对儿成化高脚酒杯。不过，司徒曾经保证，如果有证据表明那两卷是赝品，他将归还酒杯。

“韩已经回到我们身边了。”鲁丝说。

他们肩并肩坐在床上，最后一支蜡烛在自己流下的一片蜡泪之中轻轻摇曳。沈觉得枕头上有一件硬硬的东西。他拿起来，抚摸着两端粗糙的断面。在微弱的烛光下，他把它举起来。一截钩状的玉器，月牙形。“怎么回事？”他问。

“这是一个事故，”鲁丝说，“韩和我互相推让，把它正好从中间掰断了。”

“它现在一文不值了。”他说，不过玉还保留着它的温润。

“现在它变成两个半圆了。”她解释说。沈明白另一半是指韩。

那天夜里，沈和鲁丝在那张明代古香古色的床上相拥而眠，韩没有回来。

清早，拆除队开始工作。楼房四周围了起来，队长逐屋搜寻，有没有睡在里面的流浪汉。鲁丝帮助沈把床打包起来，但她有点儿头晕，只好坐在楼梯上休息。沈把床、衣箱和其他物品拖到街上，然后给里基打了个电话。里基答应一会儿就把公司的面包车开来。

他们隔着马路站在远处观看，只见吊在起重机长臂上的大铁球晃晃悠悠朝阁楼的窗户砸去，玻璃顿时砸得粉碎，天窗像火柴杆四处飞扬。大球随着铁链的摆动又晃悠回来，砸在墙上。墙砖鼓起，屋顶的瓦片向地面滑落，灰土像一团烟雾在清晨冲天而起。

巨大的铁球对着墙壁一次次猛击，几堵墙被砸开一个个洞，最后，屋顶像掷在平底锅里的烙饼，平平展展地倒塌在地面上。大楼的剩余部分，按照自己的“节奏”，有的东倒，有的西歪。在初升的太阳照耀下，砖头、木材和混凝土变成四层楼高的滚滚尘雾，隆隆声，咚咚声，咯吱声，响成一片。

沈觉得，铁球的每一次撞击仿佛都砸在他身上。鲁丝站在他的身旁，眼睫毛上挂满尘土。当她握住沈的手的时候，她的血肉之躯对于他，比现在那幢破旧的大楼更结实。楼房的顶层没有了，那是他的栖身之地，是政治动乱中他们全家避难的居所，是他心爱的书斋，现在它在铁球沉闷的撞击声中化为乌有。如果不是为了她，他不会一直站在那儿的。

邻居们都搬走了，观赏这道“风景”的只有过路人。随着较低楼层的坍塌，砖头和瓦砾堆得越来越高。笨重的铁球猛烈地撞击着最后剩下的墙壁，把它们砸倒在地，然后推土机开了进来。

一切都消失了，消失得那么快。

沈感谢那位队长，就像一个死囚感谢行刑人一样。他觉得应该有人站出来为盖房子的人说几句话。盖房子的人和曾经在这里干活儿的人都已作古。沿街漂游的尘埃也许就是他们最后退场的灵魂，终于被风吹散，被人彻底遗忘。现在，几代人住过的房子不复存在了。

他们乘坐奶油色面包车向里基居住的公寓大楼驶去，把掘土机的喧嚣留在身后。在公寓里，他们可以洗去身上的尘土。

“我们已经确定了下次拍卖会的时间，”里基说，他坐在沈对面的椅子上，“下个月。张军拿来的那些画也参加拍卖。你恐怕不赞成把它们也列入拍卖目录。”

沈目不转睛地看着里基。那一切似乎很遥远了。

鲁丝在淋浴器下站了很久，又是清洗皮肤，又是用清水漂净头发。她被刚才看到的景象搞得心烦意乱。她揉着手上的紫斑。她觉得，一个铁球也在撞击着她，想要摧毁她的精神。她知道她必须保持体能，随时准备承受它的下一次撞击。

淋浴之后，她觉得神清气爽，然后穿上干净的衣服。但是这种健康只是一种靠不住的假象。

里基向她微微一笑。“啊，”他接着说，“韩怎么样了？你们这几个家伙一定玩得挺痛快吧？”

沈带着那两卷赝品和一本《辞海》乘火车前往杭州。那部关于汉语词语的巨著大如枕头，重若青铜。沈现在才明白，那个商贩安排深夜在洗浴中心和他见面，是精心设计的一个骗局。为了能尽快找到司徒，他和老翁取得了联系。老翁劝他谨慎行事。但他下定决心，一定要让司徒归还那对酒杯。那对珍贵的成化高脚酒杯是他和鲁丝的定情之物。

那个文物贩子住在开发区一幢新盖的公寓里，坐落在城外种着茶树的山丘上。那是一幢普通的混凝土高层建筑，碰巧停电，沈不得不抱着那本厚厚的大词典吃力地爬上无数级粗糙的水泥楼梯。司徒家的铁门又是门栓，又是暗锁，加固得严严实实。沈敲了好一阵子，也没有人回答。他索性一声不响，坐在楼梯上等待。过了好长一段时间，屋里传来拖着脚走路的声音。钥匙转动，门栓打开，门拉开一条缝。沈看见文物贩子那双向外张望的眼睛。这个无赖别无选择，只好打开房门，阴沉着脸摇摇头，领沈走了进去。

司徒重新把门锁上，领着沈穿过屋子，拖鞋在地板上发出啪哒啪哒的响声。

沈没有喝司徒端给他的茶，而是开始讲汉语书面语言词形和用法演变的年代。他滔滔不绝地讲着，一脸冷峻，不露声色。父亲已经教会他如何对待这种无赖。

那个肥胖的家伙和沈面对面坐着，穿短裤、背心，看起来像个健壮的懒汉。他仿佛咀嚼着沈的每一个字，连腮帮子也鼓了起来。“有趣，有趣，”他不时插嘴说。当沈讲到所谓第五卷和第六卷中使用的那些简化字，并且指出其中的问题时，他没有提出异议，“哦，这倒也是一种不同的看法。新的信息。一切都在变化之中。总是出乎我们的意料。”

沈挺直腰板。“这就证明你给我的东西是赝品。我们曾经约定，如果那两卷被证明是赝品，交易就取消。”

“没错儿，”司徒含糊其辞地说，“可是情况已经变了。”

“情况是已经变了，”沈说，“没错儿，这么说来你应该归还那对高脚酒杯了。”

“当然应该……”文物贩子慢吞吞地说，“按照我们的协议，应该，可是那对酒杯的情况也变了呀！”

“你这是什么意思？酒杯绝对是真品。”沈不由得激动起来。

“噢，的确是真品，”那人说，满脸堆笑，“所以它们已经到别人手里了。

我不可能把它们永远留在身边，坐等学者们仔细研究那两卷书，好证明它们是赝品。你该知道，在我们的约定中，从来没有限定时间。”

沈紧张得脖子都痉挛起来。“可是那对高脚酒杯呢？你总该知道它们在谁手里吧？你可以把它们找回来。”

“事情可没你想的那么容易。如果那人已经把杯子转手给别人呢？别人又转手给别人呢？以此类推，这种无休止的转手谁能让它停止呢？”

“你是个骗子，”沈厉声说，“告诉我，它们落在谁的手里。我去找他们说明情况。我会求他们按照规矩办事。”

“你倘若想让那对酒杯再物归原主，恐怕就得花费相当大的一笔钱了。不管怎么说，它们是在极其慎重的情况下被转手的。如果我泄露了它们的下落，我就会发生信用危机了。好吧，恐怕只能这样了。”司徒说，双臂交叉，放在胸前，“你今天来这儿，我非常高兴。我很欣赏你对《浮生六记》的语言所做的研究。我对此一窍不通。学者们总能有所发现，并且提出修正的意见。现在，你尽管把那两卷古书紧紧攥在手里好了，因为它们已经属于你了。或者，你既然已经读过，如果愿意的话，可以把它们还给我。”

沈把那两卷伪造的书扔到文物贩子面前那张桌子上。就他而言，那一沓黄褐色的纸已经变成一堆粪土。它们应该留在能把它们变成黄金的骗子身边。不管怎么说，沈已经采取了预防措施——复印了一份。他不欠司徒任何人情。没有再说什么客套话，他把《辞海》第一卷装进背包，然后让司徒打开房门。

茶树在迷蒙的阳光下闪着亮光，他穿过栽种着茶树的梯田快步走下小丘，找到一个汽车停车处。他被骗，被抢，被掏空，被剥夺，而他却束手无策。他觉得自己就像微风中飘荡的一粒种子的空壳。他依然不知道沈复和芸的故事的结局。

列车隆隆地驶向上海。火车上，沈想起鲁丝，忘记他的愤懑、失望和空虚。他想起她那么喜欢小玩意儿，想起她看到扔掉的东西总是“流连忘返”，总是尽量利用那些已经磨损了的、破旧的东西。她自己对生活的要求低而又低，但是对那些需要帮助的人却慷慨大方。这正是韩的背弃使她受到毁灭性打击的原因。她从来没有要求韩的爱戴和忠诚，但当韩投之以李时，她自然报之以桃。后来，韩断绝了她们之间这种情感的交流。鲁丝本来不应该为此而痛苦。鲁丝是坚定的。她的承诺是那么真诚。从一开始，沈就爱上了她的这种品格。

芸于破书残画，反极珍惜。书之残缺不全者，必搜集分门，汇订成帙，统命之曰“断简残编”；字画之破损者，必觅故纸粘补成幅，有破缺处，倩余全好而卷之，名曰“弃馀集赏”。于女红中馈之暇，终日琐琐，不惮烦倦。芸于破笥烂卷中，偶获片纸可观者，如得异宝。旧邻冯妪每收乱卷卖之。其癖好与余同，且能察眼意，懂眉语，一举一动，示之以色，无不头头是道。

余尝曰：“惜卿雌而伏，苟能化女为男，相与访名山，搜胜迹，遨游天下，不亦快哉。”

芸曰：“此何难。俟妾鬓斑之后，虽不能远游五岳，而近地之虎阜、灵岩，南至西湖，北至平山，尽可偕游。”

余曰：“恐卿鬓斑之日，步履已艰。”

芸曰：“今世不能，期以来世。”

同日傍晚，沈和鲁丝乘船去田州，很晚抵达，把马奶奶从睡梦中唤醒。马奶奶见鲁丝显得那么健康，感到十分高兴。

上午，第一件事就是找冯大夫。冯大夫估计他们有可能来。她知道，到这个时候，给鲁丝开的药就该吃完了。如果鲁丝不来，就是不祥之兆。仔细检查完鲁丝的身体之后，冯大夫对她的康复情况非常满意。她说，病情的好转非常明显，但需要继续治疗，并且立刻开出一张处方。

鲁丝对这位医术高明的医生非常感激。这件事显示，倘若再次遇到想把她吹得偏离人生航道的感情风暴，她也有药可救了。冯大夫满脸笑容，把一包药递给她的病人。大夫说，如果你有时间，就总能找到办法。你必须把你的身体慢慢地“缝合”到滋养它的天地万物上，修复受到损伤的生命本原的每一条丝线。医生边说边用手指抚摸着鲁丝衬衫上的绣花图案，那是她在船上补缀上去的。

他们正要握手告别，老翁气喘吁吁、摇摇晃晃地闯了进来。沈从来没有见过老翁这么激动。他一听说这对“相思鸟”来到田州，就马上跑来找他们。他几乎是把沈和鲁丝拉出冯大夫的诊所，径直向山上走去。他们像一阵风大步走上小山，这时，他才想起应该祝贺鲁丝康复。然而，脚步并没有放慢。他们依然快步走在通往黄橡寺的卵石铺成的小路上。

他们在寺院门口停下脚步。这一对年轻的恋人像第一次来这儿时那样，回过头向小城望去。晨光下，鳞次栉比的房屋仿佛覆盖在一床柔软的、烟火熏暗的被子下面，运河的流水映照出悠远的蓝天。他们停下来喘口气的时候，沈断断续续对老翁说出杭州发生的事情。他用自己珍藏的一对明代成化高脚酒杯换了《浮生六记》遗失的后两卷。当时约定，如果证明这两卷书是伪造的，就各自把东西退还给对方。可是当他带着证据找到司徒的藏身之地时，司徒却说，高脚酒杯已经卖掉了。

“没关系，没关系，”老翁笑着说。“司徒一向就是个无赖。你不慎吃了一亏。不过你会读到你感兴趣的东西的。就等着瞧好吧。”他搓着一双手说。

“到头来，哪儿来还得哪儿去，”鲁丝说，“即使最精美的瓷器，也只是烘烤过的黏土罢了。”

“价值在于幸存下来的东西太少。正所谓物以稀为贵，”老翁说，兴奋得脚步不稳，“好了，进去吧。”

他们走进寺院大殿，一位老僧在那里等候。老僧的脸上有块胎记，像繁体汉字“门”的半边。老翁介绍说，这位僧人是这座寺院德高望重的住持，法号“破门”。上一次参观寺院时，他们虽然没有见过这位大师，但鲁丝和沈对他却有一种似曾相识的感觉。大殿里烛光摇曳，一束束阳光穿过殿门和窗户缝隙射入殿堂。屋顶，血红色的横梁下面，巨大的镀金佛像的佛首宛如漂浮在祥云之上。圣坛上供奉着橘子和蜡制的苹果，供香烟雾缭绕，袅袅上升。释迦牟尼佛盘腿而坐，二目低垂，双手合十。佛祖两边排列着其他佛像，是毁灭与重生的化身。信徒们在石板地面上跪拜、磕头，诵经声此起彼伏，这也是个忙忙碌碌的地方。

“你回来了，”破门边说边躬身施礼，“这边请。”

大殿后面，是供奉观世音菩萨的小殿，老僧领着他们绕到小殿后面，登上石头台阶，进入僧舍。这当儿，观音明亮的双目似乎一直追随着那位老僧。他们来到一间散发着霉味的小小的接待室，老僧请他们坐下。

从童年时代起，这位住持和老翁就一直是朋友。多年前，破门削发为僧，云游化缘之后，他们便各奔东西了。可是动乱的岁月，黄橡寺的生存受到威胁时，破门毅然返回来保护寺院，就像儿子保护父母一样。破门和老翁也得以重温他们的友情。

“那个年代，一切形式的宗教都受到怀疑，”破门说，“黄橡寺多次受到冲击。寺院的资产被没收，圣物不是被查封，就是被砸碎。僧人被批斗、示众，许多僧人不得不离开寺院还了俗。“大跃进”期间，寺庙大院变成二轻系统的一个工厂。公社社员搬了进来，打算在这里炼铁。后来，这儿成了一家生产电风扇的工厂，只留下一间小小的僧舍供无处可去的僧人居住。

“就在那时，一位身单力薄的老僧来到寺院。多年来，他一直过着隐士的生活。即使他来寺院时，也不想引人注意。据说，他步入老年——按照平均寿命七十岁计算——之后，他已经开悟[①]。那以后，他就以拯救家乡的佛教事业为己任。”

破门从容不迫地讲述着这个故事。“他悄悄地从一个寺院走到另一个寺院，给那些留下来的僧人说经讲道。庙宇被风雨剥蚀，雕梁画栋被蛀虫吞噬。僧人和尼姑们在忍受着无穷无尽的贫困和迫害。大师谆谆教导：佛的教义将与世长存。他来我们黄橡寺的时候，据说已经一百一十多岁了。他是最长寿的大师之一。”

破门忆及他的师傅，咧嘴笑了起来。

“长话短说，”老翁说，“你就书归正传吧。这两个年轻人可不能整天听你闲扯。”

“大师高深莫测，敏锐精明，”破门说，“他知道，在那些贪得无厌的人的眼里，有些东西要么毫无价值，要么不感兴趣。他们只想抢夺珍宝。因此，那些‘破破烂烂’的东西，很容易蒙混过关。如果藏起来，即使偶然被他们发现，也不会引起怀疑。比如佛经、文献，普通人眼里一钱不值的圣徒遗物[②]。年迈的大师开始藏匿这些东西。他小心翼翼，一直一个人做这些事情，不把其他僧人牵连进去。他们面临的危险和苦难已经够多的了。

“他不时让我给他采办新钱箱。我以为他健忘，就告诉他，已经给他弄来一个了。可他说没有，那一个弄丢了。我当时就纳闷，为什么钱箱不断地丢失呢。我只好隔三岔五就去打扰我的老朋友老翁。那时他在公安局档案室工作，能帮我搞到这玩意儿。”

“正是那个时期，我学会了绝对不要提问。”听着昨日的故事，老翁嘿嘿地笑了起来。

“原来，大师天不亮就独自坐禅。这当儿，他在黑暗中小心翼翼地把地板挪开，向下挖，然后把钱箱埋进去，钱箱里装满了他能装进去的东西。

①开悟：佛教用语，指一个个人体验欲望和苦难且达到涅槃的幸福状态。

②圣徒遗物：信徒敬仰的物体，尤指圣人的身体或者其个人物品。

钱箱的钥匙都在大师手里。”

“当局终于决定彻底关闭我们的寺院，”破门接着说，“没有人事先通知我们。大师命令我们，在那些乌合之众直捣寺院之前，大家马上离开。我表示反对，但他坚决主张，为了佛教教义的未来，他的教义，我们必须脱下僧袍，穿上当时流行的蓝色棉布劳动服赶快逃走。他的训诫是，努力活下去！至于他自己，他决定留下来。他说，要是老得连自己的年龄都记不得了，他就老得逃不动了。他将以自己的方式料理这一切。我们刚刚离开，一群暴徒就闯进来，光天化日之下，把大师活活打死在庙门口。老顽固，他们骂他。老顽固！”

破门擦了擦眼睛。“我虽然尽可能快地回到寺院，”他说，“但许多年后，我们这里的生活才恢复正常。我们一直慢慢地修复宏伟的殿堂，以重现黄橡寺昔日的辉煌。但这些年来我们一直没能彻底为大师恢复名誉。这仍将是我们的主要任务。”

沈摇了摇头，向鲁丝投去探寻的目光。他们俩都不明白，老翁为什么迫不及待地领他们来这儿听这个过去的故事。

破门拨着念珠，继续平静地讲述。“我们一步一步地重建寺院，先从大殿开始，把僧舍留在后面修。最后修的是后面的那间动乱年代我们住过的小僧舍。它只能使我们想起那些不堪回首的往事，所以没人愿意住在那里。于是那间小僧舍就变成储存大米和油的仓库。秋天，成群结队的老鼠肆无忌惮地进进出出，到处乱窜。因为我们是佛教徒，不能杀生，于是决定进行一次大扫除把它们赶走。那儿还有在窝里嬉戏的燕子，网上织网的蜘蛛，飞来飞去的蛾。地板里面还有不停蠕动的蛀虫。最后，我们掀起腐烂的地板，彻底扫除。就在几天前，一枚被弄弯的旧钉子掉下来，砸在什么东西上面发出金属的声音。我们从那个地方往下挖，发现了大师的钱箱。总共十二个，埋在地板下面。它们一直埋在那儿，而我们却从来不知道。”

老僧默默地坐在那儿，欣赏他的新听众好奇的表情。他很会讲故事。沈和鲁丝腰板挺得笔直，全神贯注，一心想听故事的结局。

“箱子里装满了珍贵的东西，”破门说，“我们的经文，我们祖师写的关于经文的解释。几篇文章，诗词，几幅去掉衬纸的书法绘画作品。在我们佛教鼻祖的遗物中，包括一个搔背用的‘老头乐’，据说是诗人冷山自己用的。牙签，耳挖子，还有大师本人用碎布缝缀而成的披风。等我们整理完毕，可以公之于众的时候，这些圣徒遗物都将成为我们博物馆的展品。”破门咧嘴笑了起来。“最后还有这件，”他打开一卷纸，以最虔诚的态度捧着它，“大师一生的记述。”

沈看看破门，再看看老翁，希望知道所谓“大师记述”的内容。他暗忖，为什么两位老人不直截了当地解释清楚呢？为什么不开门见山，直入主题呢？或者他们认为“点到为止”，这就足够了，只不过是另外一条和他们没有关系的线索的结尾？两位老人热切地期待沈的反应，沈却没敢贸然开口。

“大师谈到他隐藏寺院秘密文献的过程，”破门接着说，“他说，如果这些文献中的任何一件得以幸存都是天大的幸运的话，其中一件倘能得见天日更是非同寻常。子孙后代绝对料想不到会在这儿发现这无价之宝。这份文献记载了发生在这里的一个非同寻常的故事，是一位文人关于他生命晚期的回忆，应该纳入黄橡寺的历史传说之中。一个女人由于另一个女人的虔诚奉献而还魂的真实故事。观音菩萨对尘世间痴情男女大慈大悲的有力证明。因为作者不求沽名钓誉，所以约定当时不出版这本书。可是大师明确训示，凡是因为他埋藏起来得以幸存的文件，现在都要公之于世。你们应该猜到我说的是什么了吧？就是它。”

破门那双皮肤光滑的老手打开一张张手工制作的纸，每一张纸的尺寸和现代通俗小报的版面的大小差不多，上面是用毛笔写的一行行的字。横贯书页上端，用不同字体题写着：《沈复一生之续编——两卷》。

沈倒吸了一口凉气。接着，激动得像孩子般傻笑起来。这又是一场骗局？简直匪夷所思。老翁伸出双手，紧紧抓住沈和鲁丝的手腕。什么都不必说了。这一发现让他激动得浑身颤抖。鲁丝从他紧握自己手腕的手指感觉到他在颤抖。他把他的信念传递给他们——这两卷是真品。

破门拿出一双绣花鞋。那双鞋几乎连一点颜色也没褪。“这双鞋放在同一个箱子里。”他说。

鲁丝目不转睛地盯着鞋看，脸上露出微笑。这双鞋和她与沈初次相见那天晚上穿的鞋一模一样，那双鞋是她自己绣的。

“在那个年代，芸必定长着一双大脚。”她说。

“这是什么？”沈望着僧人手里拿着的一条磨损了的布带问。

“那一页页手稿卷成一卷，这双鞋塞在里面，再用这条红带子捆成一捆。”破门解释说。

“手稿是怎么说的呢？”沈问，轮番看着两位老人。

“为了把重建寺院的工作继续下去，僧人们需要资金，”老翁说，“他们作出决定，把手稿卖给出价最高的人。”

“如果是真品，”沈说，“这份手稿是无价的。”他依然琢磨不出这位老收藏家的意图。

“噢，是真品，”破门说，“我们有大师的遗言为证。沈先生，你和拍卖公司有联系。我们想委托你处理这件事情。你知道，对于诸如此类的事情，并不是谁都可以信赖。你愿意干吗？”

沈觉得自己似乎立刻就要爆裂了一般。他现在最不愿意想的事情就是拍卖。他只想知道新发现的这两卷书的内容。他关心的只是这事儿。“恐怕我很难当此殊荣。”沈说， 故意咬文嚼字。鲁丝微笑着推了他一把。破门重申了对他作为文物鉴赏专家的信任。事实上，沈只要带着这份新发现的珍贵的手稿出现在斯坦利·哈默尔的办公室，就能轻而易举地恢复工作。除此而外，他要想了解这两卷的内容，就只能同意破门的要求。鲁丝看得一清二楚。这就是老僧的打算。他手里掌握着描述沈复一生坎坷的最后两卷手稿。把这遗失多年、唯一幸存的原稿推向市场，推向世界，是沈应尽的责任。

这如山的信任让沈变得谦恭。他紧紧地握住破门的手，把珍贵的手稿夹在腋下。他极力克制自己，不去看那些寻觅已久的文字。鲁丝搂住他，吻了吻他的脸。她感到幸福。沈终于找到了他要找的东西。沈纳闷，鲁丝为什么显得那么平静。

老翁陪沈和鲁丝下山，路过他家时，他邀请沈和鲁丝进屋，他的老伴儿随后端上茶来。他拉上窗帘，把灯打开。古老的纸张不能直接暴露在阳光下面。纸的周边发黄，像在淡淡的茶水里浸泡过，而那字，却一行接着一行，一页接着一页整整齐齐写下去。只有页边的空白处，偶尔有几个修改或者补遗的字，就像什么人信步走出他们无法预料的人生之路。

在老翁家很安全。他们匆匆翻阅着手稿，老翁概述书的内容。

“你们瞧，那个歌伎的确回到了芸的身边。这些都是真的。憨园从虐待她的丈夫的身边逃走，去寻找她的朋友，但为时已晚。她只找到芸葬礼留下的供品和僧人们的警告——来世必须返回红尘，为背叛芸的一片痴心而赎罪。这和杭州那个文物贩子赝品中的情节完全一样，也许伪造那两卷的作者听到了什么，比如一些口口相传的逸事。那件赝品也并非一无是处，小沈。那两卷是按照后人的口味撰写的。你花了那么大的代价才换过来，当然属于你。你务必去找司徒把它要回来。”

“这以后，沈复的叙述和赝品里的故事就十分不同了，”老翁说，“那位歌伎不肯离开众僧，自己承担起照料芸墓地的任务。而那墓地原本由僧人守护。她改变了自己的生活，把自己当作祭品，皈依佛门。无论白天还是夜晚，她都对大慈大悲的观世音菩萨顶礼膜拜，祈求佛让芸重生。沈复对此当然一无所知。这也许只是一个徒然的梦想，一种歇斯底里的狂热。不过，不管怎么说，僧人们还是为她提供了一个住处，以了她的心愿。后来，她削发为尼，身穿素朴的道袍，打赤脚，用木碗，吃粗茶淡饭。她唱歌给芸的鬼魂听。夜里，她常常在床上颤抖，仿佛变成一块冰，知道芸永不安宁的灵魂不会扔下她一个人不管。

“沈复记述的续篇一直安全地存放在黄橡寺里，”老翁说。他耷拉着脑袋。他已经精疲力竭，好像把责任移交给沈，他毕生的任务就完成了。现在他累了，想一个人待着。于是沈和鲁丝向他告别。

返回上海的途中，沈和鲁丝阅读那部手稿，欣赏那一行行优美娟秀的毛笔字，品味字里行间蕴涵的深意，就像他们第一次在一起的那个夜晚。沈没有注意到，就在他全神贯注地阅读沈复发皱的手稿时，站在轮船顶层甲板上的鲁丝在冷风中连气也喘不过来了。

她有点头晕，有点发烧。她觉得自己像一叶小舟，被微风吹得离开停泊处，漂向遥远的彼岸，漂向一个未知的终点。

余任明府幕僚，以履行琐细吏事巡游于县境，时或悼念亡妻，伤往昔欢愉之已逝，余尤惧归芸昔日翘首以待我之故里，然佐幕期已满，舍此已别无他途。

归里日，余穿门入庭，适推门入室之际，芸出门相迎，犹如妻迎其夫，吻吾颊，伸手相抱，余即感彼确系血肉之躯。此非吾之幻象，彼亦非幽灵，然余方欲询其故，彼示余禁声勿问。

“余犹以汝……”余迟疑未敢吐此字。彼矢言此事纯属误会。余犹忆曾坐于芸遗体之侧，跪叩于坟头之泥地，岂全系一梦乎？余得其归来，乐极而不再有所疑。

由是，余与芸起居仍若寻常夫妻。余从未问及，彼曾往何处或如何归来。彼亦未表露有异于常人之迹。余时或佐幕远游，谋职于各处，幕中犹时刻思念吾爱妻，或思其禀性之美，或从余所遇美女之面容搜寻芸之貌，美女则余目光流盼所触及者，由是常自责用情不专，于时余径返温馨而富情趣之家，以家中有芸在，有芸身边之物，有生长之活物或破笥烂卷，亦有新奇之发现、谐趣之奇思妙想。值日暮或月下无人觉察之际，芸喜女扮男装掩人耳目，与余双双外出，访游世人尚少光顾之寺庙与亭台楼阁。

余与芸共起居多年，恩爱情笃，想方设法互示爱意，犹如每刻乃苍天所赐，乃自暂借之时光窃来之惊喜。

此后某日，吾俩曾赴田州一游，造访闻名之黄橡寺。此前憨园已离芸葬身之地，立誓为尼，远离尘世。初长时修行于深山，后归隐某庵为侍役，仍虔诚舍身以奉女菩萨观音娘娘。

是日，吾俩于奉观音神像之大殿，见一瘦削赤足女尼，着褐色道袍，低垂新长短发如桃之首，以秸草捆扎之扫帚清扫石板地面。其双目俯视，似从后窥视余与芸。芸蓦然回首，犹如驱赶绕颈而飞之蚊蝇，瞬间，其目光恰与憨园之凝视相遇。憨顿悟其祈求已有厚报，复默然垂视地面，继续清扫。能获此顷刻相认，彼已别无他求。

是夜，芸与余宿于山门旁之小客栈，如常相拥入睡，不料此乃最后一遭。凌晨，余自睡梦觉醒，芸已杳如黄鹤。

此后，余为搜寻芸纵横于宇内，行程愈远愈宽，然已无缘重逢矣。余间或疑受幻觉所愚。初，芸返魂时之乐事乃吾俩共有之秘，故迄今余从未表露因再失芸而延续之伤悲。此乃吾之隐私。多年已往，迄余重返田州，并重访同游之寺前，彼突然消逝之故，余始终未得其解，长时深埋于心底。

女尼久已离此他往，无人知往何处。然彼离庵前，曾向其师忏悔，吐露生平经历。彼告以曾钟情于一年轻相公与其聪慧之妻，夫妇俩亦报以无限之深情，然彼却背负其深情厚谊，致令眷爱彼之少妇猝然身亡，亦令相公为之心碎。自此彼为补过皈依佛法。某日在此庵中，彼目验菩萨之悲悯，终令恩爱夫妻双双出现于人世，夫人是夜亦访晤憨于梦中，相拥之际，确感有令其寒栗之冰冷身躯。

值两妇人之目光，相遇于其时常清扫之观音殿中，激情如炬，致渐行消散之热情重返二人心中，困扰两人之思网情索依然未断。女菩萨娘娘亦认可此片深情。无奈时限已届，是晚夫人又离其夫重返阴间。

曾听取憨园忏悔之讲述人，述此故事毕，凝目瞩余，或认定此心身疲惫之中年访客，乃一命途坎坷之人，问余有何所感，对此故事或信或疑，极欲知余如何作答。余坦言："汝所述之丈夫即余也。吾乃沈复也。"

听罢讲述，余惟存一念，应将平生经历笔之于书。然迨余述及末章，犹如惧人嘲笑而保留芸返魂之秘，余尤惧人鬼相恋之事备受责难，决计秘而不宣。芸如此真实，其如此温暖之身，其体内有热血流动，余暗里自知。

余写就早年闺房之乐、坎坷之困、闲情之趣与浪游所见，以娱亲友，终未着墨于上述经历。唯独余所撰寺史中，尚保留部分余亲历之起死回生奇迹，此乃菩萨之大慈大悲所赐也。余此段往事将永存寺中。

浮云朵朵，映照在江水之中，大江像一条缥缥缈缈、起伏不定的灰色长丝带。船只往来穿梭，不时有鸟儿在头顶盘旋。广告牌上，墙上，寺庙金色的屋顶上，各种色彩闪闪烁烁。沈和鲁丝像装着大米的麻袋一样坐在甲板上，读手稿，吃冰激凌。鲁丝把沿途水塘里状似破雨伞的枯萎的荷叶指给沈看。他们像渔民，拖上了满载鱼虾的渔网，坐在船头，心平气静。

绣花鞋就是命运轮回的证据。除了拥有从沈复和芸早年生活中积累的知识之外，更重要的是，他们相互之间觉得那么熟悉，亲密无间，会意的眼神，肌肤的接触，以及对往事的记忆。这样，他们似乎融为一体，沈能感觉到芸曾经有过的感觉；鲁丝也能理解沈复理解的那些东西。这种复杂性可能导致某种混乱——已经混乱了多次——可是当轮船突突响着驶向上海的时候，一切都显得和谐美好。

轮船停靠在码头，我们和其他旅客一起走出渡口。那份珍贵的手稿紧紧地夹在我的腋下。我们无家可归，天又黑了下来，于是我们决定，坐三轮车，穿过僻静的小巷去我过去的办公室，希望在下班前能碰到里基。他依然是我可以风雨同舟的好朋友。我那张明代古床存放在他那儿的储藏室里，我们希望能在那儿睡觉。我不想让那份手稿离开我的视线，而且我认为，在我和斯坦利谈妥并把手稿放进上海国际艺术品拍卖公司的保险柜之前，最好不要把这事告诉里基。

如果斯坦利愿意重新启用我，并且同意分给我这一罕见项目的佣金，我就能偿还债务。如果他答应不让我再干有损我鉴赏力的事情，我就会高高兴兴重返过去的工作岗位，稳稳定定地过日子。

“看起来你准备低头认错了，”里基挖苦说，以为我将不得不向斯坦利卑躬屈膝，好让他重新雇佣。“要有好戏看了。亲爱的，你好！”他吻了吻鲁丝，“画廊一直在找你。有两幅画已经有人准备收藏。只剩下一两幅还没有卖出去。你已经赚钱了。”

“唉，亲爱的，”鲁丝作戏似的叹了口气，“就把这几幅卖不出去的画存在你这儿吧，里基。”

“我会把它们挂起来。万一你们忘记回来，作为对你们的纪念。”

“我们再也不出去了。”我向里基保证。

我们说说笑笑，一起离开公寓大楼。这是上海美丽的夜晚，华灯齐放，紫的，粉红的，还有橘黄的。人们逛来逛去，寻找值得一看的景物。新拆除的房屋，新装修的店面，新改建的大楼，总有以前未曾尝试过的新鲜玩意儿——充满乐观精神和对新鲜事物的渴望，永无休止的花样翻新。

我们三个朋友到大街上溜达，发现一个令人愉快的小餐馆，在那里可以吃点小吃。吃晚饭的时候，里基告诉我们，有一家新近开张的夜总会别具一格，比“红玫瑰”更时髦，更高雅。他说，自从韩离开，“红玫瑰”一直走下坡路。

新开张的夜总会叫“蓝天”。我随身携带着珍贵的手稿，真正遗失的两卷，不由得紧张不安，但我发誓，一定保持清醒的头脑，始终不让它离开我的视线。我们乘出租汽车到夜总会，里基给我们买了入场券以示招待。他干得不错，而且还没有找到花钱的爱人。

“蓝天”的大门模仿“天堂之门”建造而成，金色的门柱，粉白相间的大理石云纹墙面，雕刻在门楣之上的蓝知更鸟展翅飞翔。夜总会爆满。身强力壮的门卫奉命行事，有桌子空出来之前，不准任何人入内。我们在台阶上徘徊，等待，体验上海那种独特的氛围。它的美好，它的前景，让你不想去任何别的地方。这就是我们的城市，我们的生活，这就是正在变成现实的未来——这就是我们此时此刻的感觉。

门卫指着大厅那边的一个位置告诉我们，有一个可以坐两个人的长条软座一会儿就空出来了，我们三个人可以先在那儿挤一下。不断变幻的灯光下，一对男女正准备离开。男人帮那个女人穿短上衣。里基带路，我们朝那儿走去。

那两个人选择另外一条路，穿过拥挤的桌子退场，因此没有和我们擦肩而过。不过我还是看了那个男子一眼，他衣着考究，身材魁梧，神情冷漠，一望而知是个富有的香港人。跟在他后面的女子是个当地人。我看不见她的面孔，只能看见她男孩子似的体形。我猜想，她是那个香港人约会共度良宵的女友。后来，她转过脸，看见鲁丝，脸上顿时露出笑容。原来是韩。

她挥手。她朝我们俩挥手，目光却盯着鲁丝。她一边比比画画示意鲁丝过去，一边朝那位“护花使者”挤眉弄眼，样子十分可笑。鲁丝报以难以言传的甜蜜的微笑。她虽然被韩吸引，但还是克制住了自己。昏暗的大厅里，人头攒动，桌子和人群挡住去路，韩被那个不想放手的男人拉着继续向前走，而鲁丝夹在里基和我中间。她和韩不可能彼此靠近说话。

韩消失在门口时，送给鲁丝一个飞吻。仅此而已。

那天夜里，鲁丝显得异常平静。她似乎喜欢这种超然物外的感觉。里基对我特别关照，甚至有点献殷勤，我要再回公司，让他喜出望外。他说，我是他的“伙计”，还用那样出神入迷的目光盯着我，直到鲁丝把我推开，和他去跳舞。她低声向我保证，她会用生命保卫那份手稿。

我们带着那份手稿平平安安回到里基的住所后，我终于放下心来。我和鲁丝睡在我的那张床上，感到心满意足。

第二天上午，斯坦利热诚地接待了我，但我把那份手稿拿给他看的时候，他却有点怀疑。他怀疑我是利用这份手稿报那一箭之仇。他自己没有能力鉴别真伪，甚至里基为我担保，他还是不能释疑。他是个谨小慎微的人，不相信自己的判断。琳达对我依然耿耿于怀，因而，斯坦利不得不回家和她商量。可是，这件稀罕之物落在竞争对手手里的危险足以动摇他的决心，何况我有来之不易的诚实正直的好名声。最后，他决定，如果我有能力而且愿意证实手稿的真实性，他愿意做这笔交易。他同意我的条件：公司和我分享拍卖的佣金，并且允许我复职。我一再向他表示谢意。

通过父亲的关系，我着手邀请学术水平很高的专家对手稿进行鉴定。实际上，我对手稿的真实性深信不疑。唯一的问题是确定拍卖时间。发现手稿的消息一旦传出去，就会像野火一般在喜欢这种事儿的人们中间蔓延开来。于是，我穿上西服，系上领带，返回工作岗位。

这些天，我不知道鲁丝在干什么。她白天在城里逛游，晚上回来与我再度相会。我既珍视与她一起外出的美好回忆，也珍惜像普通恩爱夫妻那样，在家里消磨的甜美的时光。我相信，在韩匆匆离开夜总会时抛来那一瞥之后，鲁丝再也没有看见过韩。可我担心，与韩的邂逅会勾起鲁丝对往事的回忆，影响她的健康。但看不出有任何此类迹象。

那些天，我觉得鲁丝怪怪的，几乎不是她自己。她好像已经远去，变成一张褪了色的照片。表面的宁静背后，她变得超然、冷漠。她一如既往，以她全部的激情回应我的挚爱。当我们的肉体形成一个亲密无间的“圆”，然后穿过那个“圆”融为一体时，我们真是快乐无边。也许我们的性爱已经达到极致，但依然有一种莫可名状的东西缠绕其间，而我们自己的某一部分没有卷入其中，这使我们感到困惑。我对鲁丝说，我有时觉得，芸和沈复好像从床的两边看着我们做爱，他们各自的目光渐渐地把我们拉开。

“你不明白吗？”鲁丝说。她以她那特有的坦诚的目光看着我。她扬了扬浅色的眉毛，秀发散发出一股清香。她的皮肤呈半透明，脉脉含情地看着我，心中所想尽在清澈明亮的目光之中。“如你所知，答案都在书里，在沈复未公开的续篇之中。由于憨园的虔诚和沈复的爱，芸死而复生。为了让那些情丝未断的人再续前缘，菩萨打破生死的法则，让他们在比人敢企及的长得多的时间内轮回。然而，故事还没有完结。相互之间的爱让我们又一次得以重生。憨园虔诚奉献中蕴涵的勃勃生机又让我们回到尘世，成为一对凡夫俗子、痴男怨女。而我们仍为情所困。为什么？”她握住我的手。“这样做要达到什么目的？它要我们做什么？该是斩断这根情丝的时候了。这样做不是失去，只能获得。”

我觉得她的话十分费解。我担心她因独自消磨时间太久而自寻烦恼。我们既没有自己可住的房子，也没有完全恢复安定的生活。我怕她再次犯病，但我什么也没说，因为我不愿让她着急。我俯身向前，伸出双臂，长时间地紧紧拥抱着她。除了她，我目无所视。她是我称心而难得的红颜知己，我唯一的、永远的爱人。当我谈到那一瞬间心中甜蜜的感觉时，我深信那也是她的心声。这段经历我们终生难忘。

“我们是在牛郎和织女相会的那个夜晚相遇的。”她说，“你记得吗？他们一年相会一次。那时候，两颗分离的星星靠得很近。他们的故事年复一年地重复着。我们不像他们。我们只有一个故事，通过时空轮回相遇，然后便书写下一个长长的、曲折复杂的故事。别人都不像我们。”

我笑了，放心了，再次把她拥在怀里，相信我们一定会证明，“恩爱夫妻不到头”这句谚语是不能成立的，而且要作为一对恩爱夫妻白头偕老。

拍卖那天，人们从世界各地蜂拥而至。那位系圆点花蝴蝶领结的老拍卖师再次被雇佣。前法兰西夜总会的舞厅再次摆满漂亮的花篮，与一面面红黄两色的旗帜相映成趣。有钱的、充满希望的、精明的、好奇的人们云集舞厅。副市长坐在第一排，旁边坐着琳达、艾薇和张军。使琳达大为欣慰的是，张与艾薇已经形影不离，尽管他是有家室之人。妻子曾经帮助他走上仕途，现在正忙于机场的主管工作。可怜的艾薇！我注意到副市长没拿拍卖目录，好像拍卖与他毫无关系。

第一组拍品是十几个陶俑，上面依然带着泥土，出自古都长安附近某个偏僻的地区。看起来当地的盗墓贼已经在陶俑的彩绘上做过什么文章。它们虽然古老，但毫无特色。现在，市场上到处充斥着这类东西。它们的命运不过是被摆在饭店大厅和高级公寓装点门面罢了。这几件东西没有打破拍卖纪录。

接着，副市长的绘画藏品登场了。拍卖师用力敲了一下锤子。有些人想必知道这些拍品的出处，大厅里立刻响起一片嘁嘁喳喳的说话声。里基为了讨好斯坦利，在拍品目录中对每幅画都提出很高的评价和要价。他偷偷躲到大厅后面的咨询台后看动静，没有跑到前面凑热闹。喊价竞买的人都是趁机想拍副市长马屁的人。但是，尽管拍卖师极力鼓吹，煽动人们出高价，但响应者寥寥无几，竞拍很快停止。副市长气得僵在那儿一动不动。琳达胡乱翻着手中的拍卖目录，东张西望，寻找她的丈夫，似乎哪个环节出了差错。反应冷淡，好像人们知道那些画是伪造的。张垂下了头，心里明白，他一定会受到指责。艾薇的脸红得像西红柿。一幅接着一幅，副市长的画都没能进入他们预期的最低价格，最终撤出拍卖。

我和斯坦利站在舞台侧翼，没敢看他。毫无疑问，他认为我应该对这些画拍卖失利负责。我除了用一双眼睛证明自己无辜之外，没有别的办法。我竭力避免喜形于色。

拍卖发生了有趣的转折。拍品继续登场。有好的，也有不好的，有毫无价值的，也有普通的和特别好的。大权都掌握在竞拍人手里。

“二十六号拍品，”拍卖师大声宣布，大厅里顿时一片寂静。“女士们，先生们，现在，我们荣幸地向诸位推出一部古典文学作品——沈复的《浮生六记》遗佚的后两卷的作者手稿。这两卷是遗失了近两个世纪才被发现的。经过专家证明，完全是真品，迄今为止，还未曾公之于世。”舞厅里鸦雀无声，“也许有的人心存疑虑，但是绝大多数人认为，手稿的真实性显而易见。

女士们，先生们，准备好了吗？想想看，我会报多高的价呢？”

喊价像连珠炮一样此起彼伏。在底价的基础上，节节攀升，势不可挡。差一点就达到二百万美元了，拍卖师的小木槌在空中游移不定，要人们考虑，再考虑，然后小木槌向下一击，整个大厅为之震动。千载难逢的珍品最后归于台湾的一家研究机构。为了获得对于我们中华民族文化遗产的监护权，他们愿意付巨款，买下这两卷书。我暗自高兴，简直无法相信会卖这么多的钱。百分之十二点五的钱属于我了。我从舞台侧翼跑出去，紧紧握住拍卖师的手。我环顾四周，看见老翁站在大厅后面，像一个圣人闭着一双眼睛，仿佛要打一会儿盹。我们让黄橡寺发了大财。

后来，我东张西望，寻找鲁丝。我一排一排反复察看，直到后面的角落。我还清清楚楚地记着第一次看见她的情形。她就站在那儿。我直盯盯地看着她，后来，我心血来潮，把《浮生六记》撤出拍卖的时候，发现她正用审视的目光看着我。她一直站在那儿，就在第一次拍卖时站的那个地方。可是现在，哪儿也没有她的踪影。

里基说，因为大厅里闷热，她有点受不了，所以出去透透气。我以为在宾馆的庭院里可以找到她，可是庭院里所有的长凳都空着。沿着假山碧水间的小径倒是有人散步，但不是她。我猜测，她一定回里基住的公寓休息去了，于是就钻进一辆出租汽车去找她，可是她也不在那儿。我发了疯似的在城里四处寻找，察看她可能去的每一个地方。“蓝天”夜总会、医院。我甚至让出租汽车把我送到我家老宅。到了那儿才恍然想起，那幢楼房早已荡然无存。瓦砾被清理之后，已经破土动工，兴建着什么新鲜玩意儿。栅栏上有块牌子，牌子上面写着：VERSAILLES DE SHANGHAI①，一望而知，这是一处豪华住宅区，已经开始出售。鲁丝当然不可能在那儿。

我已经从拍卖品中把那双绣花鞋留了下来，那双鞋是和手稿一起发现的，估计是芸娘的鞋，和鲁丝绣的那双一模一样。我刚把手放在背包上，

①字面上的意思是：“上海凡尔赛宫”。

就意识到，那双鞋也不见了。这是一个信号，鲁丝真的走了。我接受了早就应该知道的事实。这次我可无法再让她回到身边。她已经走了。

我求助于老翁，他替我做了一番调查。从老翁那里获悉，鲁丝去过田州，在我们住过的那个小旅馆里和马奶奶一起住了一个晚上，第二天，就去黄橡寺向寺院的住持破门求教。芸接受了在观音殿里扫地的赤脚尼姑的召唤。同样，鲁丝在与韩最后一次见面时，也接受了韩的召唤，尽管只是无言的一瞥。她有自己的债要还，自己的路要走。随着这个真实的故事大白于天下，她意识到，现在该她按照自己的真实去生活了。

满怀人性的渴望，我们尽最大的努力顽强地坚持着。我们重返人世，完成我们的故事。现在，是我们终于可以解脱的时候了。我们之间感情的激流把我们和生命的脉搏结合在一起。这股激流在经历了所有动荡不安的轮回之后仍然奔腾不息。现在是斩断这缕缕情丝的时候了。

破门看出鲁丝彻悟了这一点，因此愿意帮助她，满足她的要求。他安排鲁丝去更远的内地旅行，去深山里。我相信，是去九华山一带。那儿有可以给她提供临时住所的寺院。后来她又继续往前走，显然，进入白云缭绕的山峰和大雾弥漫的峡谷。在那里，时间与世界统统融入永恒。那就是她最后消失的地方。

也许，我也像她一样终于明白，她的归宿也许正是我们这个故事的必然结局。只是我不愿意接受这种结局，因为我偏偏是个被爱情所困的人。

鲁丝的父亲给我写来一封信。一则，因为鲁丝不做手术，我打电话通知他们取消了行程，对我表示谢意；二则，对他的女儿与我分手表示同情。他和劳拉对我致以热烈的问候。后来，他给我寄来一张明信片，那是鲁丝寄给他的。画面是雪域高原一座不引人注目的、朴素的寺院里一头镀金大象。鲁丝写道，她把时间分别花在祈祷、刺绣和种菜上。她不知道下一步将会怎样。她写道，她经常思念她爱着的人们，希望我们不要因为她的缘故而忧伤。*乃至无老死，亦无老死尽*。她从《心经》中引用的只言片语是我们了解她健康状况的唯一线索。我祈祷她不要旧病复发。

鲁丝在给父亲的信中写道，她打算抽时间把她的亲身经历写下来，写她自己的“第七卷”，并且希望早日写完送给我。她是和我开玩笑，再让我去寻找遗佚的篇章。不过，迄今为止，我还没有收到。

在鲁丝有意无意留下的物品中，有那半只圆形的断镯。我在床上发现，断镯与一条红丝带放在一起。红丝带便是把芸的绣花鞋和沈复的手稿捆在一起的那条。它使我想起那许多往事，被我珍视为在这个红尘世界主宰我命运的一条红线。它也许不值得展示，但对我来说，它意味着一切。

《浮生六记》全本即将由台湾一家出版社出版。

与我的办公室相对的大街上，一家豪华的新宾馆又拔地而起。宾馆下面是一家家出售奢侈品的商场，其中有一家是古玩店。白天有一段时间，我坐在办公桌旁边向下望去，就可以看到那个商店的交易情况。我的视力很好。有一天，我看见一个身穿白色网球运动服、手拿网球拍的人沿着人行道散步。我猜想，他是个美国人，年纪比较大，属于那种肌肉发达，皮肤晒成古铜色，为了保持旺盛精力而运动过度的绅士。他停下脚步，凝视着古玩商店橱窗里的一对“斗彩”高脚酒杯。那对酒杯吸引了他的注意力。

我从那么远的地方就可以看见那对酒杯，是因为我知道它们放在那儿，而且知道上面还挂着一个价格不菲的标牌。这对杯子是有一天突然出现在那儿的，我把它们视为那位打网球的老兄将要落入的陷阱。

就是那天，而且同一个时刻，一位姑娘从旁边走过。她衣着入时，身穿定做的黑灰搭配的夹克和裤子，出于最好的时装设计师之手。若非她的胸部曲线迷人，她几乎就是一个留着短发、戴着时髦墨镜的小伙子。这使我猜到，她就是韩。看见那对酒杯，她立刻停下脚步，然后紧贴橱窗玻璃看了起来。她以前当然见过这对酒杯。现在又认了出来。话说回来，这对精美的明朝皇宫使用的高脚酒杯放到哪儿都引人注目。后来，她注意到那个外国人。我猜想，事情发生的次序是这样的——而且是不可避免的——他们的视线一旦偏离这对让人叹为观止的酒杯，投向各自在橱窗玻璃上迷人的映像时，立刻就会被对方吸引。

后来我听说，韩嫁给一位生机勃勃、充满活力的美国电影业巨头，后来移居到好莱坞。可是婚礼后六个月，那个人意外地死于心肌梗塞，把他的影业公司在中国的所有特许经销权留给了韩。

韩已经回国在上海定居，成了一个富有而幸运的女人。这么久之后，她终于解脱。尽管我们可能多次走过同一个大厅，但我们从未相遇过。

至于我心爱之人的不辞而别，我只能说，痛苦之中也会有最纯粹的幸福。除了记忆，我还知道，某种经历会继续以难以捉摸的形式一直存在下去。就如已经发生的那样。除此而外，我别无他求。

从此扰扰攘攘，又不知梦醒何时耳。

图书在版编目（CIP）数据

黑玫瑰&红线 / (澳) 尼古拉斯 · 周思著 ; 李尧译
. -- 青岛 : 青岛出版社, 2017.11
(李尧译文集)
ISBN 978-7-5552-6347-0

Ⅰ. ①黑… Ⅱ. ①尼… ②李… Ⅲ. ①长篇小说－小
说集－澳大利亚－现代 Ⅳ. ①I611.45

中国版本图书馆CIP数据核字(2017)第290613号

书　　名	黑玫瑰 · 红线
著　　者	（澳）尼古拉斯 · 周思
译　　者	李　尧
出版发行	青岛出版社
社　　址	青岛市海尔路 182 号（266061）
本社网址	http：//www.qdpub.com
邮购电话	13335059110　0532–85814750（传真）0532– 68068026
责任编辑	刘　坤
整体设计	刘　欣
印　　刷	青岛国彩印刷有限公司
出版日期	2018 年 1 月第 1 版　2018 年 1 月第 1 次印刷
开　　本	32 开
印　　张	13.25
字　　数	280 千
书　　号	ISBN 978–7–5552–6347–0
定　　价	58.00 元

编校印装质量、盗版监督服务电话　4006532017　0532–68068638